Boży bojownicy

Andrzej SAPKOWSKI

Boży bojownicy

superNOWA
WARSZAWA 2004

Opracowanie graficzne Tomasz Piorunowski
Na okładce wykorzystano fragment obrazu Pietera Breughla
Triumf śmierci

Copyright © by Andrzej Sapkowski, Warszawa 2004

Niezależna Oficyna Wydawnicza NOWA Sp. z o.o.
Dział handlowy
ul. Nowowiejska 10/12
00-653 Warszawa
e-mail: redakcja@supernowa.pl

Redaktor naczelny Mirosław Kowalski

ISBN 83-7054-167-4

Druk i oprawa: Opolgraf S.A.

Świat, cni panowie, ostatnimi czasy wziął się nam i zwiększył. A i zmalał zarazem.

Śmiejecie się? Że niby bzdury plotę? Że jedno drugiemu przeczy? Wnet wam dowiodę, że bynajmniej. Wyjrzyjcie, waszmościowie, oknem. Cóż to widzicie z niego, na cóż widok się roztacza? Na stodółkę, odpowiecie zgodnie z prawdą, i na wychodek za nią. A cóż dalej jest, spytam, tam, za wychodkiem? Owóż baczcie, że jeśli spytam dziewki, z piwem do nas spieszącej, odrzecze, że za wychodkiem jest rżysko, za rżyskiem Jachymowa zagroda, za zagrodą smolarnia, a dalej to już chyba Kozołupa Mała. Zapytam karczmarza naszego, ten, więcej światłym będąc, doda, że to nie koniec wcale, że jest za Małą Kozołupą także Wielka Kozołupa, za nimi osada Kocmyrów, za Kocmyrowem wieś Łazy, za Łazami Goszcz, a za Goszczem to już chyba Twardogóra będzie. Ale baczcie, że im co uczeniejszego spytam człeka, jako was, dla przykładu, tym dalej od stodółki naszej, wychodka naszego i obydwu Kozołup odbieżym – boć bardziej światłemu rozumowi wiadomo, że się na Twardogórze świat również nie kończy, że dalej są Oleśnica, Brzeg, Niemodlin, Nysa, Głubczyce, Opawa, Nowy Jiczyn, Trenczyn, Nitra, Ostrzyhom, Buda, Belgrad, Raguza, Janina, Korynt, Kreta, Aleksandria, Kair, Memfis, Ptolemais, Teby.... I co? Nie rośnie świat? Nie coraz większy nam się stawa?

A wżdy i to nie koniec jeszcze. Idąc za Teby, w górę Nilu, który jako rzeka Gichon ze źródła w ziemskim raju wypływa, dojdziemy wszak do ziem Etiopów, za którymi, jak wiadomo, jest Nubia pustynna, jest kraj Kusz gorący, Ofir złotodajny i cała niezmierzona *Africae Terra, ubi sunt leones*. A dalej ocean, który całą ziemię opływa. Ale i na oceanie owym są przecie wyspy – jako to Cathay, Taprobane, Bragine, Oxidrate, Gynosophe i Cipangu, kędy klimat cudownie urodzajny, a klejnoty górami leżą, piszą o tym uczony Hugon od Świętego Wiktora i Piotr d'Ailly, jako i imć pan Jean de Mandeville, któren własnymi oczyma cuda te oglądał.

Tak tedy udowodniliśmy, że w ciągu tych paru minionych stuleci świat zwiększył się nam istotną miarą. W pewnym sensie, ma się rozumieć. Bo jeśli nawet materii samej światu nie przybyło, to nowych nazw przybyło mu na pewno.

Jakżeż z tym, pytacie, pogodzić twierdzenie, że świat nam zmalał? Już mówię i wywodzę. Upraszam tylko wprzód, by nie drwić i nie dogadywać, bo to, co rzeknę, to nie mojej fantazji będą produkta, ale wiedza z ksiąg zaczerpnięta. A z ksiąg drwić nie godzi się, w końcu, by powstały, ktoś okrutnie musiał się napracować.

Jak wiadomo, nasz świat jest to lądu spłachetek, formy niby naleśnik krągłej, środek swój w Jeruzalem mający, zewsząd oceanem otoczony. Na okcydensie kraniec ziemi stanowią Kalpa i Abyla, Słupy Herkulesowe, i cieśnina Gades między niemi.

Na południu, jak to dopiero co wywiodłem, rozpościera się ocean za Afryką. Na południowym wschodzie kończą ląd stały podległa Księdzu Janowi *India inferior*, tudzież ziemie Goga i Magoga. W septentrionalnej świata stronie ostatnim ziemi skrawkiem jest Ultima Thule, tam zaś, *ubi oriens iungitur aquiloni*, leży ziemia Mogal, czyli Tartaria. Na wschodzie natomiast świat kończy się na Kaukazie, kawałek za Kijowem.

A teraz dochodzimy do rzeczy sedna. Znaczy się, do Portugalczyków. A konkretnie do infanta Henryka, książęcia Viseu, syna króla Jana. Portugalia, skryć się tego nie da, królestwo nie za wielkie, infant króla synem dopiero trzecim w kolejce, nie dziwota tedy, że ze swej siedziby w Sagres częściej i z większą nadzieją na morze niż ku Lizbonie spoglądał. Skrzyknął do Sagres astronomów i kartografów, mądrych Żydów, żeglarzy i kapitanów, majstrów szkutników. I zaczęło się.

W Roku Pańskim 1418 dotarł kapitan João Gonçalves Zarco do wysp znanych jako *Insulas Canarias*, Kanaryjskie, nazwa stąd, że psów tam mnogość stwierdzono nadzwyczajną. Wnet potem, w 1420, tenże Gonçalves Zarco wraz z Tristánem Vaz Teixeirą dopłynęli do wyspy ochrzczonej Maderą. W 1427 dotarły karawele Diega de Silves do wysp, które nazwano Azorami – skąd nazwa, Diegu jeno i Bogu wiadomo. Kilka lat zaledwie temu, w 1434, opłynął kolejny Portugalczyk, Gil Eanes, Przylądek Boiador. A wieść niesie, że następne już szykuje przedsięwzięcia infant Dom Henrique, którego już niektórzy „Żeglarzem" – *El Navegador* – nazywać poczynają.

Iście w podziwie mam onych morzepławców i w estymie trzymam ich wielkiej. Nieustraszeni są to ludzie. Wszak horror to na ocean się zapuszczać pod żaglami. Toż tam szkwały i sztormy, skały podwodne, góry magnetyczne, morza wrzące i klejkie, cięgiem jeśli nie wiry, to turbulencje, a jeśli nie turbulencje, to prądy. Od potworów aż się roi, pełno tam smoków wodnych, serpensów morskich, trytonów, hippokampów, syrenów, delfinów i płastug. Roją się w morzu *sanguissugae*, *polypi*, *octopi*, *locustae*, *cancri*, *pistrixi* różne *et huic similia*. A najstraszniejsze na końcu – bo tam, gdzie kończy się ocean, za krawędzią, zaczyna się Piekło. Czemu, myślicie, słońce zachodzące jest takie czerwone? Otóż dlatego, że przegląda się w piekielnych ogniach. Po całym oceanie rozsiane zaś są dziury; gdy karawelą na taką dziurę niebacznie napłynąć, wprost do piekła się spada, na łeb na szyję, z korabiem i ze wszystkim. Takim to widać obrazem zostało stworzone, by nie dać człeku śmiertelnemu po morzach pływać. Piekło karą dla tych, co zakazy łamią.

Ale, jak znam życie, Portugalczyków to nie powstrzyma.

Albowiem *navigare necesse est*, a za horyzontem są wyspy i lądy, które trzeba odkryć. Trzeba nanieść na mapy daleką Taprobane, opisać w *roteiros* drogę do tajemniczego Cipangu, oznaczyć na portolanach *Insole fortunate*, Wyspy Szczęśliwe. Trzeba płynąć dalej, szlakiem świętego Brendana, szlakiem marzeń, ku Hy Brasil, ku niewiadomemu. Po to, by niewiadome uczynić wiadomym i znanym.

I oto – *quod erat demonstrandum* – maleje nam i kurczy się świat, .bo jeszcze trochę, a wszystko już znajdzie się na mapach, na portolanach i w *roteiros*. I nagle wszędzie zrobi się blisko.

Maleje nam świat i ubożeje jeszcze o jedno – o legendy. Im dalej żeglują portugalskie karawele, im więcej wysp odkrytych i nazwanych, tym legend robi się mniej. Co i rusz jakaś rozwiewa się niby dym. Coraz to o kolejne marzenie jesteśmy ubożsi. A gdy umiera marzenie, ciemność wypełnia miejsce przez nie osierocone. W ciemności zaś, zwłaszcza gdy do tego jeszcze rozum uśnie, zaraz budzą się potwory. Że co? Że już ktoś to powiedział? Panie dobry! A czy jest coś takiego, czego już ktoś kiedyś nie powiedział?

Och, ależ mi w gardle zaschło... Czy piwem, pytacie, nie pogardzę? Z pewnością nie.

Co mówicie, pobożny bracie od świętego Dominika? Aha, że czas przestać pleść nie na temat i do opowieści powrócić? Do Reynevana, Szarleja, Samsona i innych? Prawiście, bracie. Czas. Powracam tedy.

Rok nastał Pański 1427. Pamiętacie, co przyniósł? A jakże. Nie da się zapomnieć. Ale przypomnę.

Wiosną wonczas, w marcu bodajże, na pewno przed Wielkanocą, ogłosił papież Marcin V bullę *Salvatoris omnium*, w której konieczność kolejnej krucjaty przeciw Czechom kacerzom proklamował. W miejsce Jordana Orsiniego, który leciwy był i haniebnie nieudolny, obwołał papa Marcin kardynałem i legatem *a latere* Henryka Beauforta, biskupa Winchesteru, brata przyrodniego króla Anglii. Beaufort aktywnie bardzo sprawy się ujął. Wnet krucjatę postanowiono, która mieczem i ogniem husyckich apostatów pokarać miała. Wyprawę pieczołowicie przygotowano, pieniądze, rzecz w wojnie pierwszorzędną, skrzętnie zgromadzono. Tym razem, dziw nad dziwy, nikt grosiwa tego nie rozkradł. Jedni kronikarze mniemają, że krzyżowcy zrobili się uczciwsi. Inni – że po prostu pilnowano lepiej. Wodzem głównym krucjaty obwołał sejm frankfurcki Ottona von Ziegenhaina, arcybiskupa Trewiru. Wezwano, kogo się dało, pod broń i krzyżowe znaki. I wnet stanęły w gotowości armie. Stawił się z wojskiem Fryderyk Hohenzollern Starszy, elektor brandenburski. Stanęły pod bronią Bawary pod księciem Henrykiem Bogatym, stanął falcgraf Jan z Neumarktu i brat jego, falcgraf Otto z Mosbachu. Przybył na punkt zborny małoletni Fryderyk Wettyn, syn złożonego niemocą Fryderyka Walecznego, elektora Saksonii. Przybyli – każdy z hufem silnym – Raban von Helmstett, biskup Speyeru, Anzelm von Nenningen, biskup Augsburga, Fryderyk von Aufsess, biskup Bambergu. Jan von Brun, biskup Würzburga. Depolt de Rougemont, arcybiskup Besançon. Przybyli zbrojni ze Szwabii, Hesji, Turyngii, z północnych miast Hanzy.

Krucjata ruszyła z początkiem lipca, w tygodniu po Piotrze i Pawle, przeszła granicę i pociągnęła w głąb Czech, drogę swą trupami i pożarami znacząc. W środę przed Jakubem krzyżowcy, wzmocnieni siłami katolickiego czeskiego landfrydu, stanęli pod Strzybrem, na którym siedział husycki pan Przybik de Clenove, i gród oblegli, z ciężkich bombard bardzo przykro go ostrzeliwując. Pan Przybik trzymał się jednak dzielnie i poddawać nie myślał. Oblężenie trwało, czas uciekał. Niecierpliwił się kurfirst brandenburski Fryderyk, toż to krucjata, wołał, radził bez zwłoki iść dalej, atakować Pragę. Praga, wołał, to *caput regni*, kto ma Pragę, ten ma Czechy...

Gorące, skwarne było lato roku 1427.

A co, pytacie, na to Boży bojownicy? Co Praga, pytacie? Praga...

Praga śmierdziała krwią.

Rozdział pierwszy

w którym Praga śmierdzi krwią, Reynevan jest śledzony, a potem – kolejno –
nudzi rutyną, wspomina, tęskni, świętu-
je, walczy o życie i tonie w pierzynie.
A w tle historia Europy fika kozły, wy-
wija hołubce i piszczy na zakrętach.

Praga śmierdziała krwią.

Reynevan obwąchał oba rękawy kubraka. Dopiero co
opuścił był szpital, w szpitalu zaś, jak to w szpitalu,
wszystkim bez mała puszczano krew i regularnie cięto
wrzody, a i amputacje odbywały się z częstotliwością godną lepszej sprawy. Odzienie mogło przesiąknąć odorem,
nie byłoby w tym absolutnie żadnej sensacji. Ale kubrak
wydzielał tylko woń kubraka. Żadnej innej.

Uniósł głowę, powęszył. Od północy, z lewego brzegu
Wełtawy, dolatywał zapach chwastów i badyli palonych
w sadach i winnicach. Od rzeki niosło nadto mułem i pa-
dliną – panowały upały, woda opadła mocno, odsłonięte
brzegi i wyschnięte łachy od dłuższego już czasu dostar-
czały miastu niezapomnianych wrażeń zapachowych. Ale

tym razem to nie muł śmierdział. Reynevan był tego pewien.

Lekki a zmienny wiaterek zawiewał niekiedy od wschodu, od strony Bramy Porzyczskiej. Od Witkowa. A ziemia pod Witkowskim Wzgórzem mogła, i owszem, wydzielać zapach krwi. Bo też i niemało w nią wsiąkło.

To chyba jednak niemożliwe. Reynevan poprawił na ramieniu rzemień torby i raźnym krokiem ruszył w dół uliczki. To niemożliwe, by z Witkowa czuć było krew. Po pierwsze, to dość daleko. Po drugie, bitwa miała miejsce latem roku 1420. Przed siedmioma laty. Siedmioma długimi laty.

Minął, energicznie maszerując, kościół Świętego Krzyża. A smród krwi nie rozwiał się. Wręcz przeciwnie. Nasilił. Bo nagle dla odmiany powiało od zachodu.

Ha, pomyślał, patrząc w stronę niedalekiego getta, kamień to nie ziemia, stare cegły i tynki pamiętają wiele, wiele potrafi w nich przetrwać. Co wchłoną, to śmierdzi długo. A tam, pod synagogą, w uliczkach i domach, krew lała się jeszcze obficiej niż na Witkowie. I w czasach nieco mniej odległych. W roku 1422, podczas krwawego pogromu, w czas zamieszek, jakie wybuchły w Pradze po egzekucji Jana Żeliwskiego. Rozwścieczony ścięciem swego lubianego trybuna lud Pragi powstał, by mścić, by palić i zabijać. Najmocniej, jak zwykle, oberwało się przy tym dzielnicy żydowskiej. Żydzi ze zgładzeniem Żeliwskiego nie mieli absolutnie nic wspólnego i winy za jego los nie ponosili w najmniejszym nawet stopniu. Ale komu to przeszkadzało?

Reynevan za świętokrzyskim cmentarzem skręcił, przeszedł obok szpitala, wyszedł na Stary Targ Węglowy, przeciął placyk i zagłębił się w bramy i ciasne zaułki wiodące ku Długiej Trzidzie. Zapach krwi ulotnił się, zginął w morzu innych zapachów. Bramy i zaułki śmierdziały bowiem wszystkim, co tylko można było sobie wyobrazić.

Długa Trzida powitała go natomiast dominującym i oszałamiającym wręcz zapachem pieczywa. W piekarskich kramach, na ladach i ławach złociły się, jak okiem sięgnąć, pyszniły i pachniały słynne praskie wypieki.

Choć w hospicjum śniadał i głodu nie czuł, nie opanował się – w pierwszej z brzegu piekarni kupił dwie świeżutkie bułki. Bułki, zwane tu caltami, miały kształt tak sugestywnie erotyczny, że przez dłuższy czas Reynevan wędrował Długą Trzidą jak we śnie, obijając się o kramy, pogrążony w gorących jak pustynny wicher myślach o Nikoletcie. O Katarzynie Biberstein. Wśród przechodniów, na których wpadał i których potrącał zamyślony, było kilka nader atrakcyjnych prażanek w różnym wieku. Nie zauważał. Przepraszał w roztargnieniu i szedł dalej, na przemian gryząc caltę i wpatrując się w nią jak urzeczony.

Rynek Staromiejski oprzytomnił go smrodem krwi.

Ha, pomyślał Reynevan, kończąc caltę, tutaj to może i nic dziwnego. Dla tych akurat bruków krew to nie nowina. Jana Żeliwskiego i dziewięciu jego towarzyszy ścięto wszak właśnie tu, na Staromiejskim Ratuszu, zwabiwszy ich tam w ów marcowy poniedziałek. Gdy po zdradzieckiej kaźni myto ratuszowe posadzki, czerwona piana lała się spod wrót strugami, ściekając podobno aż pod stojący pośrodku rynku pręgierz i tworząc tam ogromną kałużę. A krótko później, gdy wieść o śmierci trybuna wywołała w Pradze wybuch gniewu i żądzę zemsty, krew popłynęła wszystkimi okolicznymi rynsztokami.

W kierunku Matki Bożej Przed Tynem szli ludzie, tłoczyli się w prowadzącym ku wrotom świątyni podsklepiu. Rokycana będzie kazał, pomyślał Reynevan. Warto by posłuchać, pomyślał, co Jan Rokycana ma do powiedzenia. Słuchanie kazań Jana Rokycany zawsze popłacało. Zawsze. Zwłaszcza zaś teraz, w czasach, gdy tak zwany bieg wydarzeń dostarczał tematów do kazań w zastraszającym wręcz tempie. Było, oj, było o czym kazać. I warto było słuchać.

Nie ma czasu, uświadomił sobie. Są pilniejsze sprawy, pomyślał. I jest problem.

Polegający na tym, że jestem śledzony.

●

W tym, że go śledzą, Reynevan połapał się już dawno. Zaraz po wyjściu z hospicjum, przy Świętym Krzyżu.

Śledzący byli bardzo sprytni, nie rzucali się w oczy, kryli bardzo zręcznie. Ale Reynevan połapał się. Bo nie był to pierwszy raz. Wiedział – w zasadzie – kim byli śledzący i z czyjego rozkazu działali. Nie miało to jednak większego znaczenia. Musiał ich zgubić. Miał nawet plan.

●

Wszedł na ludny, gwarny i śmierdzący Targ Bydlęcy, wmieszał się w tłum idący w stronę Wełtawy i Kamiennego Mostu. Chciał zniknąć, a na Moście, w wąskim gardle, ciasnym przesmyku łączącym Stare Miasto z Małą Straną i Hradczanami, w zgiełku i ciżbie, były duże szanse na zniknięcie. Reynevan kluczył w ścisku, potrącając przechodniów i zarabiając na obelgi.

– Reinmar! – jeden z potrąconych, miast, jak inni, poczęstować „skurwysynem", powitał go imieniem od chrztu.

– Dla Boga! Ty tutaj?

– Ja tutaj. Posłuchaj, Radimie... Chryste, co to tak cuchnie?

– To – Radim Tvrdik, niski i niezbyt młody mężczyzna wskazał na wiadro, które taszczył. – To glina i szlam. Z brzegu rzeki. Potrzebne mi... Wiesz, do czego.

– Wiem – Reynevan rozejrzał się niespokojnie. – A jakże. Radim Tvrdik był, jak wiedzieli wszyscy wtajemniczeni, czarnoksiężnikiem. Radim Tvrdik był też, jak wiedzieli niektórzy wtajemniczeni, opętany ideą stworzenia sztucznego człowieka, golema. Wszyscy – nawet mało wtajemniczeni – wiedzieli, że jedynego jak do tej pory golema udało się w bardzo dawnych czasach stworzyć pewnemu praskiemu rabinowi, w zachowanych dokumentach nazywanego przekręconym zapewne imieniem Bar Halevi. Dawnemu Żydowinowi, jak chciało podanie, za surowiec do wytworzenia golema posłużyły glina, szlam i muł pobrane z dna Wełtawy. Tvrdik – jako jedyny – prezentował jednak pogląd, że rolę czynnika sprawczego odegrały tu nie ceremonie i zaklęcia, znane zresztą, lecz określona koniunkcja astrologiczna, mająca wpływ na przedmiotowy szlam i daną glinę, na ich właściwości magiczne. Nie mając wszelakoż pojęcia, o jaki konkretnie układ planet iść by mogło, Tvrdik działał metodą prób i błędów – pobierał glinę tak często, jak zdołał, w nadziei, że kiedyś wreszcie trafi na tę właściwą. Pobierał też z różnych miejsc. Dziś jednak przesadził – wnosząc ze smrodu, pobrał wprost spod jakiegoś sracza.

– Nie w pracy, Reinmarze? – spytał, wycierając czoło wierzchem dłoni. – Nie w szpitalu?

– Wziąłem wolne. Nie było nic do roboty. Spokojny dzień.

– Daj Bóg – magik postawił wiadro – by nie ostatni w tej podobie. Bo też czas taki...

Wszyscy w Pradze wiedzieli, w czym rzecz, o jaki czas szło. Ale wolano o tym nie gadać. Ucinano zdanie. Ucinanie zdania zrobiło się nagle powszechne i modne. Zwyczaj nakazywał w odpowiedzi na takie urwanie zrobić mądrą minę, westchnąć i znacząco pokiwać głową. Ale Reynevan nie miał na to czasu.

– Idź swoją drogą, Radimie – rzekł, rozejrzawszy się.

– Nie mogę tu stać. I lepiej, żebyś i ty nie stał.

– Eee?

– Śledzą mnie. Dlatego nie mogę iść na Sukiennicką.

– Śledzą – powtórzył Radim Tvrdik. – Ci, co zwykle?

– Zapewne. Bywaj.

– Zaczekaj.

– Na co niby?

– Nie jest rozumnie usiłować gubić ogon.

– Że jak?

– Dla śledzących – wyjaśnił nad podziw przytomnie Czech – próby gubienia ogona to jawny znak, że śledzony ma nieczyste sumienie i coś do ukrycia. Na złodzieju czapka gore. Że nie idziesz na Sukiennicką, to mądrze. Ale nie klucz, nie zmykaj, nie kryj się. Rób to, co robisz zwykle. Wykonuj powszednie zajęcia. Znudź śledzących nudną powszednią rutyną.

– Dla przykładu?

– W gardle mi zaschło od kopania szlamu. Chodź „Pod Raka". Napijemy się piwa.

– Jestem śledzony – przypomniał Reynevan. – Nie boisz się...

– Czego – czarownik podniósł swój kubeł – mam się bać? Reynevan westchnął. Prascy magicy nie pierwszy raz go zaskakiwali. Nie wiedział, czy to godna podziwu zimna krew, czy też zwykły brak wyobraźni, ale niektórzy lokalni czarodzieje często wydawali się zupełnie nie przejmować faktem, że dla parających się czarną magią husyci potrafili być groźniejsi od Inkwizycji. *Maleficium*, czarownictwo, wymienione było wśród śmiertelnych grzechów, które czwarty artykuł praski nakazywał karać śmiercią. Gdy szło o artykuły praskie, z husytami nie było żartów. Mający się za umiarkowanych kalikstyni z Pragi wcale nie ustępowali w tej materii taboryckim radykałom i fanatykom Sierotkom. Złapanego czarownika wsadzano do beczki i w beczce palono na stosie.

Zawrócili w stronę rynku, przeszli Nożowniczą, potem ulicą Złotników, potem Svatojilską. Szli wolno. Tvrdik zatrzymał się przy kilku kramach, wymienił ze znajomymi kramarzami kilka plotek. Standardowo kilkakroć urwano zdanie po „teraz, gdy czas taki...", kilkakroć skwitowano urwanie mądrą miną, westchnieniem i znaczącym kiwaniem głową. Reynevan rozglądał się, ale śledzących nie dostrzegał. Kryli się zbyt dobrze. Nie wiedział, czego doznawali, jego samego jednak nudna rutyna zaczynała nudzić już wręcz dojmująco.

Szczęściem wkrótce, skręciwszy ze Svatojilskiej w podwórze i bramę, wyszli wprost na kamienicę „Pod Czerwonym Rakiem". I na karczemkę, którą karczmarz bez cienia inwencji nazwał tak samo.

– Hej! Patrzcie ino! Toż to Reynevan!

Za stołem, na ustawionej za filarami przyziemia ławie, siedzieli czterej mężczyźni. Wszyscy byli wąsaci, barczyści, odziani w rycerskie lentnery. Dwóch Reynevan znał, wiedział więc, że byli to Polacy. Gdyby nie wiedział, też by odgadł. Jak wszyscy Polacy za granicą, w obcym kraju, również ci zachowywali się hałaśliwie, arogancko i demonstracyjnie chamsko, co w ich własnym mniemaniu miało podkreślać status i wysoką pozycję społeczną. Zabawnym było, że od Wielkanocy status Polaków w Pradze był niziutki, a ich pozycja jeszcze niższa.

– Pochwalony! Witaj, cny Eskulapie nasz! – przywitał ich jeden z Polaków, znany Reynevanowi Adam Wejdnar herbu Rawicz.

– Siednij se! Siednijcie se obaj! Zapraszamy i ugaszczamy!

– A co ty jego zapraszasz tak ochoczo? – wykrzywił się z udawanym obrzydzeniem drugi Polak, również Wielkopolanin i również nieobcy Reynevanowi Mikołaj Żyrowski herbu Czewoja. – Nadmiar masz grosza albo co? Kromie tego zielarz przecie u trędowatych się zatrudnia! Leprą nas zakazić gotów! Albo i czym gorszym!

– Nie pracuję już w leprozorium – wyjaśnił Reynevan, cierpliwie, bo nie pierwszy raz. – Leczę teraz w hospicjum Bohuslavów. Tu, na Starym Mieście. Przy kościółku świętych Szymona i Judy.

– Dobra, dobra – machnął ręką Żyrowski, który wszystko to wiedział. – Czego się napijecie? Ach, zaraza, wybaczcie. Poznajomcie się. Pasowani panowie: Jan Kuropatwa z Łańcuchowa herbu Szreniawa i Jerzy Skirmunt herbu Odrowąż. Przepraszam, ale co tu tak, kurwa, śmierdzi?

– Szlam. Z Wełtawy.

●

Reynevan i Radim Tvrdik pili piwo. Polacy pili rakuskie wino i jedli duszoną baraninę, zagryzając chlebem. Gadali przy tym demonstracyjnie głośno po polsku, opowiadając sobie różne facecje i każdą z osobna kwitując gromkim rechotem. Przechodnie odwracali głowy, klęli pod nosem. Czasem spluwali.

Od Wielkanocy, dokładniej od Wielkiego Czwartku, opinia o Polakach nie była wśród Czechów najlepsza, a ich pozycja w Pradze nienajwyższa. I wykazywała tendencję spadkową.

Z Zygmuntem Korybutowiczem, dla skrótu zwanym Korybutem, synowcem Jagiełły, kandydatem na czeskiego króla, przyjechało do Pragi za pierwszym razem jakieś pięć tysięcy, za drugim jakieś pięć setek polskich rycerzy. W Korybucie wielu upatrywało nadzieję i ratunek dla husyckich Czech, a Polacy odważnie bili się za Kielich i prawo Boże, nie żałowali krwi pod Karlsztajnem, pod Igławą, pod Retzem i pod Usti. Mimo tego nie lubili ich nawet czescy towarzysze broni. Czy można było lubić typków, którzy parskali, słysząc, że ich czescy towarzysze broni noszą nazwiska Picek ze Psikous czy Sadlo ze Stare Kobzi? Którzy dzikim śmiechem reagowali na miana takie jak Cvok z Chalupy czy Doupa z Zasady?

Zdrada Korybuta, rzecz jasna, zaszkodziła sprawie polskiej bardzo poważnie. Nadzieja Czech zawiodła oto na całej linii, husycki król *in spe* skumał się z katolickimi panami, zdradził sprawę komunii *sub utraque specie*, złamał zaprzysiężone cztery artykuły. Spisek wykryto i rozbito, zamiast na czeski tron synowiec Jagiełły trafił do więzienia, a na Polaków zaczęto patrzeć wręcz wrogo. Część z nich natychmiast opuściła Czechy. Część została jednak. Niby pokazując tym dezaprobatę dla zdrady Korybuta, niby opowiadając się za Kielichem, niby deklarując gotowość do dalszej walki za kalikstyńską sprawę. I co? Nadal ich nie lubiano. Podejrzewano – nie bez podstaw – że Polakom kalikstyńska sprawa malowniczo zwisa. Twierdzono, że zostali, bo, *primo*, wracać nie mieli dokąd i do czego. Do Czech pociągnęli już jako ścigani przez sądy i sekwestry utracjusze, teraz na domiar ciążyły na nich wszystkich, z Korybutem włącznie, klątwy i infamie. Że, *secundo*, wojując w Czechach, liczą wyłącznie na obłowienie się, na zdobycie łupu i majątku. Że, *tertio*, nie wojują, bo korzystając z nieobecności wojujących Czechów, pieprzą ich żony.

Wszystkie te twierdzenia były prawdziwe.

Słysząc język polski, przechodzący prażanin splunął na ziemię.

– Oj, nie lubią czegoś nas oni, nie lubią – zauważył, zaciągając śmiesznie, Jerzy Skirmunt herbu Odrowąż. – Czemuż to? Ot, dziwność.

– A pies z nimi tańcował – Żyrowski wypiął w stronę ulicy pierś ozdobioną srebrnymi podkowami Czewoi. Jak każdy Polak, wyznawał bezsensowny pogląd, że jako herbowy, choć totalny gołodupiec, równy jest w Czechach Rożmberkom, Kolovratom, Szternberkom i wszystkim innym możnym rodom razem wziętym.

– Może i tańcował – zgodził się Skirmunt. – No tak i dziwność, kochanieńki.

– Dziwi tych ludzi – Radim Tvrdik miał głos spokojny, ale Reynevan znał go zbyt dobrze. – Dziwi ludzi widok rycerskich i bojowych panów weselących się niefrasobliwie za karczemnym stołem. W tych dniach. Teraz, gdy czas taki...

Urwał, zgodnie ze zwyczajem. Ale Polacy nie mieli zwyczaju przestrzegać zwyczajów.

– Gdy czas taki – zarechotał Żyrowski – że idą na was krzyżowcy, hę? Że idą z wielką potencją, że niosą miecz i ogień, że ziemię i wodę za sobą zostawiają? Że tylko patrzeć, jak...

– Cichaj – przerwał mu Adam Wejdnar. – Wam zaś, panie Czechu, tak odpowiem: nietrafiona waści reprymenda. Bo na Nowym Mieście i owszem, pustawo teraz, wyludniło się. Bo gdy nastały, jakieście to powiedzieć raczyli, te dni, nowomiejscy kupą pociągnęli za Prokopem Gołym na kraju obronę. Tedy gdyby mi jaki nowomiejski przymawiał, tobym zmilczał. Ale stąd, ze Starego Miasta, nie poszedł zgoła nikt. Przyganiał tedy kocioł garnkowi, ot co.

– Potęga – powtórzył Żyrowski – idzie od zachodu, cała Europa! Nie ostać się wam tym razem. Będzie wam koniec, przyszła na was kryska.

– Na nas – powtórzył z przekąsem Reynevan. – A na was nie?

– Na nas też – odrzekł ponuro Wejdnar, gestem uciszając Żyrowskiego. – Na nas też. Niestety. Kiepskośmy, wychodzi, stronę w tym konflikcie wybrali. Było słuchać, co gadał biskup Łaskarz.

– Ano – westchnął Jan Kuropatwa – było i mnie słuchać Zbyszka Oleśnickiego. A ninie tkwimy tu jak bydło w rzeźni, a rzeźnika tylko patrzeć. Zmierza ku nam, przypominam panom, wyprawa krzyżowa, jakiej świat nie widział. Osiemdziesięciotysięczna armia. Kurfirsty, hercogi, falcgrafy, Bawarczyki, Sasy, naród zbrojny ze Szwabii, z Turyngii, z miast Hanzy, do tego cały pilzneński landfryd, ba, nawet zamorskie jakieś cudaki. Przeszli granicę początkiem lipca, oblegli Strzybro, które wnet padnie, może już padło. A jak daleko ze Strzybra do nas? Z okładem mil dwadzieścia. To sobie skalkulujcie. Do pięciu dni tu będą. Dziś mamy poniedziałek. W piątek, wspomnicie me słowa, zobaczymy ich krzyże pod Pragą.

– Nie powstrzyma ich Prokop, pobiją go w polu. Nie dostoi im. Zbyt liczni.

– Madianici i Amalekici, gdy najechali Gilead – rzekł Radim Tvrdik – byli liczni jak szarańcza, wielbłądów ich było jak piasku nad brzegiem morskim. A Gedeon na czele trzystu zaledwie wojów pobił ich i rozpędził. Bo walczył w imię Pana Zastępów, z Jego imieniem na ustach.

– Tak, tak, a jakże. A szewczyk Skuba pokonał wawelskiego smoka. Nie mieszajcie, miłościwy, bajek z rzeczywistością.

– Doświadczenie uczy – dodał z kwaśnym uśmiechem Wejdnar – że Pan, jeśli w ogóle staje, to raczej po stronie silniejszych zastępów.

– Nie powstrzyma krzyżowców Prokop – powtórzył w zamyśleniu Żyrowski – Ha, tym razem, panie Czechu, nawet sam Żiżka by was nie ocalił.

– Nie ma Prokop szans! – parsknął Kuropatwa. – O każdy zakład idę. Za wielka ciągnie siła. Są z krucjatą rycerze z Jorgenschildu, zakonu Tarczy Świętego Jerzego, kwiat europejskiego rycerstwa. A legat papieski wiedzie pono setki łuczników angielskich. Słyszałeś, Czechu, o angielskich łucznikach? Mają łuki długie na chłopa, biją z nich na pięćset kroków, z takiegoż dystansu dziurawią blachy, przeszywają kolczugi niby lniane koszule. Ho, ho! Taki łucznik zdoła...

– A zdoła – przerwał spokojnie Tvrdik – taki łucznik ustać na nogach, gdy weźmie po łbie cepem? Przychodzili tu do nas już różni zdolni, przychodził wszelakiej maści kwiat rycerstwa, ale jak do tej pory nie zdarzył się nikt, czyj łeb by się czeskiemu cepowi oparł. Nie pójdziecie to o taki zakład, panie Polak? Ja, baczcie, twierdzę, że gdy dostanie zamorski Angielczyk cepem w ciemię, to już nie napnie po raz wtóry zamorski Angielczyk cięciwy, bo będzie zamorski Angielczyk zamorskim nieboszczykiem. Pokaże się co innego, wygrana przy was. O co się założymy?

– Czapkami was nakryją.

– Już próbowali – zauważył Reynevan. – Rok temu. W niedzielę po świętym Wicie. Pod Usti. Przecież byłeś pod Usti, panie Adamie.

– Fakt – przyznał Wielkopolanin. – Byłem. Wszyscy byliśmy. I ty tam byłeś, Reynevan. Nie zapomniałeś?

– Nie. Nie zapomniałem.

●

Słońce prażyło potwornie, z nieba lał się żar. Nie było nic widać. Wzbita kopytami koni atakującego rycerstwa chmura kurzu zmieszała się z gęstym prochowym dymem, jaki po salwie okrył cały zewnętrzny kwadrat wagenburga. Nad ryk walczących i kwik koni wzbiły się nagle trzask łamanego drewna i krzyki triumfu. Reynevan zobaczył, jak z dymu sypnęli się uciekający.

– Przedarli się – westchnął głośno Dziwisz Borzek z Miletinka. – Rozerwali wozy...

Hynek z Kolsztejna zaklął. Rohacz z Dube usiłował opanować pochrapującego konia. Prokop Goły miał twarz jak z kamienia. Zygmunt Korybutowicz był bardzo blady.

Z dymu runęła z wrzaskiem pancerna jazda, żelaźni panowie dopadli uciekających husytów, obalali końmi, rąbali i siekli tych, którzy nie zdołali schronić się za wewnętrzny czworobok wozów. W wyłom walili następni ciężkozbrojni, tłumem.

I w ten zbity i stłoczony w wyłomie tłum, prosto w pyski koni, prosto w twarze jeźdźców bluzgnęły nagle ogniem i ołowiem hufnice i taraśnice, zagrzechotały hakownice, huknęły piszczały, gęstą ulewą sypnęły się bełty z kusz. Runęli jeźdźcy z siodeł, runęły konie, runęli ludzie wraz z końmi, jazda skotłowała się i skłębiła, w kłębowisko poszła druga salwa, z jeszcze bardziej morderczym efektem. Do spowitych dymem wozów wewnętrznego czworoboku dopadli tylko nieliczni pancerni, tych od razu załatwiono halabardami i cepami. Zaraz po tym Czesi z dzikim wrzaskiem wypadli zza wozów, gwałtownym kontratakiem zaskakując Niemców i w okamgnieniu wytłaczając ich poza wyłom. Wyłom natychmiast zatarasowano wozami, wozy obsadzono kusznikami i cepnikami. Zagrzmiały znowu hufnice, zadymiły lufy hakownic. Zalśniła oślepiającym złotym refleksem wzniesiona nad wozowym szańcem monstrancja, błysnął bielą sztandar z Kielichem.

Ktož jsú boží bojovnicí
A zákona jeho!
Prostež od Boha pomoci
A doufejte v něho!

Śpiew huczał, potężniał i triumfalnie niósł się ponad wagenburgiem. Kurz opadał za cofającą się pancerną jazdą.

Rohacz z Dube, już wiedząc, obrócił się ku czekającym w szyku konnym husytom, uniósł buzdygan. To samo uczynił po chwili w stronę jazdy polskiej Dobko Puchała. Konnych Morawian postawił w gotowość gest Jana Tovaczovskiego. Hynek z Kolsztejna zatrzasnął zasłonę hełmu.

Z pola słychać było krzyki saskich dowódców, nawołujących pancernych do kolejnej szarży na wozy. Ale pancerni cofali się, zawracali konie.

– Uciekaaają! Niemce uciekaaają!

– Hyr na nich!

Prokop Goły odetchnął, uniósł głowę.

– Teraz... – sapnął ciężko. – Teraz to ich dupy są już nasze.

•

Reynevan porzucił towarzystwo Polaków i Radima Tvrdika dość niespodziewanie – po prostu nagle wstał, pożegnał się i odszedł. Krótkim znaczącym spojrzeniem zasygnalizował Tvrdikowi powód swego zachowania. Czarownik mrugnął. Zrozumiał.

Okolica znowu zaśmierdziała krwią. Pewnie, pomyślał Reynevan, zalatuje od niedalekich jatek, od Kojców i od Frymarku Mięsnego. Ale może nie? Może to inna krew?

Może ta, która spieniła okoliczne rynsztoki we wrześniu 1422, kiedy to uliczka Żelazna i zaułki wokół niej stały się widownią bratobójczych walk, gdy antagonizm między Starym Miastem a Taborem po raz kolejny zaowocował konfliktem zbrojnym. Dużo polało się wtedy na Żelaznej czeskiej krwi. Dość dużo, by wciąż śmierdzieć.

Właśnie ten smród krwi wzmógł jego czujność. Śledzących nie dostrzegł, nie zauważał niczego podejrzanego, żaden z wędrujących po uliczkach Czechów na szpicla nie wyglądał. Pomimo to Reynevan nieustannie czuł czyjś wzrok na karku. Śledzący go, wychodziło, nudną rutyną jeszcze się nie znudzili. Dobra, pomyślał, dobra, hultaje, zafunduję wam tej rutyny więcej. Tyle, że się porzygacie.

Poszedł Koźną, ciasną od białoskórniczych warsztatów i kramów. Kilka razy zatrzymał się, udając zainteresowanie towarem, oglądał się ukradkiem. Nie dostrzegał nikogo wyglądającego na szpicla. Ale wiedział, że gdzieś tam byli.

Nie dochodząc do kościoła świętego Gawła, skręcił, wszedł w zaułek. Zmierzał ku Karolinum, swej macierzystej uczelni. W ramach rutyny właśnie tam się kierował, w zamiarze przysłuchania się jakiejś dyspucie. Lubił chodzić na uniwersyteckie dysputy i *quodlibety*. Po tym zaś jak w niedzielę *Quasimodogeniti*, pierwszą po Wielkanocy roku 1426 przyjął komunię pod obojgą postacią, przychodził do *lectorium ordinarium* regularnie. Jako prawdziwy neofita chciał jak najdogłębniej poznać tajniki i zawiłości swej nowej religii, a te jakoś najłacniej trafiały do niego podczas dogmatycznych sporów, które regularnie wiedli przedstawiciele skrzydła umiarkowanego i konserwatywnego, zgrupowanego wokół mistrza Jana z Przybramu z przedstawicielami skrzydła radykalnego, czyli ludźmi z kręgu Jana Rokycany i Petera Payne'a, Anglika, lollarda i wiklefisty. Prawdziwego ognia nabierały jednak te dysputy, na które przybywali autentyczni radykałowie, ci z Nowego Miasta. Wtedy dopiero robiło się wesoło. Reynevan był świadkiem, jak broniącego jakiegoś wiklefickiego dogmatu Payne'a nazwano „zkurvenym Engliszem" i obrzucono burakami. Jak staruszkowi Krystianowi z Prachatic, dostojnemu rektorowi uniwersytetu, grożono utopieniem w Wełtawie. Jak ciśnięto zdechłym kotem w siwiutkiego Piotra z Mladonovic. Zgromadzona publika regularnie prała się po mordach, nosy rozkwaszano i zęby wybijano sobie też na zewnątrz, przed Karolinum, na Frymarku Mięsnym.

Od tamtych czasów trochę się jednak zmieniło. Jana z Przybramu i ludzi z jego otoczenia zdemaskowano jako zamieszanych w spisek Korybuta i ukarano wygnaniem z Pragi. Jako że jednak natura próżni nie znosi, dysputy odbywały się nadal, ale od Wielkanocy za umiarkowanych i konserwatystów nagle zaczęli robić Rokycana i Payne. Nowomiejscy – po staremu – robili za radykałów. Cholernych radykałów. Na dysputach nadal bito się, rzucano brzydkimi słowami i kotami.

– Panie.

Obrócił się. Stojący za nim niski osobnik był cały szary. Szarą miał fizjonomię, szary kubrak, szarą kapucę, szare gacie. W całej jego osobie jedyny żywszy akcent stanowiła nowiutka, wytoczona z jasnego drewna pałka.

Obejrzał się, słysząc szmer za plecami. Zagradzający mu wyjście z zaułka drugi typek też niósł pałkę, był odrobinę tylko wyższy i odrobinę tylko bardziej kolorowy. Za to gębę miał zakazaną dużo bardziej.

– Idziemy, panie – powtórzył, nie podnosząc oczu, Szary.

– A dokąd to? I po co?

– Nie stawiajcie, panie, oporu.

– Kto wam kazał?

– Jegomość pan Neplach. Idziemy.

Iść, jak się okazało, przyszło całkiem niedaleko. Do jednej z kamieniczek w południowej pierzei Staromiejskiego Rynku. Reynevan nie orientował się dokładnie, której; szpicle wprowadzili go od tyłu, ciemnymi i śmierdzącymi pleśniejącym jęczmieniem przyziemiami, podwórzami, sieniami, schodami. Wnętrze mieszkalne było dość bogate – jak większość domostw w tej okolicy, to także zostało przejęte po zamożnych Niemcach, zbiegłych z Pragi po roku 1420.

Bohuchval Neplach, zwany Flutkiem, czekał na niego w świetlicy. Pod jasną belkowaną powałą. O jedną z belek zaczepiony był powróz. Na powrozie wisiał wisielec. Czubkami eleganckich ciżem sięgał podłogi. Niemal. Brakowało ze dwóch cali.

Nie bawiąc się w powitania ani inne drobnomieszczańskie przeżytki, niemal nie zaszczycając Reynevana spojrzeniem, Flutek wskazał wisielca palcem. Reynevan wiedział, o co chodzi.

– Nie... – przełknął ślinę. – To nie ten. Chyba... Raczej nie.

– Przyjrzyj się dobrze.

Reynevan przyjrzał się już na tyle dobrze, by mieć pewność, że werżnięty w napuchłą szyję sznur, wykrzywiona twarz, wybałuszone oczy i wywalony czarny język przypomną mu się w trakcie kilku przyszłych posiłków.

– Nie. Nie ten... Zresztą, czy ja wiem... Tamtego widziałem od tyłu...

Neplach strzelił palcami. Przytomni w świetlicy pachołcy obrócili wisielca plecami do Reynevana.

– Tamten siedział. Był w płaszczu.

Neplach strzelił palcami. Za małą chwilę odcięty ze stryczka trup, okryty płaszczem, siedział w karle – w pozie dość makabrycznej z uwagi na *rigor mortis*.

– Nie – pokręcił głową Reynevan. – Raczej nie. Tamtego... Hmmm... Po głosie poznałbym na pewno...

– Żałuję – głos Flutka był zimny jak lutowy wicher – ale nie da się zrobić. Gdyby on mógł dobyć głosu, ty nie byłbyś mi w ogóle potrzebny. Nuże, zabrać stąd to ścierwo.

Rozkaz wykonano błyskawicznie. Rozkazy Flutka zawsze wykonywano błyskawicznie. Bohuchval Neplach, przezwiskiem Flutek, był szefem wywiadu i kontrwywiadu Taboru, podlegał bezpośrednio Prokopowi Gołemu. A gdy jeszcze żył Żiżka, bezpośrednio Żiżce.

– Siadaj, Reynevan.

– Nie mam cza...

– Siadaj, Reynevan.

– Kim był ten...

– Wisielec? Nie ma to w tej chwili żadnego znaczenia.

– Był zdrajcą? Katolickim szpiegiem? Był, jak rozumiem, winny?

– Hę?

– Pytam, czy był winny.

– Idzie ci – Flutek spojrzał nieładnie – o eschatologię? O sprawy ostateczne? Jeśli tak, to mogę jedynie powołać się na *Credo* nicejskie: ukrzyżowan pod Ponckim Piłatem Jezus umarł, ale zmartwychwstał i powtórnie przyjdzie w chwale sądzić żywych i umarłych. Każdy będzie sądzony za swe myśli oraz czyny. I wtenczas ustali się, kto jest winny, a kto nie. Ustali się to, że się tak wyrażę, ostatecznie.

Reynevan westchnął i pokręcił głową. Sam był sobie winien. Znał Flutka. Mógł nie pytać.

– Nieważne jest zatem – Flutek wskazał głową belkę i ucięty stryczek – kim on był. Ważne, że zdążył się powiesić, gdy wyłamywaliśmy drzwi. Że nie zdołam zmusić go do mówienia. A ty go nie zidentyfikowałeś. Twierdzisz, że to nie ten. Nie ten, którego jakoby podsłuchałeś, gdy spiskował na Śląsku z biskupem wrocławskim. Prawda?

– Prawda.

Flutek zmierzył go paskudnym spojrzeniem. Oczy Flutka, czarne jak u kuny, celujące wzdłuż długiego nosa niczym otwory luf dwóch hakownic, zdolne były do bardzo paskudnych spojrzeń. Bywało, że w czarnych oczach Flutka pojawiały się dwa małe złote diabełki, które nagle, jak na komendę, jednocześnie fikały kozła. Reynevan widział już coś takiego. Coś takiego było zwykle zapowiedzią rzeczy bardzo nieprzyjemnych.

– A ja myślę – powiedział Flutek – że nieprawda. Ja myślę, że łżesz. Że od początku łgałeś, Reynevan.

Skąd Flutek wziął się u Żiżki, nikt nie wiedział. Plotki, ma się rozumieć, krążyły. Według jednych Bohuchval Neplach, prawdziwe miano Jehoram ben Jicchak, był Żydem, uczniem szkoły rabinackiej, którego ot tak, dla kaprysu, husyci oszczędzili podczas rzezi getta w Chomutowie, w marcu roku 1421. Według innych naprawdę nazywał się nie Bohuchval, lecz Gottlob i był Niemcem, kupcem z Pilzna. Według jeszcze innych był mnichem, dominikaninem, którego Żiżka – z niewiadomych powodów – osobiście ocalił z masakry księży i zakonników w Beruniu. Jeszcze inni twierdzili, że był Flutek czasławskim proboszczem, który w porę wyczuł koniunkturę, przystał do husytów i z neofickim zapałem właził Żiżce w dupę tak skutecznie, że dochrapał się stanowiska. Reynevan właśnie tym ostatnim słuchom skłonny był wierzyć – Flutek musiał być księdzem, przemawiały za tym jego łajdackie zakłamanie, dwulicowość, potworny egoizm i niewyobrażalna wręcz pazerność.

Właśnie pazerności zawdzięczał Bohuchval Neplach swoje przezwisko. Gdy bowiem w roku 1419 panowie katoliccy opanowali Kutną Horę, najważniejszy w Czechach ośrodek wydobycia kruszców, odcięta od kutnohorskich kopalń i mennic husycka Praga zaczęła bić własny pieniądz, miedziaki o śladowej zawartości srebra. Była to moneta nikczemna i praktycznie pozbawiona wartości, o parytecie równym niemal zeru. Praskie pieniążki lekceważono więc i pogardliwie przezwano „flutkami". Gdy więc Bohuchval Neplach zaczął pełnić u Żiżki funkcję szefa wywiadu, ksywka Flutek przylgnęła do niego w okamgnieniu. Rychło okazało się bowiem, że Bohuchval Neplach dla byle flutka gotów jest na wszystko. Dokładniej: że Bohuchval Neplach po byle flutek zawsze gotów się schylić, choćby i do gnoju. I że Bohuchval Neplach żadnego flutka nie waży lekce – nigdy, przenigdy nie przepuści okazji, by byle flutek ukraść lub zdefraudować.

Jakim cudem Flutek utrzymał się u Żiżki, który w swym Nowym Taborze karał defraudantów surowo i żelazną ręką tępił złodziejstwo, pozostawało zagadką. Pozostawało zagadką, dlaczego Neplacha tolerował później nie mniej pryncypialny Prokop Goły. Wyjaśnienie nasuwało się jedno – w tym, co dla Taboru robił, Bohuchval Neplach był fachowcem. A fachowcom wybacza się wiele. Trzeba wybaczać. Bo o fachowców niełatwo.

– Jeśli chcesz wiedzieć – podjął Flutek – to ja tę twoją opowieść, jak i twoją osobę zresztą, od samego początku zaszczycałem wyjątkowo małym kredytem zaufania. Tajne zjazdy, sekretne narady, ogólnoświatowe spiski, to są rzeczy dobre w literaturze, przystające takiemu, dajmy na to, Wolframowi von Eschenbach, u Wolframa i ow-

szem, miło czyta się o tajemnicach i spiskach... o miste-
rium Graala, o Terre Salvaesche, o różnych Klinschorach,
Flagetanisach, Feirefizach i innych Titurelach. W twojej
relacji trochę za dużo było tej literatury. Innymi słowy,
podejrzewam, żeś zwyczajnie nałgał.

Reynevan nic nie powiedział, wzruszył tylko ramionami. Dość demonstracyjnie.

– Powody twoich konfabulacji – ciągnął Neplach – mogą być różne. Ze Śląska uciekałeś, jak twierdzisz, bo byłeś
prześladowany, groziła ci śmierć. Jeśli to prawda, to nie
miałeś wszak innego wyjścia, jak wkraść się w łaski Ambroża. A jak skuteczniej, niż ostrzegając go przed knutym
na niego zamachem? Potem postawiono cię przed Prokopem. Prokop w zbiegach ze Śląska zwykle podejrzewa
szpiegów, wiesza więc wszystkich równo i *per saldo* wychodzi na swoje. Jakim więc sposobem ratować skórę? Ot,
choćby wziąć i ogłosić rewelacje o tajnej naradzie i spisku. Co powiesz, Reynevan? Jak to brzmi?

– Wolfram von Eschenbach by pozazdrościł. A turniej
na Wartburgu wygrałbyś jak nic.

– Powodów, by zmyślać – podjął niewzruszenie Flutek
– miałeś więc dosyć. Ale ja myślę, że tak naprawdę był
jeden.

– Jasne – Reynevan dobrze wiedział, o co chodzi. – Jeden.

– Do mnie – w oczach Flutka pojawiły się dwa złote
diabełki – najbardziej przemawia hipoteza, że twoje matactwa mają za zadanie odwrócić uwagę od sprawy prawdziwie istotnej. Od pięciuset grzywien*, zagrabionych
poborcy podatków. Co na to odpowiesz, medyku?

* Objaśnienia stosowanych w średniowieczu miar i wag, jed-
nostek monetarnych, wyjaśnienia co trudniejszych słów, tłuma-
czenia łacińskich sentencji, pieśni, hymnów, chorałów i kronik,
dane bibliograficzne źródeł, a także rozmaite ciekawostki z epoki znajdą Państwo na końcu książki. Aczkolwiek – z góry uprze-
dzamy – nie wszystkie. Autor – jak wiemy – uważa bowiem, że
samodzielne buszowanie po słownikach, leksykonach i encyklo-
pediach to wielka przyjemność, a pozbawiać czytelnika przyjemności się nie godzi (przyp. wyd.).

– To, co zwykle – Reynevan ziewnął. – Przecież mamy to przerobione. Na twoje ograne i nudne pytanie odpowiem, jak zawsze, w sposób ograny i nudny. Nie, bracie Neplach, nie podzielę się z tobą pieniędzmi zagrabionymi kolektorowi. Przyczyn jest kilka. Po pierwsze, nie mam tych pieniędzy, bo to nie ja je zagrabiłem. Po drugie...

– A kto je zagrabił?

– Mówiąc nudnie: nie mam pojęcia.

Oba złote diabełki podskoczyły i fiknęły zamaszystego kozła.

– Kłamiesz.

– Jasne. Mogę już iść?

– Mam dowody na to, że kłamiesz.

– Oho.

– Utrzymujesz – Flutek przeszył go wzrokiem – że ten twój mityczny zjazd odbył się trzynastego września i że brał w nim udział Kaspar Schlick. Z pierwszorzędnych źródeł wiem otóż, że trzynastego września roku 1425 Kaspar Schlick był w Budzie. Nie mógł więc być na Śląsku.

– Gówniane masz źródła, Neplach. Ale nie, przecież to prowokacja. Próbujesz mnie podejść, usidlić. Nie po raz pierwszy zresztą. Prawda?

– Prawda – Flutkowi nie drgnęła powieka. – Siadaj, Reynevan. Jeszcze z tobą nie skończyłem.

– Nie mam pieniędzy kolektora i nie wiem...

– Zamknij się.

Czas jakiś milczeli. Diabełki w oczach Flutka uspokoiły się, znikły niemal. Ale Reynevan nie dawał się zwieść. Flutek podrapał się w nos.

– Gdyby nie Prokop... – rzekł cicho. – Gdyby nie to, że Prokop zabronił mi ruszyć was palcem, ciebie i tego twojego Szarleja, już ja bym z ciebie wycisnął, co trzeba. U mnie wszyscy w końcu mówili; nie było takiego, co milczał. Ty też, bądź pewny, powiedziałbyś, gdzie jest ta forsa.

Reynevan miał już wprawę, przestraszyć się nie dał. Wzruszył ramionami.

– Taaak – podjął po kolejnej przerwie Neplach, patrząc na zwisający z powały sznur. – I ten też by mówił, też bym z niego wydusił zeznania. Szkoda, zaiste szkoda, że się zdążył powiesić. Wiesz, przez chwilę naprawdę myślałem, że to może on był w tej grangii... Bardzo mnie rozczarowało, że go nie rozpoznałeś...

– Wciąż cię rozczarowuję. Naprawdę mi przykro.

Diabełki podskoczyły lekko.

– Naprawdę?

– Naprawdę. Podejrzewasz mnie, każesz śledzić, czyhasz, prowokujesz. Dochodzisz moich motywów, a wiecznie zapominasz o tym głównym i jedynym: Czech, który spiskował w grangii, zdradził mego brata, wydał go na śmierć siepaczom wrocławskiego biskupa. I jeszcze się tym przed biskupem chełpił. Gdyby to więc właśnie on wisiał na tej belce, to nie poskąpiłbym grosza na mszę dziękczynną. Wierz mi, ja też żałuję, że to nie on. Ani żaden z tych, których przy innych okazjach pokazywałeś mi i polecałeś identyfikować.

– Prawda – przyznał Flutek w zamyśleniu, zapewne pozornym. – Stawiałem kiedyś na Dziwisza Borzka z Miletinka. Drugim moim typem był Hynek z Kolsztejna... Ale to żaden z nich...

– Pytasz czy stwierdzasz? Bo powtarzałem ci sto razy, że żaden.

– Tak, ty przecież obydwóm dobrze się przyjrzałeś... Wtedy. Gdy zabrałem cię z sobą...

– Pod Usti? Pamiętam.

•

Cały łagodny stok zasłany był trupami, ale prawdziwie makabryczny widok zobaczyli nad płynącą dnem doliny rzeczką Zdirznicą. Tutaj, pogrążone częściowo w czerwonym od krwi mule, piętrzyły się góry ciał, zwłok ludzkich przemieszanych z trupami koni. Było oczywistym, co tu zaszło. Bagniste brzegi wstrzymały uciekających z pola walki Sasów i Miśniaków, wyhamowały ich na czas dostatecznie długi, by zdołała ich dopaść najpierw taborycka jazda, a za chwilę pędząca za nią wyjąca horda piechoty. Konni Czesi, Polacy i Morawianie nie zabawili tu długo, zarąbali, kto podleciał, szybko podjęli pościg za rycerstwem uciekającym w stronę miasta Usti. Natomiast piesi husyci, taboryci i Sierotki zatrzymali się nad rzeczką na dłużej. Wyrżnęli i zatłukli wszystkich Niemców. Systematycznie, zachowując porządek, otaczali ich, stłaczali, potem w ruch szły cepy, morgensterny, maczugi, halabardy, gizarmy, sudlice, oksze, oszczepy i widły. Pardonu nie dawano. Wracające z bitki kupy rozwrzeszczanych, rozśpiewanych, od stóp do głów okrwawionych Bożych bojowników nie prowadziły żadnych jeńców.

Na drugim brzegu Zdirznicy, w rejonie usteckiego gościńca, jazda i piechota miały jeszcze co robić. Z obłoków kurzu dolatywał szczęk żelaza, huk, wrzaski. Po ziemi słał się czarny dym, płonęły Przedlice i Hrbovice, wioszczyny na drugim brzegu rzeczki, tam również, sądząc z odgłosów, trwała rzeź.

Konie parskały, wykręcały łby, tuliły uszy, boczyły się, tupały. Skwar dokuczał.

Z łomotem, wzbijając pył, podgalopowali do nich jeźdźcy, wśród nich Rohacz z Dube, Wyszek Raczyński, Jan Bleh z Tiesznicy, Puchała.

– Niemal po wszystkim – Rohacz charknął, splunął, otarł usta wierzchem dłoni. – Było ich jakieś trzynaście tysięcy. Załatwiliśmy, podług wstępnych obliczeń, ze trzy i pół tysiąca. Na razie. Bo tam jeszcze trwa robota. Sasy konie mają pomęczone, nie ujdą. To i dorzucimy trochę do rachunku. Dobijemy, na moje oko, tak gdzieś do czterech tysięcy.

– Może to nie Grunwald – wyszczerzył zęby Dobko Puchała. Wieniawy na jego tarczy prawie nie było widać spod warstwy krwawego błota. – Może nie Grunwald, ale też pięknie. Co, mości książę?

– Panie Prokop – Korybutowicz jakby go nie słyszał. – Czy nie czas pomyśleć o chrześcijańskim miłosierdziu?

Prokop Goły nie odpowiedział. Ruszył koniem w dół po stoku, nad Zdirznicę. Pomiędzy trupy.

– Miłosierdzie miłosierdziem – rzekł gniewnie jadący nieco z tyłu Jakubek z Vrzesovic, hejtman Biliny. – A pieniądz pieniądzem! Toć to czysta szkoda jest! Ot, patrzcie, ten tu, bez głowy, na tarczy złote skrzyżowane widły. Zna-

30

czy, Kalkreuth. Okup najmniej sto kóp przedrewolucyjnych groszy. Ten zaś tu, z flakami na wierzchu, noże winiarskie w polu w skos dzielonym, będzie Dietrichstein. Znaczny ród, minimum trzysta...

Nad samą rzeczką obdzierające trupy Sierotki wyciągnęły spod sterty zwłok żywego młodzika w zbroi i jace z herbem. Młodzik padł na kolana, złożył ręce, błagał. Potem zaczął krzyczeć. Dostał toporem, przestał.

– W polu czarnym balk blankowany srebrny – zauważył bez emocji Jakubek z Vrzesovic, znawca, jak się okazywało, heraldyki i ekonomii. – Znaczy, Nesselrode. Z hrabiów. Z pięćset byłoby za chłystka. Marnotrawimy tu grosz, bracie Prokopie.

Prokop Goły obrócił ku niemu swą chłopską twarz.

– Bóg jest sędzią – rzekł chrapliwie. – Ci, co tu leżą, nie mieli Jego pieczęci na czołach. Nie było ich imion w księdze żywych.

– Zresztą – dodał po chwili ciężkiego milczenia – nie zapraszaliśmy ich tutaj.

•

– Neplach?
– Czego?
– Wciąż każesz mnie szpiegować, twoje zbiry wciąż łażą za mną. Będziesz nadal kazał mnie śledzić?
– A bo co?
– Wydaje mi się, że nie ma potrzeby...
– Reynevan. Czy ja ciebie uczę, jak przystawiać pijawki?

Milczeli czas jakiś. Flutek wciąż wracał wzrokiem do uciętego stryczka, zwisającego z belki sufitu.

– Szczury – przemówił w zamyśleniu – uciekają z tonącej nawy. Nie tylko na Śląsku szczury spiskują po grangiach i zamkach, rozglądają się za zagraniczną protekcją, liżą zadki biskupom i hercogom. Bo ich nawa tonie, bo strach u dupy, bo koniec złudnych nadziei. Bo my w górę, a oni w dół, do kloaki! Korybutowicz się wykopyrtnął, pod Usti pogrom i masakra, Rakuszanie na głowę pobici i wykończeni pod Zwettlem, na Łużycach pożary aż po sam Zgorzelec. Uherski Brod i Preszburg w strachu, Ołomuniec i Tyrnawa trzęsą się za murami. Prokop triumfuje...

– Na razie.

– Co na razie?

– Tam, pod Strzybrem... Na mieście mówią...

– Wiem, co mówią na mieście.

– Idzie na nas wyprawa krzyżowa.

– Normalka.

– Podobno cała Europa...

– Niecała.

– Osiemdziesiąt tysięcy zbrojnego luda...

– Gówno prawda. Trzydzieści, góra.

– Ale mówią...

– Reynevan – przerwał spokojnie Flutek. – Zastanów się. Czy gdyby było naprawdę groźnie, to ja bym jeszcze tu był?

Milczeli czas jakiś.

– Lada chwila zresztą – powiedział szef taboryckiego wywiadu – sprawy się wyklarują. Lada chwila. Usłyszysz.

– Co? Jak? Skąd?

Neplach uciszył go gestem. Wskazał okno. Dał znak, by nadstawił ucha.

Przemówiły praskie dzwony.

●

Rozpoczęło Nowe Miasto. Pierwsza była Maria Na Trawniczku, tuż za nią Slovany na Emauzach, za chwilę uderzyły dzwony kościoła Świętego Wacława na Zderaze, do chóru dołączył Szczepan, po nim Wojciech i Michał, po nich dźwięcznie i śpiewnie Panna Maria Śnieżna. Po chwili rozbrzmiało biciem dzwonów Stare Miasto – wpierw odezwał się Idzi, po nim Gaweł, wreszcie głośno i triumfalnie Chram Tyński. Potem rozdzwoniły się dzwonnice Hradczan – u Benedykta, u Jerzego, u Wszystkich Świętych. Na koniec, najdostojniejszy, najgłębszy, najbardziej spiżowy, uderzył i popłynął nad miastem dzwon katedry.

Złota Praga śpiewała dzwonami.

●

Na Staromiejskim Rynku był potworny zamęt i ścisk. Pod ratusz waliła masa narodu, u wrót kłębił się tłum. Dzwony wciąż biły. Panował niesamowity rozgardiasz. Ludzie przepychali, się, przekrzykiwali, gestykulowali, dookoła widziałeś tylko spocone, czerwone z wysiłku i podniecenia twarze, otwarte usta. Zgorączkowane oczy.

– Co jest? – Reynevan capnął za rękaw jakiegoś śmierdzącego namokiem garbarza. – Wieści? Są wieści?

– Pobił brat Prokop krzyżowników! Pod Tachowem! Na głowę zbił, pogromił!

– Była walna bitwa?

– Jaka tam bitwa! – krzyknął obok typ, który wybiegł, widać, wprost od balwierza, twarz miał w połowie namydloną. – Jaka tam bitwa! Uciekli! Papieżnicy uciekli! Na łeb, na szyję! W popłochu!

– Rzucili wszystko! – zawył jakiś podniecony czeladnik. – Oręże, puszki, dobro, spyżę! I uciekli! Uciekli spod Tachowa! Brat Prokop zwycięski! Kielich zwycięski!

– Co wy gadacie? Uciekli? Bez bitwy?

– Uciekli, uciekli! A w ucieczce okrutnie przez naszych posieczeni! Tachów opasan, panowie z landfrydu osaczeni na zamku! Brat Prokop kruszy mury bombardami, dziś- -jutro miasta dostanie! Brat Jakubek z Vrzesovic ściga i gromi pana Henryka von Plauen!

– Cichajcie! Cichajcie wszyscy! Idzie brat Jan!

– Brat Jan! Brat Jan! I rajcy!

Ratuszowe wrota otwarły się, na schody wyszła grupa ludzi.

Na czele szedł Jan Rokycana, proboszcz od Marii Przed Tynem, niewysoki, szlachetnego, by nie powiedzieć: natchnionego oblicza. I niestary. Czołowy obecnie ideolog utrakwistycznej rewolucji miał trzydzieści pięć lat, był od Reynevana starszy o dziesięć. Obok swego słynnego już ucznia szedł, łapiąc powietrze w zadyszce, Jakobellus Strzybrski, mistrz uniwersytecki. O pół kroku z tyłu trzymał się Peter Payne, Anglik o twarzy ascety. Dalej szli staromiejscy rajcy – potężny Jan Velvar, Matej Smolarz, Wacław Hedvika. I inni.

Rokycana zatrzymał się.

– Bracia Czesi! – krzyknął, wznosząc obie ręce. – Prażanie! Bóg z nami! I Bóg nad nami!

Ryk tłumu najpierw wzniósł się, potem opadł, ścichł. Dzwony kościołów kolejno przestawały bić. Rokycana nie opuszczał rąk.

– Pokonani – krzyknął jeszcze głośniej – są heretycy! Ci, co zbezcześcili Święty Krzyż, kładąc go z poduszczenia Rzymu na swe zbroje zbrodniarskie! Spotkała ich kara Boża! Wiktoria przy bracie Prokopie!

Ludzie zaryczeli jednym głosem, wznieśli wiwaty. Kaznodzieja uciszył ich.

– Choć zeszły się tu – kontynuował – hordy piekielne, choć wyciągnęły się ku nam okrwawione szpony Babilonu, choć znowu zagroziła złość rzymskiego antychrysta prawdziwej religii, Bóg nad nami! Pan Niebios podniósł swą rękę, aby zniszczyć moc wrażą! Ten sam Pan, który zatopił wojska faraona w Morzu Czerwonym, który zmusił do ucieczki przed Gedeonem nieprzeliczone armie Madianitów! Pan, który w ciągu jednej nocy pobił przez swego anioła sto osiemdziesiąt pięć tysięcy Asyryjczyków, ten sam Pan Niebios poraził strachem serca nieprzyjaciół naszych! Jak wojska bluźniercy Senacheryba umykały spod Jerozolimy, tak zdjęta trwogą papieżnicka zgraja pierzchała w panice spod Strzybra i Tachowa!

– Gdy tylko spostrzegli – zawtórował mu cienko Jakobellus – słudzy diabelscy Kielich na proporcach brata Prokopa, gdy usłyszeli chorał Bożych bojowników, rozpierzchli się w popłochu, tak, że dwóch razem nie zostało! Byli jak plewa, którą wiatr rozmiata!

– *Deus vicit!* – wrzasnął Peter Payne – *Veritas vicit!*

– *Te Deum laudamus!*

Tłum zaryczał i zawył. Tak, że Reynevana aż zakłuło w uszach.

•

Tego wieczora, czwartego sierpnia roku 1427, Praga hucznie i szumnie świętowała zwycięstwo, prażanie szalonym spontanicznym festynem odreagowywali tygodnie strachu i niepewności. Śpiewano na ulicach, tańczono wokół ognisk na placach, weselono się w ogrodach i w podwórzach. Pobożniejsi czcili Prokopową wiktorię na nabożeństwach, odprawianych *impromptu* po wszystkich praskich kościołach. Mniej pobożni mieli do wyboru szeroki wachlarz innych imprez. Wszędzie, na Starym i Nowym Mieście, na wciąż będącej większością pogorzeliskiem Małej Stranie, na Hradczanach, wszędzie niemal karczmarze ufetowali triumf nad krucjatą tym, że wszystkim chętnym za darmo, na koszt lokali szynkowano alkohole i serwowano jadło. Jak Praga długa i szeroka, wyskoczyły więc z beczułek czopy i szpunty, zapachniały ruszty, rożny i sagany. Jak zwykle, przebiegli oberżyści wykorzystali okazję, by pod przykrywką hojności pozbyć się produktów grożących skiśnięciem lub zepsuciem – jak i tych, w przypadku których nie były to już bynajmniej pogróżki. Ale któżby zwracał uwagę! Krucjata pobita! Zagrożenie minęło! Weselmy się!

Jak Praga długa i szeroka, weselono się. Wznoszono toasty na cześć mężnego Prokopa Gołego i Bożych bojowników, a na pohybel zbiegłym spod Tachowa krzyżowcom. W szczególności wodzowi krucjaty, Ottonowi von Ziegenhainowi, arcybiskupowi Trewiru, życzono, by w drodze do domu zdechł albo przynajmniej się rozchorował. Śpiewano naprędce ułożone kuplety o tym, jak to na widok Prokopowych chorągwi legat papieski Henryk de Beaufort spaskudził się ze strachu w portki.

Reynevan dołączył do zabawy. Wpierw na Rynku Staromiejskim, potem wraz z przygodną – a dość liczną – kompanią przeniósł się na Persztyn, do oberży „Pod Niedźwiadkiem" w pobliżu kościółka Świętego Marcina W Murze. Potem rozochocone bractwo przewędrowało na Nowe Miasto. Zgarnąwszy po drodze kilku pijaczków z cmentarza przy Pannie Marii Śnieżnej, biesiadnicy ruszyli na Koński Targ. Tu kolejno odwiedzono dwie gospody – „Pod Białą Kobyłą" i „U Mejzlika".

Reynevan wiernie towarzyszył kompanii. Sam, co tu mówić, miał ochotę na uciechę i świętowanie, szczerze radował się tachowskim zwycięstwem, mniej też martwił się o Szarleja. Trasa mu odpowiadała – na Nowym Mieście wszak mieszkał. A na Sukiennicką, do apteki „Pod Archaniołem", gdzie spodziewał się Samsona Miodka, pójść nie mógł. Zamiar ten porzucił definitywnie. Bał się narazić tajny lokal na spalenie, a czeskich alchemików i magów na dekonspirację. I na rzeczy jeszcze gorsze. A ryzyko było. W rozbawionym tłumie „Pod Kobyłą" kilkakrotnie mignęła mu szara postać, szary kaptur i szara twarz szpicla. Flutek, jak się okazywało, nie rezygnował nigdy.

Bawił się więc, ale oszczędnie, nie przesadzał z piciem, chociaż zażywane na Sukiennickiej magiczne dekokty uodparniały go na wszelkie toksyny, w tym i alkohol. Wreszcie jednak zdecydował się porzucić towarzystwo. Zabawa „U Mejzlika" dochodziła już – a częściowo nawet doszła – do etapu, który Szarlej nazywał: „Wino, śpiew, womit". Kobieta nieprzypadkowo wyłączona była z zestawienia.

Reynevan wyszedł na ulicę, odetchnął. Praga cichła. Odgłosy hucznych zabaw przegrywały powoli z chórami nadwełtawskich żab i świerszczy z klasztornych ogrodów.

Poszedł w kierunku Bramy Końskiej. Z mijanych gospod i piwniczek buchały kwaśne zapachy, rozlegał się brzęk naczyń, dziewczęce piski, ospałe już nieco ryki i coraz to bardziej niemrawe śpiewy.

Já řezník, ty řezník, oba řezníci
Pudem za Prahu pro jalovici
Jak budu kupovat, ty budeš smlouvat
Budem si panenky hezky namlouvat!

Powiał wietrzyk, niosąc woń kwiatu, liścia, szlamu, dymu i Bóg wie czego jeszcze.

I krwi.

Praga nadal śmierdziała krwią. Reynevan wciąż czuł ten prześladujący go smród, wciąż miał go w nozdrzach. Czuł wywołany tym smrodem niepokój. Przechodniów było coraz mniej, Neplachowych szpicli w okolicy nie było ni widu, ni słychu. Ale niepokój nie znikał.

Skręcił w Starą Pasirzską, potem z Pasirzskiej w uliczkę zwaną W Jamie. Idąc myślał o Nikolecie, o Katarzynie Biberstein. Myślał o niej intensywnie i szybko odczuł skutki tego myślenia. Wspomnienia stawały mu przed oczami tak żywo i realistycznie, w takich detalach, że w pewnym momencie rzecz stała się nie do wytrzymania – Reynevan odruchowo zatrzymał się i obejrzał. Odruchowo, bo wszak wiedział, że i tak nie było dokąd pójść. Już w sierpniu roku 1419, ledwo dwadzieścia dni po defenestracji, w Pradze zburzono wszystkie co do jednego zamtuzy, a wszystkie co do jednej wesołe dziewczynki wypędzono za miejskie mury. W kwestii surowości obyczajów husyci byli bardzo surowi.

Realistyczne i pełne szczegółów przypomnienie Katarzyny wywołało też inne skojarzenia. Mieszkanie w domu na rogu ulic Świętego Szczepana i Na Rybniczku, które Reynevan dzielił z Samsonem Miodkiem, miało gospodynię, panią Błażenę Pospichalovą, wdowę, obfitującą we wdzięki niewiastę o miłych błękitnych oczach. Oczy te kilkakrotnie spoczęły na Reynevanie w sposób na tyle wymowny, by mógł podejrzewać jejmość Błażenę o chętkę na to, co Szarlej zwykł był rozwlekle określać jako „oparte jedynie na pożądaniu zjednoczenie nie będące owocem usankcjonowanego przez Kościół przymierza". Reszta świata określała rzecz znacznie krócej i znacznie dosadniej. A husyci rzeczy tak dosadnie określane traktowali, jak się rzekło, z wielką surowością. Zwykle, co prawda, robili to raczej na pokaz, ale nigdy przecież nie było wiadomo, z czego i z kogo zechcą zrobić pokazówkę. Choć więc Reynevan rozumiał spojrzenia jejmość Błażeny, udawał, że nie rozumie. Częściowo ze strachu przed pakowaniem się w kłopoty, częściowo – i to nawet bardziej – z pragnienia dochowania wiary swej ukochanej Nikoletcie.

Z zamyślenia wyrwało go wściekłe miauknięcie, z ciemnego zaułka po prawej wyskoczyło i popędziło ulicą wielkie rude kocisko. Reynevan natychmiast przyspieszył kroku. Kota mogli, i owszem, spłoszyć szpicle Flutka. Ale mogły też to być zwykłe rzezimieszki, czatujące na samotnego przechodnia. Zmierzchało, robiło się pustawo, a gdy robiło się ciemno i pusto, nowomiejskie uliczki przestawały być bezpieczne. Zwłaszcza teraz, gdy straż grodową zmobilizowano większością do armii Prokopa, nie należało samotnie szwendać się po Nowym Mieście.

Reynevan postanowił więc nie być samotny. Kilkanaście kroków przed nim szło dwóch prażan. By ich dogonić, musiał się nieźle wysilić, szli szybko, a słysząc odgłos jego kroków wyraźnie przyspieszyli. I raptownie skręcili w zaułek. Wszedł tam za nimi.

– Hej, bratrzy! Nie lękajcie się! Chciałbym tylko...

Mężczyźni obrócili się. Jeden miał tuż obok nosa podbiegły ropą szankier. A w ręce nóż, zwyczajny nóż rzeźnicki. Drugi, niższy, krępy, uzbrojony był w tasak z esowatym jelcem. Żaden nie był szpiclem Flutka.

Trzeci, ten, który szedł za nim, który spłoszył kota, siwawy, też nim nie był. Trzymał dagę, cienką i ostrą jak igła.

Reynevan cofnął się, przywarł plecami do muru. Wyciągnął w stronę zbirów swą lekarską torbę.

– Panowie... – wybełkotał, dzwoniąc zębami. – Bracia... Bierzcie... Nic więcej nie mam... Li... Lito... Litości... Nie zabijajcie...

Gęby zbirów, dotychczas twarde i spięte, rozluźniły się, rozlazły, rozpłynęły w pogardliwe grymasy. W oczach, do tej pory zimnych i czujnych, zjawiło się lekceważące okrucieństwo. Zbliżyli się, podnosząc broń, do łatwej i godnej pogardy ofiary.

A Reynevan przeszedł do drugiej fazy. Po zagrywce psychologicznej *à la* Szarlej był czas na użycie innych metod. Wyuczonych u innych nauczycieli.

Pierwszy typ zupełnie nie spodziewał się ani ataku, ani tego, że dostanie lekarską torbą prosto w szankrowaty nos. Drugim zachwiał kopniak w goleń. Trzeci, ten krępy, zdumiał się, gdy jego tasak przeciął powietrze, a on sam runął na kupę odpadków, potknąwszy się na zręcznie podstawionej nodze. Widząc, że pozostali skaczą ku niemu, Reynevan rzucił torbę, błyskawicznie wyciągnął zza pasa sztylet. Zanurkował pod ramię z nożem, zastosował dźwignię na nadgarstek i łokieć, dokładnie tak, jak kazał *Das Fechtbuch* pióra Hansa Talhoffera. Popchnął jednego przeciwnika na drugiego, uskoczył, zaatakował z flanki fintą zalecaną w takich sytuacjach przez *Flos duellatorum* autorstwa Fiora da Cividale, tom poświęcony walce na noże, rozdział pierwszy. Gdy zbir odruchowo wysoko sparował, Reynevan krótko dźgnął go w udo – według rozdziału drugiego tego samego podręcznika. Zbir zawył, upadł na kolano. Reynevan uskoczył, podnoszącego się z kupy śmieci w przelocie kopnął, uskoczył znowu przed pchnięciem, udał, że się potyka, że traci równowagę. Siwawy zbir z dagą najwyraźniej nie czytał klasyków i nie słyszał o fintach, bo rzucił się w gwałtowny a bezładny wypad, godząc w Reynevana jak czapla dziobem. Reynevan spokojnie podbił mu ramię, przewinął rękę, chwycił, jak uczył *Das Fechtbuch*, za bark, zablokował, przyparł do muru. Chcąc się wyzwolić, zbir zadał lewą pięścią gwałtowny cios – trafiając prościutko w sztych sztyletu, podstawionego zgodnie z wytycznymi *Flos duellatorum*. Wąska klinga weszła głęboko, Reynevan słyszał chrzęst rozkruszanych kości śródręcza. Zbir zakrzyczał cienko, runął na kolana, przyciskając do brzucha sikającą krwią dłoń.

Trzeci zamachowiec, ten krępy, szedł na niego szybko, ciął krzyżowo tasakiem, na skos, lewo-prawo, bardzo niebezpiecznie. Reynevan cofał się, parując i uskakując, wyczekując na jakiś podręcznikowy układ lub pozycję. Ale ani *Meister* Talhoffer, ani *messer* Cividale nie przydali mu się już tego dnia. Zza pleców zbira z tasakiem wyłoniło się nagle coś bardzo szarego, w szarej kapucy, szarym kubraku i szarych gaciach. Świsnęła wytoczona z jasnego drewna pałka, głuchym stukiem oznajmiając energiczny kontakt z potylicą. Szary był bardzo szybki. Nim zbir padł, zdołał walnąć go jeszcze raz.

W zaułek wszedł Flutek i kilku jego agentów.

– No i co? – spytał. – Nadal uważasz, że brak powodów, by cię śledzić?

Reynevan oddychał głęboko, otwartymi ustami łapał powietrze. Adrenalina zaczęła w nim kipieć dopiero teraz. W oczach pociemniało tak, że musiał oprzeć się o mur.

Flutek podszedł, przyjrzał się, schyliwszy, pojękującemu zbirowi z przebitą ręką. Szybkimi ruchami zaimitował zastosowany przez Reynevana niemiecki blok i italskie kontrpchnięcie.

– No, no – pokręcił głową z uznaniem i niedowierzaniem zarazem. – Biegle zrobione, biegle. Kto by przypuścił, że aż do takiego kunsztu się wyćwiczysz. Wiedziałem, że chodzisz do fechtmistrza. Ale on ma dwie córki. Przypuszczałem więc, że ćwiczysz z którąś z nich. Względnie z obiema.

Dał znak, by łkającego i krwawiącego związano. Rozejrzał się za tym dźgniętym w udo, ale ten, jak się okazało, ulotnił się chyłkiem. Rozkazał podnieść walniętego pałką. Ten wciąż był oszołomiony, ślinił się i w żaden sposób nie mógł ześrodkować spojrzenia, oczy zezowały mu niezbornie i wciąż uciekały gdzieś w głąb czaszki.

– Kto was najął?

Zbir zazezował i chciał splunąć. Nie wyszło mu. Flutek skinął, zbir dostał pałką w nerki. Gdy z sykiem wciągnął powietrze, dostał drugi raz. Flutek niedbale machnął ręką, dał znać, by go zabrano.

– Powiesz – obiecał na odchodnym. – Wszystko powiesz. U mnie nie było takiego, co milczał.

– Pytać – Flutek odwrócił się do wciąż opartego o mur Reynevana – czy się domyślasz, byłoby obrazą twej inteligencji. Dlatego zapytam. Domyślasz się, czyja to robota?

Reynevan kiwnął głową. Flutek też kiwnął, z aprobatą.

– Siepacze powiedzą. U mnie nie było takiego, co milczał. U mnie w końcu mówił nawet Marcinek Loquis, a to twardy i zawzięty był kurdupel, ideowiec, prawdziwy męczennik za sprawę. Łotry wynajęte za parę przedrewolucyjnych groszy wyśpiewają wszystko na sam widok narzędzi. Ale ja i tak ich każę przypiekać. Z czystej sympatii do ciebie, ich niedoszłej ofiary. Nie dziękuj.

Reynevan nie podziękował.

– Z czystej sympatii – podjął Flutek – zrobię dla ciebie jeszcze coś. Pozwolę ci osobiście, własną ręką pomścić brata. Tak, tak, dobrze słyszysz. Nie dziękuj.

Reynevan nie podziękował i tym razem. Zresztą słowa Flutka nie w pełni jeszcze do niego docierały.

– Za jakiś czas zgłosi się do ciebie mój człowiek. Poleci, byś udał się na Rynek, do domu „Pod Złotym Konikiem", tego, w którym dziś rozmawialiśmy. Przyjdź tam niezwłocznie. I weź ze sobą kuszę. Zapamiętasz? Dobrze. Bywaj.

– Bywaj, Neplach.

●

Dalej obyło się bez ewenementów. Było już ciemno, gdy Reynevan dotarł na róg Szczepana i Na Rybniczku, do domu z izdebką na piętérku, którą wespół z Samsonem Miodkiem wynajmował u pani Blaženy Pospichalovej.

Liczącej sobie jakieś trzydzieści lat wdowy po Pospichalu, *requiescat in pace* i Bóg z nim, kimkolwiek był, co robił, jak żył i na co umarł.

Ostrożnie otworzył furtkę do ogródka, wszedł w sień, gdzie było ciemno choć oko wykol. Dołożył starań, by drzwi nie skrzypiały, a stopnie starych schodów nie trzeszczały. Starał się o to zawsze, wracając po zmroku. Nie chciał budzić pani Blaženy. Lekko obawiał się skutków, jakie mogła mieć konfrontacja z panią Blaženą, gdyby do takowej doszło po ciemku.

Stopień, na przekór jego wysiłkom, zatrzeszczał potępieńczo. Otwarły się drzwi, powiało larendogrą, różem, winem, woskiem, powidłami, starym drewnem, świeżo wypraną pościelą. Reynevan poczuł, jak szyję oplata mu pulchne ramię, a para pulchnych piersi przyciska go do poręczy schodów.

– Świętujemy dzisiaj – szepnęła mu w prosto w ucho pani Blažena Pospichalova. – Dziś święto, chłopaczku.

– Pani Blaženo... Azali... Godzi się...

– Cicho bądź. Chodź.

– Ale...

– Cicho.

– Ja kocham inną!

Wdowa wciągnęła go do alkierza, popchnęła na łóżko. Pogrążył się w pachnącej krochmalem otchłani pierzyny, utonął, obezwładniony puchową miękkością.

– Ja... kocham... inną...

– A kochaj sobie.

Rozdział drugi

w którym Flutek dotrzymuje słowa, Hynek z Kolsztejna przynosi Pradze pokój święty, a historia rani i kaleczy, zmuszając medyków do ciężkiej pracy.

Flutek dotrzymał słowa. Kompletnie tym zresztą Reynevana zaskakując.

Miesiąc bowiem minął od tamtej rozmowy, od dnia festynu z okazji zwycięstwa pod Tachowem. Od zamachu. I od incydentu z panią Blażeną Pospichalovą, który zdarzył się w noc z czwartego na piąty sierpnia. Incydent z panią Blażeną powtórzył się, co tu ukrywać, potem jeszcze kilkakroć i w sumie więcej miał stron miłych niż niemiłych. Do tych pierwszych należały – między innymi – smaczne i obfite śniadania, którymi po piątym sierpnia pani Blażena jęła raczyć swych sublokatorów. Reynevan i Samson, dotąd jadający raczej nieregularnie i skąpo, po czwartym sierpnia zaczęli chodzić do swych zajęć syci i zadowoleni z życia, idąc zaś uśmiechali się pogodnie do bliźnich i pogwizdywali wesoło, rozpamiętując smak bułeczek, twarogu, szczypiorku, wątrobianki, ogóreczków i ja-

jecznicy z tartym selerem. Jajecznicę z selerem pani Blażena serwowała szczególnie często. Jajka, mawiała, śląc
Reynevanowi spojrzenia aksamitne jak alpejskie szarotki,
wzmagają moc. A seler, dodawała, wzmaga chęć.

Po miesiącu od tamtych wydarzeń, już we wrześniu,
szóstego, w sobotę przed Narodzeniem Panny Marii, gdy
Reynevan i Samson kończyli jajecznicę z selerem, w izbie
zjawił się, cicho jak szary cień, znany Reynevanowi szary
typek w szarych gaciach.

– Jegomość czekają – wyrzekł cicho, a krótko. – W „Złotym koniku”. Wnet, panie.

•

Praskie ulice były wyjątkowo mało ludne, wręcz wylu-
dnione. Wyczuwało się napięcie, tętno miasta było nerwo-
we, niespokojne i nieregularne. Dachy lśniły po deszczu,
jaki spadł przed świtem.

Milczeli, idąc. Samson Miodek odezwał się pierwszy.

– Niemal dokładnie dwa lata temu – powiedział – byliśmy w Ziębicach. Ósmego września roku 1425 przybyłeś
do Ziębic. W szlachetnej misji wybawienia ukochanej. Pamiętasz?

Miast odpowiedzieć lub skomentować, Reynevan przyspieszył kroku.

– Istotnym metamorfozom – nie rezygnował Samson –
uległeś w ciągu tych dwóch lat. Zmieniłeś – rzecz niemała
– religię i światopogląd. W obronie obu czasem chodziłeś
w bój z bronią w ręku, czasem dawałeś się wykorzysty-
wać politykom, szpiegom i łotrom. I nie szlachetne wyba-
wianie już twym motywem, lecz przeciwnie: ślepa zemsta. Zemsta, która, jeśli nawet cudem jakimś dosięgnie
osób faktycznie winnych, i tak nie przywróci życia twemu
bratu.

Reynevan zatrzymał się.

– Rzecz już dyskutowaliśmy – odrzekł twardo. – Moje
motywy znasz. I obiecałeś pomóc. Nie pojmuję więc...

– Dlaczego do tego wracam? Bo do czegoś takiego zawsze warto wracać. Zawsze warto próbować, bo a nuż po-
działa, a nuż komuś otworzą się oczy i rozum zawita do

głowy. Ale masz rację. Obiecałem pomóc. I pomogę. Chodźmy.

W Bramie Svatohavelskiej – rzecz dziwna – nie dało się widzieć straży, ni jednego zbrojnego. Sprawa była absolutnie zaskakująca, zważywszy, że brama i mostek nad przykopem stanowiły główny łącznik między Nowym a Starym Miastem, a stosunki między dzielnicami bywały na tyle napięte, że uzasadniało to obsadzanie bram uzbrojonymi załogami. Dziś nie było ni śladu załogi, tunel bramy był puściutki. Zapraszający do wejścia. Nieszczerze. Jak pułapka.

Pustawo było też w uliczkach za Świętym Gawłem, zwykle zatłoczonych kramami i straganami, dziwna cisza panowała na Targu Rybnym. A Staromiejski Rynek był jak wymarły. Dwa psy, jeden kot i ze trzydzieści gołębi w zgodzie i harmonii piło wodę z kałuży pod pręgierzem, nawet nie oglądając się na nielicznych przemykających pod ścianami domów przechodniów.

Lśniły zmoczone deszczem kule na pinaklach chramu Tyńskiego. Niczym złoty trójząb błyszczała wieża ratuszowa.

Ratuszowe horologium, zegar wieżowy, jak zwykle zgrzytało, biło i coś wskazywało – jak zwykle nie bardzo było wiadomo co, dlaczego i jak dalece dokładnie. A wnosząc z położenia słońca, i tak ledwo przeszła tercja.

Flutek czekał w domu „Pod złotym konikiem", w tej samej izbie, co poprzednio, tym razem jednak obyło się bez wisielca.

Stojąc przy oknie, taborycki szpieg wysłuchiwał meldunków, składanych przez ludzi wyglądających na agentów, a także ludzi na agentów nie wyglądających. Zobaczył Reynevana. Skrzywił się na widok Samsona.

– Jesteś.

– Jestem.

– Kuszy nie wziąłeś – zauważył kwaśno Neplach. – Może i lepiej. Jeszcze byś się w coś postrzelił. Czy ten twój matołek musi tu być?

– Nie musi. Zejdź na dół, Samsonie. I czekaj.

– Stań tam – rozkazał Flutek, gdy Samson wyszedł. – Tam, przy oknie. Stój, milcz, obserwuj.

44

Stał, milczał, obserwował. Na rynku nadal było pusto. Przy kałuży u pręgierza pies się drapał, kot wylizywał sobie ogon i jego szeroko rozumiane okolice, gołębie dreptały skrajem wody. Gdzieś w stronie Ungeltu i kościoła Świętego Jakuba odezwał się róg. Po chwili trąbienie dobiegło też od wschodu, od splądrowanego Świętego Klemensa, byłego klasztoru byłych dominikanów.

Do izby wpadł zdyszany agent. Flutek wysłuchał meldunku.

– Nadjeżdżają – oznajmił, podchodząc do okna obok. – W jakieś pięćset koni. Słyszałeś, Reinmarze? W pięćset koni chcą zająć Pragę, błazny. W pięciuset chcą przejąć władzę, zadufki.

– Kto? Zechcesz wreszcie powiedzieć, o co tu chodzi?

– Szczury ratują się z tonącego okrętu. Podejdź do okna. Przyglądaj się. Patrz uważnie. Wiesz, kogo masz wypatrywać.

Spod pręgierza uciekły nagle psy, za nimi pognał kot. Gołębie zerwały się trzepoczącą chmarą, spłoszone przybliżającym się stukiem podków. Konny huf nadciągał od południa, od fosy, od pustej Bramy Svatohavelskiej. Wkrótce jeźdźcy – wśród nich liczni ciężkozbrojni – zaczęli ze szczękiem i łoskotem wlewać się na rynek.

– Kolińska drużyna Dziwisza Borzka – rozpoznawał barwy i znaki Flutek. – Zbrojni Puty z Czastolovic. Panosze Jana Miesteckiego z Opoczna. Pancerni Jana Michalca z Michalovic. Konnica Ottona de Bergow, pana na Troskach... A na czele?

Na czele hufu jechał rycerz w pełnej zbroi, ale bez hełmu. Na białej jace nosił herb – złotego wspiętego lwa na błękitnym polu. Reynevan widział już i rycerza, i herb. W bitwie pod Usti.

– Hynek z Kolsztejna – wyrzekł przez zaciśnięte zęby Flutek. – Ze szczepanickiej linii Valdsztejnów, z rodu wielkich Markvarticów. Bohater spod Wyszehradu, obecny pan na Kamyku, hejtman litomierzycki. Daleką przebył drogę, od wielkości do zdrady. Rozglądaj się wśród jego kompanów, Reynevan. Patrz uważnie. Coś mi mówi, że kogoś rozpoznasz.

45

Staromiejski Rynek huczał od podków, łoskot i szczęk odbijały się echem od pierzei, wznosiły nad dachy. Hynek z Kolsztejna, rycerz z lwem, wspiął siwego konia tuż przed portalem staromiejskiego ratusza.

– Pokój święty! – ryknął. – Czas na pokój święty! Dość krwi, gwałtu i zbrodni! Uwolnić więźniów! Uwolnić Zygmunta Korybuta, prawego pana naszego i króla!

– Dość rządów krwawych klik! Koniec z przemocą, zbrodnią i wojną! Pokój wam przynosim!

– Pokój święty! – jeźdźcy chórem podchwytywali hasło.

– Pokój święty! *Pax sancta!*

– Ludu miasta Pragi! – ryczał Hynek. – Stolicy Królestwa Czeskiego i wszystkich temu królestwu wiernych! Do nas!

– Panie burmistrzu Starego Miasta! Panowie rajcy! Panowie ławnicy! Do nas! Bywajcie!

Drzwi ratusza nie uchyliły się nawet na cal.

– Prago! – krzyknął Hynek. – Wolna Prago!

I Praga odpowiedziała.

Z trzaskiem otwarły się okiennice, wyjrzały zza nich strzemiona i łuczyska kusz, lufy hakownic, rury piszczał. Nagle, jak na komendę, Staromiejski Rynek utonął w ogłuszającym huku wystrzałów, w dymie i smrodzie prochu. Na stłoczonych na placu zbrojnych runęła nawałnica kul i bełtów. Eksplodował i wzniósł się krzyk, ryk, wrzask ranionych ludzi, rżenie i dzikie kwiki kaleczonych koni. Jeźdźcy zakotłowali się w bezładzie, zderzali jedni z drugimi, przewracali, tratowali tych, którzy z siodeł spadli. Część z miejsca pchnęła konie w galop, ale z rynku nie było ucieczki. Ulice zabarykadowano nagle belkami, przegrodzono przeciągniętymi w poprzek łańcuchami. Zza zapór sypnęły się bełty. A ze wszystkich stron, z Żelaznej, z Michalskiej, z Długiej Trzidy, z Celetnej, od Tynu, na rynek biegli uzbrojeni ludzie.

Konni, osłaniając się wzajem tarczami, zbili się w kupę pod ratuszem, Hynek z Kolsztejna starał się zaprowadzić ład, chrypł od krzyku. A z domów wciąż strzelano, kule i bełty leciały z okien otaczających Staromiejski Rynek kamienic – z „Jednorożca", z „Czerwonych Drzwi", z „Baranka", z „Kamiennego Dzwonu", z „Łabędzia". Strzelano z okien i okienek, z wykuszy, z dachów, z sieni i bram. Rycerze i panosze jeden po drugim lecieli z siodeł na ziemię, padały wierzgające konie.

– Dobrze – powtarzał przez zaciśnięte zęby Flutek. – Dobrze, prażanie. Tak trzymać! Oj, nie wyjdziesz pan z tego żywy, panie Kolsztejnski z Valdsztejnów. Nie uniesiesz głowy.

Hynek z Kolsztejna jakby dosłyszał, bo jego huf nagle podzielił się na dwa oddziały. Jeden, w jakieś sto koni, dowodzony przez rycerza z tarczą srebrno-czarną, pogalopował w stronę kościoła Świętego Mikołaja. Drugi, z samym Hynkiem na czele, uderzył na motłoch atakujący od Długiej Trzidy.

Pierwszy oddział znikł Reynevanowi z pola widzenia, mógł tylko z wrzasku i szczęku wnioskować, że konni próbują przedrzeć się przez barykady, wyrąbać sobie drogę na most i Małą Stranę. Widział natomiast, jak oddział Hynka z impetem spadł na uzbrojonych mieszczan, jak pierwszą linię położył pokotem, jak drugą rozproszył. I jak na trzeciej utknął, nadziawszy się na zaporę z gizarm, dzid i wideł. Prażanie stali twardo, nie dali się przestraszyć. Było ich dużo. Byli silni. Pewni siebie.

Bo wciąż nadbiegali nowi.

– Śmierć zdrajcom! – wrzeszczeli, atakując. – Do Wełtawy z nimi!

– Bić, bić, nikogo nie żywić!

Rżały, stając dęba, ranione wierzchowce, walili się na śliską już od krwi ziemię jeźdźcy. A z okien wciąż leciały bełty, bełty, bełty...

– Bić zdrajców! Do Wełtawy!

Jeźdźcy wycofali się, zawrócili na plac, rozproszyli się, małymi grupami pognali, by na własną rękę przebijać się przez barykady i łańcuchy przy Świętym Mikołaju i w Michalskiej. Ale Hynka z nimi nie było. Pod bohaterem spod Wyszehradu i Usti padł koń, cięty kosą po przednich nogach. Rycerz zdołał w porę zeskoczyć, miecza nie wypuścił, tych, co go opadli, porąbał. Oparłszy się plecami o ścianę domu „Pod Słoniem", skrzyknął ku sobie kilku podobnie spieszonych, widząc jednak, że koszeni bełtami padają, skoczył w sklepioną sień, wywalił drzwi barkiem. Prażanie kupą wpadli za nim do wnętrza domu. Hynek nie miał szans. Nie potrwało długo, a okrwawione ciało w jace ozdobionej lwem Markvarticów wyleciało z okna na piętrze i łomotnęło o praski bruk.

– Defenestracja! – zaśmiał się wykrzywiony demonicznie Flutek. – Druga defenestracja! To mi się, psia mać, podoba! Sprawiedliwość i symbolika!

Wyrzucony oknem Hynek dawał jeszcze słabe znaki życia. Prażanie obstąpili go. Jakiś czas wahali się. Wreszcie ktoś wahanie przełamał i dziabnął rycerza oszczepem. Drugi rąbnął toporem. A potem zaczęli dźgać i rąbać wszyscy.

– Tak jest! – zaśmiał się Neplach. – Symbolika! Co, Reynevan? Co powiesz...

Urwał. Reynevana w izbie nie było.

●

Trzeba było przyznać, że rycerz z tarczą podzieloną w skos na pola srebrne i czarne ratował życie rozsądnie i z pomysłem. Po pierwsze, identyfikującą go tarczę cisnął precz jeszcze na rynku. Gdy zaś odparci od barykad przy Owocnym Targu jezdni wycofali się za kościółek Świętego Linharta, gdzie znowu wpadli na prażan i wdali się w zażarty bój, srebrno-czarny rycerz bez wahania obrócił konia i umknął w uliczki, w galopie zdzierając z ramion płaszcz z bogatym haftem. Wyjechał, płosząc kaczki i żebraków, na placyk zwany Przy Kałuży. Słysząc okrzyki nadbiegającej od rynku pogoni zaklął, zeskoczył z siodła, trzepnął wierzchowca po zadzie, sam zanurkował w ciasny i ciemny przesmyk, wiodący ku ulicy Płatnerskiej. Prażanie z wrzaskiem pobiegli za stukiem kopyt konia, biegnącego w stronę dominikańskiego klasztoru i Wełtawy. Rzeki, w której odmętach, jak wynikało z nudnie już monotonnych wrzasków tłuszczy, znajdą wnet koniec wszyscy buntownicy i zdrajcy.

Odgłosy cichły, oddalały się. Rycerz odetchnął, uśmiechnął się pod wąsem. Już był niemal pewien, że mu się powiedzie.

I kto wie, może by się mu i powiodło, gdyby nie fakt, że Reynevan doskonale znał teren. Ulica Płatnerska i odchodzące od niej zaułki mieściły w czasach przedrewolucyjnych kilka przytulnych i niedrogich burdelików, okolice te znał więc świetnie każdy student i każdy bakałarz Uniwersytetu Karola. Do tego Reynevan i Samson Miodek posługiwali się magią. Amuletami telepatycznymi. Bardzo prostymi, ale wystarczającymi do rudymentarnej telekomunikacji. Do tropienia i pościgu.

Srebrno-czarny rycerz odczekał chwilę, czas wykorzystał na zakrycie zbroi kawałem znalezionej cwilichowej płachty. Przywarł do ściany, słysząc łomot podków, ale to tylko biegł koń bez jeźdźca, bułanek z okrwawionym bokiem. Za koniem biegła, kołysząc się i mucząc, łaciata krowa – skąd się tu wzięła, wiedziała jedna tylko cholera.

Gdy ucichło, rycerz szybko ruszył w stronę Płatnerskiej. Wyszedł na ulicę, postał chwilę, rozejrzał się, nadsłuchując gasnących odgłosów walki i rzezi. Potem wszedł w pierwsze z brzegu podsienie i na podwórze, tu zabrał się do zdejmowania mogących go zdemaskować blach. Spomiędzy suszącej się na sznurze bielizny wywlekł koszulę, wystrzępioną mocno i obszerną, szytą ewidentnie dla baby w ciąży albo grubej zwyczajnie, z przyrodzenia. Gdy wciągał koszulę przez głowę, przez moment nic nie widział.

A Reynevan z Samsonem moment ów wykorzystali.

Reynevan z rozmachem palnął rycerza podniesioną z ziemi deską. Samson palniętego chwycił za barki, potrząsnął, poderwał, z mocą pchnął na mur. O dziwo, miast po murze tym osunąć się bezwładnie, rycerz odbił się odeń, wyszarpnął z pochwy kord i zaatakował. Samson odskoczył, Reynevan zamachnął się swoją deską, rycerz odbił ją silnie, pchnął sztychem, tak szybko i fachowo zręcznie, że gdyby nie brane u fechtmistrza lekcje, Reynevan pożegnałby się z wątrobą i życiem. Rycerz zwinnie obrócił kord w dłoni i zadał szybkie cięcie; gdyby nie wyuczony unik, ostrze rozciełoby Reynevanowi grdykę aż po kręgi szyjne. Groźną sytuację spacyfikował Samson, uderzeniem kija wytrącając rycerzowi broń, a jego samego obalając ciosem pięści. Cios był potężny, ale rycerz i tym razem ani myślał leżeć tam, gdzie upadł. Zerwał się, oburącz chwycił pustą beczkę, podniósł, stęknął, poczerwieniały z wysiłku rzucił, jak pociskiem, w Samsona Miodka. I tu trafiła kosa na kamień. Samson złapał beczkę w locie. I odrzucił niby piłkę. Rycerz runął, zbity z nóg, na stertę słomy.

Podnieść się już nie zdołał. Reynevan i Samson zwalili się na niego, przygnietli, wykręcili i skrępowali ręce. Omotali głowę babską koszulą. Spętali nogi w kostkach długim powrozem. I zawlekli do pobliskiej piwnicy, za powróz ciągnąc. Nie cackali się. Nie zważali, że głowa rycerza rytmicznie stuka o kamienne stopnie, a on sam pojękuje i bluźni.

Pchnięty na główki kapusty rycerz usiadł, stękając i klnąc. Gdy Reynevan zdarł mu szmatę z głowy, pomrugał. Piwnica miała okienko, dało się więc widzieć co nieco. Rycerz długo przypatrywał się Reynevanowi, krócej Samsonowi. I od razu ocenił, że z tych dwóch wyłącznie jeden jest partnerem do negocjacji. Spojrzał Reynevanowi prosto w oczy, odkaszlnął.

– Rozumnie – wysilił się na uśmiech. – Roztropnie, bracie. Po co dzielić się z innymi, gdy można wszystko mieć dla siebie? Czasy są zbyt ciężkie i niepewne, by gardzić groszem. A grosz wpadnie ci do kabzy, obiecuję.

Reynevan ukradkiem odetchnął z ulgą. Stuprocentowej pewności do tej pory nie miał i już na zapas frustrował się skutkami możliwej pomyłki. Ale gdy rycerz przemówił, o pomyłce mowy już być nie mogło. Ten głos słyszał dwa lata temu, trzynastego września, na Śląsku, w cysterskiej grangii w Dębowcu.

– Zasłużyłeś... – srebrno-czarny rycerz oblizał wargi, łypnął na Reynevana. – Zasłużyłeś na nagrodę. Już choćby za spryt. Sprytnie mnie złapałeś, co tu gadać. Masz, co tu gadać, łeb na karku...

Urwał. Zorientował się, że mówi na próżno, a jego słowa nie wywierają na adresacie żadnego wrażenia. Natychmiast przestawił się na inną taktykę. Przybrał dumną minę i zmienił ton. Na pański i władczy.

– Jestem Jan Smirzycky ze Smirzyc. Pojmujesz, chłopie? Jan Smirzycky! Okup za mnie...

– Tam, na rynku – przerwał Reynevan – trup twojego kamrata Hynka już wisi na pręgierzu, obdarty do naga. Obok jest jeszcze miejsce.

Rycerz nie spuścił oczu. Reynevan pojął, z kim ma do czynienia, ale trzymał się obranej strategii. Nadal usiłował nastraszyć i zastraszyć.

– Z reszty twoich druhów ocaleli tylko ci, których obronił proboszcz Rokycana, zasłaniając własną piersią przed dzidami motłochu, tych zawleczono do ratuszowej szatławy. Przeganiając przedtem naprędce wymyśloną „ścieżką cnoty", szpalerem ludzi z pałkami i siekierami. Nie wszyscy przebyli tę ścieżkę żywi. Pościg za resztą trwa, a motłoch wciąż czeka pod ratuszem. Zastanawiasz się, po co ci to mówię? Bo straszną mam chęć zaciągnąć cię tam, na rynek, wydać prażanom i popatrzeć, jak będziesz biegł pod kijami. Czy wiesz, skąd u mnie ta chęć? Domyślasz się może?

Rycerz zmrużył oczy. A potem rozwarł je szeroko.

– To ty... Teraz cię poznaję.

– Zdradziłeś mojego brata, Janie Smirzycky ze Smirzyc, wydałeś go na śmierć. Zdasz za to rachunek. Właśnie zastanawiam się, w jaki sposób. Mogę, jak rzekłem, wydać cię w ręce prażan. Mogę tu, na miejscu, własnoręcznie wsadzić ci nóż pod żebra.

– Nóż? – rycerz szybko odzyskał kontenans, pogardliwie wydął wargi. – Ty? Pod żebra? Ha, nuże więc, młodszy panie z Bielawy. Śmiało!

– Nie prowokuj mnie.

– Prowokować? – Jan Smirzycky parsknął i splunął. – Ja nie prowokuję. Ja drwię! Ja się znam na ludziach, potrafię przez oczy do duszy zaglądnąć. Tobie zaglądnąłem i to ci powiem: ty nawet kurczaka byś nie zabił.

– Mogę, powiedziałem, zawlec cię pod ratusz. Tam czeka cała gromada mniej wrażliwych.

– Możesz mnie też pocałować w dupę. To ci właśnie proponuję. I z całego serca polecam.

– Mogę też puścić cię wolno.

Smirzycky odwrócił głowę. Nie dość szybko, by Reynevan nie ułowił błysku w jego oku.

– Więc jednak – spytał po chwili – okup?

– Można to tak nazwać. Udzielisz mi odpowiedzi na kilka pytań.

Rycerz spojrzał na niego. Milczał długo.

– Ty pętaku – powiedział wreszcie, krzywiąc wargi i przeciągając słowa. – Ty śląski Niemczyku. Ty doktorku znachorku! Z kim ty, myślisz, masz sprawę? Ja jestem Jan Smirzycky ze Smirzyc, szlachcic czeski, pasowany pan, hejtman mielnicki i rudnicki! Moi przodkowie walczyli pod Legnano i Mediolanem, pod Askalonem i Arsufem. Mój pradziad okrył się chwałą pod Mühldorfem i pod Crécy. Odpowiadać na pytania? Tobie? A chędoż się, pacanie.

– Ty, szlachetny panie Smirzycky, knułeś, jak pospolity zbir, zdradę własnych rodaków. Tych, którzy zrobili cię hejtmanem, na Mielniku i Rudnicach osadzili. W podzięce za to spiskowałeś przeciw nim z Konradem z Oleśnicy, biskupem Wrocławia. Dwa lata temu, na Śląsku, w cysterskiej grangii. Minęły całe dwa lata, ale z pewnością pamiętasz. Bo ja pamiętam. Każdziuteńkie wypowiedziane tam słowo.

Smirzycky wpił w niego oczy. Milczał przez chwilę, kilka razy przełknął ślinę. Gdy się odezwał, w jego głosie, prócz zaskoczenia, zadźwięczał niekłamany podziw.

– A więc to ty... To ty tam byłeś. Ty podsłuchałeś... Niech cię diabli! Przyznać ci trzeba, szeroko i zamaszyście obracasz się w świecie. Podziwiam. Ale i współczuję zarazem. Tacy umierają młodo. I zwykle śmiercią gwałtowną.

Samson Miodek wysłał za pomocą magicznego amuletu jakiś mentalny sygnał. Ale choć podczas pościgu komunikacja wychodziła im znośnie, teraz, z odległości dwóch kroków, sygnał był zupełnie nieczytelny. To znaczy, nieczytelna była treść, wyraźna natomiast intensywność. Reynevan odebrał to jako sugestię, by działać stanowczo.

– Odpowiesz na moje pytania, panie Smirzycky.

– Nie, nie odpowiem. Wydaje ci się, że masz na mnie

coś, czym możesz zastraszyć, zaszantażować? Gówno masz, młodszy panie Bielawa. A wiesz, dlaczego? Bo czas nastał nam historyczny. Każdy dzień przynosi zmiany. W takich czasach, konowale, szantażyści muszą działać bardzo szybko, inaczej tylko na drwinę obracają się ich szantaże. Nie zauważyłeś, co się dziś działo na ulicach? Wjechałem do Pragi u boku Hynka z Kolsztejna. Przyjechaliśmy wprost z Kolina, od pana Dziwisza Borzka, onże dał nam swych zbrojnych. Ręka w rękę z nami szli jawnie drużynnicy tak zajadłych katolików i husytobójców jak Puta z Czastolovic i Otto de Bergow. Żadna tajemnica, pocośmy przybyli. Mieliśmy zamiar opanować ratusz i przejąć władzę, bo Praga to *caput regni*, kto ma Pragę, ma Czechy. Chcieliśmy oswobodzić Korybuta i zrobić z niego króla. Prawdziwego króla, znaczy, za aprobatą Rzymu. Chcieliśmy dogadać się z papieżem, skłonnym, jak wieść niesie, do kompromisu względem liturgii, gotowym ustąpić względem Kielicha i komunii *sub utraque specie*. Gotowym do negocjacji. Ale nie z Taborem, nie z radykałami, nie z ludźmi o rękach zbrukanych krwią księży. Zjednoczeni z Oldrzychem z Rożmberka i panami z landfrydu chcieliśmy wykończyć radykałów, wybić Sierotki, zlikwidować Tabor, przywrócić ład w Królestwie Czeskim. Pojmujesz?

– Wjechaliśmy do Pragi – Smirzycky nie czekał, aż Reynevan potwierdzi – jawnie i z odkrytą przyłbicą. Wyraźniej więc chyba nie mogłem pokazać, czego chcę, przeciw komu i przeciw czemu jestem. Z kim trzymam, z kim jestem w spółce. Wszystko się dziś wydało i pokazało. Co chcesz więc zrobić? Teraz, gdy szydło wyszło z worka na pełną długość, pójdziesz do Taboru i ogłosisz: „Słyszcie, bracia, powiem wam nowinę: Jan ze Smirzyc jest waszym wrogiem, spiskuje przeciw wam z katolikami"? Zeszłoroczny śnieg, panie z Bielawy, zeszłoroczny śnieg! Pokpiłeś, spóźniłeś się. Owszem, jeszcze rok, jeszcze miesiąc temu...

– Jeszcze miesiąc temu – dokończył ze złośliwym uśmiechem Reynevan – mogłem cię zdemaskować, byłem groźny. Nasłałeś więc na mnie skrytobójców. Iście po rycersku, panie ze Smirzyc, po szlachecku. Zaiste, dumni muszą być w zaświatach okryci chwałą antenaci, bohaterowie spod Askalonu i Crécy.

– Jeśli myślisz, że będę się przed tobą z tego tytułu kajał, to się kurewsko mylisz.

– Odpowiesz mi na pytania.

– Już ci, zdaje mi się, proponowałem całowanie w dupę? A zatem ponawiam propozycję.

Samson Miodek wstał raptownie. A Reynevan przysiągłby, że Jan Smirzycky się zląkł.

– To jest wojna! – wykrzyczał, utwierdzając Reynevana w przekonaniu. – Wojna, chłopie! Kto może ci zaszkodzić, ten wróg, a wroga się niszczy! Twój brat pracował dla Taboru, dla Żiżki, dla Szwamberka i Hviezdy, był mi więc wrogiem, mógł szkodzić i szkodził. A biskup wrocławski przeciwnie, był cennym sojusznikiem, warto było go sobie zjednywać. Chciał biskup nazwisk działających na Śląsku taboryckich szpiegów, to i dostał listę. Zresztą biskup od dawna miał twego brata w podejrzeniu, dopadłby go i bez mojej pomocy. Wrocławski biskup ma swoje środki i metody. Zdziwiłbyś się, jak skuteczne.

– Nie zdziwiłbym się, widziałem to i owo. Skuteczności działania też nie neguję. Nie żyje już wszak wspomniany przez ciebie Jan Hviezda, nie żyje Bohuslav ze Szwamberka. A to ty, wtedy, w cysterskiej grangii, podałeś ich obu za cel biskupim siepaczom. Szwamberk był wysokiego rodu. Bodajże wyższego i starszego niźli twój, choć chełpisz się przodkami. Za Bohusława Szwamberka czeka cię szafot, jego krewniacy już tego dopatrzą.

Samson znowu wysłał sygnał. Reynevan zrozumiał.

– Hviezda i Szwamberk – oświadczył tymczasem Smirzycky – umarli z ran odniesionych w boju. Gadaj, oskarżaj, nikt nie uwierzy...

– Nikt nie uwierzy w czarną magię? – dokończył Reynevan. – To chciałeś powiedzieć?

Smirzycky zaciął usta.

– Czego ty, u diabła, chcesz? – wybuchnął nagle. – Zemsty? Nuże więc, mścij się! Zabij mnie! Tak, zdradziłem twojego brata, choć ufał mi tak, jak Chrystus ufał Judaszowi. Zadowolonyś? Oczywiście skłamałem, twego brata nigdy na oczy nie widziałem, usłyszałem o nim od... Mniejsza z tym, od kogo. Ale wydałem go biskupowi, przez to zginął. Ciebie zaś miałem za szpiega Neplacha, za prowokatora i możliwego szantażystę. Musiałem coś z tobą zrobić. Najęty kusznik, rzecz nie do wiary, chybił. Dwa razy próbowałem cię otruć, ale trucizna chyba na ciebie nie działa. Najałem trzech zabójców, nie wiem, co się z nimi stało. Znikli. Same szczęśliwe zbiegi okoliczności, młodszy panie z Bielawy. Bardzo dziwne szczęśliwe zbiegi. Czy ktoś tu niedawno nie mówił przypadkiem o czarnej magii?

Flutek, pomyślał Reynevan, zmusił pojmanych zbirów do zeznań. Z pewnością już wcześniej miał sygnały o szykowanym puczu, zbiry na torturach powiedziały resztę, potwierdziły podejrzenia. Na spiskowców czekała zasadzka, nie mieli szans. Najmując na mnie morderców, Jan Smirzycky przegrał Pragę. A Hynek z Kolsztejna przegrał życie.

– Szczury uciekające z tonącego okrętu – powiedział, bardziej do siebie, niż do rycerza. – Po Tachowie, wobec rosnącej potęgi Prokopa i Taboru, to była wasza jedyna szansa. Przewrót, przejęcie władzy, uwolnienie i wyniesienie na tron Korybuta, ułożenie się z papiestwem i landfrydem. Postawiliście wszystko na jedną kartę. Cóż, nie wyszło.

– Ano, nie wyszło – odrzekł bez większej emocji rycerz, nadal patrząc na Samsona, nie na Reynevana. – Przegrałem. Z której strony by nie spojrzeć, wychodzi, że dam głowę. Dobra, niech będzie, co ma być. Zabij mnie, wydaj Neplachowi, ciśnij pod noże motłochu, wedle woli. Dość mam już tego wszystkiego. Jedną tylko prośbę składam, o jedno suplikuję... Mam w Pradze pannę. Niskiego stanu. Oddajcie jej mój pierścień i krzyżyk. I trzos. Jeśli mogę prosić. Wiem, wasza zdobycz... Ale to uboga dziewczyna...

– Odpowiedz na moje pytania – Reynevan znowu usłuchał telepatycznej wskazówki Samsona – a sam jej wszystko oddasz. Jeszcze dziś.

Smirzycky spuścił powieki, by skryć błysk oka.

– Usidlasz mnie. Ty mi nie wybaczysz. Nie wyrzekniesz się zemsty za brata....

– Ty go tylko zdradziłeś. Mieczami dziurawili go inni. Tych imiona chcę znać. Dalej, pofrymarcz, starguj coś za coś. Daj mi możność odwetu na tamtych, ja wyrzeknę się zemsty na tobie.

– Jaką mam gwarancję, że mnie nie zwodzisz?

– Nie masz żadnej.

Rycerz milczał czas jakiś, słychać było, jak przełyka ślinę.

– Pytaj – rzekł wreszcie.

– Hviezda i Szwamberk. Zamordowano ich, prawda?

– Prawda... – zająknął się Smirzycky. – Chyba... Nie wiem. Podejrzewam, ale nie wiem. To możliwe.

– Czarna magia?

– Zapewne.

– W rozmowie z biskupem uczestniczył jeszcze jeden człowiek. Wysoki. Szczupły. Czarne włosy do ramion. Ptasia twarz.

– Biskupi doradca, pomocnik i poufnik. Nie wierć mnie oczami. Przecież wiesz albo się domyślasz. To on wykonuje dla biskupa brudną robotę. Nie ulega kwestii, że to on zamordował Piotra z Bielawy. I wielu innych. Przypomnij sobie psalm dziewięćdziesiąty...

– Strzała lecąca za dnia. *Timor nocturnus*. Demon, co niszczy w południe...

– Tyś powiedział – skrzywił usta Smirzycky. – Tyś wyrzekł to słowo. I chyba utrafiłeś w sedno. Chcesz dobrej rady, chłopcze? Trzymaj się od niego z daleka. Od niego i od...

– Czarnych jeźdźców, wołających: „*Adsumus*". Odurzających się, jak asasyni, tajemnymi arabskimi substancjami. Używających czarnej magii.

– Tyś powiedział. Nie porywaj się na nich. Uwierz mi i posłuchaj rady. Nie próbuj nawet zbliżać się do nich. A jeśli oni spróbują zbliżać się do ciebie, uciekaj. Byle dalej i byle szybciej.

– Jego imię. Biskupiego poufnika.

– Jego, to pewne, boi się sam biskup.

– Jego imię.

– On wie o tobie.

– Jego imię.

– Birkart von Grellenort.

Reynevan dobył sztyletu. Rycerz odruchowo przymknął oczy. Ale zaraz je otworzył, spojrzał śmiało.

– To wszystko, panie Janie Smirzycky. Jesteś wolny. Bywaj. I nie próbuj już na mnie nastawać.

– Nie będzie próbował – powiedział nagle Samson Miodek. Oczy Jana ze Smirzyc rozszerzyły się mocno.

– Tobie – kontynuował spokojnie Samson, bynajmniej nie delektując się wywartym wrażeniem. – Tobie, Janie ze Smirzyc, zdrady i spiski nie wychodzą na dobre. Nie popłacają. W przyszłości też tak będzie. Wystrzegaj się spisków i zdrad.

– Tyle myśli w tobie, tyle planów. Tyle ambicji. Zaprawdę, przydałby ci się ktoś, kto stoi za plecami, ktoś, kto doradza półgłosem, podpowiada, przypomina. *Rescipiens post te, hominem memento te, cave, ne cadas. Cave, ne cadas*, panie Janie Smirzycky.

– Słuchaj, jeśli masz uszy. *Nescis, mi fili, diem neque horam*. Twoje ambicje, panie Smirzycky, sprawią, że upadniesz. Ale nie znasz ani dnia, ani godziny tego upadku.

•

Gdy Reynevan wyszedł z piwnicy, Samson gdzieś przepadł, ale za moment pojawił się. Poszli obaj, zaułkami, w stronę ulicy Płatnerskiej.

– Myślisz – zaczął Reynevan – że to było mądre? Ta twoja końcowa przemowa? Co to właściwie było? Proroctwo?

– Proroctwo? – Samson obrócił ku niemu swą twarz idioty. – Nie. Tak mi się jakoś powiedziało. A czy to było mądre? Nic nie jest mądre. Przynajmniej tu, w tym twoim świecie.

– Aha. Że też od razu nie zgadłem. Jeśli już przy tym jesteśmy, idziesz na Sukiennicką?

– Oczywiście. A ty nie?

– Nie. Z pewnością są liczni ranni; jak znam Rokycanę, kazał poznosić ich do kościołów. Będzie huk roboty, każdy lekarz się przyda. Nadto Neplach będzie mnie szukał. Nie mogę ryzykować, że trafi za mną „Pod Archanioła".

– Rozumiem.

Wyszli na rynek. Na pręgierzu nie wisiał już nagi i bestialsko okaleczony trup Hynka z Kolsztejna, pana na Kamyku, hejtmana litomierzyckiego, rycerza ze szczepanickiej linii Valdsztejnów, z rodu wielkich Markvarticów. To z pewnością proboszcz Rokycana kazał go stamtąd zdjąć. Proboszcz Rokycana, choć czynił to z bólem, zabijanie tolerował i oficjalnie nawet aprobował, do pewnych granic, oczywista, wyłącznie, oczywista, w słusznej sprawie i tylko wówczas, gdy cel uświęcał środki.

Ale na profanowanie zwłok nie pozwalał nigdy. No, powiedzmy, prawie nigdy.

– Bywaj, Reinmarze. Daj mi amulet. Gotowyś zgubić, a wtedy Telesma głowę mi urwie.

– Bywaj, Samsonie. Aha, zapomniałem ci podziękować. Za telepatycznie przekazywane sugestie. To dzięki nim tak gładko poszło nam ze Smirzyckim.

Samson spojrzał na niego, a jego kretyńskie oblicze rozjaśnił nagle szeroki kretyński uśmiech.

– Poszło gładko – powiedział – dzięki twemu sprytowi i inteligencji. Ja mało pomogłem, niczym się nie przysłużyłem, jeśli nie liczyć rzucenia w Smirzyckiego beczką. Co się zaś tyczy sugestii, to żadnych ci nie dawałem. Telepatycznie ponaglałem cię tylko, prosiłem, byś się spieszył. Bo okropnie chciało mi się sikać.

•

Roboty było rzeczywiście huk, potrzebna, jak się okazało, była i przydała się każda para wprawionych w leczeniu rąk.

Rannymi wypełniono obie nawy boczne Panny Marii Przed Tynem, a z tego, co Reynevan zasłyszał, leżeli liczni pacjenci także u Świętego Mikołaja. Niemal do zapadnięcia zmroku Reynevan wraz z innymi medykami składał złamania, tamował krwotoki i zszywał, co dało się zszyć.

A gdy skończył, gdy wstał, gdy wyprostował obolałe krzyże, gdy po raz kolejny stłumił wywołane smrodem krwi i kadzideł mdłości, gdy zamierzał wreszcie pójść się umyć, jak spod ziemi, jak duch zjawił się przy nim szary typek w szarych gaciach. Reynevan westchnął i poszedł za nim, nie dyskutując i o nic nie pytając.

●

Bohuchval Neplach czekał na niego w mieszczącej się przy ulicy Celetnej gospodzie „Pod Czeskim Lwem". Gospoda warzyła wyśmienite własne piwo i słynęła kuchnią, ale przekalkulowaną renomę wliczała w ceny dań, toteż Reynevan w lokalu nie bywał, nie było go na to stać ani za czasów studenckich, ani teraz. Dziś po raz pierwszy miał okazję zapoznać się z wystrojem wnętrza i kuchennymi zapachami, przyznać trzeba, wielce smakowitymi.

Szef taboryckiego wywiadu ucztował samotnie, w kącie, dzielnie i pilnie pracując przy pieczonej gęsi, zupełnie lekceważąc fakt, że tłuszcz plami mu mankiety i kapie na gors szamerowanego srebrną nicią wamsu. Zobaczył Reynevana, gestem dał mu znak, by usiadł, gest wykonując, nawiasem mówiąc, spienionym kuflem piwa, którym gęsinę popijał. I jadł dalej, wzroku nie podnosząc. O tym, by Reynevanowi zaproponować jadło lub napój, w ogóle nie pomyślał.

Zjadł całą gęś, nawet kuper, który zostawił na wety. Gdzie się to w nim podziewa, pomyślał Reynevan, chudzielec przecie, choć apetyt krokodyla. Ha, pewnie to nerwowa praca. Albo pasożyty.

Flutek zlustrował spojrzeniem resztki gęsi i uznał, że są już na tyle mało atrakcyjne, by móc poświęcić uwagę czemu innemu. Podniósł wzrok.

– I co? – starł tłuszcz z brody. – Masz mi coś do powiedzenia? Do przekazania? Do zameldowania? Pozwól, niech zgadnę: nie masz.

– Zgadłeś.

W czarnych oczach Flutka pojawiły się dwa złote diabełki. Oba podskoczyły i fiknęły koziołka. Zaraz po pojawieniu.

– Ścigałem – Reynevan udał, że nie spostrzegł – jednego typka. Prawie go miałem. Ale umknął mi przy Walentym.

– Ot, pech – rzekł beznamiętnie Neplach. – Rozpoznałeś go chociaż? Byłbyż to ten, który spiskował z wrocławskim biskupem?

– Ten. Tak myślę.

– Ale umknął?

– Umknął.

– Znowu więc – Flutek pociągnął z kufla – przepadła ci szansa na zemstę. Iście, pechowiec z ciebie, pechowiec. Nic, zaiste, nie darzy ci się, los nijak nie chce ci sprzyjać. Niejeden by się załamał, mając wciąż taki niefart. Ale ja patrzę na ciebie i widzę, że znosisz to z godnością. Nic, tylko podziwiać. I zazdrościć.

– Ale – podjął, nie doczekawszy się reakcji – mam dla ciebie dobrą wiadomość. Co się nie udało tobie, udało się mnie. Dopadłem łobuza. Faktycznie niedaleko kościoła Świętego Walentego, co bardzo ładnie akcentuje twoją prawdomówność. Cieszysz się, Reynevan? Jesteś wdzięczny? Na tyle może, by szczerze porozmawiać o pięciuset grzywnach podatkowego poborcy?

– Zlituj się, Neplach.

– Przepraszam, zapomniałem, ty wszak o aferze z poborcą nie wiesz nic, niewinnyś i nieświadomyś. Wracajmy zatem do łobuza, którego pojmałem. Wystaw sobie, że to ni mniej, ni więcej, a Jan Smirzycky ze Smirzyc, hejtman na Mielniku i Rudnicach. Wystawiłeś sobie?

– Wystawiłem.

– I co?

– I nic.

Wyglądało, że diabełki fikną kozła. Ale nie fiknęły.

– Twoje doniesienia o udziale Jana ze Smirzyc w śląskim spisku – podjął po chwili Flutek – to już niestety zeszłoroczny śnieg. Wzięły się i zdezaktualizowały. Czas nastał nam historyczny, dzieje się wiele, każdy dzień przynosi zmiany, co wczoraj było ważne, dzisiaj znaczenia nie ma, a jutro warte będzie mniej niźli psie łajno. Rozumiesz to, myślę?

– A jakże.

– To dobrze. Zresztą w tak zwanym wymiarze ogólnym rzecz jest bez znaczenia, cóż to w końcu za różnica, za co się Smirzyckiego osądzi, skaże na śmierć i straci, za spisek, za zdradę, za rewoltę, jedna cholera. Co ma wisieć, nie utonie. Twój brat będzie pomszczony. Cieszysz się? Jesteś wdzięczny?

– Błagam, Neplach, nie mów tylko, proszę, o pięciuset grzywnach poborcy.

Flutek odstawił kufel, spojrzał Reynevanowi prosto w oczy.

– Nie będę o nich mówił. Rzecz bowiem przykra, ale Smirzycky zwiał.

– Co?

– To, co słyszysz. Smirzycky drapnął. Uciekł z więzienia. Szczegółów chwilowo nie znam, jedno tylko jest wiadomym: w ucieczce dopomogła mu miłośnica, córka praskiego tkacza. Rzecz zaiste bulwersująca, sam oceń. Rycerz wysokiego rodu i jego metresa, plebejuszka, panna tkaczykówna. Musiała wiedzieć, że jest dla niego tylko zabawką, że nic z tego związku być nie może. A jednak zaryzykowała dla kochanka życiem. Lubczyku jej zadał, czy jak?

– A może – Reynevan wytrzymał spojrzenie – wystarczyło człowieczeństwo? Głos za plecami, przypominający: *hominem memento te?*

– Ty się dobrze czujesz, Reynevan?

– Jestem zmęczony.

– Napijesz się?

– Dziękuję, ale na pusty żołądek...

– Ha. Celnie, doktorku. Hola, gospodarzu! Sam tu!

•

We czwartek po Narodzeniu Marii, jedenastego września, pięć dni po próbie puczu, ściągnął pod Pragę Prokop Goły, triumfator spod Tachowa i Strzybra. Przybyła z nim cała armia, Tabor, Sierotki, prażanie i ich adherenci, wozy bojowe, artyleria, piechota i jazda. Było tego *in toto* dwanaście tysięcy zbrojnego luda.

I był z nimi Szarlej.

Rozdział trzeci

w którym Reynevan dowiaduje się, że musi się strzec Baby i Panny.

– Niezła była – ocenił Szarlej – ta jajecznica. Smak, prawda, nieco psuł seler, zupełnie się z jajkami nie komponujący. Kto, na rany boskie, i po co pakuje do jajecznicy tarty seler? To jakaś rozbuchana kulinarna fantazja miłej pani gospodyni. Ale nie ma co malkontencić, grunt, że brzuch pełen. Pani gospodyni, nawiasem, niewiasta niczego sobie, niczego... Kształty Junony, ruchy pantery, w oku błysk, ha, może też wynajmę u niej izbę i trochę pomieszkam? Myślę o zimie, teraz długo tu nie zabawię, bo jak nie jutro, to pojutrze Prokop rozkaże wymarsz, pociągniemy, jak się gada, pod Kolin, odpłacić za zdradę panu Borzkowi z Miletinka... Hola, Reinmarze, czy my idziemy aby we właściwą stronę? Pragę znam średnio, ale czy nie powinniśmy iść raczej tam, za Ratusz Nowomiejski, w stronę klasztoru karmelitów?

– Idziemy przez Zderaz do przystani pod Targiem Drzewnym. Popłyniemy łodzią.

– Wełtawą?

– Jak najbardziej. Zawsze tak robię ostatnio. Mówiłem

ci, pracuję w szpitalu Bohuslavów, to jest niedaleko Franciszka. By tam dotrzeć, trzeba drałować przez całe miasto. To więcej niż pół godziny marszu, a w dni targowe należy doliczyć drugie pół godziny stania w tłoku pod zakorkowaną Bramą Svatohavelską. Łodzią jest szybciej. I wygodniej.

– Kupiłeś więc łódź – Szarlej kiwnął głową z kiepsko udawaną powagą. – Dobrze się tu, widzę, powodzi medykom. Noszą się wytwornie, mieszkają luksusowo, śniadają obficie, obsługiwani przez atrakcyjne wdówki. Każdy, wzorem weneckich patrycjuszy, ma własną gondolę. Chodźmy, chodźmy, pilno mi ją ujrzeć.

Przycumowana do nabrzeża szeroka płaskodenna łódź w niczym raczej nie przypominała weneckiej gondoli – być może dlatego, że służyła do transportu warzyw. Szarlej nie pokazał rozczarowania, wskoczył zręcznie na pokład i rozsiadł się między koszami. Reynevan przywitał się z flisakiem. Pół roku temu wyleczył mu nogę, paskudnie przygniecioną burtami dwóch barek, za co kursujący codziennie z Pszar do Bubnów flisak odwdzięczał się gratisowym transportem. No, powiedzmy, prawie gratisowym – w ciągu minionego półrocza Reynevan zdążył już leczyć żonę flisaka i dwoje spośród sześciorga jego latorośli.

Za chwilę ciężka od marchwi, rzepy i kapusty krypa odbiła od brzegu i popłynęła, zanurzona głęboko, wełtawskim nurtem.

Woda, oprócz wiórów i sęków, niosła mnóstwo kolorowych liści. Był już wrzesień. Prawda, wyjątkowo ciepły.

Oddalili się od brzegu, przepłynęli przez jaz i bystrzynę, wokół której ostro biły bolenie, prześladujące ławice uklei.

– Wśród licznych zalet takiej żeglugi – zauważył bystro Szarlej – nie najmniej ważną jest możliwość pogadania bez obawy, że ktoś podsłucha. Możemy tedy kontynuować wczorajszą wieczorną pogawędkę.

Wczorajsza pogawędka, zaczęta wieczorem i przeciągnięta w głęboką noc, tyczyła, ma się rozumieć, głównie ewenementów ostatnich miesięcy – od bitwy tachowskiej po niedawny pucz Hynka z Kolsztejna i jego konsekwencje. Reynevan powtórzył Szarlejowi wszystko, czego przed tygodniem dowiedział się od Jana ze Smirzyc. I opowiedział o powziętych zamierzeniach. Zamierzeń tych, jak można było oczekiwać, Szarlej absolutnie nie aprobował. Nie aprobował ich ani wczoraj, ani dziś.

– To pomysł całkiem nierozumny – powtórzył opinię. – To kompletne szaleństwo, wracać na Śląsk i szukać zemsty. Gdybym nie wiedział lepiej, pomyślałbym, żeś wcale nie zmądrzał przez ostatnie dwa lata, ba, tuszyłbym, żeś jeszcze bardziej zgłupiał. Ale przecież tak nie jest. Zmądrzałeś, Reinmarze, dowodzi wszak tego twój postępek ze Smirzyckim. Miałeś go w ręku, na łasce i niełasce. I co? Puściłeś wolno. Rozżalony śmiercią brata, żądny odwetu, a wypuściłeś. Bo rozumem, mając go wszakże, ogarniasz bezsens takiej zemsty. Winny śmierci twojego brata nie jest wszak Smirzycky. Ów Birkart von Grellenort, choć być może zabił Peterlina własnoręcznie, biskup wrocławski Konrad, choć wydał rozkaz, winy, paradoksalnie, również nie ponoszą. Tym, co zabiło Peterlina, był bowiem historyczny czas. To historyczny czas wtedy, zimą roku 1425, przywiódł Ambroża pod Radków i Bardo. To historia, nie mieszkańcy Kutnej Hory, strącała pojmanych husytów do kopalnianych szybów. To nie Węgrzy Luksemburczyka, lecz historia gwałciła i zarzynała baby w zdobytych Lounach. To nie Żiżka, lecz historia mordowała i paliła żywcem ludzi w Chomutowie, Beruniu i Czeskim Brodzie. To również historia zabiła Hynka z Kolsztejna. Szukać zemsty? Na historii? Być jak król Kserkses, batożący morze?

Reynevan pokręcił głową. Ale się nie odezwał.

Dopłynęli do wyspy Travnik. Od lewego brzegu wciąż niosło spalenizną. W maju roku 1420, podczas zażartych walk z wojskiem wiernym królowi, Małą Stranę podpalono, tak skutecznie, że cała niemal legła popiołem – i faktycznie leżała nim po dziś dzień. Próbowano, prawda, odbudowywać, ale jakoś bez serca i zapału. Było wszak bez liku innych zmartwień, historia skutecznie dbała, by ich nie zabrakło.

– W świetle procesów historycznych – podjął Szarlej,

patrząc na czarne resztki nadbrzeżnych młynów – można więc przyjąć, żeś już wziął odwet za brata. Albowiem idziesz w jego ślady, kontynuujesz dzieło, którego on nie dokończył. W ramach schedy po bracie przyjąłeś komunię *sub utraque specie* i jesteś husytą. Peterlin, wiem to, dotarły do mnie informacje, był faktycznie wierzącym utrakwistą, służył sprawie Kielicha z faktycznego przekonania. Mówię o tym, bo nie brakowało takich, którzy robili to z innych pobudek, niekiedy bardzo brzydkich, a zawsze bardzo prozaicznych. Ale, powtarzam, nie dotyczy to ani twego brata, ani, jak sądzę, ciebie. Ty wszak szczerze i z oddaniem, bez cienia wyrachowania, walczysz dla sprawy i religii, dla których twój brat dał się zabić.

– Nie wiem, skąd się to bierze, Szarleju, ale w twoich ustach rzeczy najbardziej podniosłe potrafią brzmieć jak jakiś karczemny żart. Wiem, że nie zwykłeś szanować świętości, ale...

– Świętości? – przerwał demeryt. – Reinmarze? Czy ja dobrze słyszę?

– Nie imputuj mi, proszę – zacisnął wargi Reynevan – ani perfidii, ani braku własnego zdania. Owszem, zbliżył mnie do husytów fakt, że Peterlin dla nich zginął, wiem, jakim mój brat był człowiekiem, bez wahania staję po stronie, po której się opowiadał. Ale ja mam swój rozum, swój własny. Sprawę przemyślałem i osądziłem w duszy. Komunię z Kielicha przyjąłem z pełnym przekonaniem. Albowiem popieram cztery artykuły, popieram naukę Wiklefa, popieram husytów w kwestii liturgii i interpretacji Biblii. Popieram ich światopogląd i program budowania sprawiedliwości społecznej.

– Sprawiedliwości, przepraszam, jakiej?

– *Omnia sunt communia*, Szarleju! Wszystko wspólne, w tych słowach mieści się cała sprawiedliwość boska. Nie ma wielkich, nie ma małych, nie ma bogaczy, nie ma biedoty. Wszystko wspólne! Komunizm! Czyż to nie brzmi pięknie?

– Dawno nie słyszałem czegoś równie pięknie brzmiącego.

– Dlaczego taki sarkazm?

65

– Nie przejmuj się. Brzmij dalej. Czym to jeszcze ujęli cię wiklefiści?

– Całą duszą i sercem popieram zasadę *sola Scriptura*.

– Aha.

– Do Pisma Świętego niczego dodawać nie trzeba i nie można, Pismo jest dostatecznie przejrzyste, by każdy wierzący mógł pojąć je bez komentarza z ambony. Między wiernymi a Bogiem nie potrzeba pośredników. Przed Stwórcą wszyscy są równi. Autorytet papieża i kościelnych dostojników uznawać można tylko wówczas, gdy jest on zgodny z wolą Najwyższego i Pismem Świętym. W szczególności zaś majątek został księżom powierzony celem pełnienia obowiązków nałożonych przez Chrystusa i Pismo. Jeśli księża z obowiązków tych się nie wywiązują, jeśli grzeszą, majątek należy im odebrać.

– O! – ożywił się Szarlej. – Odebrać? Tak mi brzmij. Takie brzmienie mi lube!

– Nie drwij. Czy nigdy nie zastanawiałeś się, dlaczego właśnie tu, w Czechach, w Pradze, z roznieconej przez konstancjeński stos iskry rozgorzał taki pożar? Powiem ci: czy wiesz, ilu było duchownych w praskiej diecezji? Sześć tysięcy. Ile było klasztorów? Sto sześćdziesiąt. Czy wiesz, że w samej Pradze co dwudziesty człowiek nosił habit lub sutannę? A ile było w Pradze far? Czterdzieści i cztery. Wrocław, przypomnę, ma dziewięć. W samej tylko katedrze Świętego Wita było równo trzysta kościelnych stanowisk. Czy przedstawiasz sobie majątek, wyciągany z prebend i annat? Nie, Szarleju, tak dłużej być nie mogło i nie może. Sekularyzacja dóbr kościelnych jest absolutnie konieczna. Kler panuje nad zbyt potężną własnością doczesną. Nie chodzi tu już o przykazania Chrystusowe, o powrót do ewangelicznego ubóstwa, do sposobu życia Jezusa i apostołów. Tak ogromna koncentracja majątku i władzy musi powodować gniew i napięcia społeczne. To się musi skończyć, ich bogactwo, ich zdzierstwa, ich pycha, ich buta, ich władza. Muszą wrócić do tego, czym byli, czym nakazał im być Chrystus: ubogimi i pokornymi sługami. I nie Joachim z Fiore pierwszy na to wpadł, nie

Ockham, nie Waldhauser, nie Wiklef i nie Hus, lecz Franciszek z Asyżu. Kościół musi się odmienić. Zreformować. Z kościoła magnatów i polityków, pyszałków i głupców, obskurantów i hipokrytów, z kościoła inkwizytorów, z kościoła kroczących na czele krucjat zbrodniarzy, kreatur takich, jak choćby nasz wrocławski biskup Konrad, musi przeobrazić się w kościół Franciszków.

– Ty się marnujesz po szpitalach. Powinieneś być kaznodzieją. Względem mnie ściągnij jednak nieco cugle. W Taborze mamy kaznodziejów dość, ba, w nadmiarze nawet, do przesytu, bywa, potrafi się przy kazaniu śniadanie cofnąć. Miejże więc litość nad jajecznicą z selerem i wyhamuj nieco. Zaraz jeszcze gotóweś wjechać na symonię i rozpustę.

– A bo to i prawda! Nikt nie przestrzega kościelnych ślubów ani reguł! Od Rzymu po sam dół, po najbardziej zapadłą parafię, nic, tylko świętokupstwo, rozwiązłość, pijaństwo, demoralizacja. Dziwić się, że powstają analogie do Babilonu i Sodomy, że są skojarzenia z antychrystem? Że krąży powiedzenie: *omne malum a clero*? Dlatego jestem za reformą, choćby i najradykalniejszą.

Szarlej oderwał wzrok od zgliszcz siedziby przeoratu joannitów i osmalonych murów kościoła Panny Marii Końca Mostu.

– Jesteś za reformą, powiadasz. Ucieszę tedy twe uszy opowieścią o tym, jak my, Boży bojownicy, wdrażamy teorię w życie. W maju tego roku, wieść o tym pewnie doszła do twych uszu, ruszyliśmy pod Prokopem Gołym z rejzą na Łużyce. Puściliśmy z dymem i ograbiliśmy ładnych parę przybytków kultu, w tym kościółki i klasztorki w Hirschfeld, w Ostritz i w Bernstadt, a także, co może cię zainteresować, koło Frydlandu, w dobrach Ulryka Bibersteina, bodajże wuja twojej ukochanej Katarzyny. Zgorzelca, choć szturmowaliśmy, zdobyć nam się nie udało, ale w Lubaniu, wziętym w piątek przed niedzielą *Cantate*, nadybaliśmy kilkunastu księży i mnichów, w tym zbiegów z Czech, dominikanów, którzy w Lubaniu właśnie znaleźli azyl. Tych Prokop kazał stracić bez litości. Więc straciliśmy. Czeskich klechów się spaliło, niemieckich zatłukło lub potopiło w Kwisie. Podobną w skali jatkę urządziliśmy cztery dni później w Złotoryi... Dziwną masz minę. Nudzę cię?

– Nie. Ale zdaje się, że mówimy o zupełnie różnych rzeczach.

– Czyżby? Pragniesz, mówisz, odmieniać kościół. Opowiadam więc, jak my go odmieniamy. Chcesz, głosisz, reform, choćby i najradykalniejszych. Przypomnę ci, że reformowali już rozwydrzonych prałatów nawet królowie: polski Bolesław Śmiały, angielski Henryk II Plantagenet, Wacław IV tu, w Pradze. Ale co to dało? Jeden stracony wichrzyciel Stanisław ze Szczepanowa, jeden zasztyletowany bezczelny klecha Tomasz Becket, jeden utopiony aferzysta Jan z Pomuku. Kropla w morzu! Za mało radykalnie, detal miast hurtu. Jeśli o mnie idzie, wolę metody Żiżki, Prokopa, Ambroża. Skutki są zdecydowanie wyraźniejsze. Mówiłeś, że przed rewolucją co dwudziesty prażanin chodził w sutannie lub habicie. A ilu dzisiaj takich spotkasz na ulicy?

– Niewielu. Uważaj, wpływamy pod Kamienny Most, z niego zawsze plują. A czasami szczają.

Fakt, na balustradach mostu roiło się od uliczników, usiłujących opluć lub obsikać każdą przepływającą dołem łódkę, barkę lub szkutę. Szczęściem, dołem przepływało zbyt wiele łodzi, by ulicznicy zdołali spostponować więcej niż kilka. Łodzi Reynevana i Szarleja sprzyjało szczęście.

Nurt niósł ich bliżej lewego brzegu. Przepłynęli obok mocno poszkodowanego pałacu arcybiskupiego i ruin klasztoru augustianów. A dalej, nad małostrańskim pogorzeliskiem i nad rzeką, imponująco wznosiła się skała Hradczan, dumnie zwieńczona Hradem i strzelistymi wieżami katedry Świętego Wita.

Flisak pchnął drągiem łódź w nurt, popłynęli szybciej. Prawy brzeg, za murem, wypełniała już zwarta zabudowa staromiejska, brzeg lewy był bardziej sielski – w całości niemal zajmowały go winnice. Niegdyś, przed rewolucją, należące w większości do klasztorów.

– Przed nami – demeryt wskazał wieżę kościelną na prawym brzegu – Franciszek, jeśli się nie mylę. Wysiadamy?

– Jeszcze nie. Podpłyniemy pod jaz, stamtąd na Sukiennicką mamy trzy kroki.

●

– Szarleju.
– Słucham.
– Zwolnij na moment. Nic nas nie nagli, a chciałbym...
Szarlej zatrzymał się, pomachał panienkom w mydlarni, wywołując koncert piskliwego śmiechu. Zademonstrował zgięty łokieć dzieciarni, pokazującej języki i wykrzykującej dziecinne oblegi. Przeciągnął się, spojrzał na słońce, wyglądające zza wieży kościoła.
– Domyślam się, czego chciałbyś.
– Wysłuchałem twoich wynurzeń o procesach historycznych. Że zaś zemsta to rzecz płonna, Samson powtarza mi co dnia. Król Kserkses batożący morze jest żałosny i śmieszny. Tym niemniej...
– Słucham z uwagą. I rosnącym niepokojem.
– Z wielką chęcią dorwałbym sukinsynów, którzy zabili Peterlina. Zwłaszcza tego Birkarta Grellenorta.
Szarlej pokręcił głową, westchnął.
– Tego właśnie się obawiałem. Że to powiesz. Czy przypominasz sobie, Reinmarze drogi, Śląsk sprzed dwóch lat? Czarnych jeźdźców, wołających: „Jesteśmy!"? Nietoperze w Borze Cysterskim? Wówczas nasze tyłki uratował Huon von Sagar. Gdyby wtedy Huon nie zdążył na czas, skóry z naszych tyłków wisiałyby dziś, wysuszone pięknie, u owego Birkarta nad kominem. Pomijam już drobny fakt, że ów Birkart to ewidentnie sługus biskupa Konrada, najpotężniejszej osobistości całego Śląska, człowieka, któremu wystarczy mały palec skrzywić, by nas na pale wbito. A sam ów Grellenort to też nie jakiś zwykły zbir, ale czarownik. Typ w ptaki potrafi się zmieniać, a ty chcesz go, powiadasz, dorwać? A jak, ciekawość?
– Znalazłby się sposób. Zawsze się znajdzie, wystarczy chęć szczera. I trochę sprytu. Wiem, to szaleństwo wracać na Śląsk. Ale nawet szaleńcze przedsięwzięcia mogą się powieść, jeśli szaleć według rozważnego planu. Prawda?
Szarlej spojrzał nań bystro.

– Zauważam – oznajmił – wyraźny a interesujący wpływ twoich nowych koneksji. Myślę, rzecz jasna, o osławionym towarzystwie z apteki „Pod Archaniołem". Nie wątpię, że mnóstwa rzeczy można się od nich nauczyć. Szkopuł w tym, by z mnóstwa umieć wyselekcjonować te, których uczyć się warto. Jak tam z tym u ciebie?

– Staram się.

– Chwali ci się. A powiedz mi, jak tyś się w ogóle z nimi skumał? Nie było chyba łatwo?

– Nie było – Reynevan uśmiechnął się do wspomnień.

– Prawdę rzekłszy, potrzebny był graniczący z cudem przypadek, zbieg okoliczności. I przedstaw sobie, zdarzyło się coś takiego. W pewien upalny lipcowy dzień Roku Pańskiego 1426.

•

Svatopluk Fraundinst, główny lekarz szpitala Krzyżaków z Gwiazdą przy Kamiennym Moście, był mężczyzną w sile wieku, postawnym i przystojnym na tyle, by móc bez specjalnego wysiłku uwodzić i przy byle okazji chędożyć pracujące w szpitalu przedrewolucyjne benedyktynki, wypędzone przez husytów z ich własnego klasztoru. Nie było niemal tygodnia, by nie dało się słyszeć, jak zaciągnięta przez doktora do komórki siostrzyczka jęczy, stęka i wzywa świętych.

Że Svatopluk Fraundinst jest czarodziejem, Reynevan podejrzewał od samego początku, od pierwszego dnia, gdy podjął pracę u szpitalników i zaczął asystować chirurgowi w operacjach. Po pierwsze, Svatopluk Fraundinst, były kanonik wyszehradzki, *doctor medicinae* Uniwersytetu Karola, mający *licentia docendi* w Salerno, Padwie i w Krakowie, był uczniem Mateja z Bechyni, bliskiego współpracownika słynnego Brunona z Osenbrughe. Mistrz Bruno z Osenbrughe był swego czasu chodzącą legendą europejskiej medycyny, a Mateja z Bechyni mocno podejrzewano o pociąg do alchemii i magii, tak białej, jak i czarnej. Sam fakt, że Svatopluk Fraundinst para się chirurgią, też był wiele mówiący – medycy uniwersyteccy chirurgią rąk nie brudzili, zostawiając ją katom i balwierzom, nie zniżali się nawet do flebotomii, z własnych katedr wychwalanej jako remedium na wszystko. Lekarze zaś będący magikami od chirurgii nie stronili i byli w niej dobrzy – a Fraundinst był chirurgiem niesamowicie wprost sprawnym. Jeśli do tego dorzucić typowe manieryzmy w mowie i gestach, jeśli dołożyć noszony zupełnie jawnie pierścień z pentagramem, jeśli dodać pozornie nieistotne i czynione niby niechcący aluzje, można było być niemal pewnym sprawy. Czyli tego, że Svatopluk Fraundinst miał z czarnoksięstwem kontakt zdecydowanie bardziej niż przelotny i że próbuje wysondować Reynevana na podobną okoliczność. Rzecz jasna, Reynevan pilnował się bardzo, lawirował i omijał zasadzki najsprytniej, jak umiał. Czasy były trudne i pewnym nie można było być niczego i nikogo.

Aż pewnego dnia, w lipcu, w wigilię świętego Jakuba Apostoła, zdarzyło się, że do szpitala przyniesiono z pobliskiego tartaku tracza, groźnie zranionego ostrzem piły. Krew lała się jak z cebra, a Fraundinst, Reynevan i przedrewolucyjna benedyktynka robili, co mogli, by przestało się lać. Szło im marnie, może przez rozległość rany, może po prostu mieli kiepski dzień. Gdy po raz kolejny siknęła mu w prosto w oko krew z arterii, doktor Svatopluk zaklął sążniście, tak ohydnie, że benedyktynka najpierw się zachwiała, a potem uciekła. A doktor zastosował zaklęcie wiązania, zwane też „czarem Alkmeny". Zrobił to jednym gestem i jednym słowem, Reynevan w życiu nie widział równie sprawnie rzuconego zaklęcia. Arteria zamknęła się natychmiast, krew momentalnie zaczęła czernieć i krzepnąć. Fraundinst obrócił ku Reynevanowi zalaną juchą twarz. Było oczywiste, czego chce. Reynevan westchnął.

– *Quare insidiaris animae meae?* – wymamrotał. – Czemu czyhasz na mnie, Saulu?

– Ja się zdekonspirowałem, ty też musisz – wyszczerzył zęby czarownik. – Nuże, ostrożna wróżko z Endor. Nie bój się. *Non veniet tibi quicquam mali.*

Rzucili zaklęcie razem, *unisono*, siłą mocnej kolektywnej magii wiążąc i zasklepiając wszystkie naczynia.

●

– I tenże *doctor medicinae* – domyślił się Szarlej – wprowadził cię do kongregacji magików, zbierającej się w aptece „Pod Archaniołem". Tej oto, do której właśnie się zbliżamy.

Szarlej domyślał się dobrze. Byli na Sukiennickiej, aptekę było już widać za szeregiem warsztatów przędzalniczych, tkalni i kramów bławatnych. Nad wejściem, wysoko nad drzwiami, wisiał wykusz z wąziutkimi okienkami, przyozdobiony drewnianą figurą uskrzydlonego archanioła. Figurę mocno dość nadkąsił ząb czasu i nie było jak rozpoznać, który to z archaniołów. Reynevan nigdy nie pytał. Ani za pierwszym razem, przyprowadzony przez Fraundinsta w sierpniu 1426, w wypadającym we czwartek dniu ścięcia świętego Jana Chrzciciela, ani później.

– Zanim wejdziemy – Reynevan ponownie zatrzymał Szarleja – jeszcze jedna rzecz. Prośba. Bardzo cię proszę, byś się powstrzymywał.

Szarlej tupnął, by odkleić od buta resztkę kupy, na pierwszy rzut oka bodajże psiej, choć pewności nie było, w okolicy kręciły się też dzieci.

– Jesteśmy – ponowił z naciskiem Reynevan – coś Samsonowi dłużni.

– Po pierwsze – Szarlej uniósł głowę – już to mówiłeś. Po drugie: to nie ulega kwestii. To nasz druh, tych trzech słów wystarczy za wszystko.

– Cieszę się, że tak do tego podchodzisz. Wierzysz w to czy nie wierzysz, wątpisz czy nie, ale pogódź się z faktem. Samson jest w naszym świecie uwięziony. Jest, jak inkluz, zamknięty w obcej mu cielesnej powłoce, nienajpiękniejszej zresztą, przyznasz. Robi, co może, by się wyzwolić, poszukuje pomocy... Być może nareszcie znajdzie ją tu, w Pradze, „Pod Archaniołem", być może właśnie dziś... Bo właśnie...

– Bo właśnie – przerwał z lekkim odcieniem zniecierpliwienia w głosie demeryt – przybył z Salzburga i zagościł „Pod Archaniołem" światowej sławy magik, *magnus nigromanticus*. To, co nie udało się czarownikom praskim, być może uda się jemu. Mówiłeś mi już o tym. Razy co najmniej kilka.

– A ty za każdym parskałeś i robiłeś kpiące miny.

– To u mnie odruchowe. Tak reaguję, gdy słyszę o magii, o inkluzach...

– Proszę cię więc – uciął dość ostro Reynevan – byś dziś opanował odruchy. Byś, pomny na przyjaźń z Samsonem, nie parskał i nie robił min. Obiecujesz?

– Obiecuję. Nie będę robił min. Kamienna twarz. Ani razu, niech mnie Bóg skarze, nie ryknę śmiechem, gdy mowa będzie o czarach, o demonach, o paralelnych światach i bytach, o ciałach astralnych, o...

– Szarleju!

– Milczę. Wchodzimy?

– Wchodzimy.

•

W aptece było ciemno, wrażenie mroku potęgował kolor boazerii i mebli, gdy wchodziło się ze słońca, jak oni teraz, przez moment nie widziało się kompletnie nic. Można było tylko stać, mrugać i wciągać w nozdrza ciężki zapach kurzu, kamfory, mięty, miodu, ambry, saletry i terpentyny.

– Do usług waćpanów... Do usług... Waćpanowie życzą?

Zza kontuaru – dokładnie tak samo jak przed ponad rokiem, w Ścięcie Jana Chrzciciela, wyłonił się, świecąc w półmroku łysiną, Benesz Kejval.

– Czymżeż – spytał, dokładnie tak samo jak wtedy. – Czymżeż służyć mogę?

•

– *Cremor tartari* – spytał od niechcenia Svatopluk Fraundinst – posiadasz waszmość?

– *Cremor* – aptekarz potarł łysinę – *tartari*?

– Nie inaczej. Potrzeba mi też nieco *unguentum populeum*.

Reynevan przełknął ślinę w zdumieniu. Z tego, co zasłyszał, w aptece „Pod Archaniołem" Svatopluk Fraundinst winien być gościem znanym i szanowanym, a łysy aptekarz sprawiał wrażenie, jakby widział go pierwszy raz w życiu.

– *Unguentum* jest, świeżo przyrządzone... Ale o *cremor tartari* trudniej ninie... Wiela potrzeba?

– Dziesięć drachm.

– Dziesięć? Tyle to może najdę. Poszukam. Wejdźcie, panowie, do środka.

Dopiero znacznie później Reynevan dowiedział się, że rytuał powitalny, z pozoru idiotyczny, miał swoje uzasadnienie. Kongregacja apteki „Pod Archaniołem" działała w głębokim utajnieniu. Jeśli wszystko było w porządku, przychodzący do apteki prosił o dwa, zawsze o dwa leki. Gdyby poprosił o jeden, znaczyłoby to, że jest szantażowany lub śledzony. Jeśliby zaś w samej aptece były zasadzka i kocioł, Benesz Kejval ostrzegłby tym, że miałby tylko połowę którejś z żądanych ilości.

Za sklepową ladą, za dębowymi drzwiami, kryła się właściwa apteka – z typowym dla apteki wyposażeniem: nie brakowało ani szafy z tysiącem szufladeczek, ani licznych słojów i butli z ciemnego szkła, ani mosiężnych moździerzy, ani wag. U powały wisiało na sznurku wysuszone monstrum, standardowa dekoracja pracowni czarodziejskich, aptek i kuglarskich bud – syrena, pół dziewica, pół ryba, będąca w rzeczywistości spreparowaną płaszczką. Odpowiednio rozpłatana, rozpięta na desce i wysuszona ryba faktycznie nabierała „syreniego" kształtu – nozdrza udawały oczy, a wyłamane chrząstki płetw – ramiona. Falsyfikaty produkowano w Antwerpii i Genui, dokąd płaszczki trafiały od kupców arabskich lub wszędobylskich żeglarzy portugalskich. Niektóre były wykonane tak udatnie, że tylko z największym trudem dawały się odróżnić od prawdziwych morskich syren. Istniał jednak niezawodny probierz autentyczności – prawdziwe syreny były mianowicie co najmniej stokrotnie droższe od podróbek i żadnej z aptek nie było na nie stać.

●

– Antwerpska robota – Szarlej okiem znawcy otaksował wysuszoną paskudę. – Sam kiedyś opędzlowałem kilka podobnych. Szły jak woda. We Wrocławiu, w aptece „Pod Złotym Jabłkiem", jedna wisi do tej pory.

Benesz Kejval spojrzał na niego ciekawie. Jako jedyny z czarowników „Archanioła" nie był pracownikiem uniwersyteckim. Nie studiował nawet. Aptekę zwyczajnie odziedziczył. Był jednak niezrównanym farmaceutą i mistrzem w sporządzaniu leków – czarodziejskich i zwykłych. Jego specjalnością był afrodyzjak ze sproszkowanych bedłek, orzeszków piniowych, kolendry i pieprzu. Żartowano, iż po zażyciu tego specyfiku nawet nieboszczyk zrywał się z mar i w podskokach pędził do burdelu.

– Idźcie, panowie, do dolnej izby. Tam są wszyscy. Czekają na was.

– A ty, Beneszu? Nie idziesz?

– Chciałbym – westchnął aptekarz – ale muszę stać za kontuarem. Ludzie przychodzą bez przerwy. Źle wróżę temu światu, jeśli tylu na nim chorych, zbolałych i zdanych na leki.

– A może – uśmiechnął się Szarlej – to tylko hipochondria?

– Wtedy wróżę temu światu jeszcze gorzej. Pospieszajcie, panowie. Aha, Reynevan! Uważaj na księgi.

– Będę uważał.

●

Z apteki wychodziło się na podwórze. Zielona od mchu studnia przesycała powietrze niezdrową wilgocią, dzielnie sekundował jej w tym ocieniający mur koślawy krzak czarnego bzu, wyrastający, rzekłbyś, nie z ziemi, lecz z kupy zbutwiałych liści. Krzak skutecznie maskował małe drzwi. Ościeżnica była w całości niemal zasnuta pajęczynami. Grubo i gęsto. Było oczywistym, iż od lat przez te drzwi nikt nie przechodził.

●

– Iluzja – wyjaśnił spokojnie doktor Svatopluk, zagłębiając rękę w kokonie pajęczyn. – Magia iluzoryczna. Prosta zresztą. Szkolna wręcz.

Pchnięte drzwi otworzyły się do wewnątrz – razem z iluzorycznymi pajęczynami, wyglądającymi po otwarciu jak wycięty nożem kawał grubego wojłoku. Za drzwiami były kręcone schody, prowadzące w górę. Schody były strome i tak ciasne, że wchodzący nijak nie mogli uniknąć upaprania sobie ramion tynkiem ze ścian. Po kilku minutach sapania stawało się przed kolejnymi drzwiami. Tych nikomu już nie chciało się maskować.

Za drzwiami była biblioteka. Pełna ksiąg. Oprócz ksiąg, zwojów, papirusów i kilku różnych dziwnych eksponatów nie było tam nic. Na nic więcej nie starczyło miejsca.

●

Sterty inkunabułów leżały po prostu wszędzie, nie można było kroku zrobić, by nie potknąć się o coś takiego jak *Summarium philosophicum* Nicolasa Flamela, *Kitab al-Mansuri* Razesa, *De expositione specierum* Morienusa czy *De imagine mundi* Gerwazego z Tilbury. Przy każdym nieuważnym kroku boleśnie ranił kostkę okuty róg oprawy dzieła tej miary co *Semita recta* Alberta Wielkiego, *Perspectiva* Witelona czy *Illustria miracula* Cezarego z Heisterbachu. Starczyło niebacznie potrącić regał, a na głowę spadała w tumanie kurzu *Philosophia de arte occulta* Artefiusza, *De universo* Wilhelma z Owernii lub *Opus de natura rerum* Tomasza z Cantimpré.

W całym tym bajzlu można było niechcący wpaść na coś lub przypadkiem dotknąć czegoś, czego nie zalecało się dotykać bez zachowania nadzwyczajnej ostrożności. Zdarzało się bowiem, że grymuary, traktaty o magii i spisy zaklęć rzucały czary same i samoistnie – wystarczyło niebacznie ruszyć, stuknąć, puknąć – i nieszczęście gotowe. Szczególnie niebezpieczny był pod tym względem *Grand Grimoire*, wielce groźnymi potrafiły okazać się też *Aldaraia* i *Lemegeton*. Już za drugą wizytą „Pod Archaniołem" Reynevan miał pecha strącić z zawalonego księgami i zwojami stołu grube tomiszcze, którym był ni mniej, ni więcej *Liber de Nyarlathotep*. W tej samej chwili, gdy starożytny i lepki od tłustego kurzu inkunabuł rymnął o podłogę, ściany zadrżały i eksplodowały cztery z sześciu stojących na szafie słojów z homunkulusami. Jeden homunkulus zamienił się w bezpiórego ptaka, drugi w coś w rodzaju ośmiornicy, trzeci w szkarłatnego i agresywnego skorpiona, a czwarty w zminiaturyzowanego papieża w szatach pontyfikalnych. Zanim ktokolwiek zdołał cokolwiek przedsięwziąć, wszystkie cztery rozpłynęły się w zieloną i obrzydliwie cuchnącą maź, przy czym karłowaty papież zdążył jeszcze wyskrzeczeć: *„Beati immaculati, Cthulhu fhtagn!"* Było od cholery sprzątania.

Incydent większość archanielskich czarodziejów rozbawił, kilku jednak poczuciem humoru nie grzeszyło i Reynevan nie zyskał, mówiąc oględnie, zanadto w ich oczach. Ale tylko jeden z magików długo jeszcze po zdarzeniu patrzył na niego wilkiem i mocno dawał mu odczuć, czym jest antypatia.

Tym ostatnim był, jak łatwo się domyślić, bibliotekarz i opiekun księgozbioru.

●

– Witaj, Szczepanie.

Szczepan z Drahotusz, opiekun księgozbioru, uniósł głowę znad bogato iluminowanych stronic *Archidoxo magicum* Apoloniusza z Tiany.

– Witaj, Reynevan – uśmiechnął się. – Miło cię znowu widzieć. Dawnoś nie zachodził.

Kosztowało Reynevana sporo zabiegów, by po bibliotecznej gafie uzdrowić stosunki ze Szczepanem z Drahotusz. Ale dokonał tego, i to z efektem przewyższającym oczekiwania.

– To zaś – bibliotekarz podrapał się w nos palcami brudnymi od kurzu – snadnie pan Szarlej, o którym tyle słyszałem? Powitać, powitać.

Pochodzący ze starej morawskiej szlachty Szczepan z Drahotusz był zakonnikiem, augustianinem i – oczywiście – czarnoksiężnikiem. Z magami kongregacji „Archanioła" znał się z dawien dawna, z uniwersytetu, ale na stałe przeniósł się do aptecznej kryjówki w roku 1420, po tym, jak jego hradczański klasztor uległ splądrowaniu i spaleniu. W odróżnieniu od reszty magików, apteki – a raczej biblioteki – nie opuszczał prawie nigdy, na mieście nie bywał. Był chodzącym bibliotecznym katalogiem, wiedział o każdej księdze i każdą potrafił szybko zlokalizować – w warunkach panującego w pomieszczeniu chaosu była to umiejętność po prostu nieoszacowana. Reynevan bardzo sobie chwalił przyjaźń z Morawianinem i spędzał w bibliotece długie godziny. Zainteresowany był ziołolecznictwem i farmaceutyką, a księgozbiór „Archanioła" był pod tym względem prawdziwą kopalnią wiedzy. Oprócz zielników, lekospisów i farmakopej klasycznych i znanych, jak te Dioskuridesa, Strabona, Avicenny, Hildegardy z Bingen czy Mikołaja Przełożonego, biblioteka kryła prawdziwe skarby. Była tam *Kitab Sirr al-Asar* Gebera, była *Sefer Ha-Mirkahot* Szabbetaia Donnolo, były nieznane dzieła Majmonidesa, Haliego, Apulejusza, Herrady z Landsbergu – jak też i inne *antidotaria, dispensatoria* i *ricettaria*, jakich Reynevan nigdy dotąd nie widział i o jakich nigdy nie słyszał. I wątpił, by o nich słyszano na uniwersytetach.

– Dobra – Szczepan z Drahotusz zamknął księgę i wstał. – Idziemy do dolnej izby. Trafimy bodaj w sam czas, bo pewnie niedługo będzie koniec. Swoją drogą dość to ekstrawaganckie, zaczynać konjurację nie o północy, jak każdy normalny i szanujący się czarodziej, lecz o pierwszej godzinie dnia, ale cóż... Nie mnie krytykować poczynania kogoś takiego jak *valde venerandus et eximius* Wincenty Reffin Axleben z Salzburga, żyjąca legenda, chodząca sława i mistrz nad mistrze. Ha, jestem prawdziwie ciekaw, jak mistrzowi nad mistrze powiedzie się z Samsonem...

– Przybył wczoraj?

– Wczoraj na odwieczerz. Zjadł, wypił, zaciekawił się, w czym nam pomóc mógłby. No to przedstawiliśmy mu Samsona. Venerandus zerwał się i chciał wychodzić, przekonany, że z niego kpimy. Samson zastosował tę samą sztuczkę, której użył wobec nas w zeszłym roku: pozdrowił go po łacinie, a powtórzył w koine i po aramejsku. Trzeba było widzieć minę czcigodnego mistrza Wincentego! Ale to podziałało, podobnie jak ongi w naszym przypadku. Czcigodny Wincenty Reffin spojrzał na Samsona ciekawiej i łaskawiej, ba, uśmiechnął się nawet, na tyle, na ile pozwalały mu mięśnie twarzy, permanentnie zastygłe w grymasie tyleż posępnym, co aroganckim. Potem zamknęli się obaj w *occultum*...

– Tylko we dwu?

– Mistrz nad mistrze – uśmiechnął się Morawianin – jest ekstrawagancki także pod tym względem. Przedkłada dyskrecję. Nawet jeśli ociera się to o duży nietakt, by nie rzec insult. Stary znachor jest tu, zaraza, gościem. Mnie to nie przeszkadza, mam to gdzieś, Bezdiechovsky jest ponad takie rzeczy, ale Fraundinst, Teggendorf, Telesma... Mówiąc oględnie, są wściekli. I serdecznie życzą Axlebenowi porażki. Życzenie to spełni się, moim zdaniem.

– Hę?

– On popełnia ten sam błąd, co my w Trzech Króli. Pamiętasz, Reinmarze?

– Pamiętam.

– Pospieszajmy zatem. Tędy, panie Szarleju.

•

Z biblioteki wychodziło się na krużganek, z krużganka droga wiodła schodami w dół, do przyziemia, gdzie stawało się przed okutymi żelazem drzwiami. Na drzwiach umieszczony był rysunek – owal, w którym widniał spiżowy wąż Mojżesza, *serpens mercurialis*. Nad wężem wyobrażony był kielich, z którego wyrastały Słońce i Księżyc. Poniżej połyskiwały litery V.I.T.R.I.O.L., składające się na *Visita Inferiora Terrae Rectificando Invenies Occultum Lapidem*, sekretną transmutacyjną formułę alchemików.

Szczepan z Drahotusz dotknął drzwi, wymówił zaklęcie. Drzwi otwarły się ze zgrzytem i skrzypem. Weszli. Szarlej westchnął głęboko.

– Nieźle – mruknął, rozglądając się. – Nieźle... Przyznaję.

– Mnie – uśmiechnął się Reynevan – za pierwszym razem też zatkało. Potem przywykłem.

W zajmującym ogromną winiarską piwnicę alchemicznym laboratorium praca nie ustawała, zawsze coś się działo, czy to w świątek, czy w piątek, czy w niedzielę. Nigdy nie wygasały piece i atanory, grzejąc niemiłosiernie, co dało się cenić zwłaszcza porą zimową, a także latem, jeśli zdarzyło się zimne. W atanorach dokonywały się kalcynacja i wyżarzanie, najrozmaitsze substancje przechodziły od fazy *albedo* do fazy *nigredo*, wydzielając przy przechodzeniu okropny smród. W kolbach cięgiem coś się filtrowało, destylowało względnie ekstrahowało, czemu towarzyszyły burzliwe eferwescencje i smród jeszcze straszniejszy. W wielkich aludelach kwasy działały na metale, po czym metale nieszlachetne transmutowały w szlachetne, z lepszym lub gorszym efektem. Bulgotał w tyglach merkuriusz, czyli *argentum vivum*, topiła się w kupelach siarka, wydzielała w retortach nitra i osadzała sól, a wyziewy wyciskały łzy z oczu. Coś tam się rozpuszczało, coś koagulowało, a coś sublimowało, pryskał na wsze strony kwas, wypalając dziurki w stronicach leżących na stołach bezcennych egzemplarzy *De quinta essentia* Rajmunda Lulla, *Speculum alchemiae* Rogera Bacona i *Theatrum chemicum* Arnolda Villanovy. Na podłodze stały, cuchnąc potwornie, kubły pełne *caput mortuum*.

Zwykle – także i wtedy, gdy Svatopluk Fraundinst przyprowadził tu Reynevana po raz pierwszy – w laboratorium pracowało co najmniej trzech lub czterech alchemików. Dziś – wyjątkowo – był tylko jeden.

– Dzień dobry, mistrzu Edlingerze!

– Proszę nie podchodzić – warknął alchemik, nie odrywając oczu od wielkiej kolby, umieszczonej w podgrzewanym piasku. – Gotowe wybuchnąć!

Edlingera Brehma, licencjata w Heidelbergu, poznał w Moguncji, zaprosił i przywiózł do Głubczyc książę Wacław, syn Przemka Opawskiego. Jakiś czas zaznajamiał mistrz Edlinger młodego księcia z alchemiczną teorią i praktyką. Wacław miał – jak wielu współczesnych mu książąt – zajoba na punkcie alchemii i kamienia filozofów, Brehm żył więc w splendorach i dobrobycie, do czasu, gdy wzięła go pod lupę Inkwizycja. Gdy w głubczyckim powietrzu zapachniało stosem, alchemik uciekł do Pragi na uniwersytet, gdzie zastała go burza roku 1419. Wyróżniający się, obcy, źle mówiący po czesku Niemiec, przeżyłby z pewnością trudne chwile. Ale poznali się na nim i ocalili magicy z „Archanioła".

Edlinger Brehm ujął kolbę w żelazne kleszcze i wlał bulgocący niebieskawy płyn do miski pełnej czegoś, co wyglądało jak żabi skrzek. Zasyczało, zadymiło, ohydnie zaśmierdziało.

– *Sakradonnerwetterhimmelkreuzalleluja!* – było jasne, że alchemik spodziewał się lepszego efektu. – *Eine total zkurvene Sache! Scheisse, Scheisse und noch einmal Scheisse!* Wy tu jeszcze jesteście? Jestem zajęty! Aha, rozumiem... Idziecie zobaczyć, jak Axlebenowi poszło z Samsonem?

– Tak właśnie – potwierdził Szczepan z Drahotusz. – Idziemy. A ty nie?

– W zasadzie – Edlinger Brehm wytarł ręce w szmatę, wzrokiem pełnym żalu zmierzył miskę dymiącego skrzeku. – W zasadzie, to mogę iść. Nic mnie już tu nie trzyma.

•

W głębi alchemicznej pracowni, w niepozornym kącie za niepozorną kotarą, kryły się drzwiczki. Dla niewtajemniczonego – gdyby takowy kiedykolwiek zdołał tu dotrzeć – za drzwiczkami był składzik pełen skrzynek, beczułek i butli. Wtajemniczeni poruszali ukrytą wewnątrz jednej z beczek dźwignię, wymawiali zaklęcie, a ściana usuwała się, odsłaniając ciemny otwór, z którego wiało grobem. Takie przynajmniej miało się wrażenie za pierwszym razem.

Edlinger Brehm magicznie zapalił magiczną latarnię, poprowadził. Szczepan z Drahotusz, Reynevan i Szarlej weszli za nim, na schody wijące się spiralą wzdłuż ścian mrocznego i pozornie bezdennego szybu. Z dołu biło zimno. I wilgoć.

Szczepan z Drahotusz odwrócił się.

– Pamiętasz, Reynevan?

Nie w pałacowe, zaiste, podsienia,
Lecz w naturalną weszliśmy jaskinię,
O chropowatym dnie i pełną cienia...

– Samson Miodek – domyślił się natychmiast Szarlej.
– Znaczy, chciałem powiedzieć: Dante Alighieri. *Boska komedia*. Ulubiony utwór poetycki naszego druha.

– Nie ma wątpliwości – uśmiechnął się Morawianin – że ulubiony. Bo nader często przywoływany. Zwłaszcza tu, na tych schodach, waszemu druhowi przypomniał się niejeden cytat z *Inferna*. Waść, jak widzę, dobrze znasz go z tej strony.

– Na końcu świata poznałbym go po tym.

•

Głęboko schodami nie schodzili, tylko dwie kondygnacje, szyb był znacznie głębszy, schody ginęły w czarnym mroku, z którego dobiegał plusk wody. Naturalna pieczara, historię której skrywała niepamięć, sięgała poziomu Wełtawy. Kto i kiedy odkrył jaskinię, kto i do czego ją wykorzystywał, czyją spuścizną było stojące tu od wieków, maskujące wejście do pieczary domostwo – nie wiedział nikt. Najwięcej wskazywało na Celtów – ściany jaskini pokrywały wpółzatarte, zarośnięte mchem reliefy i malowidła, wśród których dominowały charakterystyczne misternie przeplatane ornamenty i wypełnione meandrującymi liniami koła. Tu i ówdzie pojawiały się nie mniej charakterystyczne dziki, jelenie, konie i rogate postacie ludzkie.

Edlinger Brehm pchnął masywne drzwi. Weszli.

W podziemnej izbie, zwanej dolną, siedziała przy zastawionym stole reszta magów „Archanioła" – Svatopluk Fraundinst, Radim Tvrdik, Joszt Dun, Walter von Teggendorf. Oraz Jan Bezdiechovsky z Bezdiechova.

Joszt Dun, zwany Telesmą, był, podobnie jak Szczepan z Drahotusz, niegdyś mnichem – zdradzały to włosy, po odrośnięciu wygolonej tonsury nieporządne, kosmykami wystające znad uszu, przez co właściciel fryzury wyglądał trochę jak puchacz. Z tego, co Reynevan o nim wiedział, Telesma od młodych lat uprawiał *ora et labora* w klasztorze benedyktynów w Opatovicach, tam też miał pierwsze kontakty z naukami tajemnymi. Potem studiował w Heidelbergu, gdzie wiedzę magiczną doskonalił. Był absolutnym autorytetem, gdy szło o talizmany, zarówno w zakresie teoretycznej wiedzy o przedmiocie, jak i w praktycznym wykonywaniu amuletów. Stawiał też całkiem udatne

horoskopy, którymi handlował – sprzedawał różnym łże-
-prorokom, pseudoastrologom i niby-wróżom, nieźle na
tym zarabiając. Obok utargu apteki, zarobki Joszta Duna
stanowiły podstawowe źródło dochodu kongregacji.

Niemłody już Walter von Teggendorf był wychowan-
kiem Wiednia, Bolonii, Coimbry i Salamanki, mającym
facultas docendi we wszystkich tych uczelniach. Cecho-
wał go wielki, nabożny wręcz szacunek dla medycyny, alchemii i magii arabskiej, zwłaszcza dla Gebera i Alkindiego, czyli, jak mawiał on sam, dla Musy Zafara el Sufi
Al Dżabira i Ya'kuba ibn Sabbah al Kindiego. Fascynacje
Teggendorfa znalazły wyraz w jego podejściu do sprawy
Samsona. W jego opinii wszystkiemu winne były dżinny.
Samson w obecnej postaci, twierdził, jest madżnunem,
czyli człowiekiem, w ciele którego możniejszy dżinn uwię-
ził – za karę – pokonanego mniejszego dżinna. Na takie
uwięzienie, orzekł niemiecki czarodziej, sposobu nie ma.
Jedyne, co można, to dobrze się sprawować i czekać na
amnestię.

Reverendissimus doctor Jan Bezdiechovsky z Bezdiechova był najstarszym, najbardziej doświadczonym i najbardziej szanowanym spośród czarnoksiężników „Archanioła". Mało kto coś wiedział o nim bliżej, on sam nie lubił o sobie mówić i nie mówił. Lat liczył – co samo w sobie graniczyło z cudem i świadczyło o nie byle jakich mo-
cach magicznych – nie mniej niż siedemdziesiąt, wiedziano bowiem, że wykładał na Sorbonie za panowania króla
Karola V Mądrego, zmarłego w 1380, a zgodnie z przepi-
sami wykładowca uniwersytecki musiał mieć ukończone
dwadzieścia jeden lat. Wśród uczelni, w których się
kształcił i na których wykładał, były z pewnością Paryż,
Padwa, Montpellier i Praga – i z pewnością te cztery nie
wyczerpywały listy. Krążyła plotka, że w Pradze Bezdiechovsky wdał się w poważny spór i ostry personalny zatarg z rektorem, słynnym Janem Szindelem. Podłoże konfliktu, o którym Reynevan słychiwał już w czasie swoich
studiów w akademii, nie było znane, stało się jednak powodem odejścia Bezdiechovskiego z uczelni i zerwania
wszelkich z nią kontaktów. Po roku 1417 Bezdiechovsky

po prostu znikł. Zachodzono w głowę, gdzie się podział. Reynevan też zachodził. A teraz już wiedział.

– Witaj, młodzieńcze – rzekł Bezdiechovsky. On jeden z całego towarzystwa nie mówił Reynevanowi po imieniu.

– Witaj i ty, panie Szarleju, którego sława cię wyprzedza. Zasłyszeliśmy, żeś już drugi rok u taborytów. Jak tam tedy na wojnie? Co tam słychać?

Jan Bezdiechovsky jako jedyny z towarzystwa nie interesował się polityką. Wydarzenia wojenne, którymi żyła cała Praga, były starcowi równo obojętne. Pytał o nie przez grzeczność.

– Ano, na wojnie dobrze jest – odrzekł grzecznie Szarlej. – Słuszna sprawa zwycięża, niesłuszna przegrywa. Nasi biją obcych. Chciałem rzec: dobrzy biją złych. Znaczy: Ład triumfuje nad Chaosem. A Bóg się raduje.

– Ach, ach – ucieszył się stary czarownik. – To naprawdę dobrze! Siądź przy mnie, panie Szarleju, opowiedz...

Reynevan dosiadł się do pozostałych magów. Radim Tvrdik nalał mu wina, wnosząc z bukietu, hiszpańskiego alikantu.

– Jak sprawy? – spytał Szczepan z Drahotusz, ruchem głowy wskazując zamknięte drzwi, prowadzące do *occultum*, sali dywinacji i konjuracji. – Są rezultaty? Albo chociaż znaki na niebie i ziemi?

Svatopluk Fraundinst parsknął. Telesma też, przy czym głowy nie uniósł znad wygładzanego różem polerskim talizmanu.

– *Herr Meister* Axleben – rzekł Teggendorf – woli pracować w pojedynkę. Nie lubi, gdy mu ktoś zagląda przez ramię. Pilnie strzeże swych tajemnych metod.

– Nawet przed tymi, którzy udzielają mu gościny – skomentował kwaśno Fraundinst. – Demonstrując tym samym, za kogo ich ma. Za złodziei, czyhających na jego sekrety. Przed snem chowa pewnie pod poduszkę trzos i ciżmy, byśmy mu ich nie ukradli.

– Zaczął o wschodzie słońca – wtrącił Radim Tvrdik, widząc, że Reynevana bardziej interesuje Samson Miodek niż opinie o Axlebenie. – Rzeczywiście sam na sam z obiektem, czyli z Samsonem. Nie chciał pomocy, choć proponowaliśmy. Nie prosił o nic, ani o instrumenty, ani o kadzidło, ani o *aspergillum*. Musi więc władać jakimś potężnym artefaktem.

– Albo prawdą jest – dorzucił Brehm – to, co mówią o *Manusfortis*. Nie należy go lekceważyć.

– Nie lekceważymy go – zapewnił Telesma. – To wszak, mimo wszystko, własną osobą Wincenty Axleben, *magnus experimentator et nigromanticus*. Wiedzy o magii nie brakuje mu z pewnością. To mistrz. Ma więc prawo być nieco ekstrawaganckim.

– Jakież trudne słowo – wykrzywił się Fraundinst. – W Małej Szmiedawie, mojej wsi, na takich jak Axleben nie mawiało się „ekstrawagancki". Mawiało się prosto, prząśno i zwyczajnie: pieprzony, nadęty cham.

– Nikt nie jest doskonały – skonstatował Teggendorf. – Wincentego Axlebena wliczając. A że metody pracy ma dziwaczne? Cóż, ocenimy, jak sprawdzają się takie metody. Poznamy to i ocenimy, jak każe Pismo: *ex fructibus eorum*.

– Idę o zakład – nie rezygnował Svatopluk – że kwaśne i niewydarzone będą to frukta. Ktoś chce się założyć?

– Ja na pewno nie – wzruszył ramionami Szczepan z Drahotusz. – Bo nie zbiera się winogron z cierni ani z ostu fig. Axlebenowi nie uda się z Samsonem, rezultat będzie taki sam, jak nasz w Trzech Króli. To znaczy: żaden. Axlebena zgubi to samo, co zgubiło nas. Pycha i próżność.

•

Na żelaznym trójnogu tliło się i wiło delikatną smużką dymu kadzidło fumigacyjne – klasyczna, zalecana przez większość grymuarów mieszanka aloesu i gałki muszkatołowej. Samson, wprowadzony w trans, leżał na wielkim dębowym stole. Był całkowicie nagi, na jego olbrzymim, niemal bezwłosym ciele widniały liczne znaki czarodziejskie i kabalistyczne, wypisane magicznym inkaustem z cynobru, ałunu i kuperwasu. Ułożony i rozpostarty był tak, by jego głowa, ręce i nogi dotykały właściwych punktów na Kręgu Salomona – hebrajskich liter Lamed, Vau,

Jod, Kaf i Nun. Otaczało go dziewięć czarnych świec, miseczka z solą i czara z wodą.

Stojący w przeciwległych rogach stołu Teggendorf i Brehm, obaj w luźnych szatach ceremonialnych, intonowali półgłosem nakazane przez obrzęd psalmy. Właśnie skończyli *Ecce quam bonum* i zaczynali *Dominus inluminatio mea.*

Bezdiechovsky zbliżył się. Miał na sobie białą szatę i długą na jakiś łokieć szpiczastą i poznaczoną hieroglifami czapkę. Dzierżył *athame*, obosieczny sztylet z rękojeścią ze słoniowej kości, rekwizyt przy goecji absolutnie nieodzowny.

– *Athame* – wyrzekł głośno – Ty, któryś jest Athanatos, nie znający śmierci, i któryś jest *al-dhame*, znakiem krwi! *Conjuro te cito mihi obedire! Hodomos! Helon, Heon, Homonoreum! Dominus inluminatio mea et salus mea, quem timebo? Dominus protector vitae meae a quo trepidabo?*

Bezdiechovsky kolejno dotknął ostrzem *athame* płomienia świecy, wody i soli.

– Zaklinam cię – przemawiał za każdym razem – Istoto Ognia, w imię Mocy: niechaj cię odleci widmo i upiór nocny. Zaklinam cię, Istoto Wody, w imię Mocy: wyrzuć z siebie nieczystość i skazę wszelką. W imię Mocy, w imię Ambriela i Ehesatiela, bądź błogosławiona, Istoto Soli, niechaj opuści cię zła wola demonów. I niech dobro Stwórcy w jej miejsce powróci.

Asystujący starcowi Svatopluk Fraundinst zbliżył się, podał mu *arctrave*, nóż zakończony hakiem. Bezdiechovsky wykonał nim w powietrzu cztery rytualne ruchy.

– Przez wszystkie imiona Boga, przez Adonay, El, Elohim, Elohe, Zebaoth, Elion, Escerchie, Jah, Tetragrammaton, Sadai, rozkazujemy wam, demony tu krążące i w swej astralnej postaci obecne, byście stawiły się przed nami w formie grzecznej, ludzkim kształcie, ni żadną nieskażone deformacją, ni potwornością, zdolne do mowy składnej i rozumnej, zdolne odpowiadać na pytania, które wam postawione będą. Przybywajcie i bądźcie nam posłuszne, rozkazuję wam przez Daniela, Gediela i Theodoniela, przez Klarimum, Habdanum i Inglotum! Przybywajcie!

Naturalnie nic się nie stało, nikt nie przybył i nikt się nie stawił. Ale na tym etapie konjuracji było to raczej normalne.

– *Ego vos invoco* – podjął Bezdiechovsky, wznosząc *arctrave – et invocando vos conjure, per eum cui obediunt omnes creaturae, et per hoc nomen ineffabile, Tetragrammaton Jehovah, in quo est plasmatum omne saeculum, quo audito elementa corruunt, ar concutitur, mare retrograditur, ignis extinguitur, terra tremit, omnesque exercitus Coelestium, Terrestrium et Infernorum tremunt et turbantur!*

– *Venite, venite, quid tardatis? Imperat vobis Rex regum!* Titeip, Azia, Hyn, Jen, Minosel, Achadan, Vay, Ey, Haa, Eye, Exe, El, El, Va, Vaa, Vaaaaa!

W miarę wypowiadanych zaklęć głos maga rósł, sięgał coraz wyższych rejestrów, pod koniec było to już niemal wycie, nieludzki, nienaturalny wizg. Powietrze wibrowało wyczuwalnie, świece zaiskrzyły i przygasły. Nagle zaśmierdziało zwierzyńcem, powiało smrodem zgnilizny i lwiego moczu. Mrok, który wypełnił izbę, zgęstniał, nabrał kształtów, wzdął się niczym kumulus. Wewnątrz kumulusa coś się poruszało, przelewało, wiło niczym węgorze w worku, niczym kłębowisko żmij. Reynevan widział, jak w kłębowisku zapłonęły nagle przekrwione ślepia, jak zakłapały straszne zębate szczęki, jak zamajaczyły monstrualne fizjonomie. Jego podziw jął szybko zmieniać się w popłoch. Nie tylko ze strachu przed tą koszmarną potwornością. Również na myśl, że Samsona może rzeczywiście coś z nią łączyć.

Ale Jan Bezdiechovsky z Bezdiechova – kwestii to nie ulegało – był potężnym magiem, miał sprawy pod kontrolą. Pod siłą jego zaklęcia posypał się tynk z powały, płomienie świec zmieniły barwę na czerwoną, a potem na niebieską. Rozległ się ryk i huk, makabryczne żmijowisko zastygło zaś w antracytowo czarną kulę, której powierzchnia, zdawało się, pochłania światło. Po następnym zaklęciu kula znikła ze świstem. Leżący na stole Samson

Miodek wyprężył się, zadygotał. A potem osłabł i leżał nieruchomo.

– Przez Crataresa – przemówił Bezdiechovsky. – Przez Capitela! Wzywam cię, istoto! Mów, kim jesteś. Prawdziwie i bez kłamstwa mów, kim i czym jesteś!

Ciało Samsona znowu zadrżało silnie.

– *Verum, sine mendacio, certum et verissimum* – przemówił jego zmieniony nieco głos. – *Quod est inferius est sicut quod est superius, et quod est superius est sicut quod est inferius, ad perpetranda Miracula Rei Unius.*

Siedzący obok Reynevana Radim Tvrdik westchnął głośno, Szczepan z Drahotusz zaklął po nosem.

– To jest – wyjaśnił szeptem, widząc jego pytający wzrok – to jest *Tabula Smaragdina*. On mówi słowami Hermesa Trismegistosa. Jakby... Jakby...

– Jakby drwił sobie z nas – dokończył szeptem Joszt Dun.

– Na Alpharoza! – wzniósł ręce Jan Bezdiechovsky. – Na Bedrimubala! *Per signum Domini Tau!* Kim jesteś? Mów! Gdzie prawda?

– Oddzielaj ziemię od ognia – odpowiedział prawie natychmiast głos Samsona. – Z wielką dbałością oddzielaj to, co subtelne, od tego, co gęste. A Potencja wzniesie się z ziemi w niebo, po czym znów się na ziemię opuści i weźmie w siebie moce wszelkich istot wyższych i niższych. Wtenczas posiędziesz chwałę tego świata. A wszelka ciemność cię odbieży.

– Vazotas, Zamarath, Katipa! – zakrzyczał Bezdiechovsky. – Astroschio, Abedumabal, Asath! Mów! Wzywam cię do mówienia!

Długą chwilę panowała cisza, przerywana wyłącznie skwierczeniem świec.

– *Completum est...* – rozległ się wreszcie spokojny głos Samsona. – *Completum est quod dixi de Operatione Solis.*

•

Nie pomogły zaklęcia ni imiona Boga, nie pomógł ani Astroschio, ani Abedumabal. Nie pomogły rytualne gesty, wykonywane nad Samsonem za pomocą *athame* i *arctra-*

ve. Nie pomogły kadzidlane sufumigacje. Nie pomogło aspergillum z werbeny, barwinka, szałwii, mięty i rozmarynu. Bezsilny okazał się zarówno *Większy*, jak i *Mniejszy Klucz Salomona*, nie lepiej spisały się *Enchiridion* i *Grand Grimoire*. Magia omal nie rozsadziła budynku, ale Samson nie odezwał się już ani słowem.

Czarodzieje „Archanioła" udali, że nie przejmują się fiaskiem, mówili, że nic to, że pierwsze koty za płoty i że jeszcze się zobaczy. Jan Bezdiechovsky, któremu robienie dobrej miny przychodziło najtrudniej, zdobył się tylko na przypomnienie kilku podobnych przypadków wymiany osobowości – szło między innymi o *casus* Poppona von Osterna, wielkiego mistrza Zakonu Krzyżackiego. Powiało pesymizmem, albowiem w owym przypadku wszystkie zabiegi pruskich czarodziejów spełzły na niczym – Poppo von Osterny do końca życia, do swej śmierci w 1256, był „inny" – czego zresztą nikt nie żałował, prawdziwy Poppo strasznym był bowiem skurwysynem.

Teggendorf był dobrej myśli, *infortunium* przypisywał zwykłemu pechowi, powoływał się na Alkindiego i niestrudzenie bajał o szejtanach, ghulach, dżinnach i ifritach. Fraundinst i Edlinger Brehm winili *dies egiptiaci*, pechowe dni egipskie, do takich ich zdaniem należał ów pamiętny piątek trzydziestego pierwszego sierpnia 1425, dzień egzorcyzmów w śląskim klasztorze benedyktynów. Zła „egipska" aura, mówili, skaziła wówczas egzorcyzm i jego efekty, rzecz stała się przez to krańcowo nietypowa i odwrócić ją będzie trudno. Telesma z kolei uważał, że niczego nie osiągnie się bez talizmanów, i obiecał wyprodukować odpowiednie talizmany. Radim Tvrdik, nim go opieprzono, bąkał coś o golemach i szemach.

Szczepan z Drahotusz natomiast skrytykował *in toto* przyjętą przez magików strategię i taktykę. Błąd, twierdził, tkwi nie tyle w metodzie, bo ta jest wtórna, ile w celu, jaki sobie postawiono. Przy prostym i nie podlegającym debacie założeniu, że osobowość i duch Samsona Miodka zostały niewiadomą mocą przetransplantowane w ciało głupawego waligóry, wysiłki winny iść w kierunku odwrócenia procesu, innymi słowy – ku odkryciu czynnika sprawczego, albowiem *nihil fit sine causa*. Odkrywszy ową *causa efficiens*, da się, być może, proces odwrócić. A co czynią magowie „Archanioła"? Koncentrują się na próbach rozwiania tajemnicy, odkrycia sekretu, którego sam Samson w sposób wyraźny zdradzić nie chce lub nie może. Usiłując dociec, kim – lub czym – Samson jest, czarodzieje dążą do zaspokojenia własnej ciekawości i próżności, postępują jak lekarze, diagnozujący i badający zagadkową chorobę dla samego poznania, bez cienia względu i współczucia dla człowieka ową chorobą dotkniętego.

Magicy obruszyli się i zakrzyczeli Morawianina. Przed przystąpieniem do leczenia, nawiązali do metafory, konieczne jest dogłębne rozpoznanie choroby. *Scire*, cytowali Arystotelesa, *est causam rei cognoscere*. To, kim – lub czym – naprawdę Samson jest, stanowi element kluczowy. Używając dalej porównań medycznych – sekret i incognito Samsona to nie tylko objawy, ale i sam *nexus*, samo jądro, sama istota choroby, jeśli choroba ma być wyleczona, sekret musi zostać odkryty.

Odkrywano więc. Z zapałem i ferworem. I bez cienia rezultatu.

Samson tymczasem zdążył zaprzyjaźnić się ze wszystkimi magikami „Archanioła". Z Janem Bezdiechovskim godzinami debatował o Bogu i Naturze. Z Edlingerem Brehmem całymi dniami stał przy alembikach i retortach z hasłem: *„solve et coagula"* na ustach. Z Teggendorfem dyskutował teorie arabskich hakimów i żydowskich kabalistów. Ze Szczepanem z Drahotusz ślęczał nad nieznanymi a mocno zniszczonymi manuskryptami Piotra di Abano i Cecca d'Ascoli. Z Josztem Dunem produkował talizmany, które później obaj testowali na mieście. Z Radimem Tvrdikiem chodził nad Wełtawę po szlam do produkcji golemów. Dla Benesza Kejvala robił – jako półgłówek – interwencyjne zakupy w konkurencyjnych aptekach.

Ze wszystkimi grał w karty, pił i śpiewał.

Czarodzieje polubili Samsona Miodka. Reynevan nie mógł opędzić się od myśli, że tak bardzo, iż całkowicie za-

niechali działań mogących pociągnąć za sobą rozstanie
z nim.

•

Drzwi prowadzące do *occultum* otwarły się i wyszedł
stamtąd Wincenty Reffin Axleben. Zebrawszy fałdy czarnej szaty, siadł za stół, duszkiem wypił kielich alikantu.
Siedział wśród ciszy i milczenia, sam również się nie od-
zywając. Był blady i spocony, pot przykleił mu rzadkie
włosy do skroni i ciemienia.

Wincenty Reffin Axleben gościł w Pradze przejazdem.
Z Salzburga, gdzie mieszkał, zmierzał do Krakowa, z se-
rią wykładów w tamtejszej Akademii. Z Krakowa czarownik planował jechać do Gdańska, stamtąd zaś przez Kró-
lewiec do Rygi, Dorpatu i Parnawy. Z tego, co Reynevan
zasłyszał, ostatecznym celem podróży Axlebena była Upp-
sala. Zasłyszał i inne rzeczy. To, że Axleben, lubo czarodziej możny, zdolny i sławny, nie cieszy się szacunkiem,
albowiem uprawia źle widzianą nekromancję i demono-
mancję, igraszki z trupami i złymi duchami przyniosły
mu w wielu środowiskach bojkot towarzyski. Plotka przypisywała mu znajomość i umiejętność posługiwania się
Manusfortis, Potężną Ręką, niesłychanie silnym czarem,
mogącym być rzuconym jednym ruchem dłoni. Pogłoski
czyniły też z Axlebena jednego z przywódców i czołowych
ideologów wschodnioeuropejskich waldensów i zwolenników nauk Joachima z Fiore, łączono go też z lombardzką
Stregherią. Znane były też bardzo bliskie związki Axlebena z Braterstwem i Siostrzeństwem Wolnego Ducha –
czarnoksiężników „Archanioła" mocno dziwiło, że na czas
swego pobytu w Pradze Axleben skorzystał z gościny
u nich, nie zaś w domu „Pod Czarną Różą", tajnej praskiej siedzibie Braterstwa. Jedni przypisywali to przyjaz-
nym stosunkom Axlebena z Janem Bezdiechovskim. Drudzy podejrzewali, że nekromanta chce upiec jakąś własną
pieczeń.

– O tym – Axleben uniósł wreszcie głowę, powiódł po
zgromadzeniu spojrzeniem – byście dali mi tego waszego
Samsona na zawsze, mowy być nie może, co?

Reynevan już się unosił z ostrą repliką na ustach, powstrzymał go jednak kuksaniec Szarleja. Nekromanta nawet tego nie zauważył, odpowiedzi, wyglądało, szukał wyłącznie w oczach i twarzy Jana Bezdiechovskiego. Zobaczył odpowiedź, skrzywił wargi.

– No jasne, rozumiem. A szkoda. Chętnie bym z tym... jegomościem jeszcze pokonwersował. Osobnik to oczytany... W mowie gładki... I bardzo dowcipny. Bardzo, bardzo dowcipny.

– Brawo, Samsonie – szepnął Fraundinst.

– Poczęstował go – odszepnął Telesma – Szmaragdową Tablicą...

– Nie uwierzycie – Axleben zdecydował udać, że szeptów nie słyszał – co też mi powiedział, będąc uśpionym. Dlatego też zachowam to dla siebie, po co gadać, skoro nie uwierzycie. Powiem jeno, że udzielił mi w transie kilku rad. Do niektórych i owszem, spróbuję się zastosować, zobaczymy, co z tego wyniknie.

– Erudyta i poliglota z gębą kretyna – podjął po chwili, którą poświęcił alikantowi – uraczył mnie, oprócz licznych innych, przydługim cytatem z *Boskiej komedii*. Napomniał, bym nie ulegał pokusom próżności. Bym pamiętał, że wszystko marność, a żadna przewina nie zostanie bez kary. Bo spośród czarowników, co prawda, Alberta Wielkiego spotyka Dante w Raju, ale Michał Szkot, Gwidon Bonetti i Asdent, ukarani za nekromancję, potępieni są w Inferna Kręgu Ósmym, w Malebolge, Złych Dołach, w Jarze Czwartym. Jęczą tam i płaczą, ronią łzy rzęsiste, a szatani w ramach mąk przekręcili im szyje i głowy przodem do tyłu, skutkiem czego łzy te cieką im po dupach. Miła perspektywa, co? A deklamował mi to, trzeba dodać, wasz Samson z najczystszym akcentem toskańskim.

Szczepan z Drahotusz i Szarlej wymienili uśmiechy i znaczące spojrzenia. Axleben pokosił na nich podkrążone oczy, dał Tvrdikowi znak, że może mu znowu dolać do kielicha.

– Przez moment – oznajmił – przeszło mi przez myśl: a nuż to diabeł? Sam diabeł wcielony? Ha, nie mówcie, że i wam coś takiego nie zaświtało. Toż to sztuczka diabelska iście podręcznikowa: omamić, obałamucić, oszukać pozorem. *Diabolus potest*, jak chcą klasycy, *sensum hominis exteriorem immutare et illudere*. Może to uczynić na wiele sposobów, choćby przeobrażając sam organ zmysłu, czyli nasze oko, domieszawszy czegoś do ocznej substancji, przez co przedmiot, na który patrzymy, postrzegamy takim, jakim demon chce, byśmy postrzegali. Pisali o tym przed laty Bonawentura, Psellos, Piotr Lombard, pisał Witelon, pisał Mikołaj Magni z Jawora, nie od rzeczy byłoby sobie dzieła wymienionych przypomnieć.

– Bałwan – szepnął Fraundinst. Axleben znowu udał, że nie słyszy.

– Stwierdzam jednak – zaakcentował stwierdzenie pacnięciem dłonią o stół – że nie mamy tu do czynienia ani z diabłem, ani z przypadkiem opętania demonicznego. Ingerencja demonów w życie ludzkie jest możliwa i zdarza się wcale często, dość widzieliśmy, by w to nie wątpić. Ale jest to zjawisko zgodne z wolą Stwórcy, który pozwala nań *ad gloriae sue ostensionem vel ad peccati poenitenciam sive ad peccantis correccionem sive ad nostram erudicionem*. Demon sam w sobie nie jest sprawcą. Demon to *incentor*, *excitator* i *impellator*, wspomagacz, podżegacz i nakłaniacz, ten, który wzmaga śpiące w nas zło i podżega do złych uczynków naszą grzeszną naturę. A ja...

– Ja – dokończył – nie znajduję niczego złego w człowieku, którego poleciliście mi zbadać. W nim, wiem, że brzmi to śmiesznie, nie ma nawet śladu zła.

– Na waszych twarzach widzę zresztą wypisane, że sami też doszliście do podobnego wniosku. I jeszcze jedno widzę tam wypisane: ogromne pragnienie, bym wreszcie przyznał się do klęski. Uznał się za pokonanego. Wyznał, żem niczego nie osiągnął. Wyznaję więc: poniosłem klęskę, niczego nie osiągnąłem. Zadowoleni? Świetnie. Chodźmy więc do jakiejś karczmy, bom zgłodniał. Od czasu ostatniej wizyty w Pradze marzę wręcz o tutejszych knedlikach i kapuście... Czemu macie takie miny? Sądziłem, że uraduje was moja porażka.

– Co też wy, mistrzu Wincenty – uśmiechnął się nieszczerze Fraundinst. – Co innego nas martwi. Jeśli wyście nie byli w stanie dociec istoty zjawiska...

– Kto powiedział – wyprostował się nekromanta – że nie byłem w stanie? Byłem i dociekłem.

– Perisprit pozytywny – powiedział, nacieszywszy się pełną skupienia i oczekiwania ciszą. – Mówi wam coś to określenie? Niepotrzebnie pytam, z pewnością mówi. O tym, że istnieje coś takiego, jak perisprit krążący, słyszeliście z pewnością również. Rzecz jest dość dobrze opisana w fachowych księgach, do których serdecznie radzę zajrzeć.

– Radzę – kontynuował Axleben, wcale nie przejmując się nienawistnymi spojrzeniami czarodziejów „Archanioła" – przestudiować przypadek Poppona von Osterny, wielkiego mistrza Zakonu Panny Marii Domu Niemieckiego. Jak również zupełnie podobny, ba, identyczny w swej naturze *casus* Lucilli, córki Marka Aureliusza. Może pamiętacie? Nie? To sobie przypomnijcie. Z tym waszym... Samsonem stało się to samo, co z Lucillą i Popponem. Istota zjawiska to perisprit pozytywny i perisprit krążący. Tak właśnie. Wiem to. Niestety, wiedza nie wystarcza. Nic nie potrafię z tym zrobić. Znaczy, nie zdołałem i nie zdołam pomóc owemu Samsonowi. Chodźmy na obiad.

– Jeśli wy nie zdołaliście – zmrużył oczy Szczepan z Drahotusz – któżże zdoła?

– Rupilius Ślązak – odrzekł natychmiast Axleben. – Nikt inny.

– To on – przerwał dość skonfundowane milczenie Teggendorf – jeszcze żyje?

– I w ogóle istnieje? – szepnął do Telesmy Tvrdik.

– Żyje. I jest największym żyjącym specjalistą w zakresie ciał i bytów astralnych. Jeśli ktoś może tu pomóc, to tylko on. Chodźmy na obiad. Ach... Byłbym zapomniał...

Nekromanta odnalazł wzrokiem Reynevana, spojrzał mu w oczy.

– Tyś jest jego przyjacielem, młodzieńcze – stwierdził, nie zapytał. – Imię twe Reynevan.

Reynevan przełknął ślinę, potwierdził kiwnięciem głowy.

– Będąc w transie, ów Samson wieszczył – rzekł beznamiętnie Axleben. – Wieszczba była kilkakrotnie powtórzona, wyraźna, czytelna, dokładna. Tyczyła właśnie ciebie. Masz się strzec Baby i Panny.

– Tak się składa – nekromanta zmroził spojrzeniem
szydercze uśmiechy Szarleja i Tvrdika. – Tak się składa,
że wiem, w czym rzecz. Baba i Panna to dwie słynne wie
że. Nie mniej słynnego zamku Troski, na Podkarkonoszu.
Strzeż się zamku Troski, młodzieńcze zwany Reynevanem.

– Szczęśliwym trafem – wykrztusił Reynevan – nie
wybieram się w tamte strony.

– Trafem jest co innego – rzucił przez ramię Axleben,
ruszając w stronę drzwi. – To, że Rupilius Ślązak, jedyna
osoba, która w mojej opinii może pomóc twojemu Samsonowi, od dobrych dziesięciu lat mieszka w Czechach. Na
zamku Troski właśnie.

Rozdział czwarty

w którym pod Kolinem bombardy kropią i gruchają, a plany się rodzą, jedne wielkie, inne mniejsze, jedne bardziej, inne mniej utopijne i fantastyczne – ale co tak naprawdę jest utopią i fantazją, pokaże czas dopiero.

– Bracie Prokop! Bracie Prokop! Bombarda ostygła! Kropniemy jeszcze raz?

Mężczyzna, do którego zwrócił się z pytaniem starszy nad puszkami, był postawny i barczysty. Jego rumiana twarz o prostych rysach, bulwowaty nos i czarne sumiaste wąsy sprawiały, iż wyglądał jak chłop, jak zadowolony z urodzaju wieśniak.

Reynevan widywał już tego mężczyznę. Kilkakrotnie. Zawsze przyglądał mu się z ciekawością.

Prokop przed rewolucją był księdzem, mówiono, że pochodzi z Pragi, z rodu staromiejskich patrycjuszy. Do husytów przystał zaraz po defenestracji, ale przed rokiem 1425 był zaledwie jednym z wielu taboryckich kaznodziejów – wśród których wyróżniał się nie tylko rozsądkiem, zimną krwią i tolerancją, ale i faktem, że wbrew nakazom husyckiej liturgii nie nosił apostolskiej brody, lecz co rano pedantycznie się golił, pielęgnując tylko swój słynny wąs. Od tego to golenia właśnie brał się jego przydomek – Goły. Po zgonie Bohusława ze Szwamberka zupełnie niespodziewanie obrano Prokopa najwyższym hejtmanem, głównodowodzącym Taboru i naczelnym „Sprawcą" – tak tłumaczono tytuł *director operationum Thaboritarum*. Niedługo po nominacji Prokop zyskał sobie drugi przydomek: Wielki. I szło nie tylko o wzrost. Prokop okazał się prawdziwie wielkim wodzem i strategiem, dowiodły tego spektakularne zwycięstwa pod Usti, pod Zwettlem, pod Tachowem i Strzybrem. Gwiazda Prokopa Gołego świeciła jasno.

– Bracie Prokop! – przypomniał o sobie puszkarz. – Kropniemy?

Prokop Goły spojrzał na mury i wieże Kolina, ładnie komponujące się czerwienią dachówek z jesienną kolorystyką liści okolicznych lasów i zarośli.

– A co wam tak – odpowiedział pytaniem – do tego kropienia pilno? Do burzenia? To czeskie miasto, na Boga! Poczekajcie, pójdziemy za niedługo na ościenne krainy, tam sobie postrzelacie, tam sobie poniszczycie. A Kolin potrzebny mi cały i mało uszkodzony. I takim go weźmiemy.

Kolin, zupełnie jakby chciał wyrazić sprzeciw i dezaprobatę, odpowiedział. Z murów huknęło, gruchnęło, na blankach zakwitły dymy, zaświszczały kamienne kule. Wszystkie wryły się w ziemię o jakieś dwadzieścia kroków od szańców pierwszej linii oblężenia. Osaczony w Kolinie pan Dziwisz Borzek z Miletinka dawał znać, że wciąż nie zbywa mu ni na prochach, ni na woli walki.

– Pana Dziwisza Borzka – uprzedził pytanie Prokop – zmusimy do poddania. I przejmiemy gród bez zniszczeń, bez rzezi po szturmie, bez plądrowania. Żeby lubili kolińscy mieszczanie brata Hertvika, który wkrótce będzie tu hejtmanił.

Otaczający Prokopa dowódcy husyccy zarechotali chórem. Reynevan znał wielu z nich. Nie wszystkich. Nie znał Jana Hertvika z Ruszinova, mającego już, jak się okazywało, nominację na hejtmana Kolina w kieszeni. Z innych Sierotek widywał już Jana Kralovca z Hradku, Jirę z Rzeczycy, w jasnowłosym i pogodnie uśmiechniętym olbrzymie domyślał się Jana Koldy z Żampachu. Z dowódców Taboru rozpoznawał Jarosława z Bukoviny, Jakuba Kromieszyna, Otika z Lozy, Jana Bleha z Tiesznicy.

– Tedy – Prokop wyprostował się, rozejrzał, by było jasne, że mówi nie tylko do puszkarza, lecz także do pozostałych. – Tedy proszę mi się nie spieszyć, nie wyrywać, prochów nie psować...

– Tylko stać mamy? – spytał ze słyszalną niechęcią Jan Kolda. – Pod tymi murami? Bezczynnie?

– Kto powiedział – Prokop wsparł się na częstokole – żeby bezczynnie? Bracie Jarosławie!

– Na rozkaz!

– Czy Flu... Czy brat Neplach przysłał wreszcie tych swoich Stentorów?

– Przysłał – potwierdził Jarosław z Bukoviny. – Dziesięciu. Oj, mordy straszne... Gorzałą i cebulą jedzie od nich tak, że dużego chłopa obala. Ale głosy rychtyk niby dzwony...

– Niechaj więc idą pod mury i wołają. W dzień i w nocy. Zwłaszcza w nocy, nocą to najlepiej działa. Czy pan Borzek ma dzieci w Kolinie?

– Córkę.

– Niech dużo wołają o tej córce. Ty zaś, bracie Kolda, jako że nie lubisz bezczynności...

– Słucham rozkazu!

– Weźmiesz swą jazdę, objedziesz wsie, po tej i po tamtej stronie Łaby. Raz jeszcze otrąbisz po całej okolicy, że jeśli kto popróbuje dostarczać miastu żywność, to ciężko będzie żałował. Złapiemy choćby z jednym podpłomykiem, choćby z woreczkiem kaszy – obie ręce i obie nogi usieczemy.

– Na rozkaz, bracie Prokop!

– Do zajęć tedy, do oddziałów, nie zatrzymuję dłużej... Ty zaś, bracie, czego tu jeszcze?

– Kropnąć by – zastękał starszy nad puszką – z dużej bombardy... Choćby razik jeszcze... Przed wieczorem...

– Wiedziałem – westchnął Prokop – że nie zdzierżysz. Dobra. Ale pójdź no wpierw ze mną, obejrzę twoje gospodarstwo. Obaczymy, jak i na co masz puszki wyrychtowane. Witaj, Szarleju. Witaj i ty, bracie Bielawa. Idźcie za mną. Wnet wam czas poświęcę.

Reynevan zachodził w głowę, skąd brała się ta znajomość. Prokop Goły i Szarlej rozpoznali się już przy pierwszym spotkaniu, w zapusty roku 1426, w mieście Nymburk, dokąd odesłano kompanię z Hradca Kralove. Kto wie, czy nie ocaliło im to wszystkim skóry, węszący wszędzie szpiegów i prowokatorów najpierw hradeccy, a później nymburscy Boży bojownicy robili się coraz bardziej podejrzliwi i coraz bardziej niesympatyczni. Powoływanie się na Peterlina i Horna nie pomagało, Peterlin i Horn byli, okazywało się, współpracownikami tak tajnymi, że ich nazwiska mało komu coś mówiły i protekcji nie dawały. Nie wiadomo, co by było, gdyby nie zjawił się Prokop. Na szyję się Szarlejowi nie rzucił, wylewnie nie witał, ale było oczywiste, że ci dwaj znali się. Skąd, pozostało tajemnicą – żaden nie był skory do wyjaśnień i wynurzeń. Wiedziano, że Prokop studiował w Karolinum, że podróżował na uczelnie zagraniczne. Reynevan domniemywał, że poznał Szarleja podczas jednej z takich podróży.

Poszli, Reynevan, Szarlej i Samson, za Prokopem i puszkarzem wzdłuż linii rowów, ostrokołów i faszynowych zapór. Prokop kontrolował bombardy i moździerze, rozmawiał z puszkarzami i pawężnikami, klepał po ramionach kuszników, rubasznie żartował przy ogniskach z cepnikami, wypytywał halabardników, czy im aby czego nie dostaje. Znalazł czas, by zagadać do krzątających się przy kotłach kobiet, skosztował żołnierskiej kaszy, nie omieszkał powichrzyć jasnych czuprynek kręcących się przy kuchni dzieciaków. Skromnie unosił ręce, gdy Boży bojownicy wznosili owacje na jego cześć.

Trwało to dość długo. Ale i o nich Prokop nie zapomniał.

Wrócili na podgrodzie.

Prokopowa armia nadciągnęła pod Kolin niespodziewanie szybko, nie zostawiając mieszkańcom podgrodzia wiele czasu, zdołali ratować się ucieczką za miejskie mury dosłownie z tym, co złapali w ręce, zostawiając taborytom i Sierotkom znaczne zapasy paszy, sporo inwentarza, do tego zaś chaty z pełnym nieledwie wyposażeniem. Nic tedy dziwnego, że na tym właśnie terenie powstał główny obóz Bożych bojowników, otoczony szańcem z wozów i zagrodą dla koni. Między chałupami i kleciami płonęły liczne ogniska, dzwoniły młoty w kuźniach, stukotały młotki w warsztatach stelmachów. Suszyło się na sznurach odzienie. Kwiczały świnie, beczały owce. Śmierdziały latryny.

– A tak w ogóle – odezwał się nagle Prokop – to po coś ty tu, bracie Bielawa, przyjechał?

Reynevan westchnął ukradkiem. Spodziewał się takiego pytania.

•

Decyzję o wyprawie na zamek Troski podjął Reynevan. Dość spontanicznie ją podjął, trzeba powiedzieć, z ogromnym i gorącym niczym młoda wdowa entuzjazmem. Entuzjazm ten i żywiołowość niezbyt przypadły do gustu magikom spod „Archanioła", zwłaszcza Fraundinstowi i Szczepanowi z Drahotusz. Obaj poddali w wątpliwość zarówno wiadomości Axlebena, jak i legendarne zdolności legendarnego Rupiliusa Ślązaka. Axleben, twierdzili, konfabuluje, by odwrócić uwagę od swej kompromitującej porażki z Samsonem. Rupiliusa Ślązaka na zamku Troski najprawdopodobniej nie ma. A gdyby nawet Rupilius Ślązak na zamku Troski przypadkiem był, to szansa, że zdoła pomóc, równa jest zeru – według przybliżonych kalkulacyj Rupilius Ślązak liczy sobie bowiem już jakieś dziewięćdziesiąt lat, czegóż można oczekiwać od takiego starego pierdoły?

Stronę Reynevana wziął natomiast Telesma. Telesma słyszał o Rupiliusie Ślązaku, kiedyś nawet widział się z nim przelotnie, za potwierdzone i sprawdzone już pół wieku temu uznał jego kwalifikacje w dziedzinie spirityzmu i bytów astralnych. Spróbować, orzekł, nie zawadzi. Dla Samsona Miodka wyprawa na Troski jest szansą, którą należałoby wykorzystać, i to pospiesznie. Rupilius, racja to, ma dziewiąty krzyżyk na karku. A w takim wieku wiadomo: przeziębisz się, kichniesz, pierdniesz i nie wiedzieć kiedy przenosisz się w byt astralny.

Telesmę poparł Bezdiechovsky. Sędziwy czarnoksiężnik nie tylko o Rupiliusie słyszał, lecz poznał go osobiście, przed laty, w Padwie. Rupilius, wyraził sąd, może, i owszem, pomóc Samsonowi. Nie wiadomo jednak, czy zechce, bo w Padwie dał się poznać jako arogancki i nieużyty zasraniec.

Dość sceptycznie i chłodno, o dziwo, odniósł się do projektu sam Samson. Samson nie brał udziału w dyskusji, a jeżeli, to półgębkiem. Nie argumentował ani za, ani przeciw. Najczęściej milczał. Ale Reynevan znał go już zbyt dobrze. Samson w powodzenie wyprawy zwyczajnie nie wierzył. Gdy ostatecznie na nią przystał, Reynevan nie mógł oprzeć się wrażeniu, że to z grzeczności.

Pozostawał Szarlej. Opinię Szarleja o przedsięwzięciu Reynevan znał, zanim go o nią zapytał. Ale zapytał, dla porządku i formy.

– To jest zwyczajny idiotyzm – ocenił spokojnie Szarlej. – Nadto, to mi zaczyna przypominać Śląsk sprzed dwóch lat, pamiętną entuzjastyczną odyseję za panią Adelą. Wyprawa na Troski wygląda na podobnie obmyśloną i pewnie byłaby podobnie prowadzona. I już oczyma mej duszy widzę wynik. Ty chyba nigdy nie zmądrzejesz, Reinmarze.

– Mamy, jak twierdzisz – kontynuował, nieco ciszej i poważniej – zobowiązania wobec Samsona, jesteśmy mu coś dłużni. Może i tak, nie przeczę. Życie pozostaje jednak życiem, a podstawowa reguła życia nakazuje o takich długach zapominać, wykreślać je z pamięci. Życie ma do siebie to, że bliższa koszula ciału. Dopomagać bliźnim i owszem, czemu nie, ale nie własnym kosztem. Zrobiliśmy, twierdzę, dla Samsona dość, będzie okazja, zrobimy więcej. A okazja zdarzy się, jestem pewien, prędzej czy później, wystarczy usiąść i cierpliwie poczekać. Poczekajmy więc na okazję. Po co tej okazji szukać, szukając guza przy okazji? Myślmy o swej koszuli, Reinmarze, i o swoim ciele, bo to jest najważniejsze. A ty na co chcesz nasze ciała wystawić, chłopcze? Dokąd nas chcesz poprowadzić? Trwa zawierucha, wojna, pożoga, panują chaos, nieład i bezprawie. To nie jest dobry czas na szaleńcze wyprawy. Bez przygotowania, w dodatku.

– Otóż mylisz się – odrzekł Reynevan. – Nie zgadzam się z tobą zupełnie. I nie tylko w kwestii cynicznych reguł życiowych bynajmniej i bynajmniej nie względem tego, co jest w życiu najważniejsze. Nie zgadzam się z twoją oceną sytuacji. Bo czas wyprawie nie tylko sprzyja, ale i nagli. Podjesztedzie i Pogórze Jiczyńskie są opanowane przez nasze wojska, nieliczni katoliccy panowie z tego rejonu są zastraszeni, ich morale złamała klęska krucjaty pod Tachowem. Są jak odymione pszczoły. Jeśli więc wyprawić się, to teraz, nim się otrząsną i będą znowu zdolni żądlić. Co na to powiesz?

– Nic.

– Względem natomiast przygotowania, masz rację. Przygotujmy się. Co proponujesz?

Szarlej westchnął.

●

Reynevan i Samson wyjechali z Pragi dziesiątego października, w wypadającą tego roku w piątek pamiątkę świętego Gereona i jego towarzyszy męczenników. Opuścili miasto wczesnym rankiem. Gdy przekroczyli Bramę Porzyczską, zza chmur wyszło słońce, bajecznym blaskiem zalewając mieniące się kolorami Witków i Szpitalskie Pole. Radujący serce widok Reynevan uznał za dobrą wróżbę i omen.

Ani on, ani Samson nie czuli się najlepiej. Obaj mieli za sobą mocno wylewne i celebrowane długo w noc pożegnanie z magikami z apteki „Pod Archaniołem". Reynevan wzdychał i wiercił się w siodle – jemu przyszło dodatkowo odcelebrować pożegnanie z panią Błażeną Pospichalovą.

Zmierzali pod Kolin, od połowy września oblegany przez Tabor, Sierotki i prażan. Oblężeniem dowodził Prokop Goły. W armii Prokopa Gołego był Szarlej. Miesiąc, który minął od rozstania z nimi, Szarlej miał wykorzystać na przygotowanie wyprawy. Twierdził, że ma takie możliwości. Reynevan wierzył mu. Szarlej miał zarówno możliwości, jak i środki. Demeryt nie ukrywał – ba, zdarzało mu się nawet chwalić, że walczy w taboryckiej armii polnej dla łupu i zysku i że już ma sporo odłożone po różnych kryjówkach.

Słońce znikło za płynącymi od północy czarnymi chmurami. Zrobiło się mrocznie i ponuro. Wręcz złowrogo. Reynevan uznał, że wróżby to przesąd.

•

Prokop sprawiał wrażenie, że nie słucha. Był to pozór tylko.

– Urlopować brata Szarleja – powtórzył. – W czas wojenny zwolnić go ze służby w armii. Dla twoich prywatnych spraw, bracie Bielawa. Innymi słowy, górą prywata, a obowiązek wobec Boga i ojczyzny furda. Czy tak?

Reynevan nie odpowiedział. Przełknął tylko głośno ślinę. Prokop parsknął.

– Zgoda – oznajmił. – Wyrażam zgodę.

– Powody są trzy – ciągnął, wyraźnie ciesząc się ich osłupieniem. – Po pierwsze, brat Szarlej służy w szeregach Taboru już ponad rok, na urlop zasłużył. Po drugie, brat Neplach doniósł mi o twoich zasługach, bracie Bielawa. Z poświęceniem zwalczałeś wrogów naszej sprawy, bohatersko podobno walczyłeś z buntownikami w Pradze, szóstego września. Leczyłeś rannych, nie pijąc, nie jedząc i nie śpiąc. To bezsprzecznie zasługuje na nagrodę. A po trzecie i najważniejsze...

Zatrzymał się, obrócił. Byli już pod budynkiem spichlerza, służącym obecnie za kwaterę główną i siedzibę sztabu oblężenia.

– Co po trzecie i najważniejsze, dowiecie się później, wrócimy do tej sprawy. Teraz mam inne. Dowiecie się zresztą, jakie. Będziecie słuchać, bo zostawiam was przy sobie.

– Bracie...

– To był rozkaz. Idziemy. A wasz sługa... Ach, już się, widzę, czymś zajął. To dobrze. Nie przeszkodzi.

Samson Miodek, jak zwykle udając, że niczego nie słyszy i nie rozumie, rozsiadł się pod ścianą spichrza, wydobył kozik i zabrał za struganie znalezionego kołka. Samson często strugał kołki. Po pierwsze, wyjaśniał, jest to czynność w sam raz dla idioty, na jakiego wygląda. Po drugie, mawiał, struganie kołków uspokaja, wpływa korzystnie na system nerwowy i trawienny. Po trzecie, tłumaczył, rżnięcie drewna pomaga mu podczas wymuszonego przysłuchiwania się dyskusjom o polityce i religii, albowiem zapach świeżego wióra łagodzi odruchy wymiotne.

Weszli do spichrza, do dużego pomieszczenia, które, lubo już jakiś czas temu zaadaptowane na sztab, nadal przyjemnie pachniało ziarnem. Wewnątrz, za stołem, czekało dwóch ludzi, schylonych nad mapami. Jeden był mały i chudy, odziany na czarno modą husyckich kapłanów. Drugi, młodszy, w stroju rycerskim, był potężniejszej budowy i jasnowłosy, o po trosze cherubinkowatej, a po trosze surowo zmęczonej twarzy, przywodzącej na myśl flamandzkie miniatury z *Godzinek księcia de Berry*.

– Nareszcie – powiedział ten mniejszy, czarny. – Naczekaliśmy się trochę, bracie Prokopie.

– Obowiązki, bracie Prokopie.

W odróżnieniu od swego imiennika ten drugi Prokop brodę nosił, prawda, skąpą, nieporządną i więcej śmieszną. Z racji wzrostu wyróżniano go także przydomkiem – zwany był Prokopem Małym albo Prokupkiem. Początkowo również kaznodzieja w rzeszy kaznodziejów, wypłynął wśród husytów – dokładniej, Sierotek – po śmierci Jana Żiżki z Trocnowa. Wraz z hradeckim Ambrożem Prokupek był przy łożu śmierci Żiżki, a świadków ostatnich chwil swego czczonego wodza Sierotki miały nieledwie za świętych – bywało, że klękano przed nimi i całowano kraje szat, zdarzało się, że matki przynosiły do nich dzieci w gorączce. Poważanie wyniosło Prokupka na stanowisko głównego duchowego przywódcy – piastował więc wśród Sierotek urząd analogiczny do tego, jaki Prokop pełnił w Taborze przed objęciem stanowiska Sprawcy.

– Obowiązki – powtórzył Prokop Wielki, wskazując

ogólnie w stronę oblężonego grodu. Jego słowa skontra-
punktował potężny huk, ściany zadrżały, z powały posypał się kurz. Starszy nad puszkami nareszcie mógł gruchnąć sobie ze swej dwustufuntowej bombardy. Oznaczało
to zarazem spokój aż do rana – taka bombarda po strzale
musiała stygnąć minimum sześć godzin.

– Że czekać kazałem, wybacz, bracie. I ty, bracie Wyszku.

Wyszka Raczyńskiego Reynevan spotkał już wcześniej,
pod Usti, w konnicy Jana Rohacza z Dube. Droga Polaka
do husytów była nietypowa – Wyszek zawitał do Pragi
w roku 1421 jako wysłannik księcia litewskiego Witolda,
w którego służbach pozostawał. W poselstwie szło, jak
dziś już było wiadomo, o koronę dla Korybutowicza. Ra-
czyńskiemu spodobała się czeska rewolucja, zwłaszcza po
kontakcie z Żiżką, Rohaczem i taborytami, którzy Polako-
wi przypadli do gustu o wiele bardziej niż umiarkowani
kalikstyni, z którymi omawiał Witoldowe posłanie. Raczyński migiem przystał do taborytów, a z Rohaczem po-
łączyła go szczera przyjaźń.

Na dany przez Prokopa znak wszyscy siedli za zarzu-
cony mapami stół. Reynevan czuł się skrępowany, miał
świadomość, jak dalece jest tu nie przystającym do kompanii intruzem. Samopoczucia wcale nie poprawiała mu
bezceremonialna nonszalancja Szarleja, zawsze i wszędzie będącego u siebie. Nie pomagał fakt, że Prokupek
i Raczyński zdawali się bez żadnych zastrzeżeń akcepto-
wać ich obecność. Byli przyzwyczajeni. Prokop zawsze
miał pod ręką różnej maści wywiadowców, posłów, emisa-
riuszy i ludzi do specjalnych – a nawet bardzo specjalnych – poruczeń.

– To nie będzie krótkie oblężenie – przerwał milczenie
Prokop Goły. – Leżymy pod Kolinem od Podwyższenia
Krzyża, a za sukces uznam, jeśli gród podda się przed ad-
wentem. Może się i tak zdarzyć, bracie Wyszku, że po powrocie z Polski zastaniesz mnie tu jeszcze. Kiedy wyruszasz?

– Jutro świtaniem. Przez Odry, potem przez Cieszyn
do Zatora.

– Nie boisz się jechać? Teraz w Polsce nie tylko Oleśnicki, ale byle starostka może cię do jamy wsadzić. Wedle praw, co je Jagiełło proklamował. Skutkiem bólu brzucha, chyba.

Wszyscy, w tym i Reynevan, wiedzieli, w czym rzecz. Od kwietnia roku 1424 obowiązywał w Królestwie Polskim edykt wieluński, wymuszony na Jagielle przez biskupa Oleśnickiego, Luksemburczyka i papieskich legatów. Edykt – choć nie padało w nim ani nazwisko Husa, ani słowo „husyci" – mówił jednak *expressis verbis* o Czechach jako obszarze „zarażonym herezją", zabraniał Polakom handlu z Czechami i w ogóle wyjazdów do Czech, tym zaś, którzy tam przebywali, nakazywał natychmiastowy powrót. Nieposłusznych czekały infamia i konfiskata dóbr. Nadto w stosunku do kacerzy edykt zasadniczo zmieniał kwalifikację prawną – z wykroczenia karanego dotąd w Polsce przez sądy kościelne herezja zmieniała się w zbrodnię przeciwko królestwu i królowi, w *crimen laesae maiestatis* i zdradę stanu. Kwalifikacja taka formalnie włączała w ściganie i karanie kacerstwa cały aparat państwowy, zaś dla uznanych za winnych oznaczała wyrok śmierci.

Czechów naturalnie sprawa rozzłościła – Polskę mieli za kraj bratni i życzliwy, a tu zamiast spodziewanego wspólnego frontu przeciw „Niemczyźnie" nagle taka obelga, miast frontu – afront. Większość rozumiała jednak pobudki Jagiełły i reguły zawiłej gry, jaką musiał prowadzić. Zauważalne też stało się wkrótce, że edykt był groźny wyłącznie z litery – i na literze się kończyło. Gdy więc Czech mówił: „edykt wieluński", z reguły mrugał przy tym znacząco lub dodawał drwinę. Jak Prokop teraz.

– Nic to, niech się aby Krzyżacy za Drwęcą ruszą, zaraz Jagiełło o swym szumnym edykcie zapomni. Bo wie, że jeśli przyjdzie pomocy przeciw Niemcom szukać, to raczej nie w Rzymie.

– Ha – odrzekł Raczyński. – Fakt, nie zaprzeczę. Ale żebym strachu nie miał, też nie powiem. Jadę, prawda, tajnie. Ale wiecie sami, jak to z nowym prawem: każdy nagle na wyprzódki pilny, każdy chce się pochwalić zapałem, pokazać i popisać, a nuż docenią i awansują. Ma więc Zbyszko Oleśnicki na usługi armię donosicieli. A ten Jędrzej Myszka, biskupi *vicarius*, ten pokurcz, psi syn, nos ma jak pies i jak pies węszy, czy się aby koło króla Władysława nie kręci jakiś husyta... Wybaczcie, chciałem rzec...

– Chciałeś rzec „jakiś husyta" – uciął zimno Prokop. – Nie dzielmy włosa na czworo.

– Tak, prawda... Ale ja się do króla raczej nie zbliżę. W Zatorze spotykam się z panem Janem Mężykiem z Dąbrowy, naszej sprawy partyzantem, razem jedziemy do Pieskowej Skały, tam spotkamy się tajemnie z panem Piotrem Szafrańcem, podkomorzym krakowskim. A pan Piotr, człek nam życzliwy, królowi Władysławowi poselstwo powtórzy.

– Ano, ano – rzekł w zamyśleniu Prokop, kręcąc wąs.

– Samemu Jagielle nie do posłów ninie. Tym to czasem insze ma zgryzoty.

Obecni wymienili znaczące spojrzenia. Wiedzieli, w czym rzecz, wieść rozeszła się szybko i szeroko. Królowa Sonka, żona Jagiełły, była oskarżona o wiarołomstwo i cudzołóstwo. Pofolgowała, plotkowano, hamulcom wstydu z co najmniej siedmioma rycerzami. W Krakowie trwały aresztowania i śledztwa, a Jagiełło, zwykle spokojny, szalał podobno.

– Wielka na tobie, bracie Wyszku, ciąży odpowiedzialność. Poselstwa nasze do Polski jakoś marnie dotąd wypadały. Wystarczy przypomnieć Hynka z Kolsztejna. Dlatego pierwszą rzeczą przekaż, proszę, panu Szafrańcowi, że jeśli król Władysław pozwoli, wkrótce przybędzie na Wawel pokłonić się jego majestatowi poselstwo czeskie, na którego czele stanę ja, własną osobą. To jest najważniejsza rzecz w twojej misji: przygotować moją. Moim, rzekniesz, jesteś posłem przez prokurację.

Wyszek Raczyński skłonił się.

– Twemu uznaniu i wyczuciu pozostawiam – ciągnął Prokop Goły – z kim jeszcze w Polsce porozmawiasz, do kogo się zbliżysz. Kogo wybadasz. Bo i to wiedzieć musisz, żem nie zdecydował jeszcze, do kogo z moim poselstwem ruszę. Chciałbym do Jagiełły. Ale w niesprzyjających okolicznościach nie wykluczam Witolda.

Raczyński otworzył usta, ale zmilczał.

– Z księciem Witoldem – wtrącił Prokupek – jedna nam droga. Podobne mamy plany.

– W czym podobne?

– Czechy od morza do morza. Taki mamy program.

Twarz Wyszka musiała mówić wiele, bo Prokupek natychmiast pospieszył z wyjaśnieniami.

– Brandenburgia – oświadczył, tkając palcem w mapę – to ziemia rdzennie przynależna Koronie Czeskiej. Luksemburgowie zwyczajnie sfrymaczyli Brandenburgię Hohenzollernom, nie sztuka będzie ten handel unieważnić. Zygmunta Luksemburczyka unieważniliśmy jako króla, unieważnimy i jego geszefty. Odbierzemy, co nasze. A będą się Niemiaszki stawiać, to pojedziemy tam wozami i rzyć im złoimy.

– Rozumiem – powiedział Raczyński. Ale wyraz jego twarzy większym zmianom nie uległ. Prokupek widział to.

– Mając Brandenburgię – kontynuował – zabierzemy się za Zakon, za Krzyżaków. Wyżenie się przeklętych Teutonów znad Bałtyku. I już mamy morze, no nie?

– A Polska? – spytał zimno Wyszek.

– Polsce – włączył się spokojnie Prokop Goły – na Bałtyku nie zależy, widać to było po Grunwaldzie. Widać to było po pokoju melneńskim. Widać to wyraźnie po dzisiejszej polityce Jagiełły, a raczej Witolda, bo Jagiełło... Ha, przykro stwierdzić, ale cóż, takie życie, każdemu z nas przyjdzie kiedyś zdziadzieć. A co do interesów Witolda, to te są na wschodzie, nie na północy. My weźmiemy więc sobie Bałtyk, albowiem... Jak to ty mawiasz, Szarleju?

– *Res nullius cedit occupanti.*

– Jasne – kiwnął głową Wyszek. – Jedno morze już tedy jest. A drugie?

– Pobijemy Turków – wzruszył ramionami Prokupek – i już mamy Morze Czarne. Czechy potęgą morską będą i basta.

– Jak widzisz, bracie Wyszku – podchwycił z uśmieszkiem Prokop Goły – jesteśmy bardzo spolegliwi. Z wszystkimi nam po drodze, a i z nami wszystkim korzyść i wygoda. Jagielle zapewnimy spokój od Zakonu, Witoldowi damy wolną rękę na wschodzie, niech podbija i zawłaszcza tam, co chce, choćby Moskwę, Nowogród Wielki i Perejasław Riazański. Papieżowi też chyba będzie z korzyścią, gdy wytępimy krzyżactwo, nad miarę już wybujałe i harde. Zrealizujemy proroctwo świętej Brygidy, tym razem w pełni i do końca. A gdy się za Turków weźmiemy, to też się Ojciec Święty raczej ucieszy, niż zmartwi, prawda? Jak myślisz?

Wyszek Raczyński zachował swe myśli dla siebie.

– Czy to mam – spytał – powtórzyć Szafrańcowi?

– Bracie Wyszku – spoważniał Prokop. – Ty dobrze wiesz, co przekazać. Nasz jesteś przecie człowiek, prawy chrześcijanin, komunię przyjmujesz z Kielicha jako i my. Ale Polak jesteś i patriota, tedy tak czyń, by Polsce też było z korzyścią. Krzyżak to wciąż dla Polski zagrożenie, Grunwald wiela nie pomógł, wisi Zakon Teutoński wciąż nad wami niczym miecz Damoklesowy. Da król Władysław ucho papieskim żalom i błaganiom, przyłączy się do krucjat, wyśle na nas polskie wojsko, a Krzyżacy natychmiast od północy uderzą. Uderzą Brandenburczycy i książęta śląscy. I będzie po Polsce. Będzie po Polsce, bracie Wyszku.

– Król Władysław wie o tym – odrzekł Raczyński. – I nie sądzę, by się do krucjat przyłączył. Nie może jednak król polski jawnie przeciw papieżowi iść. I tak mnożą się paszkwile, i tak Malbork judzi, że Jagiełło poganin i bałwochwalca w duszy, że z pogany się kuma, że z diabłem w zmowie. Dąży tedy król polski do pokoju. Do ugody między Czechami a Rzymem. A Rzym do takiej ugody skory...

– Skory, skory – zadrwił Prokupek. – Im rzymskim krzyżowcom mocniej skórę garbujemy, tym bardziej skory.

– Prawda święta – przytaknął Polak. – Gdyby papież mógł was... To znaczy, nas, wziąć pod miecz i ogień, to by wziął. Ścinałby, katował, końmi targał, żywcem palił, topił i Gloria in excelsis przy tym wyśpiewywał. Zrobiliby z nami to, co z albigensami, po czym ogłosili, że to na Bożą chwałę. Ale, pokazało się, nie mogą. Sił brak. Więc chcą rokować.

– Wiem, że chcą – parsknął pogardliwie Prokupek. – Ale dlaczego my mamy chcieć? To my ich w dupę walimy, nie oni nas.

– Bracie – Raczyński wzniósł ręce w rozpaczliwym geście. – Bracie, powtarzasz mi to, co sam wiem. Zezwól, bym ja tobie powtórzył, co wie król polski Władysław. Co wie każdy chrześcijański król w chrześcijańskiej Europie. Póki co, Kościół włada światem i dzierży dwa miecze: duchowny i świecki. W prostszych słowach: to papież ma pełnię władzy świeckiej, a król jedynie plenipotentem jest. W jeszcze prostszych słowach: nie będzie Królestwo Czeskie królestwem dopóty, dopóki papież króla czeskiego nie zatwierdzi. Wtedy dopiero nastanie pokój i ład, a Czechy jako królestwo chrześcijańskie do Europy powrócą.

– Do Europy? Znaczy, do Rzymu? Dobra, wrócimy, ale nie za cenę utraty suwerenności! I naszej religii! Naszych wartości chrześcijańskich! Wpierw musi Rzym, Europa znaczy, przyjąć wartości chrześcijańskie. Mówiąc krótko: musi przejść na prawdziwą wiarę. To znaczy: na naszą. Tak więc, *primo*: musi Europa zaakceptować i przyjąć komunię z Kielicha. *Secundo*: musi zaprzysiąc cztery artykuły praskie. *Tertio*...

– Raczej wątpię – Raczyński nie czekał na *tertio* – by Europa na to przystała. O papieżu nie wspomnę.

– A to się zobaczy! – zaperzył się Prokupek. – Jak daleko stąd do Rzymu? Mil dwieście? Dojdziemy za miesiąc najdalej! I wtedy pogadamy! Ujrzy antychryst rzymski nasze wozy na Zatybrzu, to wnet mu rura zmięknie!

– Spokojnie, spokojnie, bracie – Prokop Goły wparł pięści w stół. – Jesteśmy za pokojem, zapomniałeś? Nasz uczony brat, Piotr Chelczicky, naucza, że nic nie może usprawiedliwić łamania piątego przykazania. „Nie zabijaj" jest święte i niezłomne. Nie chcemy wojny, gotowiśmy do rokowań.

– Ucieszy – rzekł Raczyński – króla polskiego ta gotowość.

– Ja myślę. Ale Rzym niech tak hardo głowy nie pod-

nosi, na piedestał się nie pcha, o dwóch mieczach nie glę-
dzi. Bo nam, prawowiernym Czechom, trudno, bracie Wyszku, przyjąć, że mnożący się ostatnio jak króliki papieże,
czy to rzymskiej, czy inakszej obediencji, to kompetentni
namiestnicy Boga na Ziemi i że te dwa miecze dobre
i prawe dzierżą ręce. Albowiem ostatnimi czasy czasy co
papież, to gorsza się okazywała łajza. Jak nie kretyn, to
złodziej, jak nie złodziej, to łajdak, jak nie łajdak, to moczymorda i wszetecznik. A niekiedy wszystko na raz. Przy
całej mojej dobrej woli, chociażem jako ta owieczka potul-
ny, takim pasterzom posłuszny nie będę, takich za głowy
Kościoła nie uznam, takich wszechwładzy nie zaakceptuję, choćby mi kto i sto donacyj Konstantynowych do oczu
pokazał. Nauczał mistrz Jan Hus, że nie może być prawdziwym następcą apostoła Piotra papież, który żyje wedle obyczajów Piotrowi przeciwnych. Taki papież wikariu-
szem jest nie Boga, lecz Judasza Iskarioty. Tedy zamiast
posłuch takiemu dawać, za kark go brać i z ambony zru-
cać, przywilejów pozbawiać i majętność odbierać! I tak od
Watykanu po każdą wsiową plebanię.

    – Chętnie by Czechów, mówisz, bracie Wyszku, *curia
Romana* jak synów marnotrawnych z przebaczeniem powitała, znów do grona europejskiej chrześcijańskiej
wspólnoty zaliczyła? I my temu chętni. Ale wpierw niech
obyczaje zmienią i wiarę. Na prawdziwą. Na taką, której
Chrystus uczył. Jaką Piotr wyznawał. Jakiej mistrz Wiklef i mistrz Hus nauczali. Bo prawdziwa wiara, wiara
apostolska, zgodna z literą Biblii, to ta, którą wyznajemy
my, prawowierni Czesi. Chce nas europejska *christianitas*
na swe łono? Niechajże wpierw to łono oczyści.

    – Są tacy ludzie jak Piotr Chelczicky, jak Mikulasz
z Pelhrzymova. Jak twój wielki rodak, Paweł Włodkowic,
broniący wolności sumień. Da Bóg, zwróci się Kościół
rzymski, zrozumiawszy swe błędy, ku tym właśnie ludziom. Da Bóg, posłucha ich nauk.

    – A nie posłucha nauk – dokończył z zimnym uśmie-
chem Prokupek – to posłucha naszych cepów.

    Długo trwało milczenie. Przerwał je Wyszek Raczyński.

    – To wszystko – stwierdził, nie spytał – mam powtó-
rzyć Szafrańcowi? Tego chcecie?

111

– Gdybym nie chciał – podkręcił wąsa Prokop – to czy mówiłbym o tym?

•

Przed spichrzem czekał na Raczyńskiego Jan Rohacz z Dube, sławny hejtman czasławski. Z konną eskortą. Polak wskoczył na siodło podanego rumaka, wziął od pachołka wilczurę. Wtedy podszedł do niego Prokop.

– Bywaj, bracie Wyszku – wyciągnął rękę do uścisku.

– Niech Bóg prowadzi. I przekaż, proszę, przez Szafrańca królowi Władysławowi ode mnie życzenia zdrowia. By mu się szczęściło...

– ...w małżeństwie z Sonką – wyszczerzył zęby Prokupek, ale Goły uciszył go ostrym spojrzeniem.

– By mu się szczęściło w łowach – dokończył. – Wiem, iż łowy lubi. Niechajże jednak uważa. Siedemdziesiąt i siedm roków ma. W tym wieku przeziębić się łacno i wykitować od tego można.

Raczyński skłonił się, cmoknął na konia. Wkrótce jechali już kłusem ku przeprawie na Łabie, on i Jan Rohacz z Dube. Dwaj przyjaciele, komilitoni, druhowie, towarzysze broni. Było przed nimi, Rohaczem i Wyszkiem, Polakiem i Czechem, jeszcze wiele bitew, potyczek i starć, podczas których mieli walczyć razem, bok w bok, koń przy koniu, udo przy udzie, ramię przy ramieniu. Razem mieli też umrzeć – jednego dnia, na jednym szafocie, najpierw okrutnie zmaltretowani, potem powieszeni. Ale wówczas nikt nie mógł tego przewidzieć.

•

Wielka bombarda ostygła do rana, a pełen entuzjazmu puszkarz nie omieszkał gruchnąć z niej równo o wschodzie słońca. Huk i wstrząs gruntu był taki, że Reynevan spadł z wąskiej pryczy, na której spał. Zaś drobna słoma i pył sypały się z powały jeszcze przez trzy pacierze.

Za wielką, jak za panią matką, poszły mniejsze bombardy, miotające kule cetnarowe i półcetnarowe.

Huczało. Grunt drżał. Wybudzony Reynevan rozpamiętywał sen, a było co rozpamiętywać: znowu śniła mu się Nikoletta, Katarzyna von Biberstein. Z detalami.

Działa grzmiały. Oblężenie trwało.

●

Trzeci i najważniejszy powód swej zgody na urlopowanie Szarleja podał im Prokop około południa. Natychmiast stracili humor.

– Będziecie mi potrzebni na Śląsku. Obaj. Chcę, byście wrócili na Śląsk.

– W sierpniu – podjął Prokop, ani nie zważając na ich miny, ani nie czekając na odpowiedź. – W sierpniu, kiedy my odpieraliśmy krucjatę spod Strzybra, biskup wrocławski po raz kolejny wbił nam nóż w plecy. Wojsko biskupa i książąt śląskich, tradycyjnie wspierane przez Albrechta Kolditza i Putę z Czastolovic, znowu uderzyło na Nachodsko. Znowu rzeką lała się tam czeska krew, znowu pożar trawił domostwa. Znowu dopuszczano się na bezbronnych ludziach nieopisanych bestialstw.

– Od roku już przynajmniej przewala się przez Śląsk fala straszliwego terroru. Wszędzie płoną stosy. Okrutnie znęca się Niemczyzna nad naszymi braćmi Słowianami. Nie będziemy się temu bezczynnie przyglądać. Udamy się na Śląsk z bratnią pomocą. Z misją pokojową i stabilizacyjną.

– Misję taką – Prokop nadal nie dawał im dojść do słowa – należy jednak przygotować. I to będzie wasze zadanie. Gdy załatwicie wasze prywaty, te, na które wspaniałomyślnie dałem przyzwolenie, udacie się pod Białą Górę, do brata Neplacha. Brat Neplach przygotuje was do zadania. Które wykonacie, nie wątpię, z wielkim poświęceniem, dla Boga, religii i ojczyzny. Jak na Bożych bojowników przystało... Ty, Szarleju, chcesz coś powiedzieć, widzę. Mów.

– Na Śląsku – odchrząknął Szarlej – znają nas. Jesteśmy znani.

– Wiem.

– Wielu ludzi nas tam zna. Wielu ma do nas złość. Wielu chciałoby widzieć martwymi.

– To dobrze. To gwarancja, że będziecie ostrożni i rozważni.

113

– Inkwizycja...

– I że nie zdradzicie. Koniec dyskusji, Szarleju. Koniec gadania! Dostaliście rozkaz. Macie do wykonania zadanie. A teraz idźcie sobie załatwiać wasze urlopowe prywaty. Załatwcie, radzę, wszystkie, a dokładnie. Wasze zadanie jest, przyznaję, ryzykowne i niebezpieczne. Dobrze jest przed czymś takim uregulować sprawy osobiste. Pospłacać długi przyjaciołom i osobom lubianym. Pozaciągać długi u innych...

Urwał nagle.

– Reinmarze z Bielawy – odezwał się po chwili i spojrzał, a tak, że Reynevana ciarki przeszły. – A nie mają przypadkiem twoje sprawy prywatne czegoś wspólnego z zemstą za śmierć brata?

Reynevan przecząco pokręcił głową, w gardle zaschło mu bowiem nagle tak, że nie wydusiłby słowa.

– Ooo – złożył ręce Prokop Goły. – To dobrze. To doskonale. I tak trzymać.

– Mówi Biblia: zdaj się na Pana – podjął po chwili. – A co do twego brata, ty możesz dodatkowo zdać się na mnie, Prokopa. Sprawą zajmę się ja, osobiście. Już się zająłem.

– Twój brat, którego pamięć szanuję, był tylko jednym z wielu naszych zamordowanych na Śląsku sprzymierzeńców. Zbrodnicza ręka dosięgła wielu ludzi, którzy z nami sympatyzowali, wielu, którzy nam pomagali. Te zbrodnie nie pozostaną bezkarnymi. Na terror odpowiemy terrorem, zgodnie z Boskim nakazem: oko za oko, ząb za ząb, ręka za rękę, noga za nogę, rana za ranę. Twój brat będzie pomszczony, możesz być tego pewien. Ale prywatnej zemsty ci zakazuję. Rozumiem twoje uczucia, ale musisz się powściągnąć. Zrozumieć, że jest tu hierarchia, kolejka do rewanżu, a tyś w tej hierarchii znalazł się daleko od czoła. A wiesz ty, kto jest na czele? Powiem ci: ja! Prokop, zwany Gołym. Śląscy zbrodniarze umieścili mnie na swej liście, myślisz, że pozwolę, by im to uszło płazem? Że nie dam przykładu grozy? Klnę się na Ojca i Syna, że ci, którzy krew przelali, zapłacą krwią własną. Jak mówi Pismo: jak proch na wietrze ich rozrzucę, zdepczę jak błoto uliczne. Poślę w ślad za nimi miecz, aż dokonam zupełnej ich zagłady. Ci, którzy zawarli pakt z diabłem, którzy skrycie knuli zbrodnie, którzy w ciemności zadawali skrytobójcze ciosy, już teraz oglądają się trwożliwie, już teraz czują na karku czyjś wzrok. Już teraz te kreatury ciemności lękają się tego, co w ciemności czai się na nich samych. Widzieli się wilkami, siejącymi grozę wśród bezbronnych owiec. A teraz sami zadrżą, słysząc wycie idącego ich śladem wilka.

– Konkluzja: przygotowanie naszego ataku na Śląsk to w tej chwili rzecz o kluczowym znaczeniu dla całej naszej sprawy. Jest to operacja równie ważna, jak choćby obecne oblężenie Kolina czy planowane na koniec roku uderzenie na Węgry. Powtarzam: jeśli skutkiem twych prób prywatnej zemsty operacja skończy się fiaskiem, wyciągnę konsekwencje. Surowe. Nie okażę litości. Pamiętaj o tym. Będziesz pamiętał?

– Będę pamiętał.

– Znakomicie. Teraz zaś... Reinmarze, brat Neplach doniósł mi, żeś specem od medycyny... hmm... niekonwencjonalnej. A mnie w kościach okrutnie łupie... Możesz to zamówić? Uleczyć jakimś zaklęciem?

– Bracie Prokopie... Magia jest zakazana... Czarownictwo to *peccatum mortalium*... Czwarty artykuł praski...

– Przestań pieprzyć, dobrze? Pytałem, czy możesz uleczyć.

– Mogę. Proszę pokazać, gdzie boli.

Rozdział piąty

w którym zostawiamy na krótko naszych bohaterów i przenosimy się z Czech na Śląsk, by zobaczyć, co w tym samym mniej więcej czasie porabiają niektórzy starzy – i nowi – znajomi.

Czy ja go już gdzieś nie widziałem, myślał, patrząc na swego gościa, Wendel Domarasc, *magister scholarum* szkoły kolegiackiej Świętego Krzyża w Opolu. Czy ja go gdzieś nie widziałem? A jeżeli tak, to gdzie? W Krakowie? W Dreźnie? W Opawie?

Zza okna dobiegały głosy uczniów, chórem recytujących strofy *Thebais* Stacjusza. Co jakiś czas recytację przerywał wrzask – to dozorujący klasę signator za pomocą rózgi poprawiał komuś łacinę i zachęcał do postępów w nauce.

Gość był wysoki, szczupły do chudości, ale wyczuwało się w nim siłę. Siwawe włosy nosił na modłę kleru, filcowa czapka, Wendel Domarasc szedł o każdy zakład, kryła tonsurę lub jej ślad. Przybysz mógłby też – o to również magister gotów był się założyć – po mniszemu spuścić

116

wzrok, pokornie schylić kark, złożyć ręce i mamrotać modlitwę. Mógłby. Gdyby chciał. Teraz ewidentnie nie chciał. Patrzył magistrowi wprost w oczy.

Oczy przybysza były bardzo dziwne. Swą nieruchomą ostrością niepokoiły, budziły tysiące mrówek za kołnierzem i na plecach. Ale najdziwniejszy był ich kolor – miały barwę żelaza, kolor starej, pociemniałej, wysłużonej klingi noża. Realizm potęgowały rudawe plameczki na tęczówkach, wypisz wymaluj wżery rdzy.

– *Ecce sub occiduas versae iam Noctis habenas astrorumque obitus, ubi primum maxima Tethys imu... impulit... Aj! O Jezu!*

Wendel Domarasc, *magister scholarum* szkoły kolegiackiej Świętego Krzyża w Opolu, a zarazem główny rezydent taboryckiego wywiadu, szef i koordynator siatki szpiegowskiej na Śląsku, westchnął cicho. Wiedział, kim był przybysz, uprzedzono go, że przybędzie. Wiedział, z czyjego rozkazu przybysz przybył i czyj autorytet reprezentuje. Wiedział, jakie przybysz ma pełnomocnictwa, wiedział, że ma prawo rozkazywać, wiedział też, co grozi za niewykonanie jego rozkazów. Więcej Domarasc nie wiedział. Nic więcej. W szczególności tego, jakie przybysz nosi imię.

– Ano, tak, moiściewy – zdecydował się wreszcie na formę tyleż grzeczną, co bezpiecznie neutralną. – Nielekko nam tu na Śląsku ostatnimi czasy. Oj, nielekko... Nie mówię wam tego, zrozumcie, by się od zadań wykręcać czy nieróbstwo usprawiedliwiać, nie, co to, to nie, ja starań dokładam, może być brat Prokop pewien...

Urwał. Żelazne spojrzenie przybysza, jak się okazywało, miało, oprócz innych, również przedziwną zdolność tamowania potoków wymowy.

– W lutym łońskiego roku – Wendel Domarasc przeszedł na zdania krótsze i bardziej konkretne – powstał, jak pewnie wiecie, Związek Strzeliński. Książęta śląscy, starostowie i rady Wrocławia, Świdnicy, Jawora i Kłodzka. Cel: mobilizacja armii do uderzenia na Czechy. A przed mobilizacją likwidacja działających na Śląsku czeskich siatek.

Przybysz kiwnął głową na znak, że wie. Ale żelazne oczy nie zmieniły wyrazu.

– Uderzyli w nas silnie – podjął beznamiętnie szpieg. – Biskupia inkwizycja, kontrwywiady Albrechta Kolditza i Puty z Czastolovic. Opaci z Henrykowa, Kamieńca i Krzeszowa. Jesienią pojmano rezydenta świdnickiego i kilku naszych ludzi we Wrocławiu. Kogoś zmuszono do zeznań lub ktoś zdradził, bo już w drugą niedzielę adwentu wygarnięto grupę z Jawora. Zimą aresztowano większość agentów z rejonu Nysy. A w tym roku nie ma miesiąca, by ktoś nie wpadł... Albo by kogoś nie zabito. Szerzy się terror. Sprzyjający nam giną. Giną współpracujący kupcy... Strach padł na ludzi. Werbować nowych agentów w takich warunkach trudno, infiltrować trudno, wzrasta ryzyko zdrady i prowokacji... Brata Prokopa, pojmuję to, nie interesują trudności, ale rezultaty, wyniki... Przekażcie, że robimy, co możemy. Robimy swoje. Ja robię swoje. Przestrzegam zasad rzemiosła i robię swoje...

– Nie przyjechałem tu na inspekcję – wtrącił spokojnie żelaznooki. – Mam na Śląsku swoje zadanie do wykonania. Was odwiedziłem z trzech powodów. *Primo*, jesteście najlepiej zakonspirowani, a zależy mi nieco na własnym bezpieczeństwie. *Secundo*, potrzebna mi wasza pomoc.

Magister odetchnął, przełknął ślinę, śmielej podniósł głowę.

– A *tertio*?

– Wam potrzebna jest pomoc Prokopa. Oto ona.

Żelaznooki rozwiązał swój tobół, wydobył z niego spore zawiniątko, okręcone owczą skórą i rzemykiem. Rzucone na stół zawiniątko łupnęło ciężko o blat, anonsując zawartość stłumionym brzękiem. Szpieg wyciągnął rękę. Jego koścista, pokryta starczymi plamami dłoń wyglądała jak krogulczy szpon.

– Tego – powiedział, dotykając pakunku – właśnie nam trzeba. Złota i zwycięskiego ducha. Niech mi Prokop da więcej złota i jeszcze parę zwycięstw na miarę Tachowa, a za rok Śląsk będzie jego.

– *Numquam tibi sanguinis huius ius erit aut magno feries impre... imperdita Tydeo pectora; vado equidem exsul... exsultans...* Oj! Aj!

– Wspominaliście – *magister scholarum* przymknął okienko – że oczekujecie mojej pomocy.

– Oto lista rzeczy, które będą mi potrzebne. Postarajcie się o to pilnie.

– Hmm... Będzie załatwione.

– Muszę też spotkać się z Urbanem Hornem. Powiadomcie go. Niech przybędzie do Opola.

– Horna nie ma na Śląsku. Musiał uciekać. Ktoś doniósł, już go prawie mieli. W Miliczu zabił biskupiego zbira, ciężko zranił drugiego... Ha, jak w rycerskim romansie... Jest teraz chyba w Wielkopolsce. Dokładnie nie wiem. Jako agent specjalny Horn mi nie podlega i nie składa raportów.

– W takim razie Tybald Raabe. Ściągnijcie go tu.

– Z tym też będzie problem. Tybald siedzi w lochu.

– Gdzie? U kogo?

– Na zamku Schwarzwaldau. U pana Hermana Zettritza Młodszego.

– Postarajcie mi się o dobrego konia.

•

Rycerz Herman von Zettritz Młodszy, pan na Schwarzwaldau, siedział rozparty na przypominającym tron krześle. Ścianę za jego plecami pokrywał przykopcony nieco gobelin wyobrażający, wedle wszelkich przesłanek, rajski ogród. U nóg rycerza leżały dwa niezwykle brudne charty. Obok, za zastawionym stołem, zasiadała świta rycerza, nieznacznie tylko od chartów czyściejsza, złożona z pięciu zbrojnych burgmanów i dwóch niewiast o niezbyt trudnej do odgadnięcia profesji.

Herman von Zettritz strząsnął okruszki chleba z brzucha i rodowego herbu, czerwono-srebrnej turzej głowy, spojrzał z góry na księdza, stojącego przed nim w uniżonej postawie suplikanta.

– A tak – powtórzył. – Właśnie tak, klecho. Jak cię zwać? Zapomniałem.

– Ojciec Apfelbaum – ksiądz uniósł oczy. Mające, jak skonstatował Zettritz, kolor żelaza.

– A więc – wysunął żuchwę – tak jest! Tak jest, klecho

Apfelbaum. Namieniony Tybald Raabe siedzi w moim lochu. Zamknąłem łobuza. Bo heretyk.

– Doprawdy?

– Wyśpiewywał na klechów, z papieża sobie dworował, z Ojca Świętego. Obrazek taki ucieszny pokazował, pry, oto papa Marcin V w chlewiku, wieprzków dogląda, papa to ten z tiarą na głowie, trzeci od lewej. Uaaaha-haa-haa--haaaa!

Zettritz aż popłakał się od śmiechu, z nim razem jego burgmani. Jeden z chartów zaszczekał, dostał kopa. Żelaznooki przybysz uśmiechnął się wymuszenie.

– Uprzedzałem go jednakoż – spoważniał rycerz – by mi poddanych nie buntował. Śpiewaj, mówię mu, kurwa twoja, do woli piosenki o Wiklefie i antychryście, nazywaj do woli klechów pijawkami, bo i są pijawki. Ale nie opowiadaj kmieciom, kurwa twoja, że przed Bogiem wszyscy równi i że wnet wszystko będzie wspólne, wliczając w to moje dobra, mój burg, mój spichlerz i mój skarbiec. I że daniny płacić na zamek nie trza wcale, bo nadchodzący sprawiedliwy ład boski wszelkie daniny i powinności zniesie i zlikwiduje. Uprzedzałem, ostrzegałem. Nie posłuchał, wsadziłem do lochu. Nie zdecydowałem jeszcze, co z nim zrobię. Może każę powiesić. Może tylko oćwiczyć. Może pod pranger postawię na rynku w Landeshucie. Może wydam w ręce wrocławskiego biskupa. Mus mi łagodzić stosunki z episkopatem, bo się też i ostatnio krzynkę popsowały, uaahaa-haa-ha!

Żelaznooki ksiądz wiedział, rzecz jasna, w czym rzecz. Wiedział o napadzie na klasztor cystersów w Krzeszowie, którego Zettritz dopuścił się latem ubiegłego roku. Z rechotu zbrojnych za stołem wywnioskował, że musieli w grabieży brać udział. Być może zbyt uważnie się przyglądał, być może coś było w jego twarzy, bo pan na Schwarzwaldau wyprostował się nagle i walnął pięścią w poręcz krzesła.

– Krzeszowski opat spalił mi trzech parobków! – ryknął tak, że nie powstydziłby się herbowy tur. – Wbrew mi uczynił! Zadarł ze mną, kurwa jego, chociażem go ostrzegał, że płazem tego nie puszczę! Bez dania racji oskarżył parobczaków o sprzyjanie husytom, posłał na stos! A wszystko, by mi despekt okazać! Myślał, że się nie odważę, że sił nie mam, by na klasztor uderzyć! To mu pokazałem, gdzie raki zimują!

– Pokaz – ksiądz znowu podniósł oczy – odbył się, jeśli dobrze pamiętam, z pomocą i przy współudziale trutnowskich Sierotek pod wodzą Jana Basztina z Porostle.

Rycerz pochylił się, przewiercił go spojrzeniem.

– Ktoś ty zacz, klecho?

– Nie domyślacie się?

– Domyślam, prawda – charknął Zettritz. – A i to prawda, że opata nauczyłem moresu z waszą nieocenioną husycką pomocą. Ale czy to czyni mnie husytą? Ja komunię przyjmuję sposobem katolickim, wierzę w czyściec, a w potrzebie wzywam świętych. Nie mam z wami nic wspólnego.

– Z wyjątkiem łupu zagrabionego w Krzeszowie, podzielonego pół na pół z Basztinem. Konie, bydło, trzoda, gotowizna w złocie i srebrze, wino, naczynia liturgiczne... Tuszycie, panie, że biskup Konrad rozgrzeszy was z tego w zamian za byle rybałta?

– Nadto hardo – Zettritz zmrużył oczy – sobie tu poczynasz. Bacz! Bo ciebie dorzucę do rachunku. Oj, ucieszyłby się tobą biskup, ucieszyłby... Widzę wszak, żeś ćwik, a nie byle fajfus. Ale ni głosu, ni oczu nie podnoś. Przed rycerzem stoisz! Przed panem!

– Wiem to. I proponuję rycerski sposób załatwienia sprawy. Uczciwy okup za giermka to dziesięć kóp groszy. Rybałt wyżej giermka nie stoi. Zapłacę zań.

Zettritz popatrzył po burgmanach, ci jak na komendę wilczo wyszczerzyli zęby.

– Przywiozłeś tu srebro? Masz je w jukach, tak? A koń jest w stajni? W mojej stajni? Na moim zamku?

– Jako żywo – żelaznookiemu nie drgnęła powieka. – W waszej stajni, na waszym zamku. Ale nie daliście mi dokończyć. Dam wam za goliarda Tybalda jeszcze coś.

– Cóż takiego, ciekawym?

– Gwarancję. Gdy przyjdą Boży bojownicy na Śląsk, a stanie się to rychło, gdy będą palić tu wszystko do gołej ziemi, nic złego nie spotka ani waszej stajni, ani waszego zamku, ani dobytku waszych poddanych. My z zasady nie palimy dóbr ludzi nam przyjaznych. A tym bardziej sojuszników.

Długo było cicho. Tak cicho, że słychać było, jak drapią się zapchlone charty.

– Wszyscy precz! – ryknął nagle do swej świty rycerz. – Raus! Won! Wszyscy! Ale już!

– Względem sojuszu i przyjaźni – odezwał się, gdy zostali sami, Herman Zettritz Młodszy, pan na Schwarzwaldau. – Względem przyszłej współpracy... Przyszłej wspólnej walki i braterstwa broni... I podziału zdobyczy, naturalnie... Czy możemy, bracie Czechu, pogadać o szczegółach?

●

Zaraz za bramą dali koniom ostrogi, poszli w galop. Niebo od zachodu ciemniało, czerniało wręcz. Wicher wył i świszczał w koronach jodeł, rwał suche liście z dębów i grabów.

– Panie Vlk!
– Co?
– Dzięki! Dziękuję za uwolnienie!

Żelaznooki ksiądz obrócił się w siodle.

– Jesteś mi potrzebny, Tybaldzie Raabe. Potrzebuję informacji.

– Rozumiem.
– Wątpię. Aha, Raabe, jeszcze jedno.
– Słucham, panie Vlk.
– Nigdy więcej nie waż się wymawiać głośno mojego nazwiska.

●

Wioska musiała leżeć akuratnie na szlaku oddziałów Basztina z Porostle, które po zeszłorocznym napadzie na klasztor krzeszowski grabiły tereny między Landeshutem a Wałbrzychem. Czymś wieś musiała się husytom narazić, bo pozostała po niej czarna wypalona ziemia, z której tylko gdzieniegdzie coś sterczało. Niewiele zostało także z lokalnego kościółka – ot, tyle akurat, by móc rozpoznać, że to był kościółek. Jedynym, co ocalało, był krzyż przydrożny i położony za zgliszczami świątyni cmentarz, ukryty w olszynach.

Wicher dął, czesał zalesione zbocza gór, zaciągał niebo czarnosiną oponą chmur.

Żelaznooki ksiądz wstrzymał konia, odwrócił się, zaczekał, aż Tybald Raabe podjedzie .

– Zsiadaj – rzekł sucho. – Mówiłem, musisz udzielić mi pewnych informacji. Tutaj i zaraz.

– Tutaj? Na tym złowieszczym uroczysku? Jak raz koło cmentarza? O zmierzchu? Pod gołym niebem, z którego lada chwila lunie? Nie możemy pogadać w karczmie, przy piwie?

– Dostatecznie się już przez ciebie zdekonspirowałem. Nie chcę, by mnie z tobą widywano. I kojarzono. Dlatego...

Urwał, widząc, jak oczy goliarda rozszerzają się ze strachu.

Tym, co zobaczyli najpierw, była eksplozja czarnych ptaków, zrywających się z otaczających cmentarz zarośli. Potem zobaczyli taneczników.

Jeden za drugim, szeregiem, trzymając się za ręce, wychodziły zza muru cmentarnego kościotrupy, pląsając w dzikich i groteskowych lansadach. Niektóre gołe, niektóre niekompletne, niektóre przyozdobione porwanymi resztkami całunów tańczyły, kołysząc się i podskakując, wysoko wyrzucając kościste stopy, golenie i femury, kłapiąc przy tym rytmicznie szczerbatymi żuchwami. Wiatr wył, zawodził jak potępieniec, świszczał w żebrach i miednicach, grał na czaszkach jak na okarynach.

– Totentanz... – westchnął Tybald Raabe. – Danse macabre...

Kościotrupi korowód trzykrotnie okrążył cmentarz, potem, wciąż trzymając się za ręce, szkielety powędrowały w las na zboczu, wciąż tanecznym krokiem, w podrygach i pląsach. Szły, podskakując i klekocąc, w kurzawie liści i zawierusze poderwanego z pogorzeliska popiołu. Chmary czarnych ptaków towarzyszyły im cały czas, Nawet wtedy, gdy upiorni tanecznicy zniknęli wśród gęstwiny, szalejące nad wierzchołkami drzew ptaki znaczyły szlak ich pochodu.

– Znak... – wybąkał goliard. – Omen! Przyjdzie zaraza... Albo wojna...

– Albo jedno i drugie – wzruszył ramionami żelaznooki. – Wychodzi, chiliaści mieli rację. Ten świat nie ma szans dotrwać do końca drugiego tysiąclecia, zagłada, wedle wszystkich widywanych znaków, dosięgnie go dużo wcześniej. Rychło, powiedziałbym nawet. W konie, Tybaldzie. Rozmyśliłem się. Poszukajmy jednak jakiejś oberży. Gdzieś dalej stąd.

●

– Ech, panie – powiedział Tybald Raabe z ustami pełnymi grochu i kapusty. – A gdzież mnie takich informacyj dostać? Owszem, o tym, co wiem, opowiedzieć wam mogę, ze szczegółami. O Peterlinie z Bielawy. O jego bracie Reynevanie i o romansie Reynevana z Adelą Sterczową, o tym, co z tego wynikło. O tym, co zaszło w raubritterskim siodle Kromolinie i na turnieju w Ziębicach. O tym, jak Reynevan... A co tam u Reynevana, panie? Zdrów? Dobrze się ma? On? Samson? Szarlej?

– Nie odbiegaj od tematu. Ale jeśli już przy tym jesteśmy, kim on jest, ten Szarlej?

– Nie wiecie? To podobnież mnich albo ksiądz zdrożny, z klasztornego więzienia pono zbiegły. Mówią też, konkretnie, to bajał mi o tym niejaki Tassilo de Tresckow – że Szarlej brał udział we wrocławskiej sedycji roku 1418. Wiecie, osiemnastego lipca, kiedy to zbuntowani rzeźnicy i szewcy ubili burmistrza Freibergera i sześciu ławników. Trzydzieści buntowniczych głów spadło za to pod toporem na wrocławskim rynku, a trzydziestu skazano na wygnanie. A że Szarlej głowę wciąż nosi na karku, tedy między tymi wygnanymi musiał być. Ja myślę...

– Wystarczy – przerwał żelaznooki. – Dalsze informacje. Te, o które prosiłem. O napadzie na poborcę podatków i na wiozący ściągnięty podatek konwój. Konwój, w którym był Reynevan. W którym byłeś i ty, Tybaldzie.

– Ano, ano – goliard naczerpał łyżkę grochu. – Co

wiem, to wiem. I opowiem, czemu nie. Ale o tych innych rzeczach...

– O czarnych jeźdźcach, krzyczących: *„Adsumus"*. Ewidentnie używających arabskiej substancji zwanej haszsz'isz.

– Właśnie. Nie widziałem i nie wiem o tym zgoła nic. Gdzie mnie takiej wiedzy nabyć? Skąd jej dostać?

– Spróbuj – głos żelaznookiego zmienił się niebezpiecznie – poszukać w tej misce, co ją masz przed nosem. Między grochem a skwarkami. Znajdziesz, twój zysk. Oszczędzisz czas i wysiłek.

– Rozumiem.

– To bardzo dobrze. Wszystkie informacje, Tybaldzie. Wszystko, co się da. Fakty, plotki, słuchy, to, o czym gada się po karczmach, targach, jarmarkach, klasztorach, koszarach i zamtuzach. O czym księża plotą w kazaniach, wierni na procesjach, rajcowie po ratuszach, a baby przy studniach. Jasne?

– Jak słońce.

– Dziś wigilia świętej Jadwigi, czternasty października, wtorek. Za pięć dni, w niedzielę, spotkamy się w Świdnicy. Po mszy, przed farą Stanisława i Wacława. Gdy mnie zobaczysz, nie podchodź. Odejdę, a ty idź w ślad. Zrozumiałeś?

– Tak, panie Vlk... Khem... Wybaczcie...

– Tym razem jeszcze wybaczam. Następnym razem cię zabiję.

●

Tempora cum causis Latium digesta per annum
lapsaque sub terras ortaque signa canam....

Uczniowie szkoły kolegiackiej Świętego Krzyża w Opolu na dziś zadane mieli *Fasti* Owidiusza. Znad Młynówki dobiegały wołania rybaków i wrzaski kłócących się praczek. Wendel Domarasc, *magister scholarum*, odłożył do skrytki raporty agentów. Treść większości raportów była niepokojąca.

Coś się szykowało.

Typ o żelaznych oczach, pomyślał Wendel Domarasc, będą przez niego kłopoty. Wiedziałem to od razu, gdy go tylko zobaczyłem. Jest jasne, po co go tu przysłano. To morderca. Zamachowiec, skrytobójca. Przysłany po to, by kogoś zgładzić. A po czymś takim zawsze zaczyna się nagonka, wybucha wściekły terror. I nie można spokojnie pracować. Szpiegostwo lubi spokój, nie znosi gwałtu i zamieszania.

Zwłaszcza zaś nie znosi ludzi do zadań specjalnych.

Dlaczego, magister wsparł podbródek na splecionych dłoniach, dlaczego on pytał o Vogelsang?

•

– Vogelsang. Mówi wam coś ta nazwa?

– Naturalnie – Domarasc opanował zaskoczenie, nie pozwolił, by choć brew mu drgnęła. – Oczywista, że mówi.

– Słucham tedy.

– Kryptonim Vogelsang – magister postarał się, by jego ton był rzeczowy, a głos obojętny – nadano tajnej grupie do zadań specjalnych, podlegającej bezpośrednio Żiżce. Grupa miała koordynatora i łącznika. Gdy ten poniósł śmierć w dziwnych okolicznościach, kontakt się urwał. Vogelsang po prostu zniknął. Otrzymałem rozkaz, by grupę odnaleźć. Podjąłem starania. I poszukiwania. Bezskutecznie.

Nie spuścił wzroku, choć żelazne oczy kłuły jak igły.

– Fakty znam – w głosie przybysza nie było śladu emocji. – To, o co proszę, to wasza własna opinia o tej sprawie. I wnioski.

Wnioski, pomyślał Domarasc, zostały już dawno wyciągnięte. Wyciągnął je Flutek, Bohuchval Neplach, który teraz gorączkowo szuka winnych. Bo Vogelsang, żadna to tajemnica, dostał z Taboru fundusze. Ogromne pieniądze, mające posłużyć finansowaniu „operacji specjalnych". Pieniądze były najwyraźniej zbyt duże, a zwerbowani do Vogelsangu ludzie najwyraźniej zanadto specjalni. Efekt: zniknęły pieniądze, zniknęli ludzie. I raczej bezpowrotnie.

– Łącznik i koordynator Vogelsangu – powiedział, naglony wzrokiem – został, jak mówiłem, zamordowany. Okoliczności zabójstwa były nie tylko zagadkowe. Były zatrważające, a plotka zrobiła z nich wręcz koszmar. Lęk przed śmiercią może zwyciężyć nad lojalnością i oddaniem sprawie. W wielkiej trwodze i obawie o życie o lojalności się zapomina.

– O lojalności się zapomina – powtórzył wolno przybysz. – Wy o waszej zapomnielibyście?

– Moja nie jest chwiejna.

– Rozumiem.

•

Mam nadzieję, że tak jest, pomyślał Domarasc. Mam nadzieję, że zrozumiał. Bo znam krążące w otoczeniu Prokopa i Flutka pogłoski o zdradzie, o spisku. Spisek, to dobre. Formuje się jakąś sekretną „grupę specjalną", werbując do niej łotrzyków spod ciemnej gwiazdy, którzy na pierwszy sygnał o zagrożeniu dezerterują, kradnąc powierzone im pieniądze. A potem szuka się spisków.

I wysyła na Śląsk mordercę.

Praczki nad Młynówką kłóciły się i obwiniały wzajem o prostytucję. Rybacy klęli. Uczniowie recytowali Owidiusza.

Adnue conanti per laudes ire tuorum
deque meo pavidos excute corde metus...

Ciekawe, pomyślał magister, zamykając okno, gdzie ten typ teraz jest?

•

– Znasz tę niewiastę? – spytał druha Parsifal Rachenau. – I tę pannę?

– Widziałeś przecie, żem się z nią witał – odburknął, poluźniając pas, Henryk Baruth zwany Szpaczkiem. – Żem w rękę boćkał. Dumasz, obce babska w rękę boćkać zwykłem? To stryjna moja, Hrozwita, snadź w podróży. Ta pucata to jej dwórka. A ta w czepcu jej ochmistrzyni.

– A panna?

– Stryjnej córa, znaczy dla mnie kuzynka. Stryjna małżonką jest stryja mego. Ale nie stryja Henryka, który siedzi na Smarchowicach i którego zwą Heinemanem, ani tego z Gołej Góry, Henryka zwanego Żurawiem, lecz tego trzeciego, brata ojcowego najmłodszego, któren zwie się...

127

- Henryk - zgadł zapatrzony w jasnowłosą dziewczynkę Parsifal Rachenau.
- Znasz go? No to już wiesz. Więc on jest moim stryjem, stryjna jego małżonką, a dziewczynisko ich córką. Zwie się Ofka. A czego ty się tak na nią gapisz, hę?
- Ja... - zaczerwienił się chłopiec. - Nic... Ja tylko tak...

Ofka von Baruth tylko udawała, że całkowicie pochłania ją wiercenie się na karczemnej ławie, fikanie nogami, postukiwanie łyżką o miskę, gapienie się w powałę i skubanie końca warkocza. W rzeczywistości dawno już dostrzegła zainteresowanie giermka i nagle postanowiła zareagować. Wywieszając w jego stronę język.

- Koza - skomentował z niesmakiem Szpaczek. Parsifal nie skomentował. Był absolutnie zafascynowany. Jedyne, co go niepokoiło, to kwestia pokrewieństwa. Rachenauowie byli spokrewnieni z Baruthami, któraś z sióstr wuja Gaweina była, zdaje się, kuzynką ciotki żony Henryka zwanego Żurawiem. Coś takiego zapewne wymagało dyspensy, a z dyspensą bywało różnie. Parsifal myślał o ożenku jako o przykrym obowiązku, jeśli nie wręcz karze, ale teraz pojmował ponad wszelką wątpliwość, że jeśli już, to po tysiąckroć woli jasnowłosą Ofkę von Baruth od chudej jak szczapa i pryszczatej Zuzanny, którą z uporem swatał Rachenauom jej ojciec, stary Albrecht von Hackeborn, pan na Przewozie. Parsifal był twardo zdecydowany zwlekać ze ślubem, jak długo się da. A z upływem lat Zuzanna Hackeborn mogła co najwyżej pomnożyć swe pryszcze, Ofka natomiast miała zadatki na urodziwą pannę. Wielce urodziwą pannę...

Urodziwa *in spe* panna, wyraźnie rada z zainteresowania, najpierw wyszczerzyła ku niemu dolne zęby, a potem ponownie wywiesiła jęzorek aż na brodę. Siedząca obok matrona w czepcu skarciła ją ostro. Ofka wyszczerzyła zęby, dla odmiany górne.

- Ile... - wybąkał Parsifal Rachenau - Ile będzie jej roków?
- A co mnie to może obchodzić? - żachnął się Szpaczek. - I ciebie, jeśli my już przy tym? Żryj no szybciej tę

kaszę, w drogę nam trza. Pan Puta gniewny będzie, gdy na czas do Kłodzka nie zjedziem.

– Jeśli się nie mylę – rozległo się obok nich – mam sprawę ze szlachetnymi panami rycerzami Henrykiem Baruthem i Parsifalem von Rachenau? Unieśli głowy. Obok stał ksiądz, wysoki, siwawy. Jego oczy miały kolor żelaza. A może tylko zdawały się takie w zadymionym wnętrzu karczmy?

– Iście – Parsifal Rachenau skłonił głowę. – Iście, ojcze duchowny. Myśmy są. Ale my nie rycerze. Jeszcze nie pasowani...

– Ależ – uśmiechnął się ksiądz – to tylko kwestia czasu. I to niedługiego, pewnym. Panowie pozwolą: jestem ojciec Schlossknecht, sługa Boży... Ech, ależ chłód dzisiaj... Wypić by wina grzanego... Czy zaszczycą mnie panowie rycerze i zgodzą się, bym przyniósł po kufelku i dla nich? Jest ochota?

Szpaczek i Parsifal spojrzeli po sobie, przełknęli ślinę. Ochota była i to duża. Gorzej było z gotówką.

– Ojciec Schlossknecht, sługa Boży – ksiądz, stawiając na stół kufle, ponowił prezentację. – Ninie przy brzeskiej kolegiacie. Niegdyś kapelan rycerza Ottona Kauffunga, świeć, Panie, nad jego duszą...

– Kapelan pana Kauffunga! – Parsifal Rachenau oderwał wzrok od Ofki von Baruth, niemal zakrztusił się grzanym winem. – Na głowę świętego Tyburcjusza! Toć on, w bitce zrąbany, na moich rękach dokonał! Dwa roki temu to było, we wrześniu, w Goleniowskich Borach. Jam był w orszaku onym, napadniętym przez brygantów! Kiedy to dwie panny zbóje porwali, Bibersteinównę i Apoldównę. By je później obie pohańbić, niebogi.

– Boże, bądź miłościw – złożył ręce ksiądz. – Panny niewinne pohańbiono? Ileż to zła we świecie... Ileż zła... Ile grzechu... Któż mógł się na coś podobnego poważyć?

– Zbóje-rycerze. Ich hersztem był Reinmar Bielau. Łotr i czarownik.

– Czarownik? Nie do wiary!

– Uwierzycie, gdy opowiem. Własnymi oczami patrzałem... A i słyszałem wiela...

– Ja takoż niejedno opowiedzieć mogę! – Szpaczek pociągnął z kufla. Policzki miał już mocno zaczerwienione. – Boć widziałem i ja czarnoksięskie dzieła onego Bielaua! Wiedźmy widziałem na sabat lecące! I ludziów pobitych na gościńcu pod Frankensteinem, u Grochowej Góry!

– Być nie może!

– Może, może – zapewnił chełpliwie Szpaczek. – Prawdę gadam! Ludzi pani Dzierżki de Wirsing, handlarki koni, pobili Czarni Jeźdźcy. Rota Śmierci. Diabły! Czartów samych ów Bielau ma na usługi! Nie uwierzycie, gdy wam opowiem!

Żelaznooki ksiądz zapewnił, że uwierzy. Grzane wino szło do głów. Rozwiązywało języki.

•

– Jakeście rzekli, wielebny? – zmarszczył czoło Fryczko Nostitz, zarzucając siodło na belkę. – Jak was zwą?

– Ojciec Haberschrack – powtórzył cichym głosem ksiądz. – Kanonik od Najświętszej Panny w Raciborzu.

– Ano, ano, słyszałem o was – potwierdził z absolutnie pewną miną Fryczko. – I jakąż to do mnie sprawę macie? Tak pilną, że mię w stajni nachodzicie? Jeśli to o Hedwiskę Strauchównę idzie, tę z Raciborza właśnie, to klnę się, niech mnie spali święty Antoni, ona łże. Ojcem jej bękarta żadną miarą być nie mogę, bom tylko raz ją chędożył i to w zadek.

– Ależ nie, ależ nie – rzekł szybko ksiądz. – Rzecz całkiem, upewniam was, w czym innym niźli Strauchówna. Choć, powiedziałbym, równie delikatna. Chciałbym poznać... Hmmm... Chciałbym poznać okoliczności śmierci mego bliskiego krewniaka. Ach, może jednak nie... Wolałbym raczej...

– Co byście woleli?

– Z kim innym o tym pomówić. Albowiem...

– Kręcisz coś, pater. Gadaj albo ruszaj precz! Mnie do gospody pilno, druhowie czekają. Wieszli, co to druhowie? Drużyna? No! To gadaj wnet, w czym sprawa!

– A odpowiecie, gdy zapytam?

– A to – wydął wargi Fryczko Nostitz – się okaże dopiero. Bo za często wy, klechy, do nie swoich dzieł się mieszacie. Za często. Miast swego nosa patrzeć. I brewiarza. Modlić się Bogu, a biednym dopomagać, jak reguła każe.

– Tak sądziłem – odrzekł spokojnie ksiądz, unosząc oczy, które, jak się okazało, miały kolor żelaza. – Przewidywałem, że tak odpowiecie. Dlatego was chciałbym prosić li tylko o pośrednictwo. Pogadać wolałbym bowiem z waszym druhem, tym Italczykiem... Jego mi szczególnie polecono. Jako pośród was najmędrszego i najdoświadczeńszego.

Fryczko ryknął śmiechem, tak głośnym, że aż konie zaczęły chrapać i tupać.

– Jużci, a to dopiero! Zakpili z ciebie, pater, na pożartek dali. Vitelozzo Gaetani najdoświadczeńszy? W czym? W chlaniu chyba. Najmędrszy? To piemoncki ćwok, prawy ciołek, bałwan nieuczony. Jedyne, co by ci rzec mógł, to zwykłe jego *cazzo, fanculo, puttana* i *porcamadonna*. Bolej on nie umie! Chcesz się prawdy dowiedzieć? Tedy umnych pytaj! Mnie, by daleko nie szukać.

– Jeśli wola wasza – ksiądz zmrużył oczy – tedy zapytam. Jak i w jakich okolicznościach zginął pan Hanusz Throst, kupiec, zabity dwa lata temu w okolicach Srebrnej Góry?

– Ha – parsknął Fryczko. – Spodziewałem się czegoś takiego. Ale obiecałem, więc powiem.

Siadł na stajennej ławce, wskazał księdzu drugą.

– W miesiącu wrześniu to było jak raz, dwa roki temu – zaczął. – Wyjechaliśmy z Kromolina, naraz baczym, jedzie ktoś śladem. Zasadzilim się, pojmalim. I któż nam, baczym, w ręce wpadł? Nie zgadniesz: Reynevan de Bielau. Ten czarownik i zbrodzień, panien gwałciciel. Słyszałeś o Reynevanie de Bielau, panien gwałcicielu?

– Co ma wspólnego gwałciciel panien ze śmiercią Throsta?

– Wnet opowiem. Oj, zadziwię cię, pater. Zadziwię...

•

– Brat Kantor? Andrzej Kantor?

– Jam ci jest – diakon od Podwyższenia Świętego Krzyża aż podskoczył, słysząc głos zza plecami. – To ja...

Stojący za nim mężczyzna miał na sobie czarny płaszcz z kwietnym haftem, szary wcięty dublet i beret z piórami, strój na modłę przyjętą wśród bogatszych kupców i patrycjuszy. Ale było w mężczyźnie coś, co z kupiectwem i mieszczaństwem zupełnie się nie kojarzyło. Diakon nie wiedział, co. Może dziwny grymas ust. Może głos. Może oczy. Dziwne. W kolorze żelaza.

– Mam tu dla was – żelaznooki wydobył zza pazuchy sakiewkę – zapłatę. Za wydanie w ręce Świętego Oficjum Reinmara von Bielau. Który to fakt miał miejsce, według naszych ksiąg, tu, w mieście Frankenstein, *quintadecima die mensis Septembris Anno Domini* 1425. Zapłata trochę się odwlekła, ale niestety, tak pracuje nasza buchalteria.

Diakon ani myślał pytać, co to za „nasze księgi" i „nasza buchalteria". Domyślał się. Odebrał z rąk mężczyzny sakiewkę. Dużo lżejszą, niż oczekiwał. Nie sądził jednak, by miało sens wykłócać się o procenty.

– Ja... – odważył się. – Ja zawżdy... Święte Oficjum zawżdy się na mnie spuścić może... Jak tylko co podejrzanego zoczę... Zaraz donoszę... W dyrdy do przeora lecę... Ot, nie dalej jak w tamten czwartek, kręcił się po sukiennicach jeden taki...

– Za owego Bielawę – przerwał żelaznooki – szczególnie wdzięczni jesteśmy. Wielki był to zbrodzień.

– No! – podniecił się Kantor. – Zbój! Czarownik! Ludzi pono mordował. Truł, mówią. Na samego księcia ziębickiego rękę podniósł. W Oleśnicy mężatki magią omamiał, omamione hańbił, potem magią sprawiał, by wszystko zapomniały. A córkę pana Jana Bibersteina wziął i porwał, a potem przemocą zgwałcił.

– Przemocą – powtórzył, krzywiąc wargi, żelaznooki. – A przecie mógł, jako czarownik, magią omamić, omamioną hańbić w te i nazad, potem magicznie sprawić, by o wszystkim zapomniała.. Jakoś tu, przyjacielu, logiki nie staje, nie uważasz?

Diakon milczał, otwarłszy gębę. Nie bardzo wiedział, co to „logika". Ale podejrzewał najgorsze.

– A jeśliś taki czujny, jak się chwalisz – podjął dość obojętnie żelaznooki – to nie wypytywał kto o Bielaua?

Później, po aresztowaniu? Mógł to być jaki wpólnik, husyta, waldens albo katar.

– Wy... py... tywał jeden – wybąkał wbrew sobie Kantor. Bał się dalszych pytań. Głównie jednego: dlaczego nie doniósł na tego, kto wypytywał. A nie doniósł ze strachu. Ze zgrozy, jaką wzbudził w nim ów wypytujący. Czarnowłosy, czarno odziany, o jakby ptasiej fizjonomii. I wejrzeniu diabła.

– Jak wyglądał? – spytał słodko żelaznooki. – Opisz. W miarę dokładnie. Proszę.

●

W farnym kościele – ku zadowoleniu człowieka o żelaznych oczach – nie było żywej duszy. Na puste i śmierdzące kadzidłem prezbiterium patrzyła z centralnej deski tryptyku patronka świątyni, święta Katarzyna Aleksandryjska, otoczona przez wyglądające zza obłoczków pyzate aniołki.

Żelaznooki przyklęknął przed ołtarzem i lampką tabernakulum, wstał, szybkim krokiem ruszył w stronę ukrytego w mroku nawy bocznej konfesjonału. Nim jednak zdołał się w nim rozsiąść, od strony zakrystii dobiegło głośne kichnięcie i cichsza nieco klątwa, po klątwie pełne skruchy: „Boże odpuść". Żelaznooki też zaklął. Ale „Boże odpuść" sobie odpuścił. Sięgnął pod płaszcz po trzosik, wyglądało bowiem, że bez łapówki się nie obędzie.

Zbliżającym okazał się zgarbiony księżulo w zmechaconej sutannie, zapewne spowiednik, bo drepcący właśnie w stronę konfesjonału. Na widok żelaznookiego księdza stanął jak wryty i otworzył usta.

– Niech będzie pochwalony Jezus Chrystus – pozdrowił żelaznooki, przywołując na twarz jak najmilszy uśmiech. – Powitać, ojcze. Mam do was...

Urwał.

– Brat... – oblicze spowiednika rozmiękło nagle, obwisło w zdziwieniu i niedowierzaniu. – Brat Markus! To ty? Ty! Ocalałeś! Przeżyłeś! Oczom nie wierzę!

– I słusznie – odrzekł zimno ksiądz o oczach koloru żelaza. – Bo jesteś w błędzie, ojcze. Nazywam się Kneufel. Ojciec Jan Kneufel.

– Jestem brat Kajetan! Nie poznajesz mnie?

– Nie.

– Ale ja ciebie poznaję – staruszek spowiednik złożył ręce. – Wszak cztery lata spędziliśmy w klasztorze w Chrudimiu... Codziennie modliliśmy się w tym samym kościele i jadaliśmy w tym samym refektarzu. Codziennie mijaliśmy się na krużgankach. Aż do tego okropnego dnia, gdy pod klasztor podeszły hordy heretyckie...

– Mylisz mnie z kimś.

Spowiednik milczał przez chwilę. Wreszcie twarz mu pojaśniała, a uśmiech zdeformował wargi.

– Pojmuję! – oznajmił. – Incognito! Lękasz się sług diabelskich, długie i mściwe mających ręce. Niepotrzebnie, bracie, niepotrzebnie! Nie wiem, Boży tułaczu, jakie cię tu wiodły drogi, ale ninie jesteś między swymi. Jest nas tu wielu, jest nas tu cała grupa, cała *communitas* biednych zbiegów, *exulów*, wypędzonych z ojczyzny, wygnanych ze swych ograbionych klasztorów i zbezczeszczonych świątyń. Jest tu brat Heliodor, co ledwie z życiem uszedł z Chomutowa, jest opat Wetzhausen z Kladrubów, są uchodźcy ze Strahova, z Jaromierza i Brzevnowa... Pan tych ziem, człek szlachetny i bogobojny, jest nam łaskawy. Pozwala nam prowadzić tu szkołę, głosić kazania o zbrodniach kacerzy... Chroni nas i broni. Wiem, coś przeszedł, bracie, pojmuję, że nie chcesz się ujawniać. Jeśli taka twoja wola, dochowam tajemnicy. Słowa nie uronię. Zechcesz iść dalej, nikomu nie powiem, żem cię widział.

Żelaznooki ksiądz patrzył na niego czas jakiś.

– Pewnie – rzekł wreszcie – że nie powiesz.

Błyskawiczny ruch, cios poparty całą siłą barku. Uzbrojona zębatym kastetem pięść uderzyła spowiednika prosto w jabłko Adama i wbiła je głęboko do miażdżonej krtani i tchawicy. Brat Kajetan zacharczał, złapał się za gardło, oczy wylazły mu z orbit. Przeżył masakrę, jaką taboryci Żiżki sprawili chrudimskiemu klasztorowi dominikanów w kwietniu roku 1421. Ale tego uderzenia nie mógł przeżyć.

Święta Katarzyna i pyzate aniołki obojętnie patrzyły, jak umiera.

Ksiądz o żelaznych oczach zdjął z palców kastet, schylił się, chwycił trupa za sutannę i zawlókł go za konfesjonał. Sam siadł na ławeczce, zakrywając twarz kapturem. Siedział w zupełnej ciszy, w zapachu kadzideł i świec. Czekał.

Około południa miała tu, do farnego kościoła pod wezwaniem swej patronki, przyjść do spowiedzi – wraz z dzieckiem – panna Katarzyna von Biberstein, córka Jana Bibersteina, pana na Stolzu. Żelaznooki ciekaw był grzesznych myśli panny Katarzyny Biberstein. Jej grzesznych uczynków. I pewnych wyjątkowo grzesznych faktów z jej życiorysu.

●

W mieście Świdnicy, w niedzielę dziewiętnastego października, niedługo po mszy, śpiew i dźwięki lutni wabiły przechodniów na ulicę Kotlarską, w okolice ławki garncarza, usytuowanej tuż przy zaułku wiodącym ku synagodze. Stojący na beczce niemłody goliard w czerwonym kapturze i kabacie z ząbkowaną baskiną brzdąkał na strunach i śpiewał.

Nie patrząc na biskupy,
Którzy mają złotych kupy;
Boć nam ci wiarę zelżyli,
Boże daj, by się polepszyli...

Z każdą kolejną zwrotką przybywało słuchaczy. Tłumek otaczający goliarda rósł i cieśniał. Prawda, byli i tacy, którzy zmykali spiesznie, zorientowawszy się, że goliardzka śpiewka traktuje nie o seksie, jak oczekiwali, lecz o niebezpiecznej ostatnio polityce.

Dwór nam pokaził kapłany,
Kanoniki i dziekany;
Wszystko w kościele zdworzało,
Nabożeństwa bardzo mało...

– Prawda, prawda! Święta prawda! – zawołało kilka głosów z ciżby. I momentalnie rozpoczęła się dysputa. Jedni wdali się w ostrą krytykę kleru i Rzymu, drudzy przeciwnie, jęli się obrony, przytomnie zauważając, że jeśli nie Rzym, to co? A goliard wykorzystał okazję i zmył się chyłkiem.

Skręcił w Podcienia Chmielne, potem w ulicę Zamkową, kierując się ku podwalu przy Bramie Grodzkiej. Wkrótce ujrzał cel wędrówki: szyld piwnicy „Pod Czerwonym Gryfem".

– Ładnieś śpiewał, Tybaldzie – usłyszał za plecami. Goliard uchylił kaptura, dość wyzywająco spojrzał wprost w oczy koloru żelaza.

– Godziny dwie – rzekł z wyrzutem – czekałem na was po mszy pod farą. Nie raczyliście się pokazać.

– Ładnie śpiewałeś – żelaznooki, dziś w mendykanckim habicie minoryty, nie uznał za celowe usprawiedliwiać się ani przepraszać. – Ładnie, na mą duszę. Tylko trochę niebezpiecznie. Nie boisz się, że znowu cię do turmy wsadzą?

– Po pierwsze – wydął wargi Tybald Raabe – *pictoribus atque poetis quodlibet audendi semper fuit aequa potestas*. Po drugie, jak inaczej mam pracować dla sprawy? Nie jestem szpiegiem, który kryje się w mroku lub pod przebraniem. Jestem agitatorem, moja rzecz to iść między ludzi...

– Dobra, dobra. Informacje.

– Siądźmy gdzieś.

– Koniecznie tu?

– Piwo tu przednie.

– Owych czarnych jeźdźców, o którychście pytali – opowiedział goliard, gdy siedli za stołem – widywano na Śląsku wielokrotnie. W szczególności, rzecz ciekawa, widziano ich zarówno pod Strzelinem, gdy zabito pana Barta, jak i w okolicach Sobótki, kiedy to zginął pan Czambor z Heissensteinu. W pierwszym przypadku widział półgłówek pastuch, w drugim pijany organista, więc, jak łatwo się domyślić, żadnemu nie dano wiary. Za bardziej wiarygodnych mam koniuchów i masztalerzy pani Dzierżki de Wirsing, handlarki koni, której orszak rycerze w czarnych zbrojach napadli i rozgromili pod Frankensteinem. Jest wielu świadków tego zdarzenia. Interesujące rzeczy mówią też pachołkowie Inkwizycji...

– Wypytywałeś pachołków Inkwizycji?

– Co też wy. Nie sam. Przez zaufanych. Pachołkowie wygadali się, że inkwizytor papieski, wielebny Grzegorz Hejncze, od dwóch lat co najmniej prowadzi intensywne śledztwo w sprawie jakichś demonicznych jeźdźców, grasujących po Śląsku na czarnych koniach. Ukuto nawet nazwy: Rota Śmierci albo biblijnie, Demony Południowej Pory. Mówią też o nich... Mściciele. Ale tak, by inkwizytor nie słyszał. Bo już dawno stało się oczywiste, że Rota Śmierci zabija ludzi podejrzanych o sprzyjanie husytom, o handel z nimi, o dostarczanie żywności, broni, prochu, ołowiu... Lub koni, jak dopiero co wspomniana Dzierżka de Wirsing. Czarni Rycerze to zatem nasi sprzymierzeńcy, a nie wrogowie, szepcą za plecami inkwizytora jego ludzie. Po co ich tropić, po co przeszkadzać? Dzięki nim mamy mniej roboty.

– A napad na kolektora, wiozącego podatek? Przeznaczony wszak na wojnę z husytami?

– Nie wiadomo, czy to Rota na poborcę napadła. Nic o tej sprawie nie wiadomo.

Żelaznooki milczał dość długo.

– Interesuje mnie – rzekł wreszcie – czy ktoś mógł z tego napadu ujść z życiem?

– Nie sądzę.

– Ty uszedłeś.

– Ja – Tybald Raabe uśmiechnął się lekko – mam wprawę. Bez przerwy albo się kryję, albo uciekam, tak często, że wyrobiłem w sobie instynkt. Od czasu, gdym porzucił krakowską Alma Mater dla wędrówki, lutni i pieśni. Wiecie, jak to jest, panie Vlk: poeta to jak diabeł w żeńskim klasztorze, zawsze wszystko na niego właśnie zwalą, jego za wszystko winą obarczą. Trzeba umieć uciekać. Instynktownie, jak sarna, gdyby co, nie myśleć, jeno od razu chodu. Zresztą...

– Co zresztą?

– Miałem wtedy, na Ściborowej Porębie, sporo szczęścia. Sraczka mnie gnębiła.

– Hę?

– Była w orszaku panienka, mówiłem wam, rycerska

137

córa... Nijak było w bliskości panienki, wstyd... Poszedłem się więc wypróżnić daleko, w oczerety, nad samo jeziorko. Gdy zdarzył się napad, uciekłem przez mszar. Napastników nawet nie widziałem...

Żelaznooki milczał długo.

– Dlaczego – spytał wreszcie – nie powiedziałeś mi wcześniej, że tam było jeziorko?

●

Utopiec był bardzo czujny. Nawet bytując w zagubionym wśród borów jeziorku przy Ściborowej Porębie, na pustkowiu, nawet o zmierzchu, kiedy to szansa napotkania kogokolwiek była praktycznie żadna, zachowywał się nad wyraz ostrożnie. Wynurzając się, nie zrobił większej fali niż ryba, gdyby nie to, że lustro wody było gładkie jak tafla, zaczajony w zaroślach żelaznooki mógłby wręcz nie dostrzec rozchodzących się kół. Wyłażąc na brzeg wśród trzcin stwór ledwie chlupnął, ledwie zaszeleścił, pomyślałbyś, wydra. Ale żelaznooki wiedział, że to nie wydra.

Będąc już na suchym lądzie i upewniwszy się, że nic mu nie zagraża, utopiec nabrał pewności siebie. Wyprostował się, zatupał wielkimi stopami, podskoczył, przy podskoku woda i muł obficie i z pluskiem polały się spod jego zielonej kapotki. Ośmielony już zupełnie utopiec siknął wodą ze skrzeli, rozwarł żabią paszczękę i zaskrzeczał donośnie, informując okoliczną przyrodę o tym, kto tu rządzi.

Przyroda nie zareagowała. Utopiec pokręcił się trochę wśród traw, pogrzebał w błocie, wreszcie ruszył pod górę, w stronę lasu. I wlazł prosto w pułapkę. Skrzeknął, widząc przed sobą usypane z piasku półkole. Zbliżył płaską stopę, cofnął ją, zdumiony. Nagle zorientował się, w czym rzecz, zakwakał głośno i odwrócił, by uciekać. Było jednak za późno. Żelaznooki wyskoczył z zarośli i zamknął magiczne koło sypanym z worka piaskiem. Zamknąwszy, usiadł na pieńku.

– Dobry wieczór – powiedział grzecznie. – Chciałbym porozmawiać.

Utopiec – żelaznooki widział już, że nazwa „wodnik" jest dla stwora właściwsza – kilka razy spróbował przeskoczyć magiczny okrąg, bezskutecznie, rzecz jasna. Zrezygnowany energicznie potrząsnął płaską głową, przy czym mnóstwo wody wylało mu się z uszu.

– Brekk-rek – zaskrzeczał. – Bhrekk-rekekeks.

– Wypluj muł i powtórz, proszę.

– Bhrekekgreg-greg-greg.

– Robisz idiotę z siebie? Czy ze mnie?

– Kuaks-kwaaaks.

– Szkoda talentu, panie wodniku. Nie nabierzesz mnie. Doskonale wiem, że rozumiecie i umiecie mówić po ludzku.

Wodnik zamrugał podwójnymi powiekami i otworzył usta, szerokie jak u ropuchy.

– Po ludzku... – zabulgotał, plując wodą. – Po ludzku owszem, tak. Ale dlaczego mam gadać po niemiecku?

– Punkt dla ciebie. Czeski może być?

– No chyba.

– Jak się nazywasz?

– Jak ci powiem, to mnie wypuścisz?

– Nie.

– To odpierdol się.

Czas jakiś panowała cisza. Przerwał ją żelaznooki.

– Jest – zaczął łagodnie – interes do zrobienia, panie wodniku. Chcę, byś mi coś dał. Nie, nie dał. Powiedzmy: udostępnił.

– Gówno ci udostępnię.

– Ani przez chwilę nie przypuszczałem – uśmiechnął się żelaznooki – że zgodzisz się od razu. Zakładałem, że przyjdzie nad tym popracować. Ja jestem cierpliwy. Mam czas.

Utopiec podskoczył, zatupał. Spod jego kapotki znowu polała się woda, miał jej tam widać spory zapas.

– Czego ty chcesz? – zaskrzeczał. – Dlaczego mnie dręczysz? Co ja ci zrobiłem? Czego ty chcesz ode mnie?

– Od ciebie nic. Raczej od twojej żony. Ona zresztą słyszy naszą rozmowę, jest tam, przy samym brzegu, widzę, jak ruszyła się trzcina i zadrżały grążele. Dobry wieczór, pani wodnikowa! Proszę nie odchodzić, będzie pani potrzebna!

Spod brzegu rozległ się plusk, jakby spławił się bóbr, po wodzie poszły koła. Usidlony utopiec zabuczał głośno, jak bąk, gdy trąbi z dziobem w błocie. Potem mocno rozdął skrzela i wydał z siebie donośny skrzek. Żelaznooki obserwował go beznamiętnie.

– Dwa lata temu – powiedział spokojnie – w miesiącu wrześniu, który wy zwiecie *Mheánh*, zdarzyły się tu, na Ściborowej Porębie, napad, walka i zabójstwo. Wodnik nadął się znowu, parsknął. Ze skrzeli obficie ciurknęło.

– A mnie co do tego? Nie mieszam się do waszych afer.

– Ofiary, obciążone kamieniami, wrzucono do tego stawu. Pewien jestem, jako że nigdy nie bywa inaczej, iż któraś z ofiar jeszcze żyła, gdy ją wrzucano do wody. Że umarła dopiero wskutek utopienia. A jeśli tak było, to masz ją tam, na dnie, w twoim *rehoengan*, podwodnym barłogu i skarbcu. Masz ją tam jako *hevai*.

– Jako co? Nie rozumiem.

– Ależ rozumiesz. *Hevai* tego, który utonął. Masz ją w skarbcu. Poślij po nią żonę. Każ, niech przyniesie.

– Ty tu bredzisz, człowieku – zacharczał przesadnie stwór – a mnie skrzela wysychają... Duszę się... Umieram...

– Nie próbuj robić ze mnie głupca. Możesz oddychać powietrzem atmosferycznym równie długo jak rak, nic ci nie będzie. Ale gdy słońce wzejdzie i zerwie się wiatr.. Gdy zacznie ci pękać skóra...

– Jadźkaaa! – wrzasnął wodnik. – Dawaj tu *hevai*! Wiesz, którą!

– A więc mówisz i po polsku.

Wodnik zakaszlał, siknął wodą z nosa.

– Żona Polka – odrzekł niechętnie. – Z Gopła. Możemy pogadać poważnie?

– Jasne.

– Posłuchaj tedy, śmiertelny człecze. Dobrze się domyśliłeś. Z tych szesnastu, co ich tu wtedy pobili i powrzucali do stawu... Jeden, choć nieźle podziurawiony, jeszcze żył. Serce biło, szedł ku dnu w chmurze krwi i baniek. Napełnił płuca wodą i umarł, ale... tego również się domyśliłeś... zdążyłem być przy nim, nim to się stało i mam jego... Mam *hevai*. Gdy ci ją dam... Przysięgniesz, że mnie wypuścisz?

– Przysięgnę. Przysięgam.

– Nawet gdy okaże się... Bo jeśli tyle wiesz, to chyba nie wierzysz w bajki i przesądy? Nie przywrócisz topielca do życia, rozbijając *hevai*. To bzdura, zabobon, wymysł. Niczego nie osiągniesz, rozproszysz tylko jego aurę. Sprawisz, że umrze po raz wtóry, w ogromnych cierpieniach, tak ogromnych, że aura może tego nie znieść i obumrzeć. Jeśli zatem był to ktoś ci bliski...

– To nie był nikt bliski – uciął żelaznooki. – I nie wierzę w przesądy. Udostępnij mi *hevai*, tylko na kilka chwil. Potem zwrócę ci ją, nietkniętą. A ciebie uwolnię.

– Ha – zamrugał wszystkimi powiekami wodnik. – Jeśli tak, to po kiego grzyba ta pułapka? Po co mnie łapałeś, narażałeś na stres i nerwy? Było przyjść, poprosić...

– Następnym razem.

Przy brzegu coś zapluskało, zaśmierdziało szlamem i zdechłą rybą. Po chwili, podchodząc wolno i trwożliwie niby żółw błotny, znalazła się przy nich żona wodnika. Żelaznooki przyjrzał się ciekawie, po raz pierwszy w życiu widział goplanę. Na pierwszy rzut oka nie różniła się wiele od małżonka, ale wprawione oko księdza umiało łowić nawet mało widoczne detale. Jeśli śląski wodnik przypominał żabę, to polska wodniczka przywodziła na myśl zaklętą w żabę księżniczkę

Wodnik odebrał od żony coś, co przypominało wielką szczeżuję, obrośniętą brodą glonów. Ale spod glonów przebijało światło. Szczeżuja świeciła. Fosforyzowała. Jak próchno. Albo kwiat paproci.

Żelaznooki stopą rozrzucił piasek magicznego kręgu, uwalniając wodnika z pułapki. Potem wziął *hevai* z jego rąk. I natychmiast poczuł, jak naczynie tętni i drży, jak tętnienie i dreszcz przechodzą z dłoni na całe ciało, jak przenikają i przeszywają, by wreszcie wpełznąć na kark i do mózgu. Usłyszał głos, najpierw cichy, owadzi, potem coraz wyraźniejszy i głośniejszy.

– ...dzinę śmierci naszej... Teraz i w godzinę śmierci naszej... Elencza... Moje dziecko... Moje dziecko...

Nie był to, oczywiście, niczyj głos, nie była to istota, zdolna mówić ani taka, z którą można by rozmawiać, której można by, wzorem nekromantów, zadawać pytania. Jak w Amset, Hep, Tuamutef i Qebhsenuf, egipskich kanopach, jak w *anguinum*, druidzkim jaju, jak w krysztale *oglain-nan-Druighe*, tak i w *hevai* czy innym analogicznym pojemniku uwięziona była aura, czy raczej fragment aury, pamiętający tylko jedno – moment poprzedzający śmierć. Moment ten dla aury trwał w nieskończoność. W wieczną i absolutną nieskończoność.

– Ratujcie moje dziecko! Litości! Teraz i w godzinę... Ratujcie moje dziecko... Ratujcie moją córkę... Uciekaj, uciekaj, Elencza, nie oglądaj się! Kryj się, kryj, zapadnij w gąszcz... Odnajdą, zabiją... Zmiłuj się nad nami... Módl się za nami grzesznymi teraz i w godzinę śmierci naszej. Moja córka... Panno Przenajświętsza... W godzinę śmierci naszej, amen... Elencza! Uciekaj, Elencza! Uciekaj! Uciekaj!

Ksiądz pochylił się i położył tętniącą wewnętrznym światłem *hevai* na brzegu jeziorka. Delikatnie i ostrożnie. By nie stłuc. Nie naruszyć. Nie zakłócić, nie naruszyć spokoju wieczności.

●

– Rycerz Hartwig Stietencron – zgadł z miejsca Tybald Raabe. – I jego córka. Ale czy z tego wynika, że ona przeżyła? Że udało się jej uciec lub skryć? Mogli zabić ją później, gdy jego już utopili.

– Bilans się nie zgadza – orzekł zimno żelaznooki. – Utopiec naliczył szesnaście wrzuconych do jeziora ciał. Kolektor, Stietencron, sześciu żołnierzy eskorty, czterech mnichów, czterech pielgrzymów. Brakuje jednej sztuki. Elenczy von Stietencron.

– Mogli ją zabrać. Wiecie, dla uciechy... Zabawili się, poderżnęli gardło, wrzucili gdzieś w lesie do wykrotu. Mogło tak być.

– Ona ocalała.

– Skąd to wiecie?
– Nie zadawaj pytań, Raabe. Znajdź ją. Teraz wyjeżdżam, gdy wrócę...
– A dokąd to jedziecie?
Żelaznooki spojrzał na niego. Tak, że Tybald Raabe pytania nie powtórzył.

●

Grzegorz Hejncze, *inquisitor a Sede Apostolica specialiter deputatus* na diecezję wrocławską, długo rozważał, iść na egzekucję czy też nie. Długo rozważał za i przeciw. „Przeciw" było zdecydowanie więcej – choćby tylko fakt, że egzekucja była wynikiem działania inkwizycji biskupiej, a więc konkurencyjnej. Argument „za" był w zasadzie tylko jeden: było blisko. Uznanych za winnych herezji i sprzyjania husytom miano palić tam, gdzie zawsze – na placu za kościołem Świętego Wojciecha, wydeptanym do goła i twardo ubitym nogami setek amatorów oglądania cudzej męki i śmierci.

Rozważywszy za i przeciw, sam się sobie trochę dziwiąc, Grzegorz Hejncze jednak na egzekucję poszedł. Incognito, wmieszany w grupę dominikanów, wraz z którymi zajął miejsce na podwyższeniu, przeznaczonym dla duchownych i widzów wyższych stanem lub majątkiem. Wśród owych, na centralnej trybunie, na ławie obitej karmazynowym atłasem, rozpierał się Konrad z Oleśnicy, biskup Wrocławia, autor i sponsor dzisiejszego spektaklu. Towarzyszyło mu kilku duchownych – wśród nich sędziwy notariusz Jerzy Lichtenberg i Hugo Watzenrode, który niedawno zastąpił odsuniętego Ottona Beessa na stanowisku prepozyta u Świętego Jana Chrzciciela. Był tam, rzecz jasna, i Jan Sneschewicz, biskupi wikariusz *in spiritualibus*. Był ochroniarz biskupa, Kuczera von Hunt. Nie było Birkarta Grellenorta.

Przygotowania do egzekucji były już w fazie zaawansowanej, skazańców – osób osiem – pachołcy katowscy wewlekli już po drabinach na stosy i łańcuchami przytwierdzali do obłożonych pękami chrustu i bierwionami słupów. Stosy, według ostatniej mody, były niezwykle wysokie.

143

Gdyby nawet Grzegorz Hejncze choćby przez chwilę łudził się co do intencji biskupa Konrada, to teraz łudzić by się przestał.

Ale inkwizytor nie łudził się. Od początku wiedział, że biskupia impreza jest wymierzoną przeciw niemu osobiście demonstracją. Rozpoznając niektórych skazańców na stosach, Grzegorz Hejncze utwierdzał się w mniemaniu. Znał trzech. Jeden, altarysta od Świętej Elżbiety, trochę za dużo gadał o Wiklefie, Joachimie z Fiore, Świętym Duchu i reformie Kościoła, w śledztwie jednak szybko wyparł się błędów, żałował, po formalnym *revocatio et abiuratio* został skazany na noszenie przez tydzień szaty pokutnej z krzyżem. Drugi, malarz, współtwórca przepięknych poliptyków zdobiących ołtarz u Świętego Idziego, trafił przed trybunał inkwizycyjny skutkiem donosu, gdy donos okazał się bezpodstawny, zwolniono go. Trzeci – inkwizytor ledwie go poznał, miał bowiem zmasakrowane uszy i wyrwane nozdrza – był Żydem, kiedyś oskarżonym o bluźnierstwo i sprofanowanie hostii. Oskarżenie było fałszywe, więc i jego zwolniono. Wieść musiała wszelakoż dojść do biskupa i Sneschewicza, bo oto teraz wszyscy trzej stali na stosach, przywiązani łańcuchami do pali. Pojęcia nie mając o tym, że swój los zawdzięczają antagonizmom między biskupią a papieską Inkwizycją. Że za chwilę biskup każe zapalić im chrust pod stopami. Papieskiemu inkwizytorowi na złość.

Ilu spośród pozostałych skazańców miało dziś umrzeć wyłącznie dla demonstracji, Hejncze nie wiedział. Nie pamiętał nikogo. Żadnej twarzy. Ani kobiety z głową ostrzyżoną do skóry i spękanymi wargami, ani dryblasa z nogami owiniętymi pokrwawionymi szmatami. Ani białowłosego starca o aparycji biblijnego proroka, wyrywającego się pachołkom i wywrzaskującego...

– Wasza wielebność.

Odwrócił się. Odsunął z twarzy skraj kaptura.

– Jego dostojność biskup Konrad – skłonił się młodziutki kleryk – prosi do siebie. Niechaj wasza wielebność idzie za mną. Poprowadzę.

Co było robić.

Biskup wykonał na jego widok krótki i lekceważący raczej gest dłonią, wskazał na miejsce u swego boku. Jego wzrok bystro otaksował twarz inkwizytora, szukając na niej oznak czegoś dla siebie radosnego. Nie znalazł, Grzegorz Hejncze bywał w Rzymie, nauczył się już przybierać najlepsze miny do najgorszych gier.

– Za chwilę – warknął biskup – uradujemy tu Jezusa i Matkę Boską. A ty, ojcze inkwizytorze? Cieszysz się?

– Niepomiernie.

Biskup warknął ponownie, wciągnął powietrze, zaklął pod nosem. Widać było, że jest zły i jasnym było, dlaczego. Będąc wystawionym na widok publiczny nie mógł się napić, a południe przeszło już kaducznie.

– Tedy patrz, inkwizytorze. Tedy patrz. I ucz się.

– Bracia! – wrzeszczał na swym stosie białowłosy starzec, targając się u pala. – Opamiętajcie się! Czemuż mordujecie proroki wasze? Czemuż plamicie ręce krwią męczenników waszych? Braaaaciaaaa!

Jeden z pachołków – niby niechcący – walnął go łokciem w żołądek. Prorok zgiął się, zacharczał, przez chwilę był cicho. Niezbyt długo.

– Zginiecie! – zawył ku głośnej uciesze tłumu. – Zginieeeecieeee! I przyjdzie lud pogański, jednych zabije, innych pojmie w niewolę, rozmnożą się przeciw wam żarłoczne wilki i ciemności, które was pogrążą w głębi morza. Mówi Pan: dlatego wytracę cię z góry Bożej... Pośrodku kamienia ognistego wygubię cię, przetoż cię uderzę o ziemię, a przed obliczem królów położę cię jako but skrzypiący...

Motłoch ryczał i zataczał się z radości.

– Pan wyleje jako deszcz na niepobożnych sidła! Schronienie kłamstwa zmiecie grad, a kryjówkę zaleją wody!

– Nie można było szaleńca zakneblować? – nie wytrzymał inkwizytor. – Albo inną modą uciszyć?

– A po co? – uśmiechnął się szeroko Konrad z Oleśnicy. – Niech ludzie posłuchają tych pierdół. Niech się pośmieją. Lud pracuje w pocie czoła. Modli się żarliwie. Niedojada, zwłaszcza w czas postów. Należy mu się trochę rozrywki. Śmiech odpręża.

Tłum był najwyraźniej tego samego zdania, każdą kolejną eksklamację proroka kwitowały salwy śmiechu. Pierwsze rzędy gapiów aż kucały z uciechy.

– Zginieeeeecieeeeee!

– Nikomu – powtórnie nie wytrzymał Grzegorz Hejncze, widząc, co się święci. – Nikomu nie zostanie okazane miłosierdzie? Kaci nie dostali poleceń?

– Ależ dostali – biskup wreszcie zaszczycił go spojrzeniem, w którym był triumf. – I ściśle trzymają się ich litery. Bo tu się, Grzesiu, nie pobłaża.

Pachołkowie zdjęli drabiny, odstąpili. Kat zbliżył się z zapaloną od maźnicy pochodnią. Kolejno zapalał stosy, wśród chrustu z trzaskiem ożywał ogienek, wzbijały się smużki dymu. Skazańcy reagowali różnie. Niektórzy zaczęli się modlić. Inni wyć jak szakale. Altarysta od Elżbiety szamotał się, szarpał, ryczał, tłukł potylicą o pal. Oczy malarza poliptyków ożyły, pojaśniały, widok płomieni i swąd dymu wyrwały go z otępienia. Ostrzyżona kobieta jęła zawodzić, z nosa wyciekł jej długi glut, z ust ślina. Prorok nadal wywrzaskiwał brednie, ale głos mu się zmieniał. Stawał się pisklliwszy, wyższy – tym bardziej, im wyżej wspinał się ogień.

– Bracia! Kościół to nierządnica! Papież to antychryst!

Tłum wył, ryczał, wiwatował. Dym gęstniał, przesłaniał widok. Płomienie pełzły po drewnie, wędrowały w górę. Ale stosy były wysokie. Specjalnie takie ułożono. Żeby przedłużyć widowisko.

– Spójrzcie! Oto antychryst nadchodzi! Patrzcie! Nie widzicie? Azali oczy wasze ślepe? On jest z pokolenia Dan! Półczwarta lata królować będzie! W Jeruzalem kościół jego będzie! Imię jego sześć, sześć i sześć, Evanthas, Lateinos, Teitan! Twarz jego jak dzikiego zwierza! Prawe jego oko jak gwiazda powstająca o świcie, usta jego na łokieć, zęby na piędź! Bracia! Azaliż nie widzicie! Braaaa...

Ogień pokonał i przełamał wreszcie bierny opór wilgotnego drewna, przedarł się z impetem, wybuchnął, zahuczał. Nad stosy wzniósł się potworny, nieludzki wrzask. Fala gorąca przepędziła dym, przez moment, przez bardzo krótki moment dało się w czerwonym piekle zobaczyć targające się u pali ludzkie sylwetki. Ogień, wydawało się, bucha im wprost z rozwartych we wrzasku ust. Wiatr, litościwie dla Grzegorza Hejncze, pchał smród w przeciwną stronę.

•

Cztery ocienione arkadami boki wirydarza klasztoru premonstratensów na Ołbinie miały pomagać w medytacji, przypominając o czterech rzekach w raju, o czterech ewangelistach i czterech cnotach kardynalnych. Ów, jak zwał go święty Bernard, szaniec dyscypliny imponował porządkiem i estetyką. Tchnął spokojem.

– Milczący coś jesteś, Grzesiu – zauważył Konrad z Oleśnicy, biskup Wrocławia, bacznie przypatrując się inkwizytorowi. – Jakbyś niezdrów był. Sumienie? Czy żołądek? Klasztor. Wirydarz. Ogród. Pokora. Spokój. Zachować spokój.

– Z podziwu godną konsekwencją i uporem pozwala sobie wasza biskupia dostojność zwracać się do mnie w sposób szczególnie familiarny. Pozwolę sobie i ja na konsekwencję: po raz kolejny przypomnę, że jestem papieskim inkwizytorem, delegatem stolicy apostolskiej na diecezję wrocławską. Z racji urzędu należy mi się szacunek i odpowiedni tytuł. „Grzesiem", „Jasiem", „Pasiem" czy „Piesiem" może sobie wasza dostojność zwać swych sługusów, kanoników, spowiedników i przydupników.

– Wasza inkwizytorska wielebność – biskup włożył w tytuł tyle pogardliwej przesady, ile zdołał – nie musi mi przypominać, co mogę. Sam najlepiej to wiem. To łatwe: ja zwyczajnie mogę wszystko. Aby jednak nie było niedomówień, rzeknę waszej wielebności, iżem jest w trakcie wymiany listów z Rzymem. Ze stolicą apostolską właśnie. Skutek zaś taki być może, że wspaniale się zapowiadająca kariera waszej wielebności może okazać się nietrwałą niczym pęcherz rybi. Puk! I nie ma. A wówczas najwyższa godność, na jaką może wasza wielebność w tej diecezji liczyć, to posadka u mnie w charakterze sługi, kanonika albo przydupnika, z całym dobrodziejstwem inwentarza, w tym także familiarnym mianem Grzesia.

147

Lub Piesia, jeśli zechcę. Bo alternatywą będzie miano „brata Gregoriusa" w jakimś zacisznym klasztorze, wśród malowniczych a gęstych lasów, w miejscu w praktyce równie odległym od Wrocławia co Armenia.

– W rzeczy samej – Grzegorz Hejncze splótł dłonie, też oparł się o arkadę, wzroku nie spuścił. – W rzeczy samej, wielu niedomówień wasza biskupia dostojność nie zostawiła. Zachód był to jednak próżny o tyle, że fakt wymiany listów między waszą dostojnością a Rzymem jest mi doskonale znany. Znam również, a jakże, rezultaty tej korespondencji, mniej niż skromne, a właściwie żadne. Nikt, rzecz jasna, nie zabroni waszej dostojności słać dalszych epistoł, kropla wszak drąży skałę, kto wie, może któryś z kardynałów wreszcie ulegnie, może wreszcie mnie odwołają? Osobiście w to wątpię, ale wszystko wszak w ręku Boga.

– Amen – biskup Konrad uśmiechnął się i odetchnął, rad z ustabilizowania się poziomu rozmowy. – Amen, Grzesiu. Niegłupi chłopak z ciebie, wiesz? To w tobie lubię. Szkoda, że tylko to jedno.

– Iście, szkoda.

– Nie rób min. Doskonale wiesz, o co mam do ciebie pretensje, dlaczego staram się, by cię odwołano. Jesteś za miękki, Grzesiu, za litościwy. Działasz za mało zdecydowanie, opieszale i bez planu. A czas temu nie sprzyja. *Haereses ac multa mala hic in nostra dioecesi surrexerunt.* Plenią się kacerstwo i pogaństwo. Dookoła roi się od husyckich szpiegów. Czarownice, koboldy, upiory i inne piekielne monstra kpią sobie z nas, odprawiając swe sabaty na Ślęży, pięć mil od Wrocławia. Ohydne praktyki i kult szatana dokonują się nocami na Grochowej, na Kłodzkiej Górze, na Żeleźniaku, pod szczytem Pradziada, w setkach innych miejsc. Podnoszą głowy beginki. Drwi sobie z prawa bezbożna sekta Sióstr Wolnego Ducha, bezkarna, bo działają w niej i prym wiodą szlachcianki, patrycjuszki i opatki najbogatszych klasztorów. A ty, inkwizytorze, czym możesz się pochwalić? Choć miałeś go w ręku, wymyka ci się Urban Horn, apostata, zdrajca i husycki szpieg. Choć miałeś go w ręku, ucieka ci Reinmar von

Bielau, czarownik i zbrodniarz. Wymykają ci się jeden po drugim handlujący z husytami kupczykowie: Bart, Throst, Neumarkt, Pfefferkorn i inni. Kara i owszem, spotyka ich, ale nie przez ciebie wszak orzeczona i wymierzona. Ktoś cię wyręczył. Ktoś wciąż musi cię wyręczać. Czy powinno tak być, by inkwizytora ktoś wyręczał? Co? Grzesiu?

– Wkrótce, zapewniam waszą dostojność, położę kres temu wyręczaniu.

– Wciąż tylko zapewniasz. Już dwa lata temu, w grudniu, wynalazłeś jakoby świadka, którego zeznania miały zdemaskować jakąś groźną, wręcz demoniczną organizację czy sektę, winną licznych mordów. Świadka tego, ponoć diakona namysłowskiej kolegiaty, wygrzebałeś, ha, ha, w domu wariatów. Czekałem w napięciu, by posłuchać zeznań owego pomyleńca. I co? Nie zdołałeś dowieźć go do Wrocławia.

– Nie zdołałem – przyznał Hejncze. – W drodze został skrytobójczo zamordowany. Przez kogoś, kto para się czarną magią.

– Ach, ach. Czarną magią.

– Co dowodzi – ciągnął spokojnie inkwizytor – że komuś zależało, by milczał. Bo gdyby mówił, jego zeznania zaszkodziłyby komuś mocno. Był naocznym świadkiem zabójstwa kupca Pfefferkorna. Może rozpoznałby mordercę, gdyby mu go pokazano?

– Może. A może nie? Nie wiemy tego. A dlaczego nie wiemy? Bo papieski inkwizytor nie umie zabezpieczyć świadka, nawet jeśli świadkiem jest czubek z Narrenturmu. Blamaż, Grzesiu. Kompromitacja.

– Pod samym twoim bokiem – kontynuował biskup, nie doczekawszy się reakcji – kwitnie przestępczość, nikt nie jest bezpieczny. Rycerze rabusie pospołu z husytami grabią klasztory. Żydzi bezczeszczą hostie i groby. Heretycy rabują podatek, krwawicę biednego ludu. Córka Jana Bibersteina, rycerza i wielmoży, zostaje porwana i zgwałcona, jawnie przez husytów, z zemsty za to, że Biberstein to dobry katolik. A ty co? Znowu cię trzeba wyręczać. Ja, biskup Wrocławia, mający na głowie bezlik spraw dotyczących wiary, muszę za ciebie palić winnych.

– Wśród tych dziś spalonych – inkwizytor uniósł brwi – byli winni? Jakoś nie dostrzegłem.

– Dostrzeganie – odparował biskup – nie jest twoją najmocniejszą stroną, Grzesiu. Bezsprzecznie zbyt wielu rzeczy nie dostrzegasz. A dzieje się to, niestety, ze szkodą dla Śląska. Dla Kościoła. I dla *Sanctum Officium*, któremu wszak służysz.

– Ze szkodą dla Świętego Oficjum są bezmyślne i demonstracyjne egzekucje. Ze szkodą jest niesprawiedliwość. To dzięki takim rzeczom tworzy się czarna legenda, mit o okrutnej Inkwizycji, woda na młyn heretyckiej propagandy. Za sto lat, myślę o tym z przerażeniem, tylko ta legenda pozostanie, mroczna i horrendalna opowieść o lochach, torturach i stosach. Legenda, w którą wszyscy uwierzą.

– Ni ludzi nie znasz, ni procesów historii – odrzekł zimno Konrad z Oleśnicy. – A to przekreśla cię jako inkwizytora. Powinieneś wiedzieć, Grzesiu, że zawsze są dwa bieguny. Jeśli będzie horrendalna legenda, to będzie i antylegenda. Kontrlegenda. Jeszcze bardziej horrendalna. Gdy spalę sto osób, za sto lat jedni będą dowodzić, że spaliłem tysiąc. Inni: że nie spaliłem nikogo. Za pięćset lat, jeśli ten świat potrwa tak długo, na każdych trzech z przejęciem gadających o lochach, torturach i stosach przypadnie przynajmniej jeden błazen, według którego żadnych lochów nie było, tortur nie stosowano, Inkwizycja była pełna kompasji i sprawiedliwa jak ojciec, karała nie srożej, jak tylko ojcowskim napomnieniem, a te wszystkie stosy to wymysł i heretyckie oszczerstwo. Rób więc swoje, Grzesiu, a resztę zostaw historii. I ludziom ją rozumiejącym. I nie pieprz mi, proszę, o sprawiedliwości. Nie dla sprawiedliwości została powołana instytucja, w której pracujesz. Sprawiedliwość to *droit de seigneur*. *Ergo*, sprawiedliwość to ja, bo jam tu seniorem, jam panem, jam Piastem, jam księciem. Księciem Kościoła, a jakże, ale takim, który *habet omnia iura tamquam dux*. Ty zaś, Grzesiu, jesteś, wybacz, sługą.

– Bożym.

– Gówno prawda. Jesteś pachołkiem Inkwizycji, instytucji, która ma dławić myśl w zarodku i zastraszać myślących, karcić i niewolić wolne umysły, siać postrach i terror, sprawiać, by motłoch bał się myśleć. Bo do tego właśnie celu instytucja ta została powołana. Szkoda, że tak niewielu o tym pamięta. To dlatego tak pleni się i kwitnie kacerstwo. Kwitnie dzięki tobie podobnym, nawiedzonym i zapatrzonym w niebo, łażącym boso i żebrzącym w urojonym naśladowaniu Chrystusa. Takim, co gadają o wierze, o pokorze, o służbie Bożej, pozwalają siadać na sobie i srać na siebie ptaszkom i od czasu do czasu dostają stygmatów. Miewasz stygmaty, Grzesiu?

– Nie, wasza dostojność. Nie miewam.

– To już coś. Kontynuując: to, co widzisz dokoła siebie, ojcze inkwizytorze, to nie Boże igrzysko. To świat, którym trzeba rządzić. Władać. Władza zaś to przywilej książąt. Panów. Świat to dominium, które musi poddać się władcom, z niskim ukłonem zaakceptować *droit de seigneur*, władzę seniora. To raczej naturalne, że seniorami są książęta Kościoła. Jak również ich synowie. Tak, tak, Grzesiu. Światem rządzimy my, po nas przejmą władzę nasi synowie. Synowie królów, książąt, papieży, kardynałów i biskupów. A synowie kupców bławatnych, wybacz szczerość, są i będą wasalami. Poddanymi. Sługami. Mają służyć. Służyć! Pojąłeś, Grzegorzu Hejncze, synu świdnickiego kupczyka? Zrozumiałeś?

– Lepiej, niż wasza dostojność sądzi.

– Idź więc i służ. Bądź czujny na przejawy kacerstwa tak, jak winno wskazywać na to twoje imię: Gregorikos. Bądź nieprzejednany dla heretyków, bezbożników, zboczeńców, monstrów, czarownic i Żydów. Bądź bez litości dla tych, którzy ośmielają się podnosić myśl, oczy, głos i rękę na moją władzę i na mój majątek. Służ. *Ad maiorem gloriam Dei*.

– Względem tego ostatniego może wasza wielebność całkowicie na mnie liczyć.

– I pamiętaj – Konrad znowu uniósł dwa palce, ale tym razem w geście tym nie było nic z błogosławieństwa. – Pamiętaj: kto nie jest ze mną, *contra me est*. Albo ze mną, albo przeciw mnie, *tertium non datur*. Kto pobłaża moim wrogom, ten sam jest moim wrogiem.

– Rozumiem.

– To dobrze. Przekreślmy tedy to, co było, grubą kreską. Zacznijmy od nowej, czystej karty. *Sapienti sat dictum est*, na początek umówmy się więc tak: w przyszłym tygodniu następnych dziesięciu spalisz ty, inkwizytorze Grzesiu. Niech Śląsk na chwilę wstrzyma oddech. Niech grzesznicy przypomną sobie o ogniu piekielnym. Niech chwiejni umocnią się w wierze, poznawszy alternatywę. Niech donosiciele wspomną, że trzeba donosić, donosić dużo i na kogo się da. Zanim to na nich ktoś doniesie. Przyszedł czas na terror i postrach! Trzeba żmiję kacerską ścisnąć za gardło żelazną ręką i jeżową rękawicą! Ścisnąć i trzymać, nie popuścić! Bo temu, że kiedyś popuszczono, że okazano słabość, zawdzięczamy dzisiejszy rozkwit herezji.

– Herezja w Kościele – rzekł cicho inkwizytor – istniała od wieków. Od zawsze. Albowiem Kościół był zawsze ostoją i przystanią ludzi głęboko wierzących, ale i żywo myślących. Będąc jednocześnie, niestety, zawsze azylem, podatną glebą i polem do popisu dla takich kreatur, jak wasza dostojność.

– Lubię w tobie – powiedział po długiej chwili ciszy biskup – twoją inteligencję i twoją szczerość. Szkoda zaiste, że nic poza tym.

•

Ojciec Felicjan, dla świata niegdyś Hanys Gwisdek zwany Weszką, grzał się w słonecznej plamie w końcu wirydarza, zza krzaka tarniny obserwując pogrążonych w cichej rozmowie biskupa i inkwizytora. Kto wie, myślał, może za niedługi czas będę do takich rozmów dopuszczany, może będę brał w nich udział? Jak równy? Pnę się wszak w górę. W górę.

Ojciec Felicjan faktycznie piął się w górę. Biskup awansował go za zasługi. Polegające głównie na donoszeniu na poprzedniego przełożonego, kanonika Ottona Beessa. Gdy skutkiem donosów Otto Beess popadł w niełaskę, na dworze biskupim zaczęto inaczej patrzeć na ojca Felicjana. Całkiem inaczej. Ojcu Felicjanowi wydawało się, że z podziwem.

Pnę się w górę. Ha. Pnę się w górę.

– Ojcze.

Drgnął, odwrócił się. Zakonnik, który podszedł go tak bezszelestnie, nie był premonstratensem, nosił biały dominikański habit. Ojciec Felicjan nie znał go. Co oznaczało, że był to człowiek inkwizytora.

– Idźcie no sobie stąd, ojcze. Nic tu po was. Już was tu nie ma!

Człowiek inkwizytora, pomyślał ojciec Felicjan, oddalając się jak zmyty. Dominikanin, jedna ze słynnych rozpanoszonych i wszechwładnych „białych eminencji". Ten głos, władczy, jakby u samego biskupa... Te oczy... Oczy koloru żelaza.

•

Ziębicki przytułek Serca Jezusowego położony był na zewnątrz murów miejskich, niedaleko Furty Tkackiej. Gdy tam dotarli, była pora posiłku. Wychudzeni i pokryci ropiejącymi wrzodami nędzarze dźwigali się z łóżek, brali miski w drżące dłonie, maczali w nich chleb, zmiękczony pakowali do bezzębnych ust. Tybald Raabe odkaszlnął, odwrócił wzrok, zasłonił nos mankietem rękawicy. Żelaznooki ksiądz nawet nie zwrócił uwagi. Nędza i cierpienie nie robiły na nim wrażenia i przestały interesować już dawno temu.

Musieli czekać. Dziewczyna, do której przyszli, była zajęta w przytułkowej kuchni.

Z kuchni śmierdziało.

Trochę potrwało, nim do nich przyszła.

A więc to jest Elencza von Stietencron, pomyślał żelaznooki. Niezbyt powabna. Przygarbiona, szara, wąskousta. O wodnistym spojrzeniu. Z włosami litościwie skrywanymi przez czepek i podwikę. Z wolno odrastającymi, niegdyś modnie wyskubanymi brwiami.

Elencza Stietencron, ocalała z masakry, w której zginęło szesnastu mężczyzn. Jedyna, która przeżyła. Mężczyźni, w tym uzbrojeni żołnierze, dali gardła. Przygarbiona brzydula przeżyła. Wniosek nasuwa się sam. Przygarbiona brzydula nie jest zwykłą przygarbioną brzydulą.

153

– Szlachetna panno von Stietencron...

– Proszę mnie tak nie nazywać.

– Hmm... Panno Elenczo...

Elencza. Imię też niezwykłe. Rzadko spotykane. Tybald Raabe wyśledził pochodzenie – takie imię nosiła córka Władysława, księcia na Bytomiu. Dziad Hartwiga Stietencrona, który księciu bytomskiemu służył, nadał takie imię jednej z córek. Narodziła się tradycja. Hartwig ochrzcił swą jedynaczkę zgodnie z tradycją.

Dał wzrokiem znak Tybaldowi Raabe. Goliard odchrząknął.

– Panienko – przemówił poważnie. – Uprzedzałem was poprzednim razem. Musimy zadać kilka pytań. Dotyczących... Ściborowej Poręby.

– Nie chcę o tym mówić. Nie chcę pamiętać.

– Trzeba – powiedział ostro – zbyt ostro – żelaznooki. Dziewczyna skuliła się, zupełnie jak gdyby zamachnął się na nią, pogroził pięścią.

– Trzeba – ksiądz złagodził ton. – Idzie o śmierć lub życie. Musimy wiedzieć. Młody szlachcic, który dwa dni przed napadem przyłączył się do waszego orszaku i wkrótce od orszaku odłączył. Czy był wśród napastników na Porębie? Panno Elenczo! Czy wśród napastników był Reinmar z Bielawy?

– Młody szlachcic – wyjaśnił Raabe – którego znasz jako Reinmara von Hagenau, panienko.

– Reinmar Hagenau... – oczy Elenczy Stietencron rozszerzyły się. – To... był... Reinmar z Bielawy?

– Ten sam – żelaznooki opanował zniecierpliwienie. – Czy rozpoznałaś go? Czy był wśród napastników?

– Nie! Oczywiście, że nie...

– Dlaczego oczywiście?

– Bo... Bo on... – dziewczyna zająknęła się, błagalnie spojrzała na Tybalda. – On wszak nie mógłby... Mości Raabe... O Reinmarze z Bielawy... Krążą plotki... Jakoby.... skrzywdził... córkę pana Bibersteina... Mości Raabe! To nie może być prawda!

Fascynacja, pomyślał żelaznooki, powstrzymując grymas. Fascynacja brzyduli, zakochanej w marzeniu, w ob-

154

razku, w strofie z *Tristana* czy *Ereka*. Jeszcze jedna, zapatrzona w tego Bielawę. Jeszcze jedna do kolekcji. Co one w nim widzą? Diabła zje, kto zrozumie kobiety.

– A więc nie było – upewnił się – Reinmara z Bielawy pośród napastników?

– Nie było.

– Na pewno?

– Na pewno. Poznałabym.

– Czy napastnicy nosili czarne zbroje i płaszcze? Czy wołali: *„Adsumus"*, czyli „Jesteśmy"?

– Nie.

– Nie?

– Nie.

Milczeli. Któryś z nędzarzy zaczął nagle płakać. Łkającego uspokajała opiekunka, tęga mniszka w habicie klaryski.

Żelaznooki nie odwrócił głowy. Ani oczu.

– Panno Elenczo. Czy twoja matka... Macocha... Czy wdowa po ojcu wie, że tu jesteś?

Dziewczyna zaprzeczyła ruchem głowy, usta drgnęły jej zauważalnie. Żelaznooki wiedział, w czym rzecz, Tybald Raabe doszperał się i doszedł prawdy. Owego feralnego dla siebie dnia rycerz Hartwig Stietencron wiózł córkę do mieszkających w Bardzie krewnych. Wiózł ją tam, zabrawszy z własnych – biedniutkich zresztą – włości, by uwolnić od zawistnej i złośliwej tyranii macochy, swej drugiej żony. By zabrać z zasięgu spoconych łap dwóch synów macochy, nicponiów i pijusów, którzy po zerżnięciu wszystkich lokalnych i okolicznych dziewek służebnych zaczynali już kierować wymowne spojrzenia ku Elenczy.

– Nie myślałaś o powrocie?

– Mnie tu dobrze.

Jej tu dobrze, powtórzył w myśli. U krewniaków, do których dotarła po ucieczce i tułaczce, nie pobyła długo. Nie zdążyła się ani zadomowić, ani przyzwyczaić, o polubieniu nie wspominając. Już w grudniu Bardo zdobyli, złupili i spalili husyci, hradeckie Sierotki Ambroża. Krewni, oboje, mąż i żona, zginęli w rzezi.

Pech prześladuje tę dziewczynę. Fatum. Zły los.

Ze spalonego Barda Elencza trafiła do przytułka w Ziębicach. Została na długo. Z początku jako pacjentka pogrążona w głębokiej, graniczącej ze stuporem apatii. Potem, po wyzdrowieniu, jako opiekunka innych chorych. Ostatnio – wszędobylski i dociekliwy Tybald Raabe wywiedział się i tego – zainteresowały się nią strzelińskie klaryski, a Elencza całkiem poważnie rozważała nowicjat.

– A więc – skonkludował żelaznooki – pozostaniesz tu.

– Pozostanę.

Pozostań, pomyślał żelaznooki. Pozostań. Sporo zależy od tego, byś pozostała.

Elenczo Stietencron.

●

– Brat Andrzej Kantor?

– Ja... – diakon od Podwyższenia Krzyża podskoczył, słysząc niepodziewany głos zza plecami. – Jam jest... Och... Matko Boska! To wy!

Stojący za nim mężczyzna był cały w czerni, czarny miał płaszcz, czarny wams, czarne spodnie, czarne sięgające ramion włosy. Ptasią twarz, nos jak ptasi dziób.

I wejrzenie diabła.

– To my – potwierdził z uśmiechem, a widok tego uśmiechu zmroził diakonowi krew w żyłach. – Dawnośmy się nie widzieli, Kantor. Wpadłem do Frankensteinu, by się dowiedzieć, czy...

Diakon przełknął ślinę.

– Czy nie wypytywał – dokończył Pomurnik – o mnie ktoś ostatnio?

●

Było ściśle przestrzeganym zwyczajem, że jeśli Konrad z Oleśnicy, biskup Wrocławia, przybywał na otmuchowski zamek zabawić się, drzwi do biskupiej sypialni strzeżono pilnie, absolutnie nikt nie mógł ich otworzyć ani przez nie przejść. Biskup osłupiał zatem, gdy znienacka drzwi otwarły się z hukiem i do sypialni wtoczył kłąb złożony z kilku ludzi.

Biskup zaklął niezwykle brzydko. Jedna z mniszek, piegowata, ruda i krótko ostrzyżona, wyskoczyła z piskiem spomiędzy jego ud. Druga zakonnica, również całkiem naga, skryła głowę i tożsamość pod pierzyną, wystawiając przy tym na widok publiczny rzecz znacznie od tożsamości ciekawszą.

Kłąb na podłodze rozdzielił się tymczasem na Kuczerę von Hunta, biskupiego ochroniarza, dwóch otmuchowskich strażników i Birkarta Grellenorta.

– Wasza dostojność... – wydyszał Kuczera von Hunt. – Próbowałem...

– Próbował – potwierdził Pomurnik, plując krwią z przeciętej wargi. – Ale sprawa, z którą przybywam, nie cierpi zwłoki. Powiedziałem mu to, ale nie chciał słuchać...

– Wyjść! – ryknął biskup. – Wszyscy wyjść! Grellenort zostaje!

Strażnicy, kulejąc, wyszli za Kuczerą von Huntem. Za nimi, klaszcząc bosymi stopami, pobiegły obie zakonnice, starając się okryć habitami i koszulami jak najwięcej ze swych wdzięków. Pomurnik zamknął za nimi drzwi.

Biskup nie wstał z łoża, leżał rozwalony, okrył tylko samo sedno, to, nad którym niedawno ofiarnie pracowała ruda mniszka.

– Oby to naprawdę było pilne, Grellenort – uprzedził złowrogo. – Oby to naprawdę było ważne. Tak czy inaczej, zaczynam mieć dość twojej bezczelności. Już ci się nawet nie chce oknem wlatywać ani ścian przenikać. Musisz sensacje wzbudzać. Ale niech tam. Słucham!

– A nie. To ja słucham.

– Że jak?

– Czy wasza biskupia miłość – wycedził Pomurnik – nie ma mi przypadkiem czegoś do zakomunikowania?

– Czyś ty się szaleju opił, Birkart?

– Nie taisz ty czegoś przypadkiem przede mną, ojczulku? Czegoś ważnego? Czegoś, co choć trzymane w wielkim sekrecie, lada moment może stać się jawne całemu światu?

– To są jakieś brednie! Nie myślę tego słuchać!

– Zapomniałeś Biblii, księże biskupie? Słów ewangelisty? *Non enim est aliquid absconditum quod non manife-*

stetur, nec factum est occultum sed ut in palam veniat. Nie ma nic ukrytego, co by nie miało wyjść na jaw. Uprzejmie informuję, że znalazł się świadek napadu na poborcę podatków, dokonanego opodal Barda trzynastego września *Anno Domini* 1425.

– Proszę, proszę – wyszczerzył zęby Konrad z Oleśnicy. – Świadek. Się znalazł. I cóż zeznał? Kto, ciekawość, napadł na poborcę?

Oczy Pomurnika błysnęły.

– Wyjawienie sprawcy to tylko kwestia czasu – warknął. – Tak się bowiem składa, że tego świadka odnaleźli ludzie nam nieżyczliwi. Mając świadka, dotrą po nitce do kłębka. I rzecz się wyda. Wyda jak złoto. Spuść tedy nieco z tonu, biskupie!

Biskup Konrad czas jakiś mierzył go złym wzrokiem. Potem wygramolił się z łoża, okrył goliznę opończą. Siadł w karle. I milczał długo.

– Jak mogłeś, ojczulku – powiedział z wyrzutem Pomurnik, siadając naprzeciw. – Jak mogłeś? Nic mi nie mówiąc? Nie informując?

– Nie chciałem cię turbować – zełgał gładko Konrad. – Miałeś tyle spraw na głowie... Skąd wiesz o tym świadku?

– Magia. I donosiciele.

– Rozumiem. Z pomocą magii i donosicieli można będzie, jak tuszę, owego świadka wyśledzić... I, hmm, usunąć? Tak w ogóle to ja tego świadka olewam, a owych nieżyczliwych ludzi osrywam. Gówno mogą mi zrobić. Ale po co mi kłopoty? Jeśli dałoby się świadkowi po cichutku skręcić kark... Hę? Birkarcie, mój synu? Pomożesz?

– Mam mnóstwo spraw na głowie.

– Dobra, dobra, *mea culpa* – przyznał niechętnie biskup. – Nie wściekaj się. Twoja racja. Zataiłem! A co? Ty niczego przede mną nie taisz?

– Dlaczego – Pomurnik wolał nie przyznawać, że i owszem, tai – dlaczego, wyjaśnij mi, księże biskupie, zrabowałeś pieniądze, które miały jakoby posłużyć świętej sprawie? Wojnie z czeską herezją? Krucjacie, do której wciąż nawołujesz?

– Ja te pieniądze ocaliłem – odrzekł zimno Konrad. –

Dzięki mnie posłużą, czemu posłużyć powinny. Będą wydane na to, na co należy. Na najemników, na konie, na broń, na działa, na strzelbę, na proch. Na wszystko, z pomocą czego zdołamy pobić, pognębić i zniszczyć czeskich odszczepieńców. I jest pewność, że nikt tego grosza nie zdefrauduje. Gdyby ściągnięty podatek pojechał do Frankfurtu, rozkradliby go zwyczajnie. Jak zwykle.

– Argumentacja – uśmiechnął się Pomurnik – dość przekonująca. Ale wątpię, by legat papieski dał się przekonać.

– Legat to największy złodziej. Zresztą, o czym gadamy. Przecież legat i książęta mają już swoje srebro, wszak po rabunku ściągnęliśmy podatek drugi raz. Jak go zagospodarowali, dało się widzieć. Pod Tachowem! To, co nie trafiło do ich kieszeni, zostało na placu boju, z którego sromotnie uciekli, wszystko zostawiając husytom! A tamten podatek? Już o nim nawet nie pamiętają. To już historia.

– Niestety nie – zaprzeczył spokojnie Pomurnik. – Tamten podatek uchwalił Reichstag. Ten, kto zrabował pieniądze, zakpił sobie z książąt elektorów Rzeszy, zadrwił z arcybiskupów. Oni nie zostawią tak tej sprawy. Będą węszyć, będą drążyć. W końcu dojdą prawdy. Albo nabędą uzasadnionych podejrzeń.

– I co mi zrobią? Co mogą mi zrobić? Zaszkodzić mi nie zdołają. Tu Śląsk! Tu moja władza i moc! *Maior sum quam cui possit Fortuna nocere!*

– *Quem dies vidit veniens superbum, hunc dies vidit fugiens iacentem* – odparował równie klasycznym cytatem Pomurnik. – Nie bądź zbytnio zadufany, ojczulku. Dmuchajmy na zimne. Nawet gdy kwestia niewygodnego świadka zostanie rozwiązana, należałoby pomyśleć o ostatecznym zamknięciu śledztwa w sprawie grabieży podatku. I nie myślę tu o umorzeniu bynajmniej, lecz o zamknięciu wynikiem w postaci ujęcia i ukarania winnego.

– Po prawdzie – przyznał Konrad – to ja też o tym myślę. Według szerzącej się plotki, poborcę napadł i podatek zagrabił Reinmar von Bielau, brat Piotra von Bielau, husyckiego szpiega. Reinmar zbiegł do Czech, do swych kmotrów heretyków. Zwabmy go zatem na Śląsk, schwytajmy i poddajmy śledztwu. Znajdą się dowody jego zbrodni.

– Jasne – uśmiechnął się Pomurnik. – Czyż potrzeba lepszych, niż przyznanie się oskarżonego? A Reinmar przyzna się do wszystkich zbrodni, o jakie go oskarżymy. Przy odpowiednio długo trwających perswazjach każdy się w końcu przyznaje. Chyba, że nim się przyzna, pechowo umrze.

– Dlaczego pechowo? Uważam za oczywiste i normalne, że Bielau wyzionie ducha w katowni. Po tym, jak przyzna się do napadu na poborcę. Ale przed tym, nim zdradzi miejsce ukrycia zrabowanego srebra.

– Ach. Jasne. Rozumiem. Ale...

– Co ale?

– Ludzie interesujący się losem tych pieniędzy mogą wówczas, obawiam się, nadal mieć wątpliwości...

– Nie będą mieli. Znajdą się inne niezbite dowody winy. W domu wspólnika Bielaua znajdzie się podczas rewizji pusty kufer, ten sam, w którym poborca wiózł pieniądze.

– Genialne. Kto będzie tym wspólnikiem?

– Jeszcze nie wiem. Ale mam ułożoną listę. Co powiesz na papieskiego inkwizytora, Grzesia Hejncze?

– No, no, wolnego – zmarszczył czoło Pomurnik. – Co za dużo, to niezdrowo. Już ci to sto razy mówiłem: zaprzestań, ojczulku, otwartej wojny z Hejnczem. Wojna z Hejnczem to wojna z Rzymem, ten antagonizm może ci tylko zaszkodzić. *Irritabis crabrones*, rozdrażnisz szerszenie. Chociaż się wyższym i mocniejszym od Fortuny mniemasz i szkody nie boisz, to nie tylko o twoją biskupią dupę tu idzie. Wojując z inkwizytorem unaoczniasz ludziom, że, po pierwsze, nie ma wśród was jedności, że jesteście rozbici i skłóceni. Po drugie, że Inkwizycji można się nie bać. A gdy ludzie przestaną się bać, może być z wami, klechami, naprawdę krucho.

Biskup milczał przez chwilę, patrząc na niego spod opuszczonych powiek.

– Synu – przemówił wreszcie – jesteś dla nas cenny.

Jesteś nam potrzebny. Jesteś wreszcie nader nam miły. Ale nie rozwieraj na nas za szeroko jadaczki, bo możemy stracić cierpliwość. Nie szczerz na nas zębów, bo mimo iście ojcowskiej miłości, jaką cię darzymy, zniecierpliwieni możemy kazać ci te zęby wybić. Wszystkie. Jeden po drugim. Z długimi przerwami, byś mógł należycie nasłodzić się traktamentem.

– A kto wtedy – uśmiechnął się Pomurnik – rozwiąże kwestię niewygodnego świadka? Kto zwabi na Śląsk i schwyta Reynevana von Bielau?

– No właśnie – biskup zadarł opończę, podrapał się w owłosioną łydkę. – Gadamy, gadamy, słowy szermujemy, a najważniejsze umyka. Załatw sprawę, synu. Niechaj ten świadek zniknie. Bez śladu. Jak zniknął tamten, którego przed dwoma laty Hejncze wygrzebał w Narrenturmie.

– Załatwione.

– A Reinmar Bielau?

– Też załatwione.

– Tedy napijmy się. Dawaj kubek. A poniuchaj wpierw, jaki bukiet. Mołdawskie! Dostałem sześć antałków w charakterze łapówki. Za stanowisko scholastyka w Legnicy.

– Łapownictwo przy rozdawaniu prebend? Nieładnie, ojczulku.

– Łapówek nie dają, bo ich nie stać, wyłącznie zasrańcy. Mam obsadzać kościelne stanowiska zasrańcami? Co? Jeśli już przy tym jesteśmy, chcesz może jakieś kościelne stanowisko, Grellenort?

– Nie, księże biskupie. Nie chcę. Kler mnie mierzi.

•

Żelaznooki, skonstatował Wendel Domarasc, zmienił przebranie, całkowicie odmienił postać. Miast sutanny, habitu czy patrycjuszowskiego dubletu dziś miał na sobie krótką skórzaną kurtę, obcisłe spodnie i wysokie buty. Nie nosił żadnej widocznej broni, mimo to wyglądał na najemnika. Przebranie skutecznie kamuflowało – Śląsk w ostatnich czasach pełen był najemników. Był spory popyt na ludzi umiejących władać orężem.

– Niebawem – zaczął żelaznooki – wykonam moje zadanie. Po wykonaniu natychmiast zniknę. Dlatego chciałbym pożegnać się z wami już dziś.

– Niech Bóg prowadzi – *magister scholarum* splótł palce. – Do zobaczenia w lepszych czasach.

– Oby. Mam ostatnią prośbę.

– Uważajcie ją za spełnioną.

– Wiedziałem, a i przekonałem się naocznie – zaczął żelaznooki po chwili milczenia – żeście mistrz nad mistrze w sztuce konspiracji. Że to, co ma zostać ukryte, potraficie skryć. Mniemam, że potraficie sprawić i rzecz przeciwną.

– Sprawić – uśmiechnął się Domarasc – by sekret przestał być sekretem? Poinformować i zarazem zdezinformować?

– Czytacie w moich myślach.

– O co lub o kogo chodzi?

Żelaznooki wyjaśnił. Wendel Domarasc milczał długo. Potem potwierdził, że wykona. Ale nie słowem. Skinieniem głowy.

Zza uchylonego okienka dobiegał chór głosów uczniów opolskiej szkoły kolegiackiej, recytujących początek *Metamorfoz*.

> *Aurea prima sata est aetas, quae vindice nullo,*
> *sponte sua, sine lege fidem rectumque colebat.*
> *Poena metusque aberant, nec verba minantia fixo*
> *aere legebantur, nec supplex turba timebat*
> *iudicis ora sui, sed erant sine vindice tuti...*

– Mądrze pisał wielki Naso – przerwał długie milczenie przysłuchujący się żelaznooki. – Złoty był pierwszy wiek, wieczysta wiosna świata. Ale ten wiek już nie wróci. Przeminął po nim i wiek srebrny, przeminął i spiżowy. Teraz nadszedł wiek czwarty, wiek ostatni z twardego żelaza, *de duro est ultima ferro*. Ostatni wiek to wiek krwi i zagłady. Wylęgła na świat zaraza wszelkiej zbrodni. Wiara i prawda uciekły przed wojną, mordem i pożogą. Triumfują zdrada i przemoc. Przerażona tym, co się dzieje, opuszcza ziemię Astrea, ostatnia z bóstw. A gdy zabraknie bóstw... Co wtedy? Potop?

– Nie – zaprzeczył Wendel Domarasc. – Nie będzie potopu. I nie będzie to wiek ostatni. Gwarancją tego są chociażby ci tam smarkacze, którzy Owidiusza Nasona wkuwają. My, ludzie mroku, ludzie przemocy i zdrady, my, prawda to, przeminiemy wraz z wiekiem okrwawionej stali. Ale oni przetrwają. Oni są przyszłością i nadzieją świata. To, co robimy, robimy dla nich właśnie.

– Też tak kiedyś myślałem.

– A teraz?

Żelaznooki nie odpowiedział. Palcami zanurzonymi w rękawie kurty dotykał noża w przymocowanej do przedramienia pochwie.

•

– Zostałaś zdradzona – powtórzył Tybald Raabe, niecierpliwie, bo już znużyło go powtarzanie. – Zostałaś sprzedana. Uczyniono z ciebie przynętę. Grozi ci śmierć. Musisz natychmiast uciekać. Rozumiesz, co mówię?

Tym razem – dopiero tym – Elencza von Stietencron potwierdziła skinieniem głowy, w rozcieńczonym błękicie jej oczu faktycznie coś błysnęło. Tybald żachnął się.

– Do domu nie wracaj – rzekł dobitnie. – Nie wracaj pod żadnym pozorem. Z nikim się nie żegnaj, nikomu nic nie mów. Konia ci przywiodłem, kasztanka, stoi za szpitalną pralnią. W jukach jest wszystko, co się w drodze przygodzi. Wskakuj na siodło i w drogę, natychmiast. Nic nie szkodzi, że noc bliska. Będziesz bezpieczniejsza na gościńcu niźli tu, w Ziębicach.

– Nie jedź do Strzelina, do mniszek, na tej drodze najpierw będą szukać. Jedź na Frankenstein, stamtąd głównym traktem pod Wrocław. Skieruj się na komorę celną w Muchoborze. Tam każdy wskaże ci drogę do Skałki, pytaj o stadninę pani Dzierżki de Wirsing. Pani Dzierżka pozna tego konia, będzie wiedziała, że ja cię przysyłam. Wszystko jej opowiesz. Pojęłaś?

Kiwnięcie głowy.

– U Dzierżki... – goliard rozejrzał się niespokojnie. – U Dzierżki będziesz bezpieczna. Potem, gdy wszystko ucichnie, wywiozę cię do Polski. Jeśli aż tak bardzo tego pragniesz, zostaniesz klaryską. Ale w Starym Sączu albo Zawichoście. Polska, cóż, to nie Śląsk, ale też tam ładnie. Przywykniesz. A teraz bywaj. Niech cię Bóg prowadzi, dziewczyno.

– I was – odszepnęła.

– Pamiętaj: nie wracaj do dom. Od razu w drogę.

– Pamiętam.

Goliard zniknął w mroku, równie nagle, jak się zjawił. Elencza von Stietencron wolno rozwiązała fartuch. Spojrzała w okno, w którym noc niemal zamazała już, prawie zatarła z czernią nieba kontur zalesionych wzgórz.

Z szatni wzięła płaszcz, owinęła głowę chustą. I pobiegła. Ale nie za pralnię nad fosą. Pobiegła w stronę przeciwną.

W izdebce nad przytułkiem, w której mieszkała, nie było niczego, co chciałaby zabrać ze sobą. Niczego, co mogłaby nazwać swoim. Niczego, czego by żałowała.

Oprócz kota.

Ostrzeżenie goliarda potraktowała poważnie. Rozumiała, co to niebezpieczeństwo. Pojmowała jego źródło, pamiętała żelazne oczy księdza, który ją wypytywał, pamiętała lęk, jaki w niej wzbudził. Ale przecież to tylko chwila, myślała biegnąc, tylko chwila, tylko wezmę kotka, nic więcej, co może mi się stać, przecież to tylko jedna mała chwilka...

– Kici-kici... Kici-kici...

Okienko było uchylone. Poszedł, pomyślała z rosnącym przerażeniem, jak zwykle poszedł w noc, swoim zwykłym kocim obyczajem... Jak ja go teraz odnajdę...

– Kici-kici-kici... – wybiegła na podest, plącząc się w rozwieszonych prześcieradłach. – Kotku... Kotku!

Zbiegła po schodach. I od razu zorientowała się, że coś jest nie tak. Zimne nocne powietrze zrobiło się nagle jeszcze zimniejsze, przy wdechu zimnem zdławiło krtań. Zimno to nie było już rześkie i ożywcze, stało się ciężkie, gęste jak flegma, jak śluz, jak skrzepła krew. Było nagle pełne zgęstniałego, skoncentrowanego zła.

Trzy kroki przed nią spłynął na ziemię ptak. Wielki pomurnik.

Elenczy wydało się, że wrosła w ziemię, że wczepiła się w grunt korzeniami. Nie była w stanie się poruszyć, nie była w stanie nawet drgnąć. Nawet wówczas, gdy na jej oczach pomurnik zaczął rosnąć. Zmieniać postać. Zamieniać się w człowieka.

I wtedy dwie rzeczy zdarzyły się jednocześnie. Głośno zamiauczał kot. A z czerni nocy wybiegł wielki wilk.

Wilk przyspieszył, raptownie runął w wyciągnięty bieg, potem w skok. Ale Pomurnik już znowu stawał się ptakiem, rozmazywał się, malał w oczach, łopotał skrzydłami, wzlatywał. Zaskrzeczał z triumfem, gdy oślepiająco białe kły skaczącego wilczura kłańcnęły, nie dosięgając, tuż za sterówkami jego ogona. Wilk po skoku opadł miękko, natychmiast pognał w mrok, śladem ulatującego ptaka.

Elencza chwyciła kota i pobiegła. Łzy stygły jej na policzkach.

•

Żelazny Wilk ścigał tak, jak ściga każdy wilk zwykły, sznurował szybkim, jednostajnym, wytrwałym biegiem. Jego unoszony od czasu do czasu wietrznik dobrze i pewnie łapał przesycony magią wiatr szybującego pomurnika. Lampy zwierza świeciły w mroku.

Szedł pościg, trwała śmiertelna gonitwa. Przez Wzgórza Niemczańskie. Nad dolinami Oławy, Ślęży i Bystrzycy.

Dzieci w kołyskach budziły się, krzyczały, dławiły płaczem. Konie po stajniach wpadały w szał. Bydlęta tłukły się w oborach.

Zrywał się, obudzony koszmarem, rycerz w kamiennej stanicy. Klepiącemu *Nunc dimittis* wiejskiemu proboszczowi brewiarz wypadał z rozdygotanych rąk. Przecierali oczy zbrojni na strażnicach.

Szedł pościg. Przed pościgiem, anonsując go niczym laufer, biegła Zgroza. Za pościgiem Trwoga osiadała jak pył.

•

Było w okolicy pradawne miejsce kultu, płaski pagór, a na nim wytyczony pierścieniem obrobionych głazów

165

magiczny solarny okrąg, w którym ongi modlono się do bogów starszych niż ludzkość. Było to również miejsce pochówku, cmentarzysko, nekropolia ludów – czy też nieludów – nazwy których zaginęły w pomroce dziejów. W roku 1150, w ramach walki z pogaństwem i zabobonem, głazy rozrzucono, a na ich miejscu z polecenia biskupa Waltera z Malonne pobudowano drewniany kościółek – czy też oratorium raczej, okolica była wszak pustkowiem. Oratorium nie postało nawet roku – spłonęło od uderzenia pioruna. Z tych samych – lub podobnych – powodów ogień trawił wszystkie kolejne stawiane w miejscu dawnej nekropolii kościółki. Walka trwała lat dwadzieścia, do samej śmierci biskupa Waltera. Lud jął szeptać, że ze Starymi Bogami lepiej nie zadzierać, a nowy biskup, Żyrosław, podjął jedynie słuszną decyzję: na miejsce budowy kolejnej świątyni wybrał miejsce zupełnie nowe, odległe, ładniejsze, korzystniej położone i w ogóle dużo, duże lepsze. Nowemu kościołowi nikt już nie przeszkadzał stać i przyciągać licznych wiernych, na starym cmentarzysku zaś czyjeś niewidzialne ręce przywróciły kultowym głazom ich dawne położenie. Z czasem miejsce otoczył wianuszek pokracznych szkieletowatych drzew i – miejscami – zwikłany żywopłot zbrojnej w mordercze kolce tarniny.

Miejsce zalane było księżycowym blaskiem.

Podbiegłszy truchtem do pierwszych głazów i bariery tarnin Wilk zatrzymał się raptownie, zjeżył sierść jak przed fladrami. Węszył smród cmentarnego rozkładu, wciąż snujący się nad pagórem, choć zwłok nie grzebano tu od wieków. Wyczuł nagromadzone przez wieki pokłady starożytnej magii, broniące dostępu istocie obłożonej czarem. Zamazał się, zmienił kształt. Stał się człowiekiem. Wysokim człowiekiem o oczach koloru żelaza.

Zimne nocne powietrze, zdałoby się, zamarło. Nie drgnął ni jeden suchy liść, ni jedna miotła turzycy. Cisza aż dzwoniła w uszach.

Ciszę zakłócił odgłos kroków, cichy zgrzyt żwiru. Pomiędzy głazy wszedł Pomurnik.

Żelazny Wilk postąpił, również wszedł w krąg. A krąg ożył nagle. Zza kamieni, spod nich, spomiędzy nich, z gęstwiny poplątanych traw i chrustów zapłonęły nagle, niczym latarenki, dziesiątki, setki oczu, żywych, ruchliwych, nerwowych jak świętojańskie robaczki. Ciszę nocy wypełniła niepokojąca melodia szeptów, mrukliwy pogwarek wysokich, nieludzkich głosów.

– Przyszli – wskazał ruchem głowy Pomurnik – zobaczyć ciebie i mnie. Dwóch być może ostatnich w tej części świata polimorfów. Widzieli, jak polimorfujemy. Teraz chcą popatrzeć, jak się będziemy zabijać.

Poruszył przedramieniem i dłonią, do dłoni spłynął nóż, dziewięciocalowa toledańska klinga zalśniła odbiciem księżycowego blasku.

– Zapewnijmy im tedy – odrzekł chrapliwie Żelazny Wilk – godziwe widowisko. Coś, o czym warto opowiadać.

Poruszył ręką i nożem, który z rękawa wskoczył mu wprost do dłoni.

– Zginiesz, Wilku.

– Zginiesz, Ptaku.

Zaczęli iść po kręgu, wolno, ostrożnie stawiając stopy, nie spuszczając się wzajem z oczu. Dwukrotnie obeszli krąg. A potem skoczyli ku sobie, błyskawicznie zadając ciosy. Pomurnik ciął z góry, w twarz, Wilk odwinął głowę o ćwierć cala, sam dźgnął z dołu, w brzuch, Pomurnik uniknął ciosu, ze skrętu bioder chlasnął przekątnie, od lewej, Wilk ponownie ocalił gardło delikatnym unikiem, odskoczył, obrócił nóż w dłoni, ze zwodu ciął z dołu do góry, klinga ze szczękiem zderzyła się z podobnie odwróconym ostrzem Pomurnika. Obaj wymienili kilka błyskawicznych cięć, odskoczyli.

Żaden nie był nawet draśnięty.

– Zginiesz, Ptaku.

– Zginiesz, Wilku.

Latarenki nieludzkich ślepi migały i kołysały się w mroku, mamrotliwy i podniecony pogwar narastał, falował.

Tym razem krążyli wokół siebie dłużej, to skracając, to zwiększając dystans.

Zaatakował Wilk, krzyżowo tnąc trzymanym prosto nożem, kończąc atak odwróceniem broni i zdradliwym ciosem w szyję.

Pomurnik uchylił się, sam ciął od lewej, potem z dołu od prawej, potem zupełnie nisko, szerokim koszącym zamachem, zakończonym wypadem i sztychem na wprost. Wilk cięcia sparował nożem, przed sztychem uciekł półobrotem, sam pchnął z wypadu, fintą, z przyskoku dziabnął z góry, na bok szyi. Tym razem Pomurnik nie uchylał się, sparował przedramieniem, okręcił się, obrócił nóż w dłoni i z mocą, poparłszy cios całą siłą barku, ugodził Wilka prosto w splot słoneczny. Klinga wbiła się aż po jelec.

Wilk nie wydał głosu. Westchnął dopiero wtedy, gdy Pomurnik wyszarpnął ostrze z rany i cofnął się, przygięty, gotów do poprawienia pchnięcia. Ale nie było potrzeby poprawiać. Nóż wysunął się z palców Wilka. On sam padł na kolana.

Pomurnik zbliżył się czujnie, wpatrzony w gasnące oczy koloru żelaza. Nie wyrzekł słowa.

Panowała zupełna cisza.

Żelazny Wilk westchnął znowu, pochylił się, ciężko upadł na bok. Nie poruszył się już więcej.

W kamiennym kręgu głazów pradawnego cmentarzyska, w tętniącym pradawną magią i mocą miejscu kultu bogów starych, zapomnianych i wiecznych, Pomurnik uniósł ręce i zakrwawiony nóż. I zakrzyczał. Triumfalnie. Dziko. Nieludzko.

Okolica zamarła w zgrozie.

Rozdział szósty

w którym w pewnej karczmie na rozstaju kwitnie i rozwija się przemysł rozrywkowy. Kości zostają rzucone, w następstwie czego wydarza się to, co – jakoby – nieuniknione i nieuchronne. Ktoś, kto pomyśli, że wszystko to oznaczać musi początek nielichych kłopotów, dobrze pomyśli.

Karczma przy rozstaju była jedynym budynkiem, jaki pozostał po ulokowanej tu niegdyś wsi, dziś przypominającej o swym istnieniu kilkoma czarnymi kikutami kominów, nędznymi resztkami osmalonych belkowań i wciąż wyczuwalnym smrodem spalenizny. Kto puścił osadę z dymem, trudno było odgadnąć. Najwięcej wskazywało na Niemców lub Ślązaków – wieś leżała na trasie krucjaty, jaką w czerwcu roku 1420 wiódł na Pragę król Zygmunt Luksemburski. Krzyżowcy Zygmunta palili wszystko, czego imał się ogień, ale starali się oszczędzać karczmy. Ze zrozumiałych względów.

Oszczędzona karczma była dość typowa – niska, przysadzista, kryta strzechą, w której starego zeskorupiałego mchu było mniej więcej tyle samo co słomy, z kilkoma wejściami i maleńkimi okienkami, w których teraz, w ciemnościach, pełgały światła kaganków lub świec, chwiejne i ulotne niczym błędne ogniki na bagnach. Z komina wypełzał, snuł się po strzesze i płynął nad łąki biały dym. Ujadał pies.

– Jesteśmy na miejscu – wstrzymał konia Szarlej. – Tu, według moich informacji, zalągł się tymczasowo pan Fridusz Huncleder.

– Fridusz Huncleder – choć nie padło żadne pytanie, demeryt pojął bez słów – jest człowiekiem interesu, przedsiębiorcą. Pomysłowo wypełnia lukę, jaka skutkiem pewnych pozaekonomicznych zaszłości utworzyła się w relacjach między popytem a podażą. Dostarcza, nazwijmy to, pewnych cieszących się popytem towarów...

– Prowadzi objazdowy zamtuz – wpadł mu w słowo domyślny jak zwykle Samson Miodek. – Lub szulernię. Względnie jedno i drugie.

– Tak jest. W husyckiej armii ściśle przestrzega się wojskowych statutów, wprowadzonych przez Żiżkę. Pijaństwo, hazard i rozpusta są w wojsku zakazane, grożą za to surowe kary, z gardłową włącznie. A wojsko jak to wojsko, w obozach chciałoby chlać, rżnąć w karty i łajdaczyć się z dziwkami. A tu nic z tego, nie wolno. Nikomu. Żiżkowe statuty są obrzydliwie demokratyczne – karzą wszystkich bez względu na stan i rangę. Ma to i swoje dobre strony: nie dochodzi do rozprzężenia i utraty zdolności bojowej. Hejtmani to rozumieją, statuty pochwalają, surowo i bez litości egzekwują. Ale co na pokaz to na pokaz... Halabardnik, piechur z cepem, kusznik, woźnica, ci, i owszem, za kości, kurewstwo lub kradzież mają iść na chłostę lub na stryczek, tak jest prawidłowo, rzecz dobrze wpływa na morale. Ale hejtman lub setnik...

– Przyjechaliśmy – domyślił się Reynevan – do, mówiąc krótko, nielegalnego przybytku służącego zaspokajaniu nielegalnych żądzy wyższych szarż. Jak bardzo ryzykujemy?

– Huncleder – wzruszył ramionami Szarlej – działa

pod przykrywką wojskowego dostawcy, a przyjmuje tylko zaufanych oficerów. Ale i tak kiedyś ktoś go wyda, a wtedy zadynda. Możliwe, że dla postrachu i przykładu zadynda też paru z tych, których u niego nakryją... Ale, po pierwsze, co to za życie bez ryzyka. Po drugie, jakby co, wybronią nas Prokop i Flutek. Tak myślę.

Nawet jeśli w jego głosie zabrzmiała ledwie słyszalna nutka niepewności, demeryt zgłuszył ją natychmiast.

– Po trzecie – machnął ręką – mamy tu sprawę do załatwienia.

Pod samą karczmą pies obszczekał ich znowu, ale zaraz uciekł. Zsiedli z koni.

– Głównych pryncypiów funkcjonowania interesu wyjaśniać wam chyba nie muszę – Szarlej umocował wodze do palika. – To przybytek uciech niezdrowych i zakazanych. Można się tu zalać w trupa. Można popatrzeć na gołe panienki, można i pokosztować sprzedajnej miłości. Można zabawić się ostrym hazardem. Zaleca się wielką ostrożność w tym, co się robi, i w tym, co się mówi. Zresztą, dla jasności, mówił będę tylko ja. Grał, jeśli przyjdzie do kart lub kości, będę tylko ja.

– Jasne – Samson podniósł z ziemi kołek. – Jasne, Szarleju.

– Nie ciebie miałem na myśli.

– Nie jestem dzieckiem – skrzywił się Reynevan. – Mówić umiem, wiem, co mówić i kiedy. A w kości też umiem grać.

– Nie, nie umiesz. Nie z Hunclederem i jego szulerami. Bez dyskusji. Zastosuj się.

•

Gdy weszli, ucichł gwar. Zapadła cisza, a kilka par nieładnie patrzących oczu przywarło do nich niczym pijawki do zdechłej płoci. Moment był przykro niepokojący, ale na szczęście nie trwał długo.

– Szarlej? Tyś to?

– Radem cię widzieć, Berengarze Tauler. Witam i ciebie, panie Huncleder. Jako gospodarza.

Za stołem, w towarzystwie trzech typków w skórzanych kabatach, siedział barczysty, pękaty mężczyzna z dużym nosem i podbródkiem zniekształconym brzydką szramą. Jego twarz gęsto pokrywały dzioby po ospie – rzecz ciekawa, wyłącznie po jednej, lewej stronie. Zupełnie jak gdyby bruzda nad nosem, sam nos i zdeformowany podbródek wytyczały linię demarkacyjną, której choroba nie ośmieliła się naruszyć.

– Pan Szarlej – odpowiedział na powitanie. – Oczom nie wierzę. W dodatku z kompanią, z ludźmi, których nie znam. Ale skoro są z panem... Widzimy tu chętnie gości. Nie dlatego, że ich lubimy. Ha, my ich często wcale nie lubimy. Ale z nich żyjemy!

Ci w skórzanych kabatach zarechotali. Reszta obecnych wesołości nie objawiła, żart Huncledera słysząc niezawodnie nie po raz pierwszy ani drugi. Nie zaśmiał się ani stojący przy szynkwasie dryblas z czerwonym kielichem na lentnerze, ani towarzyszący mu brodacz w czerni, skończony stereotyp husyckiego kaznodziei. Nie zaśmiała się, jak łatwo odgadnąć, żadna z dość wyzywająco odzianych panien, kręcących się po izbie z konwiami i dzbanami.

Nie zaśmiał się hołubiący kubek mężczyzna z ciemnym kilkudniowym zarostem, w kubraku zarudziałym od pancerza, ów Berengar Tauler, który powitał Szarleja zaraz po wejściu. To tam, do stołu owego Taulera, przy którym towarzyszyła mu jeszcze trójka innych, skierował się demeryt.

– Witaj i siadaj – Berengar Tauler wskazał ławę, ciekawym spojrzeniem obrzucił Reynevana i Samsona. – Przedstaw nam... przyjaciół.

– A i nie trza – odezwał się znad swego kufla ryżawy grubas. – Pana młodszego to ja już widziałem. W potrzebie pod Usti, przy hejtmanach. Mówili, że to ich lejbmedyk.

– Reinmar z Bielawy.

– Zaszczyceniśmy. A ów?

– Ów – odrzekł z właściwą sobie niefrasobliwością Szarlej – to ów. Nie przeszkodzi, nie zawadzi. Ów pracuje w drewnie.

Faktycznie, Samson Miodek przybrał minę głupka, siadł pod ścianą i wziął się za struganie kołka.

– Jeśli już wszczęliśmy prezentacje – Szarlej usiadł – to bądź i ty łaskaw, Berengarze...

Trójka zza stołu ukłoniła się. Ryżemu grubasowi towarzyszył dumnie wyglądający panek, jak na husytę odziany dość bogato i kolorowo, oraz niski, chudogęby i śniady typ wyglądający na Węgra.

– Amadej Bata – przedstawił się grubas.

– A jam jest rycerz Manfred von Salm – oświadczył kolorowy panek, a przesadna pycha, z jaką to wyrzekł, zdradzała, że taki był z niego rycerz, jak z koziej dupy trąba, od chrztu miał zapewne Zdeniek, zaś koło żadnego z von Salmów nigdy nie siedział ani nawet nie stał.

– Istvan Szeczy – potwierdził pozór Madziar. – Napijecie się? Ostrzegam, że w tym zbójeckim bordelu żejdlik wina kosztuje trzy grosze, a pół pinty piwa pięć pieniędzy.

– Ale wino jest dobre – Tauler łyknął z kubka. – Jak na zbójecki bordel i szulernię. Jeśli my już przy tym, to która z wymienionych rozrywek sprowadza was do Huncledera?

– W zasadzie żadna – Szarlej skinął na dziewkę z dzbanem, gdy podeszła, otaksował ją wzrokiem. – Co nie znaczy, że którejś nie zakosztujemy. Występ, przykładowo, dziś będzie? Żywy obraz?

– Jasne – uśmiechnął się Tauler. – Jasne, że będzie. Ja tu głównie z tego powodu. Nie będę nawet grał. Ze strachu, że mnie oskubią i z tego florena, co go trzeba dać za widowisko.

– Ci inni – demeryt wskazał ruchem głowy – kto będą?

– Ten przy szynkwasie – Amadej Bata strząsnął piwną pianę z wąsów – ten z Kielichem na piersi to Habart Mol z Modrzelic, setnik od Rohacza. Brodacz, co patrzy na księdza, to jego kamrat, przyjechali razem. Z Hunclederem przy stole siedzą jego szulerzy, imię pamiętam tylko jednego, tego łysielca, wołają go Jerzabek...

– Nuże, szanowni! – zawołał od stołu Huncleder, energicznie i ochoczo zacierając dłonie. – Do stołu, do stołu, do gry! Fortuna czeka!

Manfred von Salm siadł za stół jako pierwszy, za jego przykładem podążył Szarlej, zaszurali odsuwanymi zydlami Istvan Szeczy i Amadej Bata. Dosiadł się ozdobiony kielichem setnik od Rohacza, oderwał się od szynkwasu jego wyglądający na kaznodzieję kamrat. Reynevan, pomny przestrogi Szarleja, został. Berengar Tauler również nie ruszył się zza stołu, skinieniem przyzwał najbliższą dziewczynę z dzbanem. Ta była ruda i piegowata, piegi pokrywały nawet jej odsłonięte przedramiona. W porównaniu z innymi oczy miała nieco mniej podkrążone, ale twarz jakąś dziwnie stężałą.

– W co zagramy? – spytał zebranych za stołem Huncleder, zręcznie tasując karty. – W pikietę? W ronfę? W *trentuno*? W *menoretto*? Do dyspozycji, do dyspozycji, co tylko chcecie, może być *cricca*, może być *bassetta*... Może być i *trappola*, może być *buffa aragiato*, a może wolicie *ganapiérde*? Znam wszystkie *genera ludorum fortunae*! Na każdą przystanę. Klient nasz pan. Wybierajcie.

– Za dużo nas do kart – ocenił Bata. – A niechaj wszyscy się zabawią. Proponuję kości. Przynajmniej na początek.

– W kości? W szlachetne *tesserae*? Klient nasz pan. Jam do każdej gry gotów...

– Zwłaszcza – rzekł bez humoru Istvan Szeczy – do gry w te kości, co je właśnie w łapie obracasz. Nie miej nas za frajerów, przyjacielu.

Huncleder zaśmiał się nieszczerze, kości, którymi się bawił, charakterystycznie żółte, wrzucił do kubka, potrząsnął. Dłonie miał małe, krępe, palce krótkie i gruzłowate. Dłonie te były absolutnym przeciwieństwem tego, co kojarzyło się z dłońmi szulera i kostery. Ale w działaniu, co tu gadać, sprawdzały się – były zwinne jak wiewiórki.

Wyrzucone zręcznym ruchem z kubka żółte kości potoczyły się krótko, obie padły szóstkami do góry. Nadal krzywiąc twarz w udającym uśmiech grymasie Huncleder zebrał kości, robiąc to jednym błyskawicznym ruchem,

174

jakby łapiąc muchy z blatu. Potrząsnął kubkiem w gwałtownym *acozzamento*, rzucił znowu. Wypadły dwie szóstki. Jerzabek zarechotał. Setnik od Rohacza zaklął.

Szybkie zebranie kości, *acozzamento*, rzut. I znowu podwójna *sexta stantia*, dwakroć po *sex puncti*. Rzut. Dwa razy sześć oczek. Rzut. To samo. Rzut. Setnik zaklął znowu.

– To był – uśmiechnął się Huncleder ospowatym półgębkiem – tylko żarcik. Taki mały żarcik tylko.

– W samej rzeczy – Szarlej zrewanżował się uśmiechem. – Mały, ale gustowny. I ucieszny. Raz w Norymberdze byłem świadkiem, jak za taki sam żarcik przy grze na pieniądze połamano kosterze obie ręce. Na kamiennym progu, za pomocą kowalskiego młota. Uśmialiśmy się, powiadam wam, do rozpuku.

Oczy Fridusza Huncledera rozbłysły nieładnie. Ale opanował się, znowu przywołał uśmieszek na dziobatą twarz.

– Żart – powtórzył – to żart, żartem ma ostać. Do gry insze kości weźmiemy. Te odkładam....

– Ale nie do kieszeni, na stu czartów – warknął Manfred von Salm. – Na stół je kładź. Jako materiał poglądowy. Te inne będziemy od czasu do czasu porównywać.

– Wedle woli, wedle woli – szuler uniósł ręce na znak, że zgadza się na wszystko, wszystko akceptuje i że klient jego pan. – Jaka gra wam leży? Pięćdziesiąt sześć? Szóstki i siódemki?

– Może – zaproponował Szarlej – *Glückhaus*?

– Niechaj będzie *Glückhaus*. Rusz się, Jerzabek!

Jerzabek przetarł deski stołu rękawem, wykreślił na nich kredą podzielony na jedenaście pól prostokąt.

– Gotowe – zatarł dłonie Huncleder. – Można obstawiać... A ty, bracie Berengarze? Nie zaszczycisz nas? Żal, żal...

– Mało szczeryś w żalu, bracie – Berengar Tauler postarał się o to, by „brat" zabrzmiał zupełnie nie po bratersku. – Nie możesz wszak nie pamiętać, żeś w zeszłą sobotę oskubał mnie jak gęś na święty Marcin. Z braku kapitału posiedzę, poczekam na żywe obrazy, zabawię się kubkiem. I może dyskursem, jako że pan Reinmar, też, widzę, do kości się nie kwapi.

– Wasza wola – wzruszył ramionami Huncleder. – Dla nas zaś, panowie, plan taki: wpierw kośćmi się zabawim. Potem, gdy się mniej nas zrobi, zagramy pikietę lub inszy *ludus cartularum*. W trakcie zaś będzie widowisko. Część, znaczy, artystyczna. A ninie nuże, panowie! *Glückhaus!* Prosim obstawiać pola. Fortuno, przybywaj!

Przez czas jakiś od stołu dobiegały głównie klątwy, brzęk rzucanych na pola monet, grzechot *acozzamento* i odgłos kości, turlających się po blacie.

– Jak znam życie – Berengar Tauler łyknął z kubka – Amadej zgra się w trzy pacierze i wróci tu. Jeśli więc masz mi co rzec pod dyskrecją, to zaraz.

– A dlaczego przypuszczasz, że mam?

– Intuicja.

– Ha. Dobrze więc. Zamek Troski, na Pogórzu Jiczińskim, w pobliżu Turnova...

– Wiem, gdzie jest zamek Troski.

– Bywałeś na nim? Znasz dobrze?

– Bywałem wielokrotnie, znam świetnie. O co chodzi?

– Chcemy się tam dostać.

Berengar Tauler łyknął z kubka.

– W celu? – spytał pozornie obojętnie.

– Ot tak sobie, dla śmiechu – odrzekł podobnie obojętnie Reynevan. – Taka nasza fantazja i ulubiona rozrywka: dostawać się na katolickie zamki.

– Rozumiem i więcej pytań nie mam. A więc Szarlej delikatnie przypomina o długu, jaki mam wobec niego. W taki sposób mam wyrównać rachunek? Dobrze więc, pomyślimy.

– To znaczy, że tak, czy to znaczy, że nie?

– To znaczy, że pomyślimy. Hej, Marketka! Wina, jeśli łaska!

Nalała mu ta ruda, piegowata, o martwej twarzy i pustych oczach. Te niedostatki urody z nadwyżką rekompensowała jednak figura. Gdy dziewczyna odchodziła od stołu, Reynevan nie mógł się powstrzymać, by nie patrzeć na jej talię i biodra, falujące w lekkim tanecznym kroku iście hipnotycznie.

176

– Widzę – zauważył z uśmiechem Tauler – że wabi twe oko nasza Marketka. Nasz żywy obraz. Nasza adamitka.

– Adamitka?

– Ty nic nie wiesz, znaczy. Szarlej nie mówił? A możeś w ogóle nie słyszał o adamitach?

– To i owo obiło mi się o uszy. Ale jestem Ślązakiem, w Czechach wszystkiego od dwóch lat...

– Zamów sobie coś do picia. I usiądź wygodniej.

– Przewrót czeski – zaczął Berengar Tauler, gdy Reynevana już obsłużono – gdy stał się, wydobył z mroku i utuczył całkiem sporą grupę dziwaków i szaleńców. W 1419 przetoczyła się przez kraj fala histerii religijnej, wariactwa i mistycyzmu. Wszędzie krążyli nawiedzeni prorocy, strasząc końcem świata. Ludzie rzucali wszystko i kupami szli na góry, gdzie czekali na powtórne przyjście Chrystusa. Na tym wszystkim znalazły pożywkę stare, zapomniane sekty. Wyleźli z ciemnych kątów różni pojebani chiliaści, adwentyści, nikoalici, paternianie, spirytuałowie, waldensi, begardzi, zaraza wie, kto jeszcze, nie szło tego zliczyć...

Przy stole wszczęła się ostra dyskusja, używano różnych słów, w tym brzydkich. Najgłośniej pomstował Manfred von Salm.

– No i zaczęły się – podjął Tauler – kazania, proroctwa, wieszczby, wróżby i apokalipsy. A to, że nadchodzi Trzeci Wiek, a zanim nadejdzie, stary świat musi zginąć w ogniu. A potem Chrystus powróci w chwale, nastanie Królestwo Boże, zmartwychwstaną święci, źli nieodwołalnie pójdą na wieczne potępienie, a dobrzy żyć będą w rajskim szczęściu. Wszystko będzie wspólne, zniknie wszelka własność. Nie będzie już bogatych i biednych, nie będzie nędzy i ucisku. Zapanuje na ziemi stan powszechnej doskonałości, szczęścia i pokoju. Nie będzie żadnych nieszczęść, wojen ani prześladowań. Nie będzie takiego, kto by na innego napadał lub zwodził go do grzechu. Ani pożądał jego żony. Bo żony też będą we wspólnym użytkowaniu.

– Ale cóż, końca świata, jak wiemy, nie było, Chrystus

177

na ziemię nie zstąpił, ludzie otrzeźwieli, chiliazm i adwentyzm zaczęły tracić wyznawców. Marzenia o równości rozwiały się, podobnie jak mrzonki o likwidacji wszelkiej władzy i wszelkiego przymusu. Rewolucyjny Tabor odrestaurował oto struktury państwowe i już jesienią roku 1420 jął ściągać daniny i podatki. Ma się rozumieć pod przymusem. Odbudowane zostały również, a jakże, struktury władzy kościelnej, taboryckie, ale jednak struktury. Stojący na czele tych struktur husycki biskup Mikulasz z Pelhrzymova ogłosił z ambon kanon prawdziwej wiary, a tych, którzy kanonu nie respektowali, okrzyknął odstępcami i heretykami. I oto husyci, najwięksi kacerze Europy, znaleźli własnych kacerzy, własnych dysydentów. Pikartów.

– Nazwa – wtrącił Reynevan – pochodziła, zdaje się, od przekręconych begardów?

– Tak chcą niektórzy – kiwnął głową Tauler. – Ale prawdopodobniejsze, że to poszło od Pikardii, od waldensów, którzy stamtąd właśnie przywędrowali w roku 1418, znajdując w Czechach azyl i niesamowicie wielu zwolenników. Ruch mocno urósł w siłę i wyznawców, na których czele stanął Morawianin Marcinek Huska, z racji wygadania nazywany Loquisem. Powiedzieć o nich, że byli radykalni, to cholernie mało. Nawoływali do burzenia świątyń, prawdziwy Boży kościół, twierdzili, to kościół pielgrzymujący. Całkowicie odrzucali eucharystię. Odmawiali znaczenia wszelkim przedmiotom kultu, niszczyli każdą monstrancję i każdą hostię, jaka wpadła im w łapy. Bogiem, głosili, jest wszystko, co istnieje, *ergo*, człowiek też jest Bogiem. Komunii, twierdzili, może udzielić każdy, a można ją przyjmować pod każdą postacią. Tym twierdzeniem szczególnie dokuczyli kalikstynom. Jak to, wrzasnęli owi, to mistrz Hus dał się spalić, my zaś przelewamy krew za komunię *sub utraque specie*, w chlebie i winie, a tu jakiś Marcinek Loquis udziela jej pod postacią kaszy, grochu i zsiadłego mleka?

Samson w swoim kącie strugał pilnie, po ostrzu jego kozika wspinały się piękne, zakręcone wióry.

– W lutym roku 1421 miano sekciarzy dość. Wypędzono ich z Taboru, kazano iść precz. Górę porzuciło jakichś czterystu pikartów, którzy założyli własny warowny obóz w pobliskich Przybienicach...

– O czym gadacie? – zaciekawił się Amadej Bata, wracając od stołu gry z przesadnie wesołą miną człeka, którego ograno.

– O pikartach.

– Aaa? O nagusach? He, he... Pojmuję...

– Wśród przybienickich wygnańców – wznowił opowieść Tauler – nie było już Huski-Loquisa, rej wodził tam kaznodzieja Piotr Kanisz. I jego kamraci: Jan Bydlin, Mikulasz Ślepy, Trszaczek, Burian. Ogłosili całkowite zniesienie więzów rodzinnych, unieważnili związki małżeńskie. Ogłosili braterską równość i absolutną swobodę seksualną. Uznali, że są bezgrzeszni, jak Adam i Ewa, a że wśród bezgrzesznych nie ma miejsca na wstyd, odrzucali szaty i paradowali nago, w stroju Adamowym – stąd poszła nazwa „adamici", coraz częściej z nimi kojarzona. Zaczęli z entuzjazmem oddawać się pospólnym orgiom. Między hersztami-kapłanami doszło jednak niebawem do wewnętrznych przepychanek i rozbratów – zdaje się, że mniej szło o kwestie religijne, a bardziej o podział haremów. Kilku hersztów odeszło, zabierając ze sobą grupki zwolenników i stadka kobietek. Większości kobietek bardzo się zresztą podobało w pikarckich komunach, gdzie głoszono ideę pełnej równości płci. Wdrażając ją w życie, nota bene, tym sposobem, że każda kobietka mogła puszczać się i gzić, z kim tylko miała chęć. Swoboda to zresztą była pozorna, bo rolę głównych kogutów w tych kurnikach pełnili Kanisz i inni kapłani. Kobietki jednak były tak zafascynowane, tak przepełnione promiskuitycznym mistycyzmem, że na wyprzódki pchały się, by usłużyć jakiemuś „świętemu mężowi", uważały rozkładanie nóg za przywilej, za religijną posługę, a wręcz za łaskę miały, jeśli w swej dobroci „święty" raczył skorzystać z wypiętego kuperka.

– Ano – wtrącił filozoficznie Amadej Bata, wpatrzony w zadek jednej z usługujących graczom dziewek – taka już jest niewiasta, lubieżności pełna. I w chuci nienasycona. Jak świat światem, tak było i tak będzie *in saecula saeculorum*...

– A wy – dosiadł się znudzony widać grą Szarlej – o babach, jak zwykle?

– Udzielam twemu kompanowi – uciął Berengar Tauler – krótkiej lekcji historii.

– Tedy sam chętnie posłucham.

– Żiżce – odchrząknął Tauler – pikarci nie przestawali być solą w oku. Przeciw Czechom szykowano wyprawy krzyżowe, katolicka propaganda sprawę pikarckiego sekciarstwa rozdmuchiwała, adamici stanowili dla niej temat wręcz wymarzony. Wnet w całej Europie wierzono, że wszyscy Czesi jak jeden mąż chodzą nago i pieprzą się nawzajem w myśl nauk Jana Husa. Wobec zagrożenia krucjatami anarchia w szeregach mogła okazać się zgubną, a pikarci, co tu gadać, wciąż mieli w Taborze cichych zwolenników. Pod koniec marca roku 1421 Żiżka zbrojnie uderzył na komunę Kanisza. Część sekciarzy wyrżnięto, część, osób kilkadziesiąt, w tym samego Kanisza, pojmano. Wszystkich pojmanych spalono żywcem. Stało się to we wsi Klokoty, we wtorek przed świętym Jerzym. Miejsce nie było przypadkowe. Klokoty leżą tuż obok Taboru, kaźń można było obserwować z murów. Żiżka dawał Taborowi ostrzeżenie...

Urwał, spojrzał w kąt, na Samsona Miodka.

– Ależ on struga ten kołek – westchnął. – Aż wióry lecą... Bezpiecznie to dawać idiocie nóż? Ręki sobie aby nie oberżnie?

– Nie ma obawy – Reynevan przyzwyczaił się już do takich pytań. – Jest, wbrew pozorom, niezwykle uważny. Kontynuuj, bracie Berengarze. Co było dalej?

– Kolejno wykańczano innych sekciarzy, aż została tylko jedna grupa: komuna Buriana. Ci kryli się w lasach nad rzeką Nieżarką. Była to straszna banda, najradykalniejsi z radykałów, absolutnie sfanatyzowani i przekonani o swym boskim posłannictwie. Jęli napadać na okoliczne wsie i osady – rzekomo, by „nawracać". W rzeczywistości mordowali, rabowali, palili, maltretowali, dopuszczali się nieprawdopodobnych bestialstw. Nie bali się nikogo. Bu-

rian, ich przywódca, którego, jak zresztą wcześniej Kanisza, oficjalnie tytułowano już „Jezusem" i „synem Bożym", zaręczał im, że jako wybrańcy są nietykalni i nieśmiertelni, że żadne ostrze się ich nie ima i żadna broń nie może zranić. Otaczał się haremem dwudziestu kilku kobiet i dziewcząt. Wreszcie posunął się do tego, że...
– No?
– Zaczął udzielać komunii... Hmm... Poprzez... *fellatio*. Fajny sakrament, nie? Ale szybkimi kroki zbliżał się koniec pikarckiego *intermezza*, Żiżka wisiał już nad nimi jak jastrząb. W październiku wytropił ich i otoczył. Adamici Buriana stawili zaciekły opór, bili się podobno jak szatani. Wyrżnięto ich, a jakieś pół setki wzięto żywymi. Wszyscy spłonęli na stosach. Połowę stanowiły kobiety, większość z nich była w ciąży. Okazano im wzgląd: adamitów przed spaleniem poddano okrutnym męczarniom. Adamitki spalono bez tortur.
– Wszystkie?
– Skądże – wtrącił z obleśnym uśmiechem Amadej Bata.
– Pozostawiono – pokiwał głową Berengar Tauler – kilka. W wielkiej tajemnicy, starannie kryjąc rzecz przed Żiżką. O swobodzie seksualnej adamitów było już wówczas bardzo głośno. Adamitki, głosiła plotka, kochają rozbierać się do naga, a jeśli idzie o te sprawy, to wręcz uwielbiają orgie, zwłaszcza w grupach, nic nie sprawia im większej przyjemności jak uciecha zbiorowa, kilku na jedną. Ha, jeśli więc tak to lubią...
– Nie musisz – Reynevan zacisnął zęby. – Nie musisz kończyć.
– Jednak muszę. Bo jedna z tych oszczędzonych, ostatnia żywa, właśnie niesie tu dzbanek.
– Marketa – potwierdził Amadej Bata. – Ulubiona pono dupka adamity Buriana, jego faworyta. Huncleder odkupił ją od taborskich braci, gdy im zbrzydła. Teraz ona u niego rabka. Jego własność. Na całość i na zawżdy. Po śmierć.
– Idąc do komun, spaliła mosty – Tauler zauważył zdziwioną minę Reynevana. – Nie ma powrotu. Sekciarzy wyparły się rodziny...

– A polowanie na pikartów wciąż trwa – dorzucił obojętnie na pozór Szarlej. – Każdego niemal dnia demaskują i palą jakiegoś, przed spaleniem biorąc na tortury. Dziewka musi robić to, co każe jej robić Huncleder, jest na jego łasce i niełasce. I tylko dzięki niemu żyje.

– Żyje? – Reynevan odwrócił głowę. Nikt mu nie odpowiedział.

Nazwana Marketą rudowłosa dziewczyna napełniła kubki. Tym razem Reynevan przyjrzał się baczniej. Tym razem, nalewając mu, uniosła wzrok. W jej spojrzeniu nie było tego, czego się spodziewał, czego oczekiwał – bólu, wstydu, upokorzenia, zalęknionego poddania niewolnicy. Oczy rudowłosej dziewczyny pustoszyła wielka bezbrzeżna obojętność.

Kątem oka spostrzegł coś, co zdziwiło go jeszcze bardziej.

Samson Miodek przestał strugać.

– No, panowie i bracia – Huncleder wstał od stołu. – Czas, by się rozerwać po trudach. Służba, przesunąć ławy! Rusz się, Jerzabek! Wy tam, dziewki, wina utoczyć i podać! Wam zaś, goście, przypominam, że jest to rozrywka płatna. Oczy może ucieszyć widokiem, kto nie pożałuje florena lub węgierskiego dukata. Lub równowartości, znaczy szerokich groszy trzydziestu. Nie pożałuje jednak, kto nie poskąpi! Prospekt wart jest i dziesięciu dukatów, zaręczam!

Wkrótce wszyscy goście zasiedli na zaimprowizowanej widowni, mając przed sobą dębowy stół, na którym niedawno grano.

Stół oświetlono lichtarzami. Jeden z knechtów zaczął nagle rytmicznie uderzać w turecki bębenek. Gwar ścichł. Z alkierza wyszła Marketa. Bębenek zamilkł.

Szła spokojnie, bosa, otulona w coś, co dopiero po chwili dało się zidentyfikować jako komża, autentyczna liturgiczna szata. Z pomocą jednego z pachołków weszła na stół. Chwilę stała nieruchomo, wsłuchując się w rytm bębenka. Potem uniosła komżę. Nieco powyżej kolan. Potem wyżej. Zapląsała lekko, obróciła się, zwiewna jak podkasana pasterka. Manfred von Salm krzyknął ochoczo, uderzył w dłonie, ścichł, konstatując, iż innych pochłania wyłącznie widok.

Marketa nawet nie zwróciła uwagi. Każdy jej gest, każdy ruch, każde spojrzenie, każde drgnienie twarzy i nienaturalny uśmiech mówiły jedno: jestem tu sama. Jestem sama, sama, samotna i daleko od was. Od was i od wszystkiego, czym jesteście. Jestem w zupełnie innym świecie.

Et in Arcadia ego, pomyślał Reynevan. *Et in Arcadia ego.*

Bębenek przyspieszył, ale dziewczyna nie dopasowała się do rytmu. Przeciwnie, poruszała się arytmicznie. Wolno, jakby ospale. Podniecająco i hipnotyzująco. A podciągany kraj komży wędrował wciąż wyżej i wyżej, nieprzerwanie, do połowy ud, wyżej, wyżej, odsłaniając wreszcie i na koniec to, na co wszyscy czekali, na widok czego zareagowali mimowolnymi grymasami, chrząkaniem, stękaniem, sapaniem, głośnym przełykaniem śliny.

Bębenek uderzył mocno i zamilkł, a Marketa wolno podniosła komżę. I szybko ściągnęła ją przez głowę.

Piegi pstrzyły jej ramiona i barki, drobnym rzucikiem pokrywały szyję i piersi. Niżej już ich nie było.

Bębenek załomotał w przyspieszonym tempie, a dziewczyna zaczęła się obracać, obracać i kołysać, jak bachantka, jak Salome. Teraz okazało się, że maczek piegów pokrywał także jej plecy i kark. Burza włosów falowała jak Morze Czerwone – na chwilę przed tym, nim Mojżesz kazał mu się rozstąpić.

Bębenek zagrzmiał mocno, Marketa zamarła w pozie tyleż wyuzdanej, co nienaturalnej. Na widowni Manfred klasnął znowu, setnik od Rohacza huknął, huknął też Amadej Bata, piorąc się dłońmi po udach. Huncleder zarechotał. Berengar Tauler zaczął bić brawo.

Ale to nie był koniec przedstawienia.

Dziewczyna uklękła na podwiniętych nogach, wsparła dłońmi piersi, ściskając je i eksponując ku patrzącym. Kołysała się i wężowo wiła przy tym. I uśmiechała. Ale uśmiech to nie był. To był skurcz spastyczny, *spasmus musculi faciei.*

Na sygnał bębenka Marketa gładko i zręcznie przeszła z klęku w siad. Bębenek jął bić drobno i frenetycznie, a dziewczyna znowu zaczęła wić się jak wąż. A wreszcie zamarła, odrzuciła głowę w tył i szeroko rozwiodła uda. Tak szeroko, by nikomu z patrzących nie umknął żaden detal. Ani nawet detal detalu.

Jakiś czas to trwało.

Dziewczyna porwała komżę, zeskoczyła ze stołu i znikła w alkierzu. Ścigały ją aplauz i ryk widowni. Manfred von Salm i setnik od Rohacza pohukiwali i tupali, Berengar Tauler bił brawo na stojąco, Amadej Bata piał jak kogut.

– No i co? – Fridusz Huncleder wstał, przeszedł izbę i siadł za stół. – I co? Widzieliście kiedy podobnie rudą? Nie wart był prospekt dukata? Jeśli już przy tym jesteśmy, mości Szarleju, to od ciebie dostałem tylko dwa. A wszak samotrzeć wszedłeś. Tu zaś każda para oczu w lik idzie, kto patrzy, ten płaci. Mamy rewolucję, wszyscy są równi, pan i parobek... Hola! Nie mówiłem do ciebie, ino do twego pana! Ty wracaj, gdzieś siedział, kijaszek dalej sobie strugaj. Zresztą masz to dukata? Widziałeś kiedy w życiu dukata?

Trochę potrwało, nim Reynevan pojął, do kogo zwraca się Huncleder. Trochę potrwało otrząśnięcie się ze zdumienia.

– Głuchyś? – spytał Huncleder. – Czy tylko głupiś?

– Dziewczyna, która tańczyła – Samson Miodek strzepnął wiór z mankietu. – Chciałbym ją stąd zabrać.

– Cooooo?

– Chciałbym przejąć, że się tak wyrażę, prawa własności do niej.

– Czegooooo?

– Za mądrze? – Samson nawet o ton nie podniósł głosu. – Zatem powiem prościej: jest twoja, a ma być moja. Załatwmy to więc.

Huncleder patrzył na niego, długo, jakby nie mogąc uwierzyć własnym oczom i uszom. Wreszcie parsknął gromko.

– Panie Szarlej – odwrócił głowę. – Co to za jasełki?

184

Czy to u was tak zawsze? On tak sam ze siebie? Czy też wyście mu to nakazali?

– On – Szarlej dał dowód, że nawet najmniej spodziewane zdarzenie nie jest w stanie zbić go z pantałyku. – Ma imię. Zwie się Samson Miodek. Niczego mu nie nakazywałem. Ani nie zakazywałem. To człek wolny. Ma prawo do samodzielnych transakcyj handlowych.

Huncleder rozejrzał się. Nie spodobały mu się ani otwarty rechot Manfreda von Salma, ani parskania Amadeja Baty, ani setnie rozbawione miny reszty. Nie spodobały mu się. Można to było bez trudu wyczytać z jego twarzy.

– Z samodzielnej transakcji – wycedził – nici będą. Dziewka nie jest na sprzedaż, to raz. Nie handluję z idiotami, to dwa. Zabieraj się stąd, klocu. Poszedł won. Konie oporządź, wychodek wyczyść albo co. To jest lokal dla graczy. Nie grasz, won.

– Ależ ja właśnie grę miałem na myśli – odrzekł Samson, spokojny jak statua. – Kupczenie ludźmi to rzecz zbirów i ostatnich skurwysynów. Natomiast hazard... Cóż, przy licznych wadach ma również zalety. W grze losowej, jak nazwa wskazuje, trzeba się zdać na niezbadany los. Nie ciekawyś niezbadanego losu, Huncleder? Podobno do każdej gry jesteś gotów. Nuże tedy. Jeden rzut kości.

W izbie zapadła cisza. Twarze niektórych obecnych wciąż wykrzywiały grymasy dzikiego rozbawienia, ale nikt już nie śmiał się głośno. Ospowata twarz Huncledera ściągnęła się, skurczyła paskudnie. Ruchami głowy rozkazał swym pachołom, by wyszli z cienia. Potem pchnął przed Samsona parę kości, tych, w które grano. Sam wziął do ręki te dwie swoje, żółte.

– Zagrajmy więc – powiedział lodowato. – Jeden rzut. Wygrasz, dziewczyna jest twoja. Nie będziesz musiał nawet dopłacać, znaj pana. Jeśli jednak ja wyrzucę więcej od ciebie...

Strzelił palcami. Jeden z pachołków podał mu niedużą siekierkę. Drugi podniósł napiętą kuszę. Szarlej szybko chwycił Reynevana za ramię.

– Jeśli ja wyrzucę więcej – dokończył szuler, kładąc toporek przed sobą na stole – odrąbię ci tyle palców, ile wyrzucę oczek. U rąk. Będzie trzeba, to i u nóg. Jak tam w grze wypadnie. A niezbadany los zechce.

– Ejże! – powiedział gniewnie Istvan Szeczy. – Co to ma być? Zostawże te żółte kości, zaraza...

– Rzeźnię – wpadł w słowo Habart Mol z Modrzelic, setnik od Rohacza – tu szykujesz?

– Ciołek chciał gry! – zagłuszył obu szuler. – Będzie miał grę! To jakoby człek wolny. Mający jakoby prawo do samodzielności. Może się więc jeszcze wycofać. Samodzielnie uznać, że się wygłupił, i samodzielnie stąd odejść. Nikt go nie zatrzyma. Jeśli nie będzie zbyt długo zwlekał z odejściem.

Setnik, widać to było, byłby się może i spierał, zacięte miny Węgra i Baty też o czymś świadczyły. Ale nim ktokolwiek zdążył przemówić czy cokolwiek uczynić, Samson wstrząsnął kostki i wyturlał je na stół. Jedna padła do góry czwórką, druga trójką.

– To jest – powiedział ze spokojem, który przerażał – siedem punktów, jeśli się nie mylę.

– Nie mylisz się – Huncleder zagrzechotał w kubku swoimi kośćmi. – Cztery i trzy daje siedem. A względem twoich palców: dziesięć i dziesięć daje dwadzieścia. Chwilowo.

Kości potoczyły się. Wszyscy świadkowie zdarzenia westchnęli jednym głosem. Jerzabek zaklął.

Obie żółte kostki upadły jednym, jedynym oczkiem do góry.

– Przegrałeś – przerwał grobową ciszę bas Samsona Miodka. – Nie sprzyja ci los. Dziewczyna jest moja. Zabiorę ją więc i faktycznie już sobie pójdę.

Huncleder zaatakował zza stołu z szybkością dzikiego kota. Siekierka świsnęła w powietrzu, ale nie wcięła się, jak powinna, w skroń Samsona. Olbrzym był jeszcze szybszy. Odwiódł głowę, lewą ręką chwycił szulera za łokieć, prawą dłoń zacisnął na palcach trzymających broń. Wszyscy słyszeli, jak Huncleder zawył i jak chrupnęły kości. Samson wydusił siekierkę z pokruszonych palców, odebrał ją, przygiął szulera do stołu, obuszkiem potężnie walnął w palce drugiej dłoni, wpartej w blat. Huncleder zawył jeszcze głośniej. Samson walnął jeszcze raz. Szuler padł twarzą na stół i zemdlał.

Zemdlał, nie zobaczywszy, jak Reynevan żbiczym susem doskakuje do pachołka celującego z kuszy i podbija broń tak, by łoże z nieprzyjemnym odgłosem trzasnęło w wargi i zęby. Jak Szarlej unieszkodliwia drugiego knechta swoim ulubionym kopniakiem w kolano i ciosem miażdżącym nos. Jak Amadej Bata wali jednego z szulerów zydlem w krzyże. Jak Berengar Tauler za pomocą dwóch dobytych nie wiedzieć skąd sztyletów ostrzega innych, że mieszać się jest ryzykownie, a Reynevan wydartą pachołkowi kuszą dodaje ostrzeżeniu groźnej powagi. Jak Jerzabek siedzi zamarły z kretyńsko otwartą gębą, przez co wygląda zupełnie jak drewniany wioskowy świątek. Jak Samson spokojnym krokiem udaje się do alkierza, jak wyprowadza stamtąd rudą i piegowatą dziewczynę. Dziewczyna była blada, szła niechętnie, ba, dość opornie nawet, ale Samson nie przejmował się tym bynajmniej, bezceremonialnie stosując niegwałtowny, acz stanowczy przymus.

– Chodźmy – powiedział do Reynevana i Szarleja. – Chodźmy sobie stąd.

– Jak najbardziej – potwierdził Berengar Tauler, nadal z dwoma sztyletami w dłoniach. – Chodźmy, i to szybko. Ja i Amadej idziemy z wami.

●

Ujechali nie więcej niż pół mili, trakt wywiódł ich z ciemnego boru na połać rżysk, jasną pod gwiazdami. Prowadzący kawalkadę Berengar Tauler wstrzymał i obrócił konia, zagradzając reszcie drogę.

– Stać! – ogłosił. – Dosyć tego dobrego! Chcę wiedzieć, w co się tu gra! O co tu się, u diabła, rozchodzi!

Koń Szarleja rzucił łbem, zarżał, tuląc uszy. Demeryt uspokoił go.

– Po kiego licha – nie ustawał Tauler – była ta awantura? Którą wszyscy możemy głowami przypłacić! Na cholerę wam ta dziewka? Dokąd, zaraza, jedziemy? I nade wszystko...

Nagle pchnął konia wprost na Samsona, jakby chciał go staranować. Samson nawet nie drgnął. Nie drgnęła wieziona na łęku dziewczyna o wciąż obojętnej, drewnianej twarzy i nieobecnych oczach.

– Nade wszystko – wrzasnął Berengar Tauler – kim, u czarta, jest ten typ? Kim on jest?

Szarlej podjechał do niego, a tak zdecydowanie, że Tauler ostro ściągnął koniowi wodze.

– Nie jadę – powiedział, znacznie już ciszej – z wami ani stajania dalej. Dopóki nie dowiem się, o co idzie.

– Wolna wola – wycedził Szarlej – i wolna droga.

– W oberży pomogliśmy wam, nie? Wmieszaliśmy się, nie? Samiśmy teraz w kłopotach, nie? I nie należy nam się nawet słowo wyjaśnienia, tak?

– Tak. To znaczy nie. Nie należy się.

– To ja... – Tauler aż się zachłysnął. – Ja...

– Nie wiem, co ty – Amadej Bata, wpatrzony w Samsona, podprowadził konia z drugiej strony. – Ale ja wiem, czego chciałbym. Chciałbym otóż dowiedzieć się, jakim cudem na oszukańczej kostce zamiast sześciu pojawia się jedno oczko. Chętnie bym się czegoś takiego nauczył, za zapłatą, ma się rozumieć. Rozumiem, że to czary, ale czy da się to zrobić? Czy też, by coś takiego sprawić, potrzeba szczególnej mocy? Jakiejż to, ciekawym?

– Dużej! – przysłuchujący się Reynevan dał wreszcie upust emocjom. – Wielkiej! Niewyobrażalnej! Takiej, że naprawdę zastanawiam się, czy ma sens...

– Hamuj się – uciszył go ostro Szarlej. – Za dużo gadasz!

– Gadam, co i jak chcę!

– Baczę – parsknął Berengar Tauler – że i wśród was brak jedności względem wydarzenia. Że się względem tego ku rodzinnej kłótni ma. A że my z Batą nie rodzina, tedy ujedziem krzynkę na bok. Jak sobie już wszystko powiecie, zawołajcie. Postanowimy, co i jak.

Gdy zostali sami, długo milczeli. Reynevan poczuł, że złość go opuszcza. Ale nie wiedział, jak i od czego zacząć. Na Szarleja liczyć nie było można, w takich sytuacjach nigdy nie odzywał się pierwszy. Konie pochrapywały.

– W szulerni – odezwał się wreszcie Samson Miodek – wydarzyło się to, co musiało się wydarzyć. To było nieuchronne. To musiało się stać, bo... Bo musiało. Nic innego nie wchodziło w grę, niemożliwy był żaden inny przebieg wydarzeń. Albowiem inny, alternatywny przebieg wydarzeń zakładał obojętność. Zgodę. Aprobatę. Tolerowanie. To, co w szulerni zobaczyliśmy, to, czego byliśmy świadkami, wykluczało obojętność i bezczynność, a zatem alternatywy tak naprawdę nie było. Stało się więc to, co musiało się stać. A kostki... Cóż, kostki, ogólnie rzecz ujmując, rządzą się przy padaniu podobnymi prawami. Padają tak, jak mus im paść.

Reynevan słyszał, jak siedząca przed Samsonem dziewczyna westchnęła cicho.

– I w zasadzie – podjął Samson – nie mam nic więcej do dodania. Jeśli chcecie o coś zapytać... Reinmarze? Przed chwilą zdawało mi się, że coś cię nurtuje.

– Jedna myśl – przyznał Reynevan, sam się dziwiąc swemu spokojowi. – Tylko jedna myśl. Przez rok prascy magicy biedzili się, by ci pomóc, by umożliwić ci powrót do twej normalnej postaci, do twego normalnego świata, żywiołu, wymiaru, sam już nie wiem, czego. Nie udało im się. Teraz zaplanowaliśmy dość ryzykowną wyprawę przez Czechy, wybieramy się dokądś pod Jiczyn i Turnov, niemal nad łużycką granicę. Albowiem pragniemy ci pomóc. Po tym, co dziś widziałem, owszem, nurtuje mnie pewna myśl. Czy tobie w ogóle i w czymkolwiek potrzebna jest pomoc, Samsonie? Czy tobie, zdolnemu odmienić los w rzucanych kostkach, potrzebna jest pomoc zwyczajnych, niewiele umiejących ludzi? Czy potrzebna ci nasza pomoc? Czy ci na niej zależy?

– Jest potrzebna – odpowiedział olbrzym natychmiast, bez sekundy wahania. – I zależy mi na niej.

– Przecież – dodał po chwili, bardzo cicho i miękko. – Przecież obaj wiecie o tym.

Dziewczyna – Marketa – westchnęła raz jeszcze.

– Dobra – wkroczył Szarlej. – Stało się, co się stało. Wiedz, Samsonie, że daleko mi do twego fatalizmu. Według mnie przed rzeczami nieuchronnymi niezwykle łatwo się uchronić: wystarczy zwyczajnie ich nie robić. Podobnie jest ze zjawiskami, na które nie można patrzeć obojętnie... wystarczy odwrócić wzrok. Tym bardziej, że stanowią na tym świecie raczej normę niż wyjątek. Ale stało się i raczej, jak widzę, nie odstanie. Zrobiliśmy dobry uczynek, zapłacimy za to, bo za głupotę zawsze się płaci. Zanim to jednak nastąpi, plan jest taki: dziewczynę trzeba gdzieś bezpiecznie ulokować...

– Zawiozę ją do Pragi – oświadczył Samson. – Do pani Pospichalovej.

Marketa demonstracyjnie szarpnęła się na łęku, zaburczała po kociemu. Samson nie przejął się demonstracją. Ani, wyglądało, tym, że bardzo mocno ściskała mu nadgarstek.

– Sam nie możesz z nią jechać – orzekł Szarlej. – Trudno, jedziemy wszyscy. Co z Taulerem i Batą? Jeżeli plan dotarcia na Troski jest nadal aktualny, Tauler by się przydał, twierdzi, że ma sposób, by dostać się na zamek. Za dużo wyjawić im obu nie można, ale faktem jest, że w szulerni stanęli po naszej stronie i mogą przez nas mieć kłopoty. Huncleder może chcieć się mścić. Obaj służą w taboryckim wojsku, a licho wie, kto ze znacznych hejtmanów grywał... i przegrywał u Huncledera...

– Choćby nie wiem jak znaczny był to hejtman – obiecał Reynevan – to da się go usadzić. Szulera, gdyby hałasował, też. Bo na znacznych są znaczniejsi.

– Flutek.

– Jakbyś zgadł. Dlatego wy wszyscy jedźcie do Pragi. Ja zaś pojadę dalej. Pod Białą Górę.

Rozdział siódmy

w którym Reynevan usuwa kamień z nerki, w nagrodę za co zostaje ojcem. W ramach tej samej nagrody dodatkowo zostaje szpiegiem. Z pełnym dobrodziejstwem inwentarza.

Białą Górą zwano łyse wzgórze na zachód od Pragi, kawalątek od klasztoru premonstratensów na Strahowie. Podnóże góry przybywające pod Pragę wojska kilkakrotnie wykorzystywały jako obozowisko. W efekcie znękani rekwizycjami i rabunkami mieszkańcy okolicznych wiosek wynieśli się do diabła, a okolica opustoszała. Armie przybywały i odchodziły, ale miała Biała Góra i stałych lokatorów. Bohuchval Neplach, zwany Flutkiem, uczynił z Białej Góry swą kwaterę główną i centrum szkoleniowe husyckiego wywiadu. Flutek mógł rezydować w samej Pradze, ale nie chciał. Miasta stołecznego nie lubił i bał się go. Praga, co tu gadać, nawet w chwilach spokoju i ładu była jak uśpione, ale nieobliczalne i zawsze głodne krwi monstrum. Prażanie łatwo wpadali w gniew i wybuchali, a w wybuchu byli straszni. Dla tych, których nie lubili.

W Pradze mało kto lubił Flutka.

Dlatego Flutek wolał Białą Górę. I tu rezydował. Dzięki temu, że on, Bohuchval Neplach, tu rezyduje, mawiał, nazwa „Biała Góra" wejdzie do historii Czech. Dzieci, mawiał, będą się tej nazwy uczyć.

Świtało, gdy Reynevan minął niegdyś bogaty, obecnie złupiony i opustoszały strahowski klasztor. Świtało i zaczynało padać. Gdy dotarł pod Białą Górę, ranek był w pełni. I rozpadało się na dobre.

Zmoknięci strażnicy u ostrokołu zlekceważyli go zupełnie, wartownik przy kołowrocie machnął ręką, wskazując majdan. Nie nagabywany przez nikogo zaciągnął konia do stajni. W stajni byli ludzie, przyglądali się, żaden o nic nie zapytał.

Szpiegowski ośrodek rozbudowywał się, deszcz jeszcze wzmógł dominujący nad miejscem zapach niedawno rżniętej tarcicy i heblowanych belek, wszędzie pełno było wiórów. Zza starych chałup i stodół wyglądały domostwa nowe, świecące nowiutką ciesiółką i roniące żywicę z zaciosów. Nie budząc niczyjego zainteresowania Reynevan podszedł pod jeden z takich nowych domów, niski, podłużny, przypominający wielki lamus. Wszedł do sieni, potem do izby. Pełnej dymu, pary, wilgoci. I ludzi, jedzących, gadających, suszących odzież. Patrzyli na niego. Bez słowa. Wycofał się.

Zajrzał do dużej świetlicy. Na ławach siedziało tam ze czterdziestu mężczyzn, w skupieniu słuchających wykładu. Reynevan znał wykładowcę, sędziwego starca, szpiega, jak głosiła plotka, jeszcze w służbach Karola IV. Dziadyga był tak zmurszały, że można było plotce wierzyć. Ba, sądząc z wieku i wyglądu, staruch mógł szpiegować i dla Przemyślidów.

– A gdyby co nie tak poszło, khe-khe... – nauczał, kaszląc. – Gdyby was, tego, osaczyli, tegdy pomnijcie: najlepiej wrzask w jakim ludnym miejscu uczynić, że to Żydzi, że to wszystko przez Żydów, że to żydowskie są knowania. Weź jeden z drugim w gębę mydła kęsek, u studni miejskiej pianę tocz, pluj a krzycz: ratunku, pomocy, umieram, zatruli, zatruli, Żydzi, Żydzi. Naród wraz rzuci się Żydów gromić, zacznie się, tego, khe-khe, dzika rucha-wka, Inkwizycja, wasz trop rzuciwszy, za Żydów się weź-mie, wy zasię w spokojności się wymkniecie. Toż samo, gdyby którego pojmali i na męki wzięli. Wtedy, tego, głu-pa rżnąć, wołać, ja niewinny, ja ślepe narzędzie, Żydzi winni, oni kazali, złotem przekupili. Uwierzą, rzecz to pewna. W coś takiego zawsze, khe-khe, wierzą.

– Hej! Reynevan!

Tym, kto go okrzyknął, był Slavik Candat, znany Rey-nevanowi z czasów studenckich. Gdy Reynevan studia rozpoczynał, Slavik Candat studiował już od lat co naj-mniej ośmiu i był starszy od większości doktorów, o magi-strach nie wspominając. „Studiował" było zresztą słowem średnio adekwatnym – Slavik Candat na uczelni bywał, prawda, udało się go tam niekiedy zobaczyć. Ale stokroć częściej dawał się zastać w którymś z zamtuzów na Per-sztynie lub na Krakowskiej. Albo w miejskim areszcie, dokąd regularnie wsadzano go za pijackie rozróby i nocne tumulty. Choć nie młodzik, Candat kochał awantury i dra-ki, nie dziwota więc, że po defenestracji z entuzjazmem włączył się w nurt rewolucji. Reynevan wcale się nie zdzi-wił, widząc go u Flutka wiosną roku 1426, podczas swej pierwszej wizyty pod Białą Górą.

– Witaj, Slaviku. Co to, zostałeś sekretarzem?

– Hę? O to ci idzie? – Candat uniósł taszczone arkusze papieru i gęsie pióra. – To są listy z nieba.

– Listy skąd?

– Awansowałem – pochwalił się wieczny student, prze-czesując palcami niegdysiejsze włosy. – Brat Neplach przeniósł mnie do referatu propagandy. Zostałem pisa-rzem. Artystą. Poetą bez mała. Piszę listy spadłe z nieba. Rozumiesz?

– Nie.

– No to posłuchaj – Candat wziął jeden z arkuszy, zmrużył krótkowzroczne oczy. – Spadły z nieba list Matki Boskiej. Moje wczorajsze dzieło.

– Ludu niewierny, pokolenie niegodziwe i przewrotne

193

– jął czytać głosem wpadającym w kaznodziejską egzaltację – spadnie na was gniew Boży oraz klęski w pracach i w stadach waszych, które posiadacie. Ponieważ nie wyznajecie prawdziwej wiary, lecz słuchacie rzymskiego antychrysta, odwrócę od was moje oblicze, a Syn mój osądzi was za zło, które uczyniliście w Jego świętym Kościele, i pogrąży was, jak pogrążył Sodomę i Gomorę. I będziecie zębami zgrzytać a jęczeć, amen.

– Listy spadłe z nieba, kumasz? – wyjaśnił Candat, widząc, że Reynevan nie kuma ni w ząb. – Listy Jezusa, listy Marii, listy Piotra. My w propagandzie je piszemy. Agitatorzy i emisariusze uczą się ich na pamięć, idą we wrogie kraje, ludziom tamecznym głosić. By, jak mawia szef referatu naszego, tamecznym ludziom tak do głów nasrać, by nie wiedzieli, kto swój, kto wróg i gdzie który. Po temu są listy z nieba, kumasz? O, ten, posłuchaj, list Jezusa. Uważ, jak świetnie napisany...

– Wiesz, Slaviku, trochę się spieszę...

– Posłuchaj, posłuchaj! Grzesznicy i niegodziwcy, zbliża się do was kres. Jam cierpliwy, ale jeśli z Rzymem, z tą Bestią babilońską, nie zerwiecie, przeklnę was wraz z Ojcem moim i z anioły memi...

– Brat Bielawa? – wybawił Reynevana głos za plecami. – Brat Neplach pragnie was pilnie widzieć, czeka. Pozwólcie. Zaprowadzę.

●

Jeden z nowo zbudowanych domów był okazały, przypominał dworek. Na parterze miał kilka świetlic, na piętrze kilka spartańsko raczej wyposażonych komnat. W jednej z komnat stało wielkie i zupełnie niespartańskie łoże. Na łożu, nakryty pierzyną, leżał i jęczał Flutek.

– Gdzie się włóczysz? – dziko zawył na widok Reynevana. – Posyłałem za tobą do Pragi, posyłałem pod Kolin! A ty... Ooo.... Oooooooo.... Aaaaaaaaaaa!

– Co ci jest? Ach, nie mów. Wiem.

– Ach, wiesz? Nie może być! Co mi tedy jest? Na co cierpię?

– Ogólnie na kamicę moczową. A w tej chwili masz

194

kolkę. Usiądź. Podciągnij koszulę, obróć się. Tu boli? Gdy uderzam?

– Aaaaaaooooaaaaj!!! Kurwa!!!

– Niewątpliwie kolka nerkowa – orzekł Reynevan. – Sam zresztą świetnie wiesz. To z pewnością nie pierwszy raz, a objawy są charakterystyczne: bóle powracające atakami, promieniujące w dół, mdłości, parcie na pęcherz...

– Przestań gadać. Zacznij leczyć, cholerny znachorze.

– Znalazłeś się – uśmiechnął się Reynevan – znienacka w całkiem dobrym towarzystwie. Na ciężką kamicę i bardzo bolesne ataki kolki nerkowej cierpiał Jan Hus w Konstancji, siedząc w więzieniu.

– Ha – Flutek okrył się pierzyną i uśmiechnął cierpiętniczo. – Więc to pewnie oznaka świętości... Z drugiej strony przestaję się dziwić, że Hus wtedy nie odwołał... Wolał stos niż te bóle... Chryste, Reynevan, zrób coś z tym, błagam...

– Zaraz przyrządzę ci coś na uśmierzenie. Ale kamienie trzeba usunąć. Konieczny jest cyrulik. Najlepiej wyspecjalizowany litotomista. Znam w Pradze...

– Nie chcę! – zawył szpieg, nie wiada, bardziej z bólu czy z wściekłości. – Był tu już taki! Wiesz, co chciał zrobić? Dupę chciał mi rozerżnąć! Rozumiesz? Rozerżnąć dupę!

– Nie dupę, lecz krocze. Trzeba rozciąć, jak inaczej dostać się do kamieni? Przez rozcięcie wprowadza się do pęcherza długie kleszcze...

– Przestań! – zawył Flutek, blednąc. – Nawet nie mów o tym! Nie po to cię tu ściągałem, wysyłałem rozstawne konie... Wylecz mnie, Reynevan. Magicznie. Wiem, że potrafisz.

– Majaczysz chyba w gorączce. Czarownictwo to *peccatum mortalium*. Czwarty artykuł praski nakazuje karać czarowników śmiercią. Przyrządzę ci napój uśmierzający, na teraz. I *nepenthes*, lek oszałamiający, na później. Zażyjesz, gdy zjawi się litotomista. Prawie nie poczujesz, gdy będzie ciął. A wprowadzanie kleszczy wytrzymasz jakoś. Pamiętaj tylko, by wziąć w zęby kołek albo skórzany pas...

– Reynevan – Flutek zrobił się biały jak wapno. – Proszę. Obsypię cię złotem...

– Aha, jasne, obsypiesz. Na krótko, bo skazanym na stos czarownikom złoto się konfiskuje. Zapomniałeś chyba, Neplach, że pracowałem dla ciebie. Wiele widziałem. I wiele się nauczyłem. To zresztą czcze gadanie. Nie mogę magicznie usunąć kamienia, bo, po pierwsze, taki zabieg jest ryzykowny. A po drugie, nie jestem czarodziejem i nie znam zaklęć...

– Znasz – przerwał zimno Flutek. – Wiem bardzo dobrze, że znasz. Ulecz mnie, a zapomnę, że wiem.

– Szantaż, tak?

– Nie. Drobne kumoterstwo. Będę twoim dłużnikiem. W ramach spłaty długu o pewnych sprawach przestanę pamiętać. A jeśli ty będziesz w potrzebie, będę umiał się odwdzięczyć. Niech mnie piekło pochłonie, jeśli...

– Piekło – tym razem przerwał Reynevan – i tak cię pochłonie. Zabieg przeprowadzimy o północy. Żadnych świadków, tylko ty i ja. Będę potrzebował gorącej wody, srebrnego dzbanka lub pucharu, misy gorących węgli, miedzianego kotlika, miodu, brzozowej i wierzbowej kory, świeżych leszczynowych prętów, czegoś zrobionego z bursztynu...

– Dostarczą ci wszystko – zapewnił Flutek, gryząc wargi z bólu. – Co zechcesz. Wołaj ludzi, wydawaj rozkazy, wszystko, czego potrzebujesz, będzie dostarczone. Podobno do nigromancji potrzeba czasem ludzkiej krwi albo organów... Mózgu, wątroby... Nie wahaj się żądać. Będzie trzeba, to się... kogoś wypatroszy.

– Chciałbym wierzyć – Reynevan otworzył szkatułkę z amuletami, prezent od Telesmy – żeś oszalał, Neplach. Że ból rozum ci pomieszał. Powiedz, że to, co gadasz, to szaleństwo. Powiedz to, bardzo proszę.

– Reynevan?

– Co?

– Ja naprawdę ci tego nie zapomnę. Będę twym dłużnikiem. Przysięgam, spełnię każde twoje życzenie.

– Każde? Fajnie.

•

Reynevan miał wszelkie powody do dumy. Dumny był, po pierwsze, ze swej zapobiegliwości. Z tego, że tak długo wiercił doktorowi Fraundinstowi dziurę w brzuchu, że ów – mimo początkowej niechęci – zdradził mu swe zawodowe sekrety i wyuczył kilku medycznych zaklęć. Dumny był i z tego, że przysiedział fałdów nad przekładami *Kitab Sirr al-Asar* Gebera i *Al Hawi* Razesa, że pilnie zgłębiał *Regimen sanitatis* i *De morborum cognitione et curatione* – i że dużo uwagi poświęcił chorobom nerek i pęcherza, w tym zwłaszcza magicznym aspektom terapeutyki. Dumny był – w zasadzie – i z tego, że wzbudził w czarodzieju Telesmie dość sympatii, by ów obdarował go na drogę kilkunastoma bardzo praktycznymi amuletami. Ale najbardziej, ma się rozumieć, dumny był Reynevan z efektu. A efekt magicznego zabiegu przeszedł oczekiwania. Potraktowany zaklęciem i aktywacją amuletu kamień w nerce Flutka rozkruszył się, proste, stosowane zwykle przy porodach zaklęcie rozprężające udrożniło moczowód, silnie moczopędne czary i zioła dokończyły dzieła. Obudzony z wywołanego *nepenthesem* głębokiego uśpienia Neplach wydalił resztki kamienia wraz z wiadrami moczu. Był, prawda, i moment kryzysu – w pewnym momencie Flutek jął sikać krwią, zanim Reynevan zdołał wytłumaczyć, że to po magicznym zabiegu objaw całkowicie normalny, szpieg ryczał, pomstował, obrzucił medyka wyzwiskami, wśród których nie zabrakło określeń takich jak: *„verfluchter Hurensohn"* i „pieprzony meszugene czarownik". Wpatrzony w swój tryskający krwią członek Neplach wołał zbrojnych i groził medykowi spaleniem na stosie, wbiciem na pal i chłostą, w tej właśnie kolejności. Wreszcie osłabł, a że ulga od kolki też zrobiła swoje, usnął. I spał przez pół doby z okładem.

Deszcz padał nadal. Reynevan nudził się. Wpadł na wykłady sędziwego dziada, niegdyś szpiega Karola IV. Odwiedził piszących listy spadłe z nieba i apokalipsy, zmuszony był kilku wysłuchać. Zajrzał do stodoły, w której ćwiczyli Stentorzy, specjalny referat wywiadu, złożony z drabów o donośnych – stentorowych – głosach. Stentorzy szkoleni byli do wojny psychologicznej: mieli niszczyć morale obrońców oblężonych zamków i miast. Trenowali daleko od głównego obozu, bo podczas ćwiczeń ryczeli, aż uszy puchły.

– Poddać się! Złożyć broń! Inaczej wam! Wszystkim śmierć!

– Głośniej! – wrzeszczał prowadzący zajęcia, dyrygując wymachami rąk. – Równiej i głośniej! Raz-dwa! Raz-dwa!

– Córki! Wasze! Pohań! Bimy! Dzieci! Wasze! Wyrż! Niemy! Na! Dzidy! Powbi! Jamy!

– Bracie Bielawa – pociągnął go za rękaw znany mu już adiutant Flutka. – Brat Neplach prosi do siebie.

– Ze! Skóry! Obe! Drzemy! – ryczeli Stentorzy. – Jajca! Wam! Ut! Niemy!

•

Bohuchval Neplach czuł się już zupełnie dobrze, nic mu nie dolegało, był po staremu złośliwy i arogancki. Wysłuchał tego, co Reynevan miał mu do powiedzenia. Mina, z jaką słuchał, nic specjalnie dobrego nie wróżyła.

– Jesteście idioci – skomentował zreferowaną mu pokrótce i bezdetalicznie aferę w szulerni. – Tak ryzykować, i to dla kogo? Dla jakiejś prostytutki! Mogli wam tam wszystkim gardła poderżnąć, dziwię się w rzeczy samej, że nie poderżnęli, Huncleder dał chyba w tym dniu wychodne swoim najlepszym ochroniarzom. No, ale nie turbuj się, mój medyku, miły memu sercu i nerkom. Szuler nie zagrozi ani tobie, ani twoim kompanom-cudakom. Uprzedzi się go o konsekwencjach.

– Względem drugiej sprawy – Flutek splótł palce – to jesteście jeszcze więksi idioci. Podkarkonosze stoi w ogniu, pogranicze łużyckie płonie. Vartenberkowie, Biberstainowie, Dohnowie i inni katoliccy wielmoże ustawnie toczą z nami, jak sami ją nazywają, szubieniczną wojnę. Otto de Bergow, pan na Troskach, dorobił się już przydomka Husytobójcy. A że przyrzekłem spełnić życzenie? Unieważniam to. *Primo*, niecnie mnie podszedłeś, *secundo*, życzenie jest idiotyczne, *tertio*, nie chcesz mi wyjawić, czego tam chcesz szukać. Poddawszy wszystko to konsyderacji, odmawiam. Twoja śmierć na katolickiej szubienicy byłaby dla nas stratą, tym przykrzejszą, że bezsensowną. A my mamy wobec ciebie plany. Potrzebujemy cię na Śląsku.

– Jako wywiadowcy?

– Deklarowałeś poparcie dla sprawy Kielicha. Prosiłeś się w szeregi Bożych bojowników. I dobrze! Każdy winien służyć, najlepiej jak umie.

– *Ad maiorem Dei gloriam?*

– Powiedzmy.

– Znacznie lepiej usłużę jako lekarz niż jako szpieg.

– Mnie pozostaw ocenę w tym względzie.

– Właśnie na twoją się zdaję. Bo to w twojej nerce rozkruszyłem kamień.

Neplach milczał długo, skrzywiwszy wargi.

– No, dobra – westchnął, odwrócił wzrok. – Prawyś. Uleczyłeś mnie. Wybawiłeś od mąk. A ja przyrzekłem spełnić życzenie. Jeśli aż tak tego pragniesz, jeśli to twoje największe marzenie, pojedziesz na Podkarkonosze. Ja zaś nie tylko nie będę wypytywał, o co w tym wszystkim chodzi, ale jeszcze ułatwię ci eskapadę. Dam ci ludzi, eskortę, pieniądze, kontakty. Powtarzam: nie pytam, co za sprawy chcesz tam załatwiać. Ale masz się uwinąć. Przed Bożym Narodzeniem musisz być na Śląsku.

– Masz na zawołanie setki szpiegów. Szkolonych w rzemiośle. Szpiegujących dla grosza lub idei, ale zawsze chętnie i bez przymusu. A uparłeś się na mnie, dyletanta, który szpiegiem nie chce i nie umie być, a więc nie nada się, pożytku będzie z niego co z kozła mleka. Czy jest w tym logika, Neplach?

– Zawracałbym ci głowę, gdyby nie było? Potrzebujemy cię na Śląsku, Reynevan. Ciebie. Nie setek szkolonych w rzemiośle ideowych lub zawodowych szpiegów, ale ciebie. Ciebie osobiście. Do spraw, którym nikt oprócz ciebie podołać nie zdoła. I w których nikt nie może cię zastąpić.

– Szczegóły?

– Później. Po pierwsze, jedziesz w niebezpieczne okolice, możesz nie wrócić. Po drugie, ty szczegółów mi odmówiłeś, masz więc rewanż. Po trzecie i najważniejsze: nie mam teraz czasu. Wyjeżdżam pod Kolin, do Prokopa.

W sprawie eskapady zwróć się do Haszka Sykory. Onże da ci ludzi, specjalny oddział. I pamiętaj: spiesz się. Przed Bożym Narodzeniem...

– Muszę być na Śląsku, wiem. Chociaż wcale nie chcę. A marny to agent, który nie chce. Który działa z musu. Flutek milczał czas jakiś.

– Wyleczyłeś mnie – powiedział wreszcie. – Wyrwałeś ze szponów bólu. Odwdzięczę się. Sprawię, że na Śląsk pojedziesz bez musu. Ba, z chęcią nawet.

– Hę?

– Zostałeś ojcem, Reinmarze.

– Cooo?

– Masz syna. Katarzyna Biberstein, córka Jana Biberstein, pana na Stolzu, w czerwcu roku 1426 powiła dziecko. Chłopca urodzonego w dniu świętego Wita takim właśnie ochrzczono imieniem. Teraz liczy, jak łatwo wykalkulować, rok i cztery miesiące. Według raportów moich agentów, śliczne pacholę, skóra zdarta z ojca. Nie mów mi, że nie chciałbyś go zobaczyć.

•

– Pięknie – powtórzył Szarlej. – Dwa razy pięknie.

– Z dziesięć listów do niej posłałem – przypomniał gorzko Reynevan. – Więcej chyba niż dziesięć. Wiem, czas wojenny i niespokojny, ale któreś pisanie musiało dotrzeć. Dlaczego nie odpisała? Dlaczego nie dała mi znać? Dlaczego o własnym synu musiałem dowiedzieć się od Neplacha?

Demeryt ściągnął koniowi wędzidło.

– Wniosek nasuwa się sam – westchnął. – Jej zupełnie na tobie nie zależy. Może brzmi to okrutnie, ale jest li tylko logiczne. Może nawet...

– Co może nawet?

– Może nawet to wcale nie twój syn? Dobra, dobra, spokojnie, bez nerwów! Ja tylko głośno myślałem. Bo z drugiej strony...

– Co z drugiej strony?

– Może być i tak, że... Ech, nie! Mniejsza z tym. Powiem, a ty narobisz głupstw.

200

– Mówże, do cholery!

– Nie doczekałeś się odpowiedzi na listy, bo może stary Biberstein przejął się hańbą, wściekł, córunię razem z bękartem zamknął w wieży... Ech, nie, banał, tfu, jak z jarmarcznej śpiewki. Alkasyn i Nikoletta... Chryste, nie róbże takich min, chłopcze, bo mnie strach oblatuje.

– Ty nie wygaduj głupstw, ja nie będę robił min. Zgoda?

– Ależ jak najbardziej.

●

Objechawszy Pragę, skierowali się na północ. Deszcz padał nieustannie, właściwie bez przerwy, bo jeśli przestawało lać, zaczynało siąpić, a jeśli przestawało siąpić, to zaczynało mżyć. Oddział konny grzązł w błocie i posuwał się w tempie więcej ślimaczym – w ciągu dwóch dni dotarli zaledwie do Łaby, do mostu łączącego Starę Boleslav i Brandys. Nazajutrz, ominąwszy miasta, ruszyli dalej, w stronę gościńca nymburskiego.

Jadący za Szarlejem i Reynevanem Samson Miodek milczał, tylko od czasu do czasu głęboko wzdychał. Podążający za Samsonem Berengar Tauler i Amadej Bata pogrążeni byli w rozmowie. Rozmowa – być może sprawiała to pogoda – dość często przeradzała się w kłótnię, na szczęście równie krótkotrwałą, jak gwałtowną. Na samym końcu, zmoknięci i ponurzy, jechali Cherethi i Felethi. Niestety.

Szarlej, Samson, Tauler i Bata przybyli pod Białą Górę w wigilię świętej Urszuli, nazajutrz po odjeździe Flutka, który na wezwanie Prokopa Gołego wyruszył pod Kolin. Rudowłosa Marketa, zdali relację, została w Pradze skutecznie ulokowana w domu na rogu Szczepana i Na Rybniczku, u pani Blaženy Pospichalovej. Pani Blažena przyjęła dziewczynę, miała bowiem dobre serce, do którego to serca Szarlej dla pewności dodatkowo zaapelował kwotą stu dwudziestu groszy gotówką i obietnicą dalszych dotacji. Marketa – nazwiska dziewczyna wyraźnie wolała nie zdradzać – była więc w miarę bezpieczna. Obie panie, zapewniał Samson Miodek, przypadły sobie do gustu i w ciągu najbliższych miesięcy nie powinny się pozabijać. A potem, konkludował, się zobaczy.

Fakt, że kompanii nadal trzymali się Berengar Tauler i Amadej Bata, nieco dziwił, szczerze powiedziawszy, po rozstaniu Reynevan nie spodziewał się już ich ujrzeć. Tauler często konferował z Szarlejem, na boku i skrycie, Reynevan podejrzewał więc, że demeryt skusił go jakąś bujdą, wykonfabulowaną perspektywą wymyślonej zdobyczy. Zagadnięty wprost, Berengar uśmiechnął się tajemniczo i oświadczył, że woli ich towarzystwo od taborytów Prokopa, których porzucił, bo wojna to rzecz bez przyszłości, a wojaczka rzecz bez perspektyw.

– A pewnie – dorzucił Amadej Bata. – Rzecz prawdziwie perspektywiczna to obuwnictwo. Każdemu potrzeba butów, no nie? Mój teść jest szewcem. Niech no uskładam trochę grosza, niech się świat uładzi, wejdę w ten interes, rozbuduję teściowy warsztat do manufaktury. Będę produkował ciżmy. Na dużą skalę. Wnet cały świat będzie nosił ciżmy marki Bata, obaczycie.

Deszcz przestał siąpić, zaczął mżyć. Reynevan stanął w strzemionach, obejrzał się. Cherethi i Felethi, zmoknięci i ponurzy, jechali za nimi. Nie zgubili się w słocie i mgle.

Niestety.

•

Paskudnym towarzystwem, pstrą i niemile pachnącą hałastrą uszczęśliwił ich, jak się okazało, Flutek. Pośrednio. Bezpośrednio szczęście to spotkało ich ze strony Haszka Sykory, zastępcy szefa referatu propagandy.

– Ach, dobry dzień, dobry dzień – przywitał ich Haszek Sykora, gdy Reynevan zjawił się u niego z Szarlejem i Taulerem. – Ach, wiem. Wyprawa na Podjesztedzie. Dostałem stosowne instrukcje. Wszystko przygotowane. Momencik, niech jeno skończę z drzeworytami... Ach! Mus mi skończyć, emisariusze czekają...

– Można – spytał Szarlej – rzucić okiem?

– Ach? – Sykora wyraźnie kochał ten wykrzyknik. – Ach! Rzucić okiem? Oczywista, oczywista. Proszę.

Propagandowy drzeworyt, jeden z licznych zalegających stół, przedstawiał straszydło z rogatą głową kozła, koźlą brodą i ohydną, szyderczą koźlą miną. Na ramionach potworzysko nosiło coś w rodzaju dalmatyki, na rogatym łbie płonącą tiarę, na stopach pantofle z krzyżami. W jednej ręce dzierżyło widły, drugą wznosiło w geście błogosławieństwa. Nad potworem widniał napis: EGO SUM PAPA.

– Mało kto – Szarlej wskazał napis – umie czytać. A obrazek niezbyt wyraźny. Skąd prosty człowiek ma wiedzieć, że to papież? A może to Hus?

– Bóg wam – zachłysnął się Sykora – niech wybaczy bluźnierstwo... Ach... Ludzie będą wiedzieć, nie bojajcie się. Obrazki z Husem tłoczą oni, papiści znaczy. Pod postacią zębatej gęsi, bluźniercy, go przedstawiają. Tak się utarło. Prosty człowiek wie: Belzebub, czart rogaty jako kozieł, znaczy papież rzymski. Gęś zębata, znaczy Hus. Ach, ale oto i wasza eskorta, już się stawili.

Eskorta ustawiła się na majdanie w nierówny raczej szereg. Była to dziesiątka zbirów. Gęby mieli odrażające. Resztę też. Przypominali czeredę złodziei i maruderów, uzbrojonych w to, co znaleźli, a odzianych w to, co ukradli. Lub znaleźli na śmietnisku.

– Oto, ach – wskazał zastępca szefa referatu propagandy – wasi ludzie, od ninie waszej komendzie podlegli. Od prawej: Szperk, Szmejdlirz, Voj, Hnuj, Brouk, Psztros, Czervenka, Pytlik, Hrachojedek i Maurycy Rvaczka.

– Czy mogę – odezwał się wśród złowrogiej ciszy Szarlej – prosić o słówko na stronie?

– Ach?

– Nie pytam – wycedził na stronie demeryt – azali nazwiska tych panów są prawdziwe, azali to przydomki. Choć w zasadzie powinienem tego dociekać, albowiem to po przydomkach i ksywach ocenia się bandytów. Ale mniejsza. Ja pytam o rzecz inną: wiem od obecnego tu pana Reinmara Bielawy, że brat Neplach przyobiecał nam pewną i godną zaufania eskortę. Eskortę! A co za hałastra stoi tam, w szeregu? Co za Cherethi i Felethi? Co za Wuj, Chuj, Sztos i Sraczka?

Żuchwa Haszka Sykory niebezpiecznie skoczyła do przodu.

– Brat Neplach – warknął – kazał dać ludzi. A kto to są, hę? Ptaszkowie może niebiescy? Rybkowie może wodni? Żabkowie bagienni? Nijak nie. To ludzie właśnie. Ci ludzie, których akuratnie mam na zbyciu. Innych nie mam. Nie podobają się, ach? Wolelibyście, ach, cycate kobitki? Świętego Jerzego na koniu? Lohengrina na łabędziu? Przykro mi, nie ma. Wyszli.

– Ale...

– Bierzecie ich? Czy nie? Decydujcie.

●

Nazajutrz, o dziwo, przestało padać. Człapiące w błocie konie poszły nieco energiczniej i szybciej. Amadej Bata zaczął pogwizdywać. Ożywili się nawet Cherethi i Felethi, czyli ochrzczona przez Szarleja tym biblijnym mianem, dowodzona przez Maurycego Rvaczkę dziesiątka. Dotychczas ponurzy, nasępieni i sprawiający wrażenie obrażonych na cały świat oberwańcy jęli gadać, przerzucać się sprośnymi żartami, rechotać. Wreszcie, ku ogólnemu zdumieniu, śpiewać.

Na volavský stráni
skřivánci zpívají,
že za mou milenkou
všiváci chodějí.
Dostal bych já milou
i s její peřinou,
radši si ustelu
pod lipou zelenou...

Syn, myślał Reynevan. Mam syna. Nosi imię Wit. Urodził się rok i cztery miesiące temu, w dniu świętego Wita. Dokładnie w przeddzień bitwy pod Usti. Mojej pierwszej wielkiej bitwy. Bitwy, w której mogłem polec, gdyby wypadki potoczyły się inaczej. Gdyby wtedy Sasi rozerwali wagenburg i rozproszyli nas, byłaby rzeź, mogłem zginąć. Mój syn straciłby ojca nazajutrz po swym narodzeniu...

A Nikoletta...

Zwiewna Nikoletta, Nikoletta smukła jak Ewa Masaccia, jak Madonna Parlera, chodziła z brzuchem. Z mojej winy. Jak spojrzę jej w oczy? I czy w ogóle uda mi się spojrzeć jej w oczy?

Ach, co tam. Musi się udać.

•

Był czwartek po Urszuli, gdy dotarli pod Krchleby i ruszyli w stronę Rożdalovic, leżących nad rzeką Mrliną, prawym dopływem Łaby. Nadal, stosownie do wcześniejszych rad Flutka i Sykory, omijali uczęszczane gościńce, w tym zwłaszcza duży szlak handlowy, wiodący z Pragi do Lipska przez Jiczyn, Turnov i Żytawę. Od Jiczyna, skąd mieli zamiar podjąć rekonesanse pod Troski, dzieliło ich już tylko około trzech mil.

Krajobraz nad górną Mrliną z punktu ostrzegł ich jednak, że wkraczają na tereny niebezpieczne, w rejon konfliktów, na wciąż płonący pas pogranicza oddzielający zwaśnione religie i nacje. „Płonący" było zresztą słowem absolutnie trafnym – stałymi elementami pejzażu nagle stały się bowiem zgliszcza. Ślady po wypalonych chatach, sadybach, wioszczynach i wioskach. Te były bliźniaczo wręcz podobne do resztek wsi, obok których stała szulernia Huncledera, widownia niedawnych brzemiennych w skutki wydarzeń: takie same pokryte sadzą kikuty kominów, takie same kupy zbrylonego popiołu, zjeżone resztkami zwęglonych belkowań. Taki sam wiercący w nosie smród spalenizny.

Cherethi i Felethi nie śpiewali już od jakiegoś czasu, teraz skupili się na opatrywaniu kusz. Prowadzący kawalkadę Tauler i Bata kusze mieli w pogotowiu. Reynevan poszedł za ich przykładem.

Piątego dnia podróży, w sobotę, trafili na wieś, w której popiół jeszcze dymił, a od pogorzeliska wciąż bił żar. Mało tego, dało się dostrzec kilkanaście trupów w różnych stadiach zwęglenia. Zaś Maurycy Rvaczka wyśledził i wywlókł z pobliskiej ziemianki dwoje żywych – dziada i nieletnią dziewczynkę.

Dziewczynka miała jasny warkocz i szarą sukienkę pełną dziur wypalonych przez iskry. Dziad miał w otulonych białą brodą ustach dwa zęby – jeden u góry, drugi u dołu.

– Napadły – wyjaśnił bełkotliwie, zapytany, co tu zaszło.

– Kto?

– Uny.

Indagacja, kim są „uny", nie dała efektów. Bełkocący starzec nie umiał scharakteryzować i nazwać „unych" inaczej jak „niecnoty", „niedobre ludzie", „piekielniki" lub „skaraj ich Pambu". Raz czy drugi użył też wyrażenia: „martauzy", z którym Reynevan nigdy się nie spotkał i nie wiedział, co znaczy.

– To z węgierskiego – Szarlej zmarszczył czoło, w jego głosie pobrzmiało zdziwienie. – Martahuzami nazywają ludokradców, porywaczy i handlarzy ludźmi. Dziadyga chciał przez to zapewne powiedzieć, że mieszkańców wsi uprowadzono. Wzięto do niewoli.

– Kto mógł to uczynić? – westchnął Reynevan. – Papiści? Myślałem, że te tereny kontrolujemy my.

Szarlej żachnął się lekko na „my". A Berengar Tauler się uśmiechnął.

– Cel naszej wyprawy, zamek Troski – wyjaśnił spokojnie – jest zaledwie dwie mile stąd. A pana de Bergow nie bez kozery zwą Husytobójcą. Blisko są też Kość, Hruby Rohozec, Skała, Frydsztejn, wszystko bastiony panów z katolickiego landfrydu. Rodowe siedziby rycerzy wiernych królowi Zygmuntowi.

– Znasz i okolice, i owych rycerzy – stwierdził Reynevan, przyglądając się, jak dziad i dziewczynka z warkoczem łapczywie połykają kęsy darowanego im przez Samsona chleba. – Nieźle się wyznajesz. Nie czas zdradzić, skąd ta wiedza?

– Może i czas – zgodził się Tauler. – Jest tak: moja rodzina to od lat manowie Bergowów. Razem z nimi przywędrowaliśmy do Czech z Turyngii, gdy to ród de Bergow wsparł pana z Lipy w rokoszu przeciw królowi Henrykowi Karynckiemu. Starszemu rycerzowi Ottonowi de Bergow, panu na Bilinie, służył jeszcze mój ojciec. Ja służyłem Ottonowi Młodszemu na Troskach. Jakiś czas. Już nie służę. To wszelakoż sprawa osobista.

– Osobista, mówisz?

– Tak mówię.

– Prosimy tedy – rzekł zimno Szarlej – na czoło pochodu, bracie Berengarze. Na szpicę. Na miejsce przynależne znawcy kraju i jego mieszkańców.

•

Nazajutrz była niedziela. Mając głowy pochłonięte czym innym, sami nie wpadliby na to nigdy. Nawet odległy dźwięk bijących gdzieś dzwonów nie wzbudził skojarzeń i o niczym nie przypomniał – ani Reynevanowi, ani Samsonowi, ani Taulerowi i Bacie, o Szarleju nawet nie wspomniawszy, bo Szarlej zwykł bimbać sobie tak na dni święte, jak i na trzecie przykazanie. Inaczej, pokazało się, Cherethi i Felethi, czyli Maurycy Rvaczka *et consortes*. Ci, wypatrzywszy na rozstajach krzyż, podjechali, pozsiadali, poklękali wokół całą dziesiątką, wianuszkiem, i jęli się modlić. Bardzo żarliwie i bardzo głośno.

– Ten dzwon – wskazał głową Szarlej, nie zsiadając – to może już być Jiczyn. Tauler?

– Może to być. Musimy zachować ostrożność. Nie byłoby dobrze, gdyby nas rozpoznano.

– Zwłaszcza gdyby ciebie rozpoznano – parsknął demeryt. – I przypomniano sobie o twych sprawach osobistych. Ciekawe, jakiegoż kalibru były te sprawy.

– To dla was nieistotne.

– Istotne – zaprzeczył Szarlej. – Bo od tego zależy, w jakiej pan de Bergow zachował cię pamięci. Jeśli w złej, jak podejrzewam...

– To nieistotne – przerwał mu Tauler. – Dla was istotne jest to, co wam obiecałem. Wiem, jak dostać się na Troski.

– A jak?

– Istnieje pewien sposób. Jeśli nic się nie zmieniło...

Tauler nie dokończył, widząc twarz Amadeja Baty. I jego rozszerzające się oczy.

Wiodąca na północ droga znikała pomiędzy dwoma garbami. Stamtąd, do tej pory ukryci, wyjechali stępa jeźdźcy. Wielu jeźdźców, orszakiem. W sile co najmniej dwudziestu koni, porośnięte jodłą garby mogły z powodzeniem kryć drugie tyle.

Oddział złożony był głównie z knechtów, szarych kuszników i kopijników. Na czele jechało zaś ośmiu rycerzy i panoszów, z tego dwóch w pełnej płycie. Z tych jeden nosił na napierśniku wielki czerwony krzyż. Szarlej zaklął. Tauler zaklął. Bata zaklął. Cherethi i Felethi patrzyli z otwartymi gębami, wciąż na kolanach i z dłońmi wciąż złożonymi do modlitwy.

Rycerze w zbrojach byli początkowo równie zaskoczeni jak oni. Ale z zaskoczenia otrząsnęli się krzynkę wolniej. Nim ten z krzyżem, niechybnie dowódca, uniósł dłoń i wykrzyczał komendę, Tauler, Bata i Szarlej już byli w cwale, Samson i Reynevan już konie do cwału podrywali, a Cherethi i Felethi wskakiwali na siodła. Komenda rycerza skierowana była jednak głównie do kuszników. Nim dziesiątka Maurycego Rvaczki zdołała zwiększyć dystans, spadł na nich grad bełtów. Ktoś zwalił się z konia – może był to Voj, może Hnuj, Reynevan nie rozpoznał. Zbyt zajęty był ratowaniem własnej skóry.

Gnał na łeb, na szyję, przez zagajnik, przez kępę brzóz, białe pnie migały w pędzie. Któryś z Cherethi wyprzedził go, galopując jak szalony za Taulerem, Szarlejem i Batą. Obok chrapał koń Samsona. Za plecami rozbrzmiewał łomot kopyt, krzyk pogoni. Nagle podwyższony potwornym wrzaskiem kogoś, kogo doścignięto. Za chwilę zaś doścignięto drugiego.

Wpadli w parów, wąski, ale rozszerzający się, wiodący ku rzeczce. Tuż przed nimi Szarlej, Bata i Tauler rozchlapali wodę w galopie, wdarli się na brzeg, potem na zbocze wąwozu. Zbocze okazało się gliniaste, koń Taulera poślizgnął się, zjechał na zadzie wśród dzikiego rżenia. Tauler spadł z kulbaki, ale zerwał się zaraz, wrzeszcząc o pomoc. Maurycy Rvaczka i kilku z jego podkomendnych minęli go w cwale, nawet nie podnosząc głów znad końskich grzyw. Reynevan zwisł z siodła, wyciągnął rękę, Tauler chwycił ją, skoczył na koński zad. Reynevan krzyknął, dźgnął konia ostrogami. Wyglądało, że uda im się pokonać śliską stromiznę. Ale nie udało się.

Koń zjechał po glinie, przewrócił się, wierzgając szaleńczo. Obaj jeźdźcy spadli. Reynevan oburącz zasłonił głowę, chciał się odtoczyć, nie zdołał. Stopa uwięzła mu w strzemieniu, dzikie podrygi i wierzgi konia ściskały ją i zgniatały boleśnie. Tauler zaś, którego upadek oszołomił, uniósł się – tak pechowo, że dostał kopytem w głowę. Potężnie. Aż się rozległo.

Ktoś chwycił Reynevana za ramiona, szarpnął. Wrzasnął z bólu, ale stopa wyskoczyła z zaklinowanego skręconym puśliskiem strzemienia. Koń zerwał się i uciekł. Reynevan stanął na nogi, zobaczył pieszego Samsona, potem, ku swemu przerażeniu, kupę konnych, rozbryzgujących wodę w rzeczce. Byli tuż, tuż. Tak blisko, że Reynevan widział ich powykrzywiane twarze. I okrwawione groty włóczni.

Od śmierci uratowali ich Cherethi i Felethi, Maurycy Rvaczka *et consortes*. Nie uciekli, zatrzymali się na skraju stromizny, stamtąd, z góry, dali salwę z kusz. Strzelali celnie. Runęły w bryzgach wody konie, runęli w wodę jeźdźcy. A Cherethi i Felethi z wrzaskiem zjechali w dół, wywijając mieczami i buławami, z wrzaskiem uderzyli na kopijników.

Mając przewagę momentalnego zaskoczenia i determinacji, powstrzymali ścigających. Na chwilę. W gruncie rzeczy był to jednak atak samobójczy. Ścigających było więcej, w sukurs kopijnikom i strzelcom gnali już ciężkozbrojni. Cherethi i Felethi po kolei padali z siodeł. Skłuci, zrąbani, posieczeni, jeden po drugim walili się w wodę i krwawe błocko Czervenka, Brouk i Pytlik – a może byli to Czervenka, Psztros i Hrachojedek? Jako ostatni padł mężny Maurycy Rvaczka, zmieciony z siodła toporem rycerza z krzyżem na napierśniku i kamieniarskimi kleszczami na tarczy.

Reynevan i Samson, ma się rozumieć, nie czekali na łatwy do przewidzenia rezultat starcia. Uciekli na zbocze. Samson niósł na ramieniu wciąż nieprzytomnego Taulera. Reynevan niósł kuszę, której nie omieszkał podnieść. Jak się okazało, rozsądnie.

Doganiało ich dwóch konnych, panoszów, sądząc po

zbroi, wierzchowcach i rzędach. Byli tuż, tuż. Reynevan podniósł kuszę do ramienia. Wycelował w korpus jeźdźca, pomny niegdysiejszych nauk Dzierżki de Wirsing zamiar zmienił jednak i posłał bełt w pierś konia. Koń – ładny szymel – runął jak rażony gromem, jeździec zaś fiknął takiego kozła, że pozazdrościłby zawodowy akrobata.

Drugi panosza obrócił konia, przywarł do grzywy i uciekł. Słuszna była to decyzja. Od ściany lasu sypała się konnica. Dobre pół setki zbrojnych. Większość z czerwonym Kielichem na piersi lub Hostią na tarczy.

– Nasi! – wrzasnął Reynevan. – To nasi, Samsonie!

– Twoi – poprawił, westchnąwszy, Samson Miodek. – Ale, przyznam, ja też się cieszę.

Konni z Kielichem ławą zjechali po stromiźnie, znad rzeczki rozległ się wrzask, szczęk i łomot. Panosza, młodzik, ten, pod którym Reynevan zastrzelił konia, skoczył na równe nogi, rozejrzał się i rzucił do chwiejnego biegu. Daleko nie ubiegł. Jeden z konnych zajechał go, walnął płazem miecza w potylicę, obalił. Potem obrócił konia, stępa podjechał do Reynevana, Samsona i wciąż nieprzytomnego Taulera. Na piersi, częściowo przysłonięte Kielichem wyciętym z czerwonego sukna, nosił skrzyżowane ostrzewie.

– Cześć, Reynevan – powiedział, podnosząc ruchomą zasłonę salady. – Co słychać?

– Brazda z Klinsztejna!

– Z Ronoviców. Miło widzieć i ciebie, Samsonie.

– Po mojej stronie cała przyjemność.

●

W jarze, w rzeczce i na jej brzegach leżało z tuzin trupów. Trudno było zgadnąć, ile uniosła woda.

– Czy to byli ludzie? – spytał dowódca odsieczy, długowłosy wąsacz, młody, chudy niby kościej. – Dali nogę tak szybko, że anim rozpoznał. Wyście ich widzieli z bliska. Więc? Bracie Bielawa!

Reynevan znał pytającego. Poznał go w Hradcu Kralove przed dwoma laty. Był to robiący szybką karierę wśród Sierotek hejtman Jan Czapek z San. Przybyli z odsieczą udekorowani Kielichami jezdni byli Sierotkami. Bożymi bojownikami, którzy nazwali się tak, gdy osierocił ich, umierając, kochany i czczony wódz, wielki Jan Żiżka z Trocnowa.

– Reynevan! Mówię do ciebie!

– Prócz knechtów było ośmiu ważniejszych – wyliczył, upomniany. – Dwóch rycerzy, panoszów sześciu, jeden to ten tam, o, którego właśnie wiążą. Dowódca miał na zbroi krzyż, na tarczy zaś kleszcze czy też obcęgi... Czarne, w polu srebrnym...

– Tak podejrzewałem – skrzywił się Jan Czapek z San. – Bohusz z Kovane, pan na Frydsztejnie. Zbój i zdrajca! Ech, żal, że umknąć zdołał... Skórę bym z niego... A wy co tu robicie? Skądeście spadli? Hę? Bracie Szarleju?

– Podróżujemy.

– Podróżujecie – powtórzył Czapek. – No, to mieliście szczęście. Gdybyśmy w czas tu nie pośpieli, ostatni etap waszej podróży dokonałby się w pionie. Na stryczku pionowo w górę, na gałąź. Pan Bohusz lubi drzewa wisielcami przystrajać. Mamy z nim swoje rachunki, mamy...

– Ów pan Bohusz – przypomniał sobie nagle Reynevan – nie zajmuje się przypadkiem handlem ludźmi? Niewolnikami? Nie jest, jak to mówią, martahuzem?

– Dziwaczna nazwa – zmarszczył brew hejtman Sierotek. – Bohusz z Kovane, prawda to, na ludzisków naszej wiary cięty, oj, cięty. Żywymi wziętych wiesza na miejscu, na najbliższym drzewie. Uda mu się schwycić którego z naszych duchownych, zabiera i pali na stosie, publicznie, dla postrachu. Ale o żadnych niewolnikach nigdym nie słyszał. Wy zaś, jak się rzekło, mieliście szczęście. Upiekło się wam...

– Nie wszystkim.

– Takie życie – Czapek splunął. – Zaraz usypiemy kurhanik. Któryż to już? Pełna, ech, pełna czeska ziemia kurhanów i grobów, miejsca na nowe zaczyna brakować... A ten? Też trup?

– Żyje – odrzekł Amadej Bata, wraz z Samsonem klęczący przy Taulerze. – Ale co oczy odemknie, to mu się zamykają...

- Koń go kopnął.
- Cóż - westchnął Czapek - trudna bywa dola pechowca. A konowała nie mamy.
- Mamy - Reynevan odtroczył torbę. - Puśćcie mnie do niego.

•

Choć zwykle mu się to nie zdarzało, Reynevan usnął w siodle. Byłby spadł, gdyby go jadący obok Samson nie podtrzymał.
- Gdzie jesteśmy?
- Blisko celu. Widać już wieżę zamku.
- Jakiego zamku?
- Przyjaznego, myślę.
- Co z Taulerem? Gdzie Szarlej?
- Szarlej jedzie na czele, z Czapkiem i Brazdą. Tauler jest bez zmysłów. Wiozą go między końmi. A ty ocknij się już, Reinmarze, oprzytomniej. Nie pora drzemać.
- Wcale nie drzemię. Chciałem... Chciałem cię o coś zapytać, przyjacielu Samsonie.
- Pytaj, przyjacielu Reinmarze.
- Dlaczego wtedy, w szulerni, interweniowałeś? Dlaczego ująłeś się za tą dziewczyną? Nie karm mnie, jeśli mogę prosić, trywialnymi frazesami. Wyjaw prawdziwy powód.
- W głębi ciemnego znalazłem się lasu... - odpowiedział cytatem olbrzym. - Jakaż prorocza fraza. Jak gdyby mistrz Alighieri przeczuwał, że kiedyś znajdę się w świecie, w którym porozumiewać można się tylko za pomocą kłamstw lub niedomówień, czysta prawda zawsze brana jest za frazes. Względnie za dowód niedorozwoju umysłowego. Chciałbyś, powiadasz, znać prawdziwy powód. Dlaczego właśnie teraz? Do tej pory nie pytałeś o motywy moich działań.
- Do tej pory były dla mnie zrozumiałe.
- Doprawdy? Zazdroszczę, bo niektórych sam nie rozumiałem. I nadal nie rozumiem. Incydent z Marketą wpasowuje się w ten schemat. W pewnej mierze. Bo są, i owszem, inne powody. Przykro mi jednak, ale zapoznać

212

cię z nimi nie mogę. Są, *primo*, zbyt osobiste. *Secundo*, nie pojąłbyś ich.

– Bo są niepojęte, jasne. Z innego świata. Nawet Dante nie pomógłby w pojęciu?

– Dante – uśmiechnął się olbrzym – pomaga na wszystko. Dobrze więc. Jeśli chcesz wiedzieć... W szulerni, podczas tego obrzydliwego pokazu, stęsknił się duch mój.

– Hmm... Trochę więcej?

– Z przyjemnością.

> *E lo spirito mio, che gia cotanto*
> *tempo era stato ch'a la sua presenza*
> *non era di stupor, tremando, affranto,*
> *sanza de li occhi aver piu conoscenza,*
> *per occulta virtu che da lei mosse,*
> *d'antico amor senti la gran potenza.*

Długo obaj nic nie mówili.

– *Amor*? – spytał wreszcie Reynevan. – Jesteś pewien, że *amor*?

– Jestem pewien, że *gran potenza*.

Jechali w milczeniu.

– Reinmarze?

– Słucham cię, Samsonie.

– Najwyższy czas, bym wrócił do siebie. Dołóżmy starań, dobrze?

– Dobrze, przyjacielu. Dołożymy starań. Przyrzekam. Już most? Tak, chyba już most.

Kopyta gromowo zahuczały na dylach i deskach, konni wjechali na most przerzucony nad głębokim jarem. Stąd widać już było, że będący celem drogi zamek stoi na stromym urwisku, opadającym wprost ku rzece, chyba Izerze. Za mostem była masywna brama, za bramą obszerne przedzamcze, nad nim górował właściwy zamek zwieńczony pękatym bergfrydem.

– Tośwa są w domu! – gromko oznajmił od czoła Jan Czapek z San, gdy tylko podkowy zadzwoniły o bruk podzamcza. – Na Michalovicach. Znaczy się, u mnie!

Rozdział ósmy

w którym czytelnik, choć poznaje kilka historycznych postaci i ważnych dla fabuły osób, w zasadzie nie dowiaduje się wiele ponad to, że kot ma być łowny, a chłop mowny. A w sumie najważniejszą z podanych w rozdziale jest informacja o tym, kto spośród koronowanych głów i prominentnych notabli chędożył w roku 1353 pewną młodą wówczas, a starą dzisiaj babę.

Na wieczerzę zaproszono Reynevana i Szarleja. Berengar Tauler, pomimo uzdrowicielskich zabiegów, wciąż leżał bez ducha, Amadej Bata zadeklarował, że będzie przy nim czuwał. Samson – jak zwykle – kwaterował w stajni. Jak zwykle grał tam w kości z pachołkami stajennymi, skorymi ograć przygłupa. Kto kogo w końcowym efekcie ogrywał, nie wymaga chyba wspominania.

Wieczerzę podano w głównej izbie górnego zamku, udekorowanej drewnianą statuą archanioła Michała, arrasem z jednorożcem i wiszącą u samej powały wielką czerwoną tarczą herbową, na której widniał srebrny wspięty lew. W kącie huczał ogniem komin, u komina siedziała na zydlu zgarbiona staruszka, pochłonięta kołowrotkiem, kądzielą i wesoło skaczącym wrzecionem.

Uczestniczyli wszyscy husyccy hejtmani, lokalni i okoliczni, przypadkiem na zamku goszczący. Oprócz Jana Czapka z San i Brazdy z Klinsztejna za stołem siedział wysoki i smagły mężczyzna o orlim nosie i złych, wiercących oczach, z szyją obciążoną masywnym złotym łańcuchem, ozdobą zwykłą raczej rajcom miejskim niż wojakom. Reynevan znał go, widywał wśród Sierotek w Hradcu Kralove. Dopiero jednak teraz zostali sobie przedstawieni – był to Jan Koluch z Vesce.

Po lewicy Kolucha siedział Szczepan Tlach, hejtman placówki w pobliskim Czeskim Dubie, niestary, ale mocno posiwiały mężczyzna o czerwonej plebejskiej twarzy i sękatych dłoniach cieśli, noszący watowany i bogato haftowany rycerski wams, w którym najwyraźniej czuł się źle. Obok Tlacha zasiadał chuderlawy blondyn z brzydką blizną na policzku. Blizna prezentowała się bojowo, ale była pamiątką po najzwyklejszym, a dyletancko przeciętym wrzodzie. Posiadacz blizny przedstawił się jako Vojta Jelinek.

Jak to u Sierotek, za stołem hejtmanów nie mogło zabraknąć duchownego – między Czapkiem a Brazdą siedział zatem odziany na czarno krągły i brodaty niziołek, przedstawiony jako brat Buzek, sługa Boży. Sługa Boży rozpoczął chyba wieczerzę nieco wcześniej, albowiem był już bardziej niż lekko pijany.

Delikatesów nie serwowano. Wielkie michy baranich i wołowych kości z mięsem wsparto tylko sporą ilością pieczonej rzepy i koszem chleba. Antałków węgrzyna wjechało natomiast na stół sztuk kilka. Wszystkie miały wypalonego lwa Markvarticów. Na ten widok – jak i wcześniej na widok tarczy herbowej pod powałą – Reynevanowi przypomniała się Praga. Szósty września. I Hynek z Kolsztejna, padający na bruk z okna domu „Pod Słoniem".

Nim zaczęto wieczerzać na dobre, były, jak się okazało, do załatwienia sprawy służbowe. Czterech husytów wepchnęło do sali jeńca – owego młodzika, panoszę wziętego do niewoli nad rzeczką. Tego samego, pod którym Reynevan zabił konia z kuszy.

Młodzik był rozczochrany i potargany, na kości policzkowej rósł mu i nabierał pięknej barwy wielki siniak. Jan Czapek z San zmierzył eskortę wzrokiem dość niechętnym, ale nic nie powiedział. Dał tylko znak, by puścili jeńca. Rycerzyk strząsnął z siebie ich ręce, wyprostował się, spojrzał na husyckich wodzów. Pozornie hardo, Reynevan widział jednak, że kolana drżą mu lekko.

Przez chwilę panowała cisza, zakłócana tylko cichym turkotaniem kołowrotka przędącej w kącie staruchy.

– Panicz Nikel von Keuschburg – powiedział Jan Czapek. – Witamy, radziśmy ugościć. Gościć zaś będziemy panicza dopóty, dopóki nie zawita tu juczny koń z okupem. Panicz zresztą to wie. Zna wojenne obyczaje.

– Służę panu Frydrychowi von Dohna! – uniósł głowę panosza. – Pan von Dohna da za mnie okup.

– Takiś pewny? – Jan Koluch z Vesce wycelował w niego obgryzaną kość. – A to, widzisz, już i do nas doszła plotka, że okiem błyskasz ku Barbarze, pana Frydrycha córeczce, że cholewki do niej smalisz. A kto wie, czy panu von Dohna w smak twe zaloty? Może więc on właśnie ręce zaciera, rad, żeśmy go od ciebie uwolnili? Módl się, synku, by było inaczej.

Rycerzyk najpierw pobladł, potem poczerwieniał.

– Mam jeszcze krewnych! – zawołał. – Jestem z Keuschburgów!

– Módl się więc i w ich intencji, by skąpstwo w nich góry nie wzięło. Bo darmo karmić cię tu nie będziemy. Przynajmniej nie za długo.

– Nie długo – potwierdził Jan Czapek. – Ot, tyle, by sprawdzić, a nuż zmądrzejesz? A nuż wzgardzisz rzymską farsą i ku prawdziwej wierze się zwrócisz? Nie rób min, nie rób min! Lepszym od ciebie się zdarzało. Pan Bohuslav ze Szwamberka, świeć Panie nad jego duszą, z dnia niemal na dzień los swój odmienił, z jeńca na głównego hejtmana Taboru awansując. Gdy go brat Żižka w jeństwo wziął i w przybienickiej szatławie zawarł, przejrzał pan Bohuslav na oczy i przyjął z Kielicha. Mamy tu, jako widzisz, księdza. Jakże więc? Kazać przynieść Kielich?

Panosza splunął na podłogę.

– Wsadź sobie swój Kielich, heretyku – odszczeknął hardo. – Wiesz, gdzie.

– Bluźnierca! – wrzasnął ksiądz Buzek, podskakując i oblewając winem siebie i sąsiadów. – Na stos z nim! Każ go spalić, bracie Czapku!

– Palić pieniądze? – uśmiechnął się paskudnie Jan Czapek z San. – Chybaś opił się, bracie Buzku. On wart najmniej siedemdziesiąt kóp groszy. Póki jest cień szansy, że dadzą za niego okup, włos mu z głowy nie spadnie. Choćby i samego mistrza Husa obwołał trędowatym i sodomitą. Mam prawdę, bracia?

Zgromadzeni za stołem husyci ochoczo potwierdzili, rycząc i hukając kuflami o blat. Czapek dał straży znak, by jeńca wyprowadzono. Ksiądz Buzek zmierzył go złym wzrokiem, po czym wlał w siebie za jednym zamachem coś około pół kwarty węgrzyna.

– Pazerniście – zawołał, a język plątał mu się już bardzo – na obmierzły grosz niby faryzeusze! A pisze Pa... Paweł do Tymoteusza: Korzeniem wszelkiego zła jest chciwość pieniędzy. Za nimi to uganiając się, niektórzy zabłąkali się z dala od... Eeep... Od wiary... A nie ma chciwiec dziedzictwa w królestwie Chrystusa i Boga... Nie możecie służyć Bogu i Mamonie!

– Nie chcemy – zaśmiał się Jan Koluch z Vesce – ale musimy! Albowiem zaprawdę powiadam wam, bez mamony nie ma życia.

– Ale będzie! – kaznodzieja nalał sobie i wypił jednym haustem. – Będzie! Gdy zwyciężym! Wszystko wspólne będzie, zniknie własność i majętność wszelka. Nie będzie już bogatych i biednych, nie będzie nędzy i ucisku. Zapanują na ziemi szczęście i pokój Boży!

– Ot, naplótł – odezwała się z kąta zgarbiona nad kołowrotkiem starucha. – Moczymorda świątobliwy.

– Pokój Boży – powiedział poważnie Jan Czapek – wywalczamy my. Naszymi mieczami. Naszą go okupujemy krwią. I słuszna się nam za to należy nagroda, mamonę w to wliczając. Nie po to, bracie, zrobiliśmy rewolucję, bym znowu wracał do San, do tego zadupia. I do mojej rycerskiej pożal się Boże warowni, do mojej stanicy, której świnia omal nie obalała, gdy się jej o węgieł czochrać zachciało. Rewolucja jest po to, by się coś odmieniło. Przegranym na gorsze, wygranym na lepsze. Widzicie, mili goście, miły Reinmarze i Szarleju, tam, na ścianie, wysoko, herb? To godło pana Jana z Michalovic, zwanego Michalcem. Zamek, gdzie ninie ucztujem, Michalovice, jemu patrzył, jego to była rodowa siedziba. I co? Wydarliśmy mu ją! Przy nas wygrana! Niech no jeno chwilkę czasu najdę, drabkę przyniesę, zedrę tę tarczę, na ziem kinę, ba, jeszcze nasikam na nią. A na ścianie swojego herbowego jelenia powieszę, na tarczy dwakroć większej! I będę tu władał! Pan Jan Czapek z San! Siedzeniem na Michalovicach!

– O, to, to! – podchwycił znad obgryzanych żeberek Szczepan Tlach. – Rewolucja zwycięża, Kielich triumfuje. A my wielkie pany będziemy! Napijmy się!

– Pany – powiedziała z jadowitą pogardą babka przy kołowrotku, poprawiając kądziel na prześlicy. – Kurom na śmiech chyba. Zbójeście i hołysze. Skartabele, co im farba na herbach od deszczu puszcza.

Szczepan Tlach cisnął w nią kością, chybił. Pozostali husyci nie zwrócili na staruszkę żadnej uwagi.

– Ale Mamonie... – nie rezygnował kaznodzieja, coraz to obficiej sobie nalewając i coraz bardziej bełkocąc. – Mamonie służyć nie godzi się. Tak, tak, Kielich górą, rzecz prawa triumfuje... Ale nie odziedziczą chciwcy... królestwa Bożego. Słuchajcie, co wam rzeknę... Eeep...

– Dajże nam pokój – machnął ręką Czapek. – Pijanyś.

– Nie pijanym! Trzeźwym... eeeep... I zaprawdę powiadam wam: Uczcijmy... Uczcijmy... *Pax Dei*... Albowiem potępieni będą... Triumfuje Kielich... Triumfujeeee... Eeeeeee....

– Nie mówiłem? Pijany by wieprz!

– Nie pijanym!

– Pijanyś!

– By dowieść, żeś nie pijany – podkręcił wąsa Jan Koluch – uczyń, jako ja czynię. Dwa palce w gardło pokładź i powiedz: Hhrrr! Hhrrr! Hhrrr!

Ksiądz Buzek wytrzymał pierwsze „Hhrrr", przy drugim jednak zakrztusił się, zacharczał, wybałuszył oczy i zwymiotował.

– Rzygaj, rzygaj – odezwała się zjadliwie schylona nad kądzielą babka. – Obyś rzyć własną wyrzygał.

Ponownie nikt się nią nie przejął, wszyscy widać przywykli. Zarzyganego kaznodzieję wypchnięto do sieni. Dało się słyszeć, jak dudni, spadając ze schodków.

– Tak po prawdzie, mili goście – rzekł Koluch, wycierając stół pozostawionym przez księdza Buzka kapeluszem – to nam jeszcze trochę do pełnego triumfu brakuje. Siedzimy i ucztujemy na Michalovicach, wydartych, jak rzekł brat Czapek, panu Janu Michalcowi. Zajęliśmy Michalovice, spaliliśmy Mladą Boleslav, Beneszów, Mimoń i Jablonne. Ale pan Michalec daleko nie uciekł, ustąpił na Bezdez. A gdzie Bezdez? Podejdź który do okna, spojrzyj ku północy, tam Bezdez, za rzeką, o dwie mile ledwo oddalony. O dwie mile! Jak kto z nas kichnie, pan Michalec na Bezdezie „Na zdrowie!" woła.

– Niestety – powiedział ponuro Szczepan Tlach – nie zdrowia bynajmniej życzy nam pan Michalec, ale śmierci, i to złej. A my go na Bezdezie ruszyć nie możemy, nie zdobyć Bezdezu. Na tamtejszych murach zęby połamiesz.

– Niestety – potwierdził przez ramię Vojta Jelinek, właśnie odlewający się w palenisko komina – tak właśnie jest. A nie brak pod samym naszym bokiem innych zamków i panów, złej śmierci nam życzących. Trzy kroki od nas, na Dievinie, siedzi i co dnia grozi Piotr z Vartenberka. O sześć mil stąd jest Ralsko, na Ralsku siedzi pan Jan z Vartenberka przezwiskiem Chudoba...

– Z Bohuszem z Kovane, panem na Frydsztejnie, poznaliście się już – dodał Czapek. – Wiecie, co potrafi. A są i inni...

– A są, są – warknął Koluch. – My trzymamy, i owszem, co ważniejsze zamki: Vartenberk, Lipie, Czeski Dub, Białą pod Bezdezem, no i Michalovice. Szlak handlowy jest wciąż jednak większą częścią pod kontrolą papieżników i Niemców. Panowie von Dohna siedzą na zamkach Falkenberg i Grafenstein. Na Hammersteinie burgrabią jest Mikulasz Dachs, klient łużyckich Bibersteinów. Na zamku Roimund czai się stary zbój Hans Foltsch, najemnik zgorzelecki. Na Tolsztejnie bracia Jan i Henryk Berkowie z Dube...

– Krewniacy – pochwalił się Brazda z Klinsztejna – Ronovice, jak i ja.

– Tacy krewni jak ty – wtrąciła się od kołowrotka babka – to u Berków psy smyczą.

– Z braci z Dube – parsknął Jan Koluch – Henryk na nas szczególnie zawzięty, bośmy mu Lipie wydarli. Podobnież w kościele w Żytawie zaprzysiągł, że mięsa jeść nie będzie, póki nas z lipieckiego zamku nie wyżenie. Długo, widzi mi się, potrwa ten post.

– Tak jest! – gruchnął pięścią w stół Szczepan Tlach. – Diabła zje, kto nas stąd zechce ruszyć. Niech jeno spróbuje! My, Sierotki, siedzim tu twardo!

– Ano! Siedzim twardo!

– Nie w tym rzecz, by jeno siedzieć – zmarszczył czoło Czapek. – I jako psy na łańcuchu poszczekiwać. Nie tak nas brat Żiżka uczył. Najlepsza obrona to atak! Bić wroga, bić, bić, oddechu nie dawać! Nie czekać, aż nieprzyjaciel z chąsą nadciągnie, lecz do niego z wojną iść, w jego dzierżawę nieść miecz i pochodnię. Wystąpcie przeciwko nim, rzekł Pan Izraelitom. I czas, czas wystąpić! Czas zebrać się i uderzyć, na Frydsztejn, na Dievin, na Ralsko, na Roimund, na Tolsztejn...

– I dalej jeszcze – wtrącił z wilczym uśmiechem Koluch. – Na Łużyce! Na Grafenstein, Frydland, Żytawę, Zgorzelec! Ale cóż, sami nie wydolim. Sił brak. A skąd wsparcia czekać? Z Pragi? Praga, jeśli zdrady nie knuje, to się w przewroty i ruchawki bawi. Od Taboru? Tabor oblega Kolin. Czeski gród. Jakby nie było madziarskich, rakuskich, niemieckich!

– Mówią – odezwał się Szarlej – że Prokop już planuje coś w tym stylu. Że popatruje w stronę Węgier i Rakus.

– Daj Bóg. Ale tymczasem sami widzicie, samiście doświadczyli, jakich my tu mamy sąsiadów.

– O jednym z sąsiadów – rzekł niby od niechcenia demeryt – nie było jeszcze w ogóle mowy. Czyżby się nie naprzykrzał? Myślę o panu Ottonie de Bergow na zamku Troski. Odległym od Michalovic o jakieś cztery mile. Jak, ciekawość, znajdujecie to sąsiedztwo?

– Jak cierń w dupie – odpowiedziała za husytów babka, majstrując przy wrzecionie. – Właśnie tak pana de Bergowa znajdujecie, prawda, panowie zbóje? Jak cierń w dupie!

Długi czas panowała cisza, świadcząca, że starucha trafiła całkiem blisko środka tarczy. Ciszę przerwał Jan Koluch z Vesce.

– Myśmy Boży bojownicy – powiedział, bawiąc się nożem. – Myśmy pomni słów Pana, gdy rzecze ustami Jeremiasza proroka: Potknie się zuchwalec i upadnie, nie będzie miał go kto podnieść. Podłożę ogień pod jego miasta, tak że pochłonie całą jego okolicę.

– Odpłaćcie mu – dodał równie biegły w biblijnych cytatach Czapek – stosownie do jego postępków. Wszystko, co on czynił, uczyńcie i jemu.

– Amen.

– Ma Bergow w herbie rybę skrzydlatą – dorzucił Szczepan Tlach, złowrogo i konkretnie. – Ni to rybę, ni to ptaka. Przyjdzie dzień, gdy się tę rybkę oskrobie. A ptaszka oskubie.

– I na to amen – Vojta Jelinek wstał. – Sen mnie, bracia, morzy.

– I mnie – Jan Koluch wstał również, Brazda z Klinsztejna i Szczepan Tlach poszli w jego ślady.

– Ano, ciężki był dzień... Idziesz, bracie Czapku?

– Posiedzę jeszcze. Z naszymi gośćmi.

Ogień trzaskał. Wokół wieży pohukiwały puszczyki. Cicho turkotał kołowrotek babki.

– Jesteśmy sami – przerwał długie milczenie Jan Czapek z San. – Mówcie.

Powiedzieli.

– Czarownika – powtórzył z niedowierzaniem hejtman Sierotek. – Szukacie jakiegoś czarownika? Wy? Poważni ludzie?

– O żadnym Rupiliusie Ślązaku nie słyszałem w życiu – oświadczył, gdy poważni ludzie potwierdzili swe intencje. – Na każdym niemal zamku mają tu jednak jakiegoś wróża, alchemika lub maga. Całkiem więc prawdopodobne, że i pan de Bergow jakiegoś gości lub więzi na Troskach. Problem tkwi w czym innym...

– Problem tkwi w was – przędąca babka miała, jak się okazywało, niezły jeszcze słuch. – Ach, żebyż to był pal, nie problem!

– Nie zwracajcie na nią uwagi – skrzywił się Czapek. – To rzecz, mebel. Pan Michalec, gdy stąd przed nami wiał, zostawił mnóstwo rzeczy. Meble, inwentarz, szynki w wędzarni, wina w piwnicy. Herb na ścianie. I tę babinę. W tym właśnie kącie. Chciałem ją razem z tym jej kręciołkiem wypierdolić do czeladnej, nie dała się, narobiła rabanu. A przecie z zamku nie wypędzę, bo z głodu zdechnie. Niech siedzi, kądziel przędzie...

– Posiedzę, posiedzę – prychnęła babka. – Dosiedzę czasu, gdy pan Michalec wróci. I was, hołyszy, na cztery wiatry stąd przepędzi.

– Na czym to ja skończyłem?

– Na tym – podpowiedział Szarlej – że problem tkwi.

– Tak, prawda. Tkwi zaś w tym, że zamek Troski, możliwe miejsce pobytu waszego Rupiliusa, jest nie do zdobycia. I nie do spenetrowania. Na zamek Troski dostać się nie można.

– Mamy w kompanii – zniżył głos Szarlej – kogoś, kto wie, jak tego dokonać.

– Aha – odgadł Czapek. – Ci dwaj, kopnięty Tauler i ten drugi. Otóż, radzę, nie przesadzajcie z zaufaniem do nich. Miejcie się na baczności zwłaszcza wtedy, gdy zacznie być mowa o podziemnym przejściu. Wiedzcie otóż, że wszystkie tajemne przejścia i podziemne korytarze, łączące jakoby zamek Troski z różnymi miejscami okolicy, miejscami odległymi nawet o ćwierć mili, to legendy i wymysły. Bujdy. Jeśli ów Tauler obiecuje, że wprowadzi was do twierdzy sekretnym podziemnym przejściem, to albo sam jest oszustem i łgarzem, albo czyimś łgarstwem bezkrytycznie dał wiarę. Każda ewentualność jest dla was groźna. Plącząc się po okolicy w poszukiwaniu „sekretnego przejścia" wpadniecie w końcu w łapy Niemców lub papieżników.

– My, Sierotki – podjął – siedzimy tu, na Podjesztedziu, od wiosny roku 1426. Gdyby były jakieś tajne przejścia, to byśmy je odszukali. Gdyby można było dostać się na Troski, to byśmy się dostali. Bo prawdę babina powiedziała: Troski i przeklęty Niemiec de Bergow są dla nas jak cierń w zadku. Dniami i nocami kombinujemy, jakby się tego ciernia pozbyć.

– Przejście – zauważył Reynevan – może być magiczne. Nie wierzycie w magię?

– Wierzę, nie wierzę – wydął wargi Jan Czapek. – Magia nie istnieje. A gdyby przez przypadek istniała, to byłaby dla zwykłych śmiertelników całkiem niepojęta i niedostępna. Zwykły człek, jak ja, z magii nie miałby żadnego pożytku. Znaczy, jeśli coś jest magiczne, to jakby tego nie było. Logiczny wywód?

– Aż dech zapiera – uśmiechnął się Szarlej. – Z taką logiką trudno wieść spór. Radzilibyście więc, hejtmanie, porzucić zamysły? Zawrócić do domu?

– To właśnie bym radził. Do domu. I cierpliwie czekać. De Bergow, wieść niesie, w spisku był, szóstego września w Pradze wsparł Hynka z Kolsztejna. Tym, co wspierali spisek, Prokop Goły nie daruje. Już oblega Borzka z Miletinka, wnet przyjdzie kolej na pozostałych. Tylko patrzeć, jak na de Bergowa przyjdzie kryska, a Troski będą nasze. Z wszystkim, co na Troskach jest. Waszego czarownika wliczając.

– Mądra rada – ocenił demeryt, nie spuszczając z Reynevana wzroku. – Nieprawdaż, Reinmarze?

– Nazwaliście – rzekł niespodzianie Reynevan – pana de Bergow „przeklętym Niemcem". Innych rdzennie niemieckich rodów w okolicy nie ma, prawda? Poza panami von Dohna na Falkenbergu i Grafensteinie?

– Ano, są tylko te dwa rody. I cóż z tego?

– Nic. Na razie.

– Na razie – Czapek wstał – to ja idę spać. Dobrej nocy, bracia.

– I tobie, bracie.

●

Ogień w kominie nie potrzaskiwał już, migotał tylko, już to rozbłyskując, już to przygasając. Kołowrotek też już nie stukał. Babka nie przędła. Siedziała nieruchomo.

– Na cóż to temu zamkowi przyszło – odezwała się nagle. – Michałowi archaniołowi poświęcony, roków sto i pięćdziesiąt stoi, roków sto i pięćdziesiąt piszą się zdzieśni Markvartice panami z Michalovic. A ninie... Żeby taka hołota... Boże, Boże... Tu za mej pamięci królowie gościli... A dziś? Hańba!

– Nie kłam, babciu – zareagował ku zaskoczeniu sennego już nieco Reynevana Szarlej. – Nie przystoi, nad grobem stojąc. Nie widziałaś ty, starko, króla w życiu. Chyba że Heroda na jasełkach.

– Sameś stary i oby ci jęzor opypciał. A jam więcej królów widziała niźli ty dukatów.

– Gdzie, ciekawość?

– We Widniu.

– We czym?

– We Widniu, głupolu! – babka wyprostowała się na zydlu. – Na Wielkanoc Roku Pańskiego 1353 zjechali się monarchowie tego świata do Widnia, tamój cesarz Karol, co go ledwo odumarła żona, Anna Falcka, umawiał się o małą Anusię, bratanicę księcia świdnickiego Bolka. Oj, zjechało wonczas do Widnia królów i panów...

– I ty tam byłaś, babo, co? Miód i wino piłaś?

– Co ty wiesz, prostaku? Głupku! A ja... Hej, ładnam była... Młoda... Pierwszy mię sam cesarz Karol dopadł na krużganku wieczorową porą, przez poręcz przegiął, giezełko zadarł... Brodą mię po karku łechtał, tom się tak śmiała, że aż ze mnie był wyskoczył... Zezłościł się, tom go zaraz w rękę wzięła i z powrotem gdzie należy pokładła. Oj, on do mnie wtedy, udałaś mi się, mała Morawianeczko, chcesz, wydam cię za rycerza... Ale gdzie mi tam było tegdy do zamęścia, kiej tylu wokół chłopców malowanych...

– Wtóry – rozmarzyła się babuleńka – był Ludwik, król węgierski. Ochoczy, oj, ochoczy był młodzieniaszek... Potem oko ku mnie zwrócił król polski, Kazimir Wielki... Trafnie go, hi, hi, nazwali, trafnie...

– Łżesz, babo.

– Ruprecht, palatyn reński... Starszawy, i do tego Niemiec, od niego miłośnego gadania ni komplementów nie uświadczyć, ino od razu: *Mach die Beine breit!* Za to Arnoszt z Pardubic, arcybiskup praski, hej, ten i pogadać umiał, i w rzeczy był biegły... Oj, znał ci on sztuczki a figle przemyślne... Dobry był i Przecław z Pogorzeli, biskup wrocławski, w łożnicy chwacki, nie powiem, Polak przecie, ale onuce mu śmierdziały tak, że diabeł by uciekł... Albrecht, książę Rakus...

Babka zachłysnęła się i rozkaszlała. Trochę potrwało, nim podjęła wątek.

– Ale najlepiej – obśliniła się nieco – to mi wygodził wonczas nie żaden król i nie biskup, ale jeden poeta, Toskańczyk. Marzenie, nie chłop. Nie dość, że jurny, to w dodatku gadał z nich wszystkich najpiękniej. Ha, kot ma być łowny, a chłop mowny. Och, jak on mołwić potrafił... Wierszem nawet. Zwali go... Hmm... Z imienia był jako ten święty z Asyżu... A nazwisko... Niech no wspomnę... Licho by to... Rurka? Petrurka?

– Może... – zająknął się Reynevan – Może Petrarca? Francesco Petrarca?

– Może – zgodziła się babka. – Może, synku. Kto by po tylu latach spamiętał.

Rozdział dziewiąty

w którym Reynevan wpada na genialny pomysł. Skutkiem rzeczonego wpadnięcia dowiaduje się, ile dla kogo jest wart. Fakt, że pod koniec rozdziału jego wartość w błyskawicznym tempie rośnie, winien go w zasadzie cieszyć. Ale nie cieszy.

Szarlej kompletnie Reynevana zaskoczył. Wysłuchawszy założeń genialnego planu nie drwił bynajmniej, nie szydził, nie nazwał go błaznem i idiotą, ba, nawet nie popukał się palcem w czoło, co w dyskusjach zdarzało mu się wcale często. Wysłuchawszy założeń genialnego planu, Szarlej spokojnie odstawił kufel piwa, którym popijał śniadanie, wstał i bez słowa opuścił pomieszczenie. Nie zareagował na wołania, nawet nie odwrócił głowy. Nawet nie kopnął psa, który zaplątał mu się pod nogi, okroczył go z budzącym grozę spokojem. Nawet nie trzasnął drzwiami, wychodząc. Zwyczajnie sobie poszedł.

– Trochę go rozumiem – pokiwał głową Jan Czapek z San, który zjawił się w zamkowej kuchni akurat w czas, by wysłuchać założeń genialnego planu. – Ty jesteś niebezpieczny człowiek, bracie Bielawa. Miałem kamrata, ów zwykł był wpadać na podobne pomysły. Często. Stanowił bardzo poważne zagrożenie. Do niedawna.

– Do niedawna?

– Do niedawna. Wskutek jego ostatniego pomysłu połamano go kołem na rynku w Łokciu, rok temu nazad, w ramach obchodów dnia świętej Ludmiły. Wraz z nim stracono jeszcze dwóch. Bywają pomysły, które szkodzą nie tylko pomysłodawcy. Otoczeniu również. Niestety.

– Mój plan – nadął się lekko Reynevan – z pewnością nikomu nie zaszkodzi, dlatego choćby, że podejmuję się wykonania sam, osobiście. Tylko ja ryzykuję.

– Ale za to bardzo.

– A mamy wyjście? Nie mamy! Tauler wciąż leży bez ducha, a gdyby nawet wstał, to sam powiedziałeś, bracie Czapku, że sekretne podziemne przejście na Troski jest wymysłem i że to nic nam nie da. Czas nagli. Coś trzeba przedsięwziąć. Mój plan dostania się na zamek uważam za całkiem realny i mający spore szanse powodzenia.

– Oho!

Reynevan napuszył się.

– Pan de Bergow to Niemiec – jął wyliczać na palcach. – Pan von Dohna to też Niemiec. Husyci, którzy wzięli do niewoli młodego Keuschburga, również Niemca zresztą, mają na Troski znacznie bliżej niż do Falkenbergu. Jest normalne i logiczne, że posła z żądaniem okupu wyślą do de Bergowa. Rzecz bowiem wiadoma i oczywista, że pan de Bergow przekaże to panu von Dohna, swemu rodakowi.

– Pan de Bergow – pokręcił głową Czapek – weźmie husyckiego posła za dupę i wrazi go do jamy. Zwykle tak robi.

– Husyci – uśmiechnął się triumfalnie Reynevan – wiedzą, że tak robi. Nauczyli się, że w układach z nimi nieważne są przysięgi, że ze słowa rycerskiego można skłamać. Dlatego jako posła wykorzystają osobę zupełnie przypadkową. Cudzoziemca. Przypadkowo błądzącego po okolicy wędrownego poetę z Szampanii.

Czapek nic nie powiedział. Wzniósł tylko oczy ku niebu. Znaczy, ku kuchennej powale.

●

– Wędrowny poeta z Szampanii – pokręcił głową Samson. – Oj, Reinmarze, Reinmarze... A znasz ty choć ze trzy słowa w mowie Franków?
– Znam więcej niż trzy. Nie wierzysz?

> *Par montaignes et par valees*
> *Et par forez longues et lees*
> *Par leus estranges et sauvages*
> *Et passa mainz felonz passages*
> *Et maint peril et maint destroit...*

– W miarę płynnie – przyznał z westchnieniem Samson. – Akcent, przyznaję, też znośny. A dobór fragmentu romansu... Cóż, wyjątkowo trafny i przystający do okoliczności.

– Jeszcze jak przystający – wtrącił się Szarlej, który właśnie bezszelestnie wszedł do kuchni. – Lepiej przystawać iście nie można! Trzeba ci tylko, wędrowny poeto z Szampanii, wymyślić odpowiednio szampańskie miano. Jakieś równie przystające i trafnie cię charakteryzujące *nom de guerre*. Proponuję Yvain Le Cretin. Kiedy wyruszamy?

– Ja wyruszam. Sam.
– Nie – pokręcił głową Samson Miodek. – To ja wyruszam. To dotyczy mnie i tylko mnie. Nie chcę, by którykolwiek z was narażał się dla mnie. Najwyższy czas, bym ujął własne sprawy we własne ręce. Założywszy, że pomysł Reinmara jest dobrym pomysłem, można go nieco zmodyfikować: husyci celem dostarczenia na Troski żądania okupu za młodego Keuschburga mogą wykorzystać wędrownego idiotę. Wydaje mi się to całkiem dobrą przykrywką, a moja aparycja...

– Twoja aparycja – przerwał Szarlej – zapiera dech, fakt. Ale to trochę za mało. Rzecz wymaga, by podjął się jej ktoś mający nieco wprawy w dziedzinie oszustwa, szachrajstwa, wodzenia bliźnich za nos i wywodzenia ich

228

w pole. Bez urazy, ale wśród nas trzech jest tylko jeden, który może tu pretendować do miana specjalisty.

– Pomysł był mój – odparł spokojnie Reynevan. – I nie zrezygnuję z niego. Wyruszam sam, należy mi się to jako pomysłodawcy. I pewien jestem, że ja najlepiej się do tego przedsięwzięcia nadaję.

– Nieprawda – zaprzeczył Szarlej. – Nadajesz się najmniej. To tobie, nie nam, wróżba kazała wystrzegać się Baby i Panny. Ale ty oczywiście we wróżby nie wierzysz. Gdy tak ci wygodniej.

– Biorę w tym przykład z ciebie – odciął się Reynevan.

– Koniec gadania, wyruszam. Sam. Wy zostajecie. Bo gdyby...

– Słuchamy. Gdyby?

– Gdyby coś poszło nie tak... Gdybym wpadł... Chciałbym móc liczyć, że mam was obu w odwodzie. Że przyjdziecie z pomocą i wyciągniecie z kabały.

Szarlej milczał długo.

– Dręczy mnie myśl – powiedział wreszcie – że gdybym teraz dał ci, Reinmarze z Szampanii, czymś twardym po łbie, związał w kij i zamknął na jakiś czas w piwnicy, to byś mi za to kiedyś podziękował. Ciekawość tedy, czemu tego nie robię.

– Bo wiesz, że bym nie podziękował.

•

Realizacja pomysłu poszła sprawnie. Wciąż goszczący na Michalovicach hejtman Vojta Jelinek, poinformowany – bez szczegółów – o przedsięwzięciu, samorzutnie i dość skwapliwie zadeklarował pomoc. Zmierzając z małym zwiadowczym podjazdem pod Roimund, oświadczył, gotów jest nieco nadłożyć drogi i eskortować Reynevana do jiczyńskiego gościńca, gdzie bez trudu przyłączy się do którejś z kupieckich karawan.

Wyruszyli jeszcze tego samego dnia. Około południa.

•

Jakoś tak na odwieczerz zbudził się i oprzytomniał Berengar Tauler. Nie wymiotował już, mógł w miarę prosto stać i nawet chodzić. Sam poszedł był do wychodka i bez

229

niczyjej pomocy stamtąd powrócił, wyglądało więc, że ozdrowiał. Na tyle, by Szarlej i Jan Czapek mogli przyprzeć go do muru względem prowadzącego na Troski sekretnego podziemnego przejścia. Przybrawszy srogie miny inkwizytorów, zasypali ozdrowieńca pytaniami, mającymi osaczyć go i przyłapać na szalbierstwie.

– Jakie przejście? – blady Tauler zbladł jeszcze bardziej, zamrugał, ale bynajmniej się nie zląkł. – Jaki podziemny korytarz? O czym wy gadacie?

– Jak zamierzałeś wprowadzić nas na Troski? Tajemnym przejściem, tak?

– Nie, do cholery! Nic nie wiem o żadnym przejściu! Na Troskach mam, a raczej miałem, znajomka, masztalerza... Liczyłem, że pomoże nam... Miał wobec mnie dług wdzięczności... Ułatwiłby nam dostanie się na zamek albo sam wyszpiegowałby dla nas, co trzeba... O co wam, u diabła, chodzi?

Szarlej i Czapek nie odpowiedzieli. Wypadli z izby, zbiegli po schodach, w biegu wydając rozkazy.

●

Niemal zajeździli wierzchowce, by zdążyć przed zmrokiem. Zjechali cały jiczyński gościniec, dotarli niemal pod zamek Kość. Napotkali dwa kupieckie orszaki, kotlarza z wozem miedzianych wyrobów, trupę wędrownych akrobatów. Żebraka. Babę z koszem gąsek.

Nikt z nich nie widział poety z Szampanii. Ani nikogo o podanym rysopisie. Ani dziś, ani w ogóle.

Reynevan zniknął. Jakby go ziemia pochłonęła.

Szarlej nalegał, by jechać za Vojtą Jelinkiem i jego podjazdem, by doścignąć ich i wypytać, dowiedzieć się, co się stało, gdzie Reynevana zostawili. Jan Czapek nie zgodził się, odmówił stanowczo. Mającego kilka godzin przewagi podjazdu Jelinka nie da się już doścignąć, orzekł. Noc zapada. A teren jest niebezpieczny. Zbyt blisko katolickich zamków. Zbyt blisko dla liczącego jedynie dwadzieścia koni oddziału.

Wrócili po własnych śladach, tą samą drogą, rozglądając się pilnie. Wypatrując samotnego jeźdźca. A gdy zupełnie się ściemniło, blasku biwakowego ognia.

Nie dostrzegli niczego.
Po Reynevanie zginął ślad.

•

Pierwszym uczuciem, jakiego doznał po ocknięciu się, było kąsające zimno, tym dotkliwsze, że zupełnie nie mógł się poruszyć, nie mógł się ani skurczyć, ani zwinąć, by chronić przy ciele resztki ciepła. Był jak sparaliżowany.

Potem, kolejno, budziły się i rozpoznawały położenie inne zmysły. Otwarte oczy pokazały w górze gwiazdy na czarnym październikowym niebie – Polaris, Małą i Wielką Niedźwiedzicę, Arktura w konstelacji Wolarza, Vegę, Bliźnięta, Kozę. Węch zaatakował smród, ohydny i nieznośny mimo zimna i ewidentnego faktu przebywania pod gołym niebem, na gołej ziemi, twardej i zmarzniętej. Słuch zarejestrował dobiegające skądś z bliska rozpaczliwe krzyki. I rechot.

Szyja i kark bolały go potwornie, mimo tego szarpnął się, targnął – zdążył już pojąć, że brak możliwości zmiany pozycji wynika z faktu, że unieruchamia go kilka mocno przywartych do niego ciał i że to te ciała właśnie wydzielają ów wstrętny dla nosa odór. Ciała zareagowały na jego poruszenie – tym, że przywarły jeszcze ciaśniej i ściślej. Ktoś zajęczał, ktoś zastękał, ktoś wezwał Boga. Ktoś zaklął.

Od jego lewej strony – to znaczy z kierunku Vegi i konstelacji Liry – rozjaśniały czerń nocy migotliwe rozbłyski ognia. Zapach dymu przedostał się wreszcie poprzez fetor ludzkich ciał. To właśnie stamtąd, od ogniska, dobiegały owe pełne rozpaczy krzyki – które teraz przeszły już w jęki i spazmatyczny szloch.

Targnął się znowu, z najwyższym wysiłkiem wyzwolił rękę, gwałtownie zepchnął z siebie jedno z ciał, ewidentnie kobiece i bynajmniej nie chude. Zaklął, podkurczył kolano.

– Ostawcie, panie – zaszeptał ktoś tuż obok. – Nie czyńcie nic. Bieda będzie, jak usłyszą...

– Gdzie jestem?

– Cichajcie. Usłyszą, bić będą...
– Kto?
– Oni. Martahuzy... Przez Boga, cichajcie...
Kroki, skrzyp drewna. Blask pochodni. Rechot.
Przekręcił głowę, spojrzał.
Trzymający pochodnię miał twarz gęsto pokrytą pryszczami. Czoła nie miał niemal wcale. Czarne sztywne włosy, zdawało się, wyrastają mu wprost z brwi i nasady nosa. Reynevan widział go już.
Było jeszcze trzech. Jeden niósł latarnię, w drugiej ręce też coś dzierżył. Dwaj wlekli trzymanego pod ramiona chłopaka, kilkunastolatka. Chłopak szlochał.
Brutalnie pchnęli go na ziemię, schylali się, świecili na leżących – teraz Reynevan widział już, że leżący stłoczeni byli wewnątrz otoczonego rzadkim ostrokołem ogrójca. Kogoś wybrali. Ktoś wysoko i z rozpaczą krzyknął, ktoś zawył, ktoś znowu wezwał Boga i świętych. Zaświszczał bat, urwane krzyki zgłuszyły odgłosy razów. Wywlekany z ogrójca chłopiec – jeszcze młodszy od poprzedniego – płakał, błagał o litość. Po krótkim czasie zza ostrokołu doleciał jego rozdzierający krzyk. I rechot martahuzów.
Reynevan zaklął, bezsilnie zacisnął pięści. Ale wpadłem, pomyślał. Ale wpadłem.
Pamiętał.

•

Miał złe przeczucie już wtedy, gdy z lasu na rozstaju dróg wyjechał na kosmatym srokaczu ten pryszczaty, z włosami wyrastającymi z brwi. Gdy uśmiechnął się, demonstrując poczerniałe reszki zębów. Gdy w ślad za nim spomiędzy drzew wyjechało następnych czterech. Równie odrażająco wyglądających i uśmiechniętych.
Złe przeczucie Reynevana przerodziło się w pewność, gdy Pryszczaty, gestem pozdrowiwszy hejtmana Vojtę Jelinka, spojrzał na niego, obrzucił obleśnie taksującym spojrzeniem. Hejtman Vojta Jelinek też na niego spojrzał z pogardliwym grymasem, mówiącym aż nadto wyraźnie: „Podeszliśmy cię jak dzieciaka, naiwny głupcze".
Reynevan udał, że poprawia strzemię, nagle dźgnął

232

wierzchowca ostrogą i runął w skok, w las. Przewidzieli to. Zablokowali go końmi, kopniakiem zwalili z siodła, naskoczyli, przygnietli do ziemi. Spętali. Jelinek, oby go trąd stoczył, przyglądał się, uśmiechnięty, z wysokości kulbaki.

– To ważny jakiś – powiedział do Pryszczatego. – Ważny jakiś, nie byle chmyz. Dziesięć kóp groszy dasz mi za niego, Hurkovec.

– Akurat – odpalił Pryszczaty. Pryszcze miał wszędzie, nawet na powiekach, nawet na wargach, ba, miał nawet pryszcze na pryszczach. – Ważny, jużci! Wnosząc z odziewy, artysta jakiś chędożony. Wiela za niego wezmę? Pambu jeden wie. Dam dwie kopy. Co? Za mało? To chędoż się, Jelinek. Każ go zadźgać, w krzakach listowiem przysypać...

– Daj choć osiem! To ważny typek, mówię!

– Trzy.

– I tak cięgiem na mnie zarabiasz! Mało ci ludzi dostarczyłem? Całe wsie ci spędzałem, sknero ty!

– Pięć.

– Ha. Niech będzie moja krzywda. Hej, co on się tak miota? Przyduście go tam trocha! Byle z czuciem!

Reynevan spróbował się wyrwać. Nadaremnie. Zarzucili mu rzemień na szyję. Dławili z czuciem, kilka razy z czuciem kopnęli w brzuch. Walnęli w głowę. Stracił przytomność. Na długo.

•

Za ostrokołem, u ogniska, gwałcony chłopiec krzyczał i szlochał. Ten zgwałcony wcześniej jęczał i łkał.

– Co z nami zrobią?

– Sprzedadzą – odszepnął sąsiad, ten, który wcześniej uciszał go i ostrzegał. – Sprzedadzą na zatracenie. To martahuzy, panie. Ludokradcy.

Nad ranem Reynevan, ile miał mocy, przyciskał się i tulił do innych, stłoczonych na klepisku w dyszący, jęczący i dygocący kłąb. Nie krępował się. Ważna była każda drobina ciepła. Nawet śmierdzącego. Zresztą wcale nie był więcej wart od tych śmierdzących.

Wart był wszak zaledwie pięć kóp groszy praskich. Czyli coś koło dziesięciu węgierskich dukatów. Czyli tyle, ile – w przybliżeniu – dwie krowy plus kożuch i wiertel piwa na dokładkę.

●

O brzasku był krzyk, wrzask, klątwy, plugawe obelgi, kopniaki, razy biczów. Stłoczonych w ogrójcu pojedynczo wypędzano przez bramkę w ostrokole, zakleszczano w dyby, deski z otworami na szyję i ręce. Spędzano, nie szczędząc batów, w kolumnę marszową.

Dyby Reynevana cuchnęły rzygowinami. Nie dziwota. Nosiły ich zaschnięte ślady.

Pryszczaty, w siodle kosmatego srokacza, gwizdnął na palcach. Świsnęły bicze. Kolumna ruszyła. Ludzie modlili się głośno. Bicze spadały ze świstem i trzaskiem.

Koszmar miał swą dobrą stronę. Wymuszony batami trucht rozgrzewał.

●

Sądząc po słońcu, szli na wschód. Już nie pędzono ich tak ostro, jak świtem, nie zmuszano do biegu. Bynajmniej nie z litości ani z kompasji. Dwoje osób – starszy mężczyzna i niemłoda kobieta – padło i nie mogło wstać, choć ludokradcy nie żałowali batów i kopniaków. Kolumnę gnano dalej, Reynevan nie widział więc, co się z parą stało, ale przeczucia miał bardzo złe. Słyszał gniewny głos Pryszczatego, odsądzającego hejtmana Jelinka od czci i wiary za dostarczenie „starych trupów" i klnącego swych podwładnych od ostatnich za to, że „marnują towar". Skutkiem incydentu pozwolono im iść wolniej. I smagano rzadziej.

Reynevan kulał, odbił piętę, od dawna nie pokonywał pieszo podobnie dużych dystansów. Po jego prawicy dyszał w dybach młody człowiek, jego rówieśnik. Ów już w nocy, będąc zdecydowanie mniej otępiały od reszty, urywanymi zdaniami przedstawił się jako towarzysz rzemiosła stolarskiego z Jaromierza, idący na wandr – słowo to oznaczało mającą doskonalić w zawodzie wędrówkę.

Zmierzającego z Jiczyna do Żytawy napadli i schwytali martahuzi. Łykając łzy, czeladnik błagał Reynevana, by, jeśli cudem jakimś uda mu się wywinąć, powiadomił o jego losie Alżbietę, córę mistrza Rużiczki, jaromierskiego krawca. Deklarował, że jeśli on ocaleje, uwiadomi wskazaną osobę. Reynevan nie wskazał nikogo. Nie miał zaufania. I nie wierzył w cuda.

Szli wąwozami, lasami, przez dukty wśród cienistych bukowin, wśród zielonych świerków, wśród grup jaworów, jesionów i wiązów. Mijali smukłe przydrożne jesienne brzozy krasawice, piękne niczym przyodziane w złotogłów królewny. Widok, zaprawdę, mógł cieszyć oczy i napawać duszę radością.

Jakoś nie cieszył. Ani nie napawał.

•

Słońce pokonało już spory odcinek drogi do zenitu, gdy od czoła kolumny rozległy się okrzyki i rżenie koni. Serce Reynevana skoczyło w piersi na widok zbrojnych w kapalinach, kolczych kapturach i wiśniowych tunikach. Przykrym, boleśnie przykrym okazał się więc widok Pryszczatego, ściskającego w wylewnym powitaniu prawicę dowodzącego zbrojnymi dziesiętnika.

Spotkanie oczywistych znajomków miało miejsce na rozdrożu, z którego wzmocniona eskorta popędziła kolumnę w kierunku południowym. Rychło skończyła się knieja, las zrzedł, piaszczysta dróżka zaczęła wić się wśród skał o fantastycznych kształtach. Stojące wysoko słońce przyświecało zza sunących po błękicie kumulusów.

Nagle cel ich drogi stał się widoczny. Widoczny jak na dłoni. Oczywisty.

– Czy to... – jęknął Reynevan, usiłując odsunąć od obtartej szyi kant deski dybów. – Czy to jest...

– Ano... – potwierdził ponuro towarzysz rzemiosła stolarskiego. – Pewnikiem...

– Troski... – zajęczał ktoś za ich plecami. – Zamek Troski... Boże, miej nas w opiece...

Z porosłego rzadkim lasem wzgórza sterczała samotna, dziwaczna, dwuroga skała, jak czarcia głowa, jak sterczące uszy utajonego wilczura. Skała – Reynevan nie wiedział o tym i wiedzieć nie mógł – była stężałą magmą, wynurzonym wylewem wulkanicznego bazaltu. Ekstrawagancka w pejzażu, dominująca nad okolicą opoka siłą rzeczy wpadła komuś w oko jako naturalny fundament dla warowni. Tym kimś – to akurat Reynevan wiedział, przed wyprawą zdobył trochę informacji – był sławny Czeniek z Vartenberka, za króla Wacława burgrabia praski. Najęty przez Czeńka budowniczy zręcznie wykorzystał wulkaniczny relikt: wtopił właściwy zamek w siodło między bazaltowymi rogami, na samych rogach zaś umieścił wieże. Wyższa z nich, pobudowana na wschodnim rogu, smuklejsza i czwórgranna, nosiła nazwę Panny. Zachodnią, niższą, pękatą i pięcioboką, nazwano Babą.

W roku 1424 – panem zamku był już wówczas Otto de Bergow, zawzięty wróg i okrutny prześladowca przyjmujących z Kielicha – zamek oblegli rozwścieczeni taboryci. Nie pomógł jednak długotrwały ostrzał z katapult i bombard, niepowodzeniem skończył się szturm, Boży bojownicy musieli odstąpić. Od tamtej pory Troski uznano za nie do zdobycia. De Bergow puszył się zaś i dalej gnębił okolicznych husytów żelazem, ogniem i strykiem.

– Nuże tam! – krzyknął od czoła Pryszczaty. – Zamek przed nami! Popędźcie no te świnie pod górę, niech zaczną żywiej kulasami przebierać!

Świsnęły baty. Posypały się razy i klątwy.

•

Wpędzono ich przez wąską bramę na ogrodzone murami, zwężające się ku stronie zachodniej przedzamcze, pogrążone w cieniu muru zamku górnego. Spędzonym w cwinger zdjęto dyby. Reynevan zdrętwiałą ręką zmacał kark i stwierdził, że ma otarty do krwi. Towarzysz stolarski zaczął coś do niego mówić, urwał z krzykiem, gdy rzemień bata spadł mu na plecy.

– Ustawić się, psia! – zaryczał Pryszczaty. – Stać! I ni pary z gęby!

Szturchani i popychani ustawili się pod murem. Było ich, Reynevan dopiero teraz mógł dokładnie policzyć, wraz z nim osób trzydzieści i trzy, w tym siedem kobiet, czterech starców i trzech wyrostków gołowąsów. Ani starcy, ani chłopcy nie sprawiali wrażenia nadających się do niewolniczej pracy. Dziwiło, że byli wśród schwytanych. Na dalsze zdziwienia zabrakło czasu.

Z przedzamcza do wiodącej na górny zamek bramy można było się dostać po drewnianych, częściowo zadaszonych schodach. Po schodach tych schodziła właśnie grupa bogato odzianych mężczyzn. Powitani w dole przez kapitana straży i kilku burgmanów, mężczyźni zbliżyli się.

– I cóż tu mamy, Hurkovec? – zaciekawił się idący na czele postawny mąż z jasnym wąsem. Nie ulegało wątpliwości, kim był – luźny *haqueton* zdobił motyw uskrzydlonej ryby, godło rodu Bergowów. Mężczyzną był pan zamku Troski, Otto de Bergow we własnej osobie.

– Cóż tu mamy? – powtórzył. – Paru chłopków, paru żebraków, parę bab i parę dzieci. Zda mi się, Hurkovec, żeśmy sobie już poprzednio pewne rzeczy wyjaśnili. Miałeś mi, huncwocie jeden, dostarczać husytów. Husytów, nie przypadkowo połapanych wieśniaków. Czy ty myślisz, że będę ci płacił za wieśniaków? Pewnie zresztą większością moich własnych?

– Niech mnie Pambu skarze – Pryszczaty walnął się w pierś, skłonił nisko. – Niechaj jutra nie doczekam, jaśnie wielmożny panie! To są husyci, najprawdziwsi husyci. Jeden w jednego heretyckie ścierwa, najprawdziwsze husynsyny.

– Nie wyglądają – ocenił drugi rycerz, młody i przystojny, w przypominającej dzwonek czapce na utrefionych włosach. Każda niemal krawędź jego ubioru powycinana była, jak kazała moda, w zaokrąglone ząbki.

– Nie wyglądają – powtórzył, podchodząc i zasłaniając nos ząbkowanym mankietem. – Ale zapytajmy dla porządku. Hej, babo! Coś za jedna? Czcisz Husa jako swego boga?

– Ja niewinna! Panie dobry! Jam wdowa ubożuchna!

– A ty, chłopie? Przyjmujesz komunię sposobem oboim?

– Ja nie winien! Pomiłujcie!

– Łżą, jaśnie panie – zapewnił w ukłonach Pryszczaty.

– Łżą, kacerskie ryje, skórę chcący ocalić. Wy na ich miejscu nie łgalibyście?

Przystojny spojrzał na niego z morderczą pogardą, wyglądało, zdzieli za sugestię pięścią. Ale ograniczył się do splunięcia.

Po czym odwrócił się do de Bergowa. I do stojącego obok starszego rycerza w pikowanym wamsie, o dostojnym obliczu i dumnie wydętych ustach. Tego Reynevan widział już gdzieś, przysiągłby. Po chwili namysłu doszedł do wniosku, że tego w dzwonkowej czapce widział już też.

– Nie wiem, doprawdy nie wiem, cny panie Ottonie – zwrócił się ów dostojny do de Bergowa, rozkładając ręce.

– Mamy zlecenia od patrycjatów Sześciu Miast. U mnie złożył zamówienie Budziszyn. Tu obecny pan Hartung von Klüx z Czochy reprezentuje interesy Zgorzelca, pan Lutpold von Köckeritz, którego tylko patrzeć: Lubija. Ale nasze zamówienia opiewają na husytów. Nie na jakąś przygodną a żalu godną hołotę.

Otto de Bergow wzruszył ramionami.

– Cóż ja mam wam rzec, cny panie Lotarze von Gersdorf? – zapytał. – Chyba tylko jedno: przygodna hołota, nim spłonie na stosach w Budziszynie czy Zgorzelcu, będzie wołać o litość po czesku. Jak najprawdziwsi husyci. Nie do odróżnienia.

Lotar Gersdorf pokiwał głową ze zrozumieniem i w uznaniu dla logiki. A Reynevan pamiętał już, gdzie i kiedy go widział, jego i przystojnego, powycinanego w ząbki Hartunga von Klüx w czapce przypominającej dzwonek. Widział ich obu przed dwoma laty. W Ziębicach. Na turnieju w dniu święta Narodzin Marii Panny.

Gersdorf, Klüx i kilku innych rycerzy odeszło na bok, by się naradzić. Jeńców podeszli pooglądać kolejni, do tej pory milczący. Dwaj żadnymi godłami się nie wyróżniali, trzeci, odziany najbogaciej, miał na wamsie tarczę sześciokrotnie dzieloną w słup na pasy srebrne i czerwone, łatwy do identyfikacji herb Schaffów. Goczego Schaffa, pana na Gryfie, Reynevan też pamiętał z ziębickiego turnieju. Obecnym na Troskach musiał być więc jego brat Janko, dziedzic i pan zamku Chojnik.

Od strony bramy i strażnicy rozległ się szczęk i łomot kopyt, na dziedziniec przedzamcza wtoczył się poczet zbrojnych. Na czele podążało dwóch heroldów. Jeden, odziany na biało, niósł błękitną chorągiew z trzema srebrnymi liliami. Na żółtej chorągwi drugiego herolda widniał czerwony jeleni róg. Reynevan z trudem przełknął ślinę. Znał ten herb. Znajomych przybywało.

•

Nowo przybyli zatrzymali konie, zsiedli, niedbale rzuciwszy wodze zdyszanym pachołkom, podeszli do pana zamku, skłonili się z szacunkiem, ale dumnie. W siodle, prócz knechtów i strzelców, został tylko młody pazik w wielkim berecie z trzema strusimi piórami. Nie bacząc, że będzie uznany za sowizdrzała, filuta i głupka, pazik obracał koniem, zmuszając go do pląsów i tanecznych kroków. Podkowy dzwoniły na bruku.

– Panie de Bergow. Witamy i pozdrawiamy!

– Panie von Biberstein, panie von Köckeritz. Gość w dom, Bóg w dom.

– Pozwólcie: pana Köckeritzowi i moi rycerze i klienci: pan Mikulasz Dachs, pan Henryk Zeband, pan Wilrych von Liebenthal, Piotr Nimpcz, Jan Waldau, Reinhold Temritz. Zdążyliśmy na ucztę?

– I na ucztę, i na interesy.

– Widzę, widzę – Ulryk von Biberstein, pan na Frydlandzie, obrzucił okiem stojących pod murem jeńców. – Acz widok marny wielce. Chyba że to resztki, że już nam Sześć Miast co lepszy towar podebrało. Witam, panie Gersdorf. Panie Klüx. Panie Schaff. Jak tam? Targ już ubity?

– Jeszcze nie.

– Dalejże więc ubijać – zatarł dłonie Biberstein. – I na ucztę, na ucztę! Na świętego Dionizego! Pić się chce jak diabli!

– Temu – skinął na paziów Otto de Bergow – łatwo zaradzimy.

Przybyły z panem na Frydlandzie Mikulasz Dachs – Reynevan pamiętał z relacji husyckich hejtmanów, że był to klient Bibersteinów – wrócił, dokonawszy oględzin ustawionych pod murem jeńców. Jego mina mówiła wiele. A czego nie mówiła, dopowiedziało kręcenie głową.

– Baczę, coraz to gorzej – skomentował Biberstein, biorąc z rąk pachołka wielki puchar. – Coraz to gorszy oferujesz waść towar, panie Ottonie, coraz to pośledniejszą jakość. Widno, znak to czasów, *signum temporis*, jak mawia mój kapelan. Cóż, jaka praca, taka płaca, pogadajmy więc o cenach. W Roku Pańskim 1419 za złapanego i przeznaczonego na kaźń husytę płacono w Kutnej Horze kopę groszy, za heretyckiego kaznodzieję pięć kóp...

– Ale wtedy podaż była większa – przerwał mu de Bergow. – W roku dziewiętnastym o złapanego husytę nie było trudno, katolicy zwyciężali. Dziś husyci górą, a katolicy cięgi zbierają, tedy husycki jeniec rzecz rzadka, prawdziwie rarytetna. Więc i droga. A panowie z landfrydów sami zawyżają ceny, tworzą precedensy. Oldrzych z Rożmberka płaci po sto pięćdziesiąt kóp groszy okupu. Po bitwie tachowskiej Bawarzy i Sasi płacili za swoich nawet więcej. I po dwieście kóp za głowę.

– Przysłuchuję się – podszedł i dumnie zadarł głowę Lotar Gersdorf – i zaiste nie wiem, jam zgłupiał czy wy. Pan z Rożmberka i Niemcy płacili za panów, za szlachtę, za rycerzy. A nam kogoście tu na targ postawili? Dziadów jakichś kalwaryjskich! Nuże, schwytajcie i zaoferujcie mi tu Rohacza z Dube, dajcie mi Ambroża, Kralovca, braci Zmrzlików, Jana Czernina, Kolucha, Czapka z San. Na nich nie pożałuję srebra. Ale na tych tam obszczańców marnotrawić go nie myślę. Co mi po obszczańcach?

– Ci obszczańcy – nie spuścił wzroku de Bergow – na stosach będą po czesku krzyczeć i o litość wołać. O to wszak idzie, nie?

– O to – przytaknął zimno Biberstein. – W miastach u nas ludzie trzęsą się ze strachu przed Czechami, panikują. Pamiętają, co było w maju.

– Jako żywo – potwierdził ponuro Lutpold Köckeritz. – Przyjrzeli się husytom z murów mieszkańcy Frydlandu, Żytawy, Zgorzelca i Lwówka. Ale choć te miasta obroniły się, zwycięsko odparły szturmy, ludzie milkną ze zgrozy,

240

ilekroć napomknie kto o strasznym losie Ostritz, Bernstadtu, Lubania, Złotoryi. Trzeba pokazać tym ludziom coś, co ducha podniesie. Najlepiej to, jak Czecha husytę na szafocie sprawiają. Nuże więc, Ottonie, nazwijcie cenę. Będzie rozsądna, poddam rozwadze... Hola! Hola! Dzierż-że tę kobyłę na wodzy, Douce!

Pazik, ów czwaniący koniem chłopiec w berecie z piórami, podkłusował do grupy tak ostro, że omal rycerzy nie poroztrącał. Na podobny popis żaden pazik, giermek ani junkier nie poważyłby się, świadom konsekwencji, w tym bizuna. Pazik, o którym mowa, konsekwencji ewidentnie się nie lękał. Prawdopodobnie dlatego, że nie był pazikiem.

Spod zawadiacko przekrzywionego beretu spoglądały na rycerzy śmiałe do bezczelności oczy o barwie wód górskiego jeziora, obramowane długimi chyba na pół cala rzęsami. Drapieżnie zadarty nos kłócił się nieco z blond loczkami, rumianymi jagodami i usteczkami aniołka, ale całość i tak przyprawiała o dziwne jakieś uczucie w okolicy, którą poeci eufemistycznie zwali *circa pectora*.

Licząca lat najwyżej piętnaście dziewczyna miała na sobie białą mereżkowaną bluzkę i kamizelę ze szkarłatnego atłasu. Męski kubrak z sobolowym kołnierzem nosiła sposobem najnowszej mody – przełożywszy ręce przez otwarte szwy boczne tak, by rękawy zwisały luźno na plecy, w galopie powiewały zaś malowniczo.

– Pozwólcie, cni panowie – przedstawił z lekkim przekąsem Lutpold Köckeritz – ten tu oto kuglujący koniem błazenek to moja siostrzenica, szlachetnie urodzona panna Douce von Pack.

Rycerze – wszyscy, nie wyłączając starszych i dostojnych – milczeli i wybałuszali oczy. Douce von Pack obróciła wierzchowca, zgrabną skarogniadą klacz.

– Obiecałeś, wujaszku – powiedziała głośno. Głos miała niezbyt przyjemny. Niwelujący – nie u wszystkich – urok i wywołany pierwszym wrażeniem efekt.

– Obiecałem, to i dotrzymam – zmarszczył brwi Köckeritz. – Miejże cierpliwość. Nie przystoi...

– Obiecałeś, obiecałeś! Chcę teraz, zaraz! Nudzę się!

– Piekło i szatani! Dobrze więc. Dostaniesz jednego. Wybierz sobie. Panie Ottonie, jednego spośród owych biorę. Bez targów. Jaką cenę nazwiecie, taką płacę. Rozliczym się na końcu. Obiecałem dziewce podarować, a sami baczycie, jak to kaprysi... Niech tedy kosztuje, co chce...

De Bergow oderwał wzrok od uda dziewczyny, zachrząkał, pojąwszy wreszcie, w czym rzecz.

– Nic nie kosztuje – skłonił się. – Niechaj będzie ode mnie w podarku. W hołdzie dla urody i wdzięku. Proszę sobie wybrać, mościa panno.

Douce von Pack odkłoniła się z siodła i uśmiechnęła. Z wdziękiem iście zabójczym. Potem przedefilowała przed oniemiałymi rycerzami, zmuszając klacz do drobnych kroczków. Podjechała przed jeńców.

– Ten!

Uczyniła ślub, pomyślał Reynevan, patrząc, jak pachołcy wyciągają przed szereg czeladnika z Jaromierza. Ślubowała dobroczynność, przyrzekła kogoś uwolnić. Stolarczykowi się udało. Istny cud... A można było przez niego dać znać Szarlejowi. Szkoda...

– Uciekaj – syknęła dziewczyna, schylając się z kulbaki i wskazując bramę. – Biegnij!

– Nie! – krzyknął Reynevan, pojmując raptownie. – Nie bieg...

Jeden z martahuzów uderzył go na odlew. A towarzysz rzemiosła stolarskiego puścił się biegiem przez dziedziniec. Biegł szybko. Ale nie dobiegł daleko. Douce von Pack w cwale wyrwała oszczep jednemu z konnych knechtów, dognała czeladnika przy samej niemal bramie, miotnęła w pełnym biegu, mocno, z ramienia. Oszczep trafił w środek pleców, między łopatki, grot wyszedł pod mostkiem w gejzerze krwi. Czeladnik padł, wierzgnął nogami, zwinął się, znieruchomiał. Dziewczyna obojętnie zatoczyła koniem, przedefilowała przez dziedziniec. Podkowy rytmicznie dzwoniły o kamienne płyty.

– Ona tak zawsze? – zaciekawił się, ale zimno, Ulryk Biberstein.

– Wrodzone? – spytał wcale nie cieplej Lotar Gersdorf. – Czy nabyte?

– Posyłać by w bór, na dziki – odchrząknął Janko Schaff. – Wtedy, co ubije, zawszeć mięso...

– Jej – nasępił się Köckeritz – dziki dawno się znudziły. Dzisiejsza młodzież... Ale cóż robić, krewniaczka...

Douce von Pack podkłusowała bliżej. Na tyle blisko, by zobaczyli wyraz jej oczu.

– Chcę jeszcze jednego, wujaszku – powiedziała, napierając kroczem na łęk. – Jeszcze jednego.

Köckeritz nasępił się jeszcze bardziej, ale nim zdążył cokolwiek powiedzieć, uprzedził go Hartung Klüx. Pan na zamku Czocha wciąż wpatrywał się w Douce jak urzeczony. Teraz wystąpił, zdjął dzwonkową czapkę, skłonił się głęboko.

– Zaszczyconym będę – przemówił – mogąc ofiarować szlachetnej pannie to, o co prosi. W hołdzie dla urody. Panie Ottonie?

– Oczywista, oczywista – machnął ręką de Bergow. – Proszę sobie wybrać. Rozliczym się później.

Stojące za Reynevanem kobiety zaczęły płakać. A on wiedział. Zanim jeszcze owiała go para z końskich nozdrzy. Zanim zobaczył nad sobą oczy. Koloru toni górskiego jeziora. Piękne. Urzekające. I absolutnie nieludzkie.

– Ten.

– Ten jest drogi – odważył się zgięty w ukłonie Pryszczaty. – Najdroższy... To znaczny jest husyt, dlatego i cena znaczna...

– Nie z tobą, chmyzie – zacisnął szczęki Klüx – tarżyć będę, nie ty będziesz ceny nazywał. A ja dla tej panny każdą zapłacę. Bierzcie go!

Knechci wywlekli Reynevana, wypchnęli wprost przed pierś skarogniadej klaczy i bogaty, szyty złotem napierśnik.

– Biegnij.

– Nie.

– Hardy się znalazł? – Douce von Pack schyliła się z kulbaki, przeszyła go wzrokiem. – Nie pobiegniesz? To stój. Myślisz, że to dla mnie jakaś różnica? Najadę i dźgnę. Ale o zakład idę, że nie dostoisz, że będziesz zmykał w podskokach. A wtedy zapłacisz za hardy pysk. Skłuję jak świnię!

– Czterdzieści kóp groszy? – ryknął nagle de Bergow.
– Czterdzieści kóp? Chyba cię pojebało, Hurkovec! Wszy
ci chyba wszystek rozum ze łba głupiego wyssały! Chybaś
ze szczętem zdurniał, albo mnie masz za durnia! Jeśli to
pierwsze, to cię jeno wysmagać każę, jeśli drugie, jak psa
powieszę!

– Znaczny husyt... – zastękał Pryszczaty. – Po temu
i cena... Ale potargować możem...

– Ja dam – odezwał się niespodzianie Janko Schaff –
za niego czterdzieści kóp bez targów. Ale nie w podarku
żadnym. Przed panny Packówny urodą czoło chylę, ale
niechaj sobie zażga kogo drugiego. Tego żywym i zdro-
wym chcę.

– Z czego wynika – wziął się pod boki Köckeritz – że
wiesz, panie Schaff, kto on zacz. I ile jest wart. I wiedzą
tą nie podzielisz się, hę?

– Nie musi – rzekł Lotar Gersdorf. – Bo ja też wiem,
kto to jest. Poznaję go. To Ślązak, Reinmar von Bielau.
Czarownik pono. Alchemik. Do tego heretyk i husycki
szpieg. W Ziębicach na życie księcia Jana próbował się
targnąć, byłem przy tym. Pono przez husytów do tej
zbrodni najęty, ale ja skorzej tym ucho dam, co mówią, że
to z zazdrości szalonej, że poszło o niewiastę. Jak było,
czart wie, ale fakt, że poszukują tego Bielaua po całym
Śląsku. I pewnie zapłacić za ujętego obiecali, skoro pan
Janko bez targów czterdzieści kóp dać gotów lekką ręką.
Ale nic z tego, nic z tego. Husycki szpieg pięknie ozdobi
szafot na budziszyńskim rynku, piękna będzie kaźń. Lu-
dziska z daleka zjadą, by popatrzeć. Przebijam twą cenę,
Schaff. Budziszyn, panowie, daje pięćdziesiąt!

– Co robi – przemówił wolno i dobitnie de Bergow –
na moim zamku czarownik, husycki szpieg i najemny
morderca? Z czyjego tu przybył poduszczenia? Hę?

– Ja wcześniej – Hartung Klüx jakby go nie słyszał –
ofiarowałem tego waszego Ślązaka pannie Douce w podarku. I zapłacę...

– Wątpię – przerwał Gersdorf. – Nie masz tyle grosza.

– Tu o cześć moją idzie i o honor rycerski! – ryknął
Klüx. – Krew i życie dać za to gotowym, a co dopiero
pięćdziesiąt grzywien! Tyle zresztą łatwo najdę!

– A sto najdziesz? – spytał nie odzywający się od jakiegoś czasu Ulryk von Biberstein. – Bo ja przebijam, daję za onego sto kóp groszy. I niech mi nikt tu z honorem nie wyjeżdża, bo to sprawa honoru właśnie. O wyjaśnienia mnie nie proście. Ale jeśli to faktycznie Reinmar Bielawa, to on mój musi być. Daję za niego sto kóp. Panie Ottonie de Bergow? Cóż rzekniecie?

De Bergow patrzył na nań długo. Potem powiódł wzrokiem po wszystkich.

– Rzeknę – zadarł głowę – że nic z tego. Handel unieważniam. Owego Bielawę wycofuję z oferty.

– A to dlaczego?

– Dlatego – Otto de Bergow nie opuścił głowy – że tak mi się podoba.

– Ano – Biberstein zacharczał przeciągle, splunął. – Wasz zamek, wasza wola, wasze prawo. Tyle, że jeśli wy tak, to mnie jakoś odechciało się u was gościć. Dokończmy tedy interesu i komu w drogę.

– Racja – kiwnął głową Lotar Gersdorf.

– Fakt – przytaknął Janko Schaff. – I mnie się spieszy tak jakby. Dobijmy więc targu i żegnajmy się.

– Tedy, byście mnie jednak w lepszej pamięci mieli – oświadczył de Bergow, mitygując się wyraźnie – będzie zniżka. Cena specjalna, jak dla brata. Jak w Kutnej Horze osiem lat temu nazad. Kopa groszy od łba. Baby i wyrostków dorzucam darmo.

– I nie przebijajmy się wzajem – zaproponował Gersdorf – lecz podzielmy. Budziszyn, Zgorzelec, Lubij, Frydland, Jelenia Góra. Wpierw rozdzielmy równo baby i chłystków, a resztę...

– Reszta nie dzieli się równo – obliczył szybko Köckeritz. – Nie będzie sprawiedliwie.

– Będzie, na mą duszę – powiedział de Bergow, gestem przyzywając swych zbrojnych – Będzie sprawiedliwie jak cholera, nikt nie wyjdzie stratny. Hej, brać ich! Tych czterech! Brać i w pęta!

Nim martahuzi Pryszczatego pojęli, co się dzieje i o co chodzi, już byli związani. Dopiero wpychani pomiędzy swych niedawnych niewolników zaczęli się szarpać, wrzeszczeć i pomstować, ale błyskawicznie i bezlitośnie uciszono ich razami pałek, batów i drzewc dzid.

— Panie... — zajęczał Pryszczaty, którego nikt nie dotknął. — Jakże to... Jakże... Toć to moje ludzie...

— Chcesz może do nich dołączyć? Masz takie życzenie?

— Nie, nie, gdzie tam — usta Pryszczatego rozwarły się w szerokim i obleśnym grymasie. — Nijak nie! Co oni mi, krewni albo jak? Znajdę sobie nowych.

— Fakt, zawsze się kogoś znajdzie. Idź więc. Aha, byłbym zapomniał...

— Eee?

Otto de Bergow odwzajemnił się uśmiechem, po czym skinął na Douce von Pack, trzymającą oszczep w poprzek siodła. Douce błysnęła ząbkami, jej błękitnozielone oczęta zapłonęły.

— Wprowadziłeś mi na zamek szpiega i mordercę. Biegnij do bramy. Pędź! Chyżo!

Pryszczaty pobladł, zrobił się biały jak rybi brzuch. Ochłonął błyskawicznie, odwrócił się na pięcie i pomknął ku bramie niczym chart. Biegł szybko. Bardzo szybko. Wyglądało, że dobiegnie.

Nie dobiegł.

Rozdział dziesiąty

w którym okazuje się, że nic nie wzmaga tak sprawności umysłowej jak głód i pragnienie. Gdy zaś trzeba rozwikłać jakąś zagadkę, najlepsze wyniki daje obsikanie ludzkich szczątków. Koniecznie w Dzień Zaduszny.

– Reinmar von Bielau ze Śląska – Otto de Bergow, pan na zamku Troski, otaksował Reynevana wzrokiem, od głowy do stóp i z powrotem. – Czarnoksiężnik. Alchemik. Husycki szpieg. A do tego wszystkiego jeszcze najemny morderca. Szeroki, że się tak wyrażę, wachlarz specjalności. Z którąż to z nich przybyłeś na mój zamek? Nie odpowiadasz? Nie szkodzi. Ja i tak wiem.

Reynevan milczał. Gardło miał ściśnięte, nie mógł przełknąć śliny. Loch był przeraźliwie zimny i przeraźliwie śmierdział. Smród, jak się wydawało, bił z przykrytego ciężką żelazną kratą otworu w podłodze. Choć zejście pod wieżę po wijących się schodach zajęło sporo czasu, poziom, na którym się znajdowali, nie był najniższym. Poniżej było jeszcze coś. Lochy pod Panną sięgały samych chyba trzewi Ziemi.

Pachołcy zatknęli pochodnie w żelaznych uchwytach. Kratę w podłodze otwarto ze zgrzytem. W ciemny i tchnący zgnilizną otwór wpuszczono drabinę.

– Złaź – potwierdził domysły Reynevana de Bergow. – Żywo.

Do samego dołu zejść mu nie pozwolili. Mocno targnęli drabiną, Reynevan spadł, z wysoka gruchnął o ubite i twarde jak kamień klepisko, upadek na dłuższą chwilę pozbawił go oddechu.

– Miałem – odezwał się z góry de Bergow, zasłaniając sobą tę odrobinę światła, jaka dostawała się przez otwór – niegdyś na Troskach magika mądralę, oczytanego i wygadanego, ów twierdził, że loch taki jak tutejszy nosi nazwę *oubliette*. W życiu nie słyszałem, by ktoś poza owym magikiem tego słowa używał. Idzie ono jakoby z galijskiego i znaczy, he-he, „zapominajka". Oświecę cię, dlaczego taka akurat nazwa. Otóż ta krata za chwilę zostanie zamknięta, a o tobie się zapomni. Całkowicie, również jeśli idzie o chleb i wodę. Dlatego ja osobiście nad galijską przedkładam nazwę tubylczą loszku: hladomorna. Zamorzę cię głodem, panie von Bielau. Chyba że zmądrzejesz i wyznasz mi, kto cię najął, z czyjego rozkazu miałeś mnie zamordować. Uprzedzam, łgarstwa i matactwa nic ci nie pomogą. Ja wiem, kto stoi za zamachem, ty dostarczysz tylko szczegółów. I dowodów.

Reynevan stęknął, zmienił pozycję. Potłukł się, ale chyba niczego sobie nie złamał. Z góry dobiegł szczęk i zgrzyt zamykanej kraty.

– Aha, byłbym zapomniał – dorzucił z wysoka de Bergow. – Gusła, o ile naprawdę jesteś czarownikiem, nie uratują cię. Mądrala magik, o którym wspominałem, obłożył hladomornę specjalnymi ochronnymi urokami. Twierdził, że nie pokonałby ich nawet sam Merlin. Nie kłamał, okazało się, a okazało się na jego własnym przykładzie. Sczezł tam na dole i dotrzyma ci teraz towarzystwa. A jeśli nie udało się uciec stamtąd Rupiliusowi Ślązakowi, to i ty nie masz szans. Żegnam. A że niedługo będziesz tam na dole spijał własne szczyny, zawczasu życzę zdrowia i smacznego.

Kroki i szczęk metalu ucichły w oddali. Zgasły echa. I zapadła cisza, głęboka i głucha.

Trochę potrwało, nim wzrok Reynevana przyzwyczaił się do ciemności. Na tyle, by w kącie lochu mógł dostrzec białą wyszczerzoną czaszkę przykutego do ściany kościotrupa.

Pogłoska sprawdzała się. Czarodziej Rupilius faktycznie przebywał na zamku Troski. Przebywał i miał na nim pozostać. Na wieki wieków.

•

Podstawowym związanym z czarodziejskimi amuletami problemem, wyjaśnił kiedyś Reynevanowi Telesma, praski czarodziej spod „Archanioła", jest kwestia rozmiarów. Kwestia rozmiarów ma nawet większe znaczenie niż kwestia ceny. Wiadomo, że z im cenniejszego talizman wykonany materiału, tym silniejszy on magicznie, ale cóż, na to, że dobre znaczy drogie, wpadli już Fenicjanie. Kupując tanio, kupisz szajs – także i ten aksjomat zrodzić się miał w kantorach Tyru i Sydonu.

Twierdzenie, że im masa amuletu znaczniejsza, tym większa jego moc, było truizmem, do tego truizmem wielce kłopotliwym. Sama natura czarodziejskich periaptów żądała wszak, by były poręczne. Talizman miał sens, gdy można go było nosić przy sobie – w kieszeni, za pazuchą, na palcu. Co z tego, mawiał Telesma, że sprasowany i ususzony bocian pozwala bezproblemowo czytać w cudzych myślach? Że zmumifikowana trupia noga niezawodnie chroni przed urokami? Gdzie to nosić? Na sznurku na szyi? Głupio się wygląda.

Pozostaje, czarodziej kończył teoretyzowanie praktycznym wnioskiem, pogodzić się z faktem, że amulety, talizmany i im podobne nadają się jedynie do magii słabszej, do czarnoksięstwa niższego poziomu. Pogodziwszy się, należy robić swoje – znaczy, miniaturyzować. Jeśli toto nie może być silniejsze w działaniu, niechże choć będzie wygodniejsze w transporcie.

Telesma eksperymentował więc dużo i z różnym efektem. Gdy zaś Reynevan wyruszał, otrzymał w podarku miedzianą, niewiele większą od dwóch pięści szkatułeczkę. Wyścielone atłasem przegródki kryły ni mniej, ni więcej, a dwanaście maleństw. Zminiaturyzowanych amuletów różnego przeznaczenia.

Rzecz jasna, Reynevan strzegł szkatułeczki pilnie i na żadne ryzyka jej nie narażał. A że samotna wyprawa na zamek Troski była ryzykowna jak cholera, szkatułeczka pozostała pod opieką Szarleja. Z pewnymi wyjątkami. Wziął ze sobą dwa amulety: pierścień leczenia ran i periapt wykrywania magii. Oprócz tego, że przydatne, oba talizmany miały i tę zaletę, że były niepozorne. Pierścień leczący odlany był z cyny – we wnętrzu swym odlew krył spory diament. Periapt wykrywania magii był ze złotego drutu, zamaskowanego plecionką z końskiego włosia.

Niepozorność nie uchroniła amuletu leczącego – dla martahuzów Hurkovca wszystko miało wartość, cyna też. Tracąc kożuszek, czapkę, sakiewkę, pas i wenecki sztylet, Reynevan stracił również pierścień – i dobrze, że nie razem z palcem. Natomiast zapięty na ręce powyżej łokcia włosiany periapt wykrywania umknął uwadze rewidujących i ocalał. I teraz był jedyną rzeczą, na którą uwięziony mógł liczyć.

A na coś liczyć uwięziony musiał, i to szybko. Reynevan uświadomił sobie, że od jego ostatniego posiłku minęły dwie doby. Od czterdziestu ośmiu godzin nic nie jadł. I mało co pił.

●

– *Visum repertum, visum repertum, visum repertum.* Cabustira, bustira, tira, ra.

Powtórzone zaklęcie nie dało więcej, niż wypowiedziane za pierwszym razem. Ściany *oubliette* – czy też, jak wolał de Bergow, hladomorny – zaświeciły jak fosfor, zajarzyły się niczym próchno w lesie. Potwierdzała się niewesoła prawda o obłożeniu lochu jakimś silnym czarem ochronnym. Nie świecił natomiast, nie dawał najmniejszej poświaty przykuty do muru kościotrup, w którym Reynevan musiał upatrywać Rupiliusa Ślązaka, wybitnego teoretyka i praktyka arkanów czarnoksięskich. Wybitny czy nie, Rupilius jako radośnie szczerzący się kościotrup, w przeciwieństwie do ścian, żadnej magii nie emitował, z czego niezbicie wynikało, że dzieła magików trwalsze są niż oni sami.

Reynevan upadł nieco duchem – miał bowiem cichą nadzieję, że periapt pozwoli wykryć coś, co w jego położeniu okazałoby się przydatnym. Będąc czarodziejem, Rupilius mógł wszak przemycić do lochu jakieś magiczne przedmioty, chociażby w odbytnicy, jak swego czasu więziony w Narrenturmie magik Circulos. Rupilius Ślązak nie miał jednak przy sobie nic. I był tu, podpowiadał rozsądek, siedział w kącie i szczerzył zęby pośród innych zmurszałych i pokruszonych gnatów. Gdyby miał inne możliwości, podpowiadał rozsądek, nie skończyłby tak.

Surowo nakazawszy rozsądkowi milczenie, Reynevan przyłożył amulet do ust, potem do czoła.

– *Visum repertum, visum repertum, visum repertum...*

Ręce trzęsły mu się trochę, szept z trudem pokonywał krtań i wargi. Głód doskwierał. Pragnienie jeszcze bardziej. Zaczęło ogarniać go dziwne, bardzo niemiłe uczucie. Uczucie desperacji.

•

Nie wiedział, ile czasu upłynęło, jak długo był już w więzieniu. Rachubę tracił szybko, co jakiś czas zapadał w sen, czasem nerwowy i momentalny, czasem głęboki, bliższy letargu. Zmysły mamiły, słyszał głosy, jęki, zawodzenia, zgrzyt kamienia o kamień, szczęk metalu o metal. Gdzieś daleko, przysiągłby, śmiała się dziewczyna. Ktoś, przysiągłby, śpiewał.

> *Gruonet der walt allenthalben,*
> *wa ist min geselle alse lange?*
> *Der ist geriten hinnen,*
> *o wi, wer sol mich minnen?*

Typowe objawy, pomyślał. Głód i odwodnienie zaczynają skutkować. Tracę rozum. Popadam w obłęd.

I nagle wydarzyło się coś, co upewniło go, że już popadł.

Przeciwległa ściana lochu poruszyła się.

Fugi muru zdeformowały się wyraźnie, zafalowały jak poruszona wiatrem wzorzysta tkanina. Ściana nagle wydęła się jak żagiel, wezbrała wielkim i szybko rosnącym bąblem. Bąbel kleiście pękł. I coś z niego wyszło.

Owo coś było niewidzialne, ewidentnie utajone pod czarem. Osłupiały, zamarły i wtulony w kąt Reynevan widział jednak zarys postaci, postaci przezroczystej, zmiennokształtnej, w ruchu przelewającej się jak woda. Odgadł, dlaczego w ogóle jest w stanie to widzieć. W lochu wciąż wisiały resztki czaru wysłanego przez wykrywający magię periapt.

Przezroczysta postać nie zauważyła go, posuwając się płynnie w stronę szkieletu Rupiliusa. A Reynevan pojął nagle z oślepiającą pewnością, że to może być jego jedyna szansa.

– *Video videndum!* – krzyknął z amuletem w dłoni. – Alef Tau!

Postać zmaterializowała się tak gwałtownie, że aż nią rzuciło. Co znacznie ułatwiło Reynevanowi zadanie. Skoczył na przybysza jak ryś, ucapił, zwalił na polepę. Z całej siły wbił pięść pod żebra. Powietrze uszło z przybysza wraz z plugawym słowem, a Reynevan chwycił go za gardło. To znaczy chciał chwycić, bo nagle dostał głową w twarz. Choć aż w oczach mu pociemniało, odwdzięczył się takim samym uderzeniem, kalecząc sobie czoło o zęby. Uderzony zaklął znowu, a potem krzyknął niezrozumiale. Wykrywający magię amulet zadziałał automatycznie, w lochu pojaśniało. No jasne, zdążył pomyśleć Reynevan, czując, jak jakaś straszna siła unosi go w powietrze. Przecież to ewidentnie czarodziej. Ktoś znający magię, pomyślał, lecąc. Porwałem się na magika, pomyślał na sekundę przed tym, jak ze straszliwym impetem wyrżnął o mur. Osunął się i zwinął w kłębek, niezdolny do żadnych działań.

Przybysz trącił go czubkiem buta.

– Żyjesz? – spytał cicho.

Nie odpowiedział.

– Kim ty, u diabła, jesteś?

Nie odpowiedział i tym razem, zwinął się w kłębek jeszcze ciaśniejszy. Przybysz schylił się, podniósł z podłogi amulet.

– Periapt Visumrepertum – rozpoznał z odcieniem podziwu w głosie. – Nieźle wykonany. A mój fe-fiada przejrzałeś za pomocą Zaklęcia Prawdziwego Widzenia... Toledo?

– *Alma...* – stęknął Reynevan, macając głowę i kark. – *Mater... Nostra. Clavis... Salomonis?*

– Dobra, dobra, wystarczy, obejdzie się bez deklamacji. Kto wykonał Visumrepertum? Ty?

– Teles... Joszt Dun. Z Opatovic.

– I z Heidelbergu – dorzucił niedbale przybysz. – Co tam u niego?

– Wszyscy zdrowi.

Przybysz przestąpił z nogi na nogę. Był to mężczyzna na oko czterdziestoletni, niewysoki, pękaty, mocno barczysty, zgarbiony jakby pod ciężarem tych barków właśnie. Strój, który nosił, był szarym, prostym i niezbyt czystym ubiorem pachołka lub posługacza. Reynevan szedł jednak o zakład o każde pieniądze, że przybysz nie był ani pachołkiem, ani posługaczem.

– Dasz słowo – spytał przybysz, macając nos – że nie rzucisz się na mnie znowu?

– Nie dam.

– Hę?

– Muszę się stąd wydostać.

Mężczyzna milczał czas jakiś.

– Rozumiem – rzekł wreszcie chrapliwie. – Siedzisz w *oubliette*, wiem, do czego *oubliette* służy. Dostarczę ci jadło i napitek. Nie wyciągaj jednak z tego zbyt daleko idących wniosków.

●

Reynevan pochłaniał chleb, kiełbasę i ser tak, że ledwo oddech łapał. A cienkim piwem omal się nie udławił. Nasyciwszy pierwszy głód, jadł wolniej, żuł dokładniej. Mężczyzna w szarym stroju posługacza przyglądał mu się ciekawie. Reynevan, najedzony i opity, ciekawość odwzajemniał.

– Otto de Bergow – odezwał się mężczyzna. – Ten, który cię tu wsadził. Zdaje sobie sprawę z twych zdolności magicznych?

– W zarysach.

– Jak długo siedzisz?

– Co za dzień dziś mamy?

– Samw... – mężczyzna zająknął się. – Znaczy, Zaduszki. *Commemoratio animarum.*

Reynevan wysączył z dzbanka resztę piwa, a skórkę chleba schował za pazuchę.

– Możesz przestać wodzić mnie za nos – oznajmił. – Gdy poszedłeś po żarcie, obejrzałem przedmioty, które przyniosłeś, te, które tam leżą. Jemioła, brzozowa kora, gałązka cisu, świeca, żelazny pierścień, czarny kamień. Typowe atrybuty ceremonii za zmarłych. A dziś mamy, jak wynika z twego przejęzyczenia, Święto Samwin. Przeniknąłeś tu przez ścianę, by oddać hołd tym tam kościom. I to według rytuału Starszych Ras.

– Celnie.

– Był to więc twój krewniak. Lub przyjaciel.

– Niecelnie. Ale przejdźmy do rzeczy ważnych. Poradzę ci, jak uniknąć śmierci głodowej. Nie jesteś pierwszy. Wsadzano do *oubliette* licznych, a sam widzisz, że szkielet jest tylko jeden, nie licząc tych kości sprzed wieków. Nadstaw dobrze uszu. Nadstawiłeś?

– Nadstawiłem.

– Syn Ottona de Bergow, Jan, jest utrakwistą i hejtmanem w Taborze. Otto ubzdurał sobie, że synalek husyta dybie na niego, chce pozbawić życia i zagarnąć majątek. Choć jest to według mnie kompletną bzdurą, u Ottona nabrało cech manii prześladowczej. Za każdym węgłem widzi nasłanego mordercę, w każdym posiłku węszy truciznę. W każdym zaś husycie dostrzega syna parrycydę, to stąd bierze się jego zawziętość na kaliszników. Sprawa jest prosta: musisz się przyznać, że jesteś zabójcą najętym przez Jana de Bergow, przybyłym na Troski, by zamordować Ottona.

– Ucieszony tym szczerym wyznaniem – parsknął Reynevan – Otto de Bergow każe mnie połamać kołem.

254

Zakładając, że uwierzy. Starczy mu wszak spytać, jak syn wygląda, a kłamstwo się wyda.

– Jesteś magikiem. Nie znasz zaklęć perswazyjnych i empatycznych?

– Nie.

– No to masz pecha.

– Do diabła! – wybuchnął Reynevan. – Przestańże wodzić mnie za nos! Nie chcę, psiakrew, wyciągać zbyt daleko idących wniosków, ale wszedłeś tu, cholera jasna, przez ścianę! Otwórz ją więc i pozwól mi wyjść!

Przybysz milczał długo, patrząc nie na rozmówcę, lecz na kościotrupa.

– Żałuję – odrzekł wreszcie – lecz taka opcja nie wchodzi w grę.

– Że co?

– Nie mogę na to pozwolić... Siedź spokojnie, inaczej rzucę na ciebie *Constricto*. A na własnej skórze doświadczyłeś, że z moją magią ci się nie mierzyć.

W głosie przybysza zadźwięczała chełpliwość – i ta chełpliwość właśnie pomogła Reynevanowi rozwiązać zagadkę, odegrała rolę katalizatora, dzięki któremu mętny roztwór nabrał przejrzystości. Niewykluczone też było, że to głód tak wyostrzał percepcję.

– Pomyśleć tylko – powiedział wolno. – Pomyśleć tylko, że przybyłem na Troski właśnie po to, by się z tobą spotkać. Właśnie z tobą.

– Co ty nie powiesz?

– Nie emulować mi z tobą w magii – cedził słowa Reynevan – boś prawdziwie możny czarodziej. Do tego poliglota, w całej okolicy nikt inny nie używa słowa *oubliette*. Gdybym stąd uciekł magicznym przejściem, gdybym zagadkowo zniknął, wszczęto by alarm: na Troskach musi skrywać się czarodziej. Czarodziej, który zdolny jest pokonać magiczne zabezpieczenie lochu. Albowiem sam je instalował. Dostałem się na Troski, by spotkać się z tobą, mistrzu Rupiliusie. By zasięgnąć twej rady.

– Fantazji pogratulować – warknął mężczyzna. – Romanse ci pisać... Co ty robisz, u diabła?

– Chcę się odlać – Reynevan stanął nad kościotrupem w rozkroku. – Bo co?

– Odejdź stamtąd, gamratka twoja mać! – wrzasnął przybysz. – Odejdź, słyszysz? Nie waż się pluga...

Urwał, zachłysnął się niedopowiedzianym słowem. Reynevan odwrócił się z triumfalnym uśmiechem na ustach.

– Tak przypuszczałem – powiedział. – Nie krewniak, nie przyjaciel, a w Dzień Zaduszny przychodzi się do jego szczątków ze świecą i jemiołą. I wpada w szał, gdy ktoś chce te szczątki obsikać. Bo to na twoje własne kości sikałbym, prawda? Wszak to twoje własne kości tu leżą, mistrzu Rupiliusie Ślązaku, specu od ciał i bytów astralnych. To twoje ciało umarło w tym lochu, ale nie twoja osoba. Ty astralnie przeniosłeś się w cudzą formę fizyczną. W formę tego, czyjego ducha przesadziłeś we własne ciało. I kogo zamiast ciebie zabił tu głód.

– Aż wierzyć się nie chce – przemówił po dłuższej chwili Rupilius Ślązak. – Aż wierzyć się nie chce, jacy to cholerni tytani intelektu marnują się w dzisiejszych czasach po więzieniach.

●

Reynevan został sam na długo. Na dość długo, by uznać, że to czarna godzina, i zżuć skórkę chleba, na taką godzinę właśnie zachowaną. Znikając w ścianie, Rupilius Ślązak pozostawił go strasznej samotności, strasznemu lękowi i straszniejszej jeszcze torturze nadziei. Wróci, kołatała mu się po głowie zawodząca nadzieja. Nie wróci, zostawi mnie tu na zgubę, ożywała pod czaszką logika, po co ma wracać, co mu z tego przyjdzie, że mi pomoże. Pozostawionego w *oubliette* faktycznie zapomni, wykreśli z pamięci...

W górze zamigotało światło, rozległ się szczęk metalu. Wyciągają mnie stąd, pomyślał Reynevan. Jest nadzieja... Chyba że de Bergow się zniecierpliwił, zmroził nadzieję lęk. I zdecydował się wydusić ze mnie zeznania innym sposobem. Wyciągają mnie stąd, ale po to, by zawlec do katowni...

Z góry coś gromowo huknęło, szczęknęło, dźwięknęło, krata otwarła się ze zgrzytem, coś zastukało i zachrobotało. Ktoś zasłonił sobą światło, z ciemności wyłonił się nagle zarys spuszczanej drabiny.

– Wyłaź, Reynevan – rozległ się z wysokości głos Rupiliusa Ślązaka. – Żywo, żywo!

Nie zdradziłem mu, jak się nazywam, zdał sobie sprawę, pnąc się po wyślizganych szczeblach. Nie podałem mu imienia, a tym bardziej familiarnego przydomka. Albo jest telepatą, jasnowidzem, albo...

Na górze okazało się, że właśnie albo. A Reynevan zastękał w dobrze mu znanym, a godnym niedźwiedzia uścisku.

– Samson!

– Ano, Samson – potwierdził z lekkim przekąsem stojący obok Rupilius Ślązak. – Pozazdrościć druhów, chłopcze. Niezgorszych się ma, niezgorszych. A teraz dalej, w drogę.

– Ale jakim sposobem...

– Nie ma czasu – uciął czarownik. – W drogę! Bo daleka przed wami.

Weszli schodami w górę, stamtąd okute drzwi wwiodły ich do izby tortur, pełnej mrożących krew w żyłach przyrządów i utensyliów. W kącie, ledwie widoczne, były drzwiczki, prowadzące do wąziutkiego korytarza. Mijali liczne kolejne drzwi, Rupilius zatrzymał się dopiero przy piątych lub szóstych.

– El Ab! Elevamini ianuae!

Drzwi posłuchały gestu i biblijnego zaklęcia, weszli. Pomieszczenie pełne było skrzyń i pak. Rupilius postawił latarnię na jednej, siadł na drugiej.

– Odpoczniemy – zarządził. – Pogadamy.

Skrzynia, przy której usiadł Reynevan, pełna była ksiąg. Starł kurz. *Culliyyat* Averroesa. *Ars Magna* Rajmunda Lulla. *De gradibus superbiae et humilitatis* Bernarda z Clairvaux.

– To jest – Rupilius szerokim gestem wskazał paki – mój dobytek. Księgi i inne takie. Potrzebne w pracy rzeczy. Niektóre z tych rzeczy mają cenę. Większość nie ma. Większość jest bez ceny. Jeśli rozumiecie, co mam na myśli.

– Ty, Reynevanie, jesteś Toledo. Kim ty jesteś, Samsonie, do końca nie wiem, lecz i ty niezawodnie domyślasz się istoty rzeczy, co pozwoli nam oszczędzić czas i zachód. Zatem bez szczegółów, które, bez urazy, gówno was obchodzą, powiem: Otto de Bergow, przez dziesięć lat mój sponsor i dobry pan, nagle przestał być dobry, zaczął stawiać żądania, których spełnić nie mogłem. Bądź nie chciałem. Z pańskiej niełaski miałem więc skończyć w *oubliette*, głodową śmiercią. Udało mi się sprawić, że w lochu zakończyło egzystencję moje stare dobre ciało. I duch innej osoby, oddzielony od ciała, tego ciała, którego używam obecnie. Przesiadka odbyła się w niejakim pośpiechu, w pośpiechu też wybierałem obiekt. Skutek jest taki, że jestem na Troskach ledwie sługą. Jako taki nie wyniosę stąd moich rzeczy. Rzeczy, do których jestem bardzo przywiązany. Bardzo przywiązany, pojmujecie? Umowa stanie zatem taka: ja umożliwię wam ucieczkę z zamku. Wy w zamian powrócicie tu w terminie do dwóch lat i pomożecie w przeprowadzce. Umowa stoi? Czekam.

– Jedna rzecz wpierw, mistrzu Rupiliusie – rzekł Reynevan, gładząc okucie oprawy *Enchiridionu papieża Leona*. – Dostałem się na Troski, aby...

– Wiem, po co się tu dostałeś – przerwał czarownik. – Jużeśmy sobie na ten temat trochę z Samsonem zdążyli pogwarzyć. I trochę już wiemy.

– To prawda – olbrzym odpowiedział uśmiechem na spojrzenie Reynevana. – Trochę już wiemy. Nie wszystko. Ale pewien postęp jest.

– Chodziło nie o pewien postęp – zagryzł wargi Reynevan – ale o znalezienie sposobu na ostateczne rozwiązanie problemu. Najwyższy czas, mówiłeś, Samsonie, byś wrócił do siebie. Prosiłeś, bym dołożył starań. A teraz, gdy możliwość mamy w zasięgu ręki...

– Nie słuchałeś? – znowu nie dał mu dokończyć Rupilius. – Mówiłem, że rozmawialiśmy. Że trochę już wiemy. Ale ręką sięgać wciąż nie ma do czego, niestety. Chwilowo.

– My już wiemy co nieco. W Pradze zajmował się Samsonem Wincenty Axleben. To wszak mistrz nad mistrze.

Twierdził, że idzie o ciało astralne. I *perisprit*. *Perisprit*...
Hm... Pozytywnie krążący.
– Perisprit krążący – wykrzywił się Rupilius. – No, no.
Zaiste, znać mistrza po hipotezie. A wyjaśnił wam choć
mistrz nad mistrze, o co w tym naprawdę chodzi?

•

Co to takiego perisprit, wiedział każdy, kto miał kontakt z magią i wiedzą tajemną. Choćby przelotny. Każdego adepta nauk ezoterycznych zaraz na początku edukacji raczono długim, zawiłym a podanym w sposób wyjątkowo nieprzystępny wywodem, tyczącym konstrukcji ludzkiego bytu. Człowiek, wynikało z wywodu, składa się z aspektu fizycznego, czyli ciała materialnego, za pomocą którego reaguje z otaczającym go materialnym światem zewnętrznym. Człowiek ma również ducha, zbudowanego z nieśmiertelnego eteru. Istnieje też coś, co ducha i ciało wiąże i spaja, co między duchem a ciałem pośredniczy, a tym czymś jest ciało fluidyczne, znane jako perisprit, bla, bla, bla.

Choć rzecz – przynajmniej na pozór – zdawała się prostą, trudno było znaleźć dwóch magów, którzy odnośnie perispritu mieliby zgodne poglądy. Kłócono się o to, czy jest perisprit bardziej prymitywny czy bardziej eteryczny, czyli, zgodnie z *Tablicą Szmaragdową*: bardziej subtelny czy bardziej gęsty. Nie było zgodności co do tego, czy jest perisprit stały, czy zmienny. Ani co do tego, na co perisprit ma faktyczny wpływ, a na co nie.

Istniała teoria, która przypisywała perispritowi rolę i możliwości wręcz ogromne. Według niej perisprit, będąc z natury spoiwem między materialnym ciałem a eteryczną duszą, przesądza zarówno o sile, jak i jakości spojenia. Innymi słowy, daje ciału duszy więcej lub mniej. A perisprit perispritowi nierówny. Jednym użycza przysłowiowego „wielkiego ducha" i tworzy z nich artystów. Innym daje wielkie zdolności analityczne, kreując na naukowców i wynalazców. Z innych, zapewniając im rząd dusz, czyni wodzów i mężów stanu. Wybranym pozwala zobaczyć niewidzialne, zajrzeć w otchłanie bytów astralnych, czyniąc z nich wielkich magów, spirytystów, proroków i jasnowidzów. A jeszcze innym, lubo ducha mają, to go im perisprit tak skąpi, że jedyne, co mogą, to siedzieć w gospodzie i pić jedno piwo za drugim.

O tym wszystkim, jak się rzekło, Reynevan wiedział od dawna, była to wiedza elementarna. Po przeprowadzonym w Pradze badaniu Samsona użył jednak Axleben określeń „perisprit pozytywny" i „krążący" – te zaś należały do szkoły wyższej i magicy „Archanioła" wyjaśnili je Reynevanowi dopiero później. Więź oto perispritu z duchem była według większości teorii nierozerwalna, więź z ciałem nie. Perisprit, twierdzono, może w każdej chwili uznać, że więź ducha z danym ciałem mu nie odpowiada. I więź zerwać. Zazwyczaj, twierdzono, perisprit czyni to w momencie, w którym więź powstaje, to znaczy zaraz po urodzeniu lub w pierwszych tygodniach życia dziecka – stąd tak duża dziecięca śmiertelność. Zrywając więź, perisprit uwalnia ducha i wraz z nim przechodzi do sfery eterycznej, astralnej, i pozostaje tam na wieczność, będąc – podobnie jak sam duch – światu materialnemu niechętnym, nastawionym doń negatywnie. Zdarza się jednak, twierdzono, że perisprit potrafi się oddzielić nie tylko od ciała, ale i od ducha. Dzieje się tak wtedy, gdy w przeciwieństwie do ducha jest perisprit do świata materii nastawiony pozytywnie. Perisprit taki krąży wówczas w swoistej „strefie zmierzchu" pomiędzy światem materialnym i astralnym, wypatrując możliwości spojenia jakiegoś niezajętego ciała z jakimś będącym chwilowo bez przydziału duchem. Samson w obecnej swej formie duchowo-cielesnej jest typowym przykładem takiego spojenia.

Problem tkwi w tym, że nie wiadomo, czy perisprit spaja na chybił trafił, czy też kieruje się przy spajaniu jakąś logiką – któż w końcu jest dziś w stanie zgłębić logikę takiego perispritu. A dopóki się nie zgłębi, to nic się nie poradzi. Tego, co perisprit złączył, człeku śmiertelnemu nie rozłączyć.

•

– Wychodzi – rzekł z rezygnacją w głosie Reynevan – że jesteśmy w punkcie wyjścia. Tłukliśmy się po próżnicy taki szmat drogi i po próżnicy nadstawialiśmy karku...

– Drugi równy mnie specjalista od interesujących was spraw – ponownie przerwał mu czarownik – mieszka w Grenadzie. To trochę dalej niż na Troski. A tamtejsi emirowie za chrześcijanami nie przepadają. Na pal ich przeważnie wsadzają. Albo żywcem ze skóry łupią. W odróżnieniu od Axlebena ja nie reklamuję się jako mistrz nad mistrze, ale swoje wiem. Też umiem postawić hipotezę. Od tej postawionej przez mistrza nad mistrze nieco się różniącą, głównie względem tego, co możliwe, a co niemożliwe, co wykonalne, a co nie. Wykonalne jest wszystko, wystarczy wiedzieć, jak wykonać.

– Bez urazy – tym razem przerwał Reynevan. – Ale hipotez to my już znamy dość. Co z Samsonem?

– Samson – Rupilius nawet nań nie spojrzał. – Samson zna moją hipotezę, różniącą się nieco od tej Axlebena. Jest to hipoteza radykalna i ryzykowna, przyznaję, nie zdziwię się, jeśli jej nie przyjmie i nie spróbuje. Ale jeśli tak, to musi poczekać. Ja do istoty sprawy dojdę, pewniejszy sposób na powtórną przesiadkę znajdę, potrzeba mi na to góra dwóch lat. Dlaczego, myślicie, taki właśnie termin wam wyznaczam? Z upodobania do liczb parzystych? To sprowadza nas znowu do naszej umowy. Pytam więc: czy stoi?

– Stoi.

– Do dwóch lat?

– Do dwóch lat.

– No to idziemy.

•

Nużącą wędrówkę po ciasnych korytarzykach i wąziutkich schodkach Samson umilił Reynevanowi opowieścią. Reynevan niektórych rzeczy się domyślił, ale słuchał chętnie.

O tym, że Reynevan wpadł na Troskach w łapy katolików, dowiedziano się zupełnym przypadkiem. Husyci mieli szpiega na zamku Tolsztejn, zajmowanym przez braci Jana i Henryka Berków z Dube. Na zamek zjechał z wizytą pan Lotar Gersdorf. Prowadzący siedmioro więźniów. Gdy pan Gersdorf ucztował z braćmi, szpieg więźniów wypytał. Jeden zwłaszcza, podobno były martahuz, okazał się bardzo rozmowny. I pewną ważną rzecz wyznał. W wyniku tej informacji ujęto i wsadzono do lochu hejtmana Vojtę Jelinka pod zarzutem zdrady, szpiegostwa i przestępczej prywaty. W lochu, przypieczony jak należy, Jelinek rzucił światło na wiele spraw. W tym i na sprawę Reynevana.

Dowiedziawszy się, że Reynevan jest na Troskach, w mocy de Bergowa, Jan Czapek i husyccy hejtmani uznali go za zgubionego, o żadnych akcjach ratunkowych ani chcieli słyszeć. Sprawy ujęli się więc na własną rękę Szarlej, Samson, Tauler i Bata. Tauler miał wszak wciąż w odwodzie swego niegdysiejszego znajomka, masztalerza. Zdecydowano jednak, że na zamek uda się nie Tauler, lecz Samson. Na Troski, jak zaobserwowano, często przybywali chłopi z zaopatrzeniem – nie tylko wozami, ale i pojedynczo. Straże nie czepiały się, pod warunkiem, że przybywający wpasowywał się w typ wieśniaka – znaczy, był bardzo niechlujny, bardzo śmierdział, a z oblicza przypominał ćwoka i durnia. Samson Miodek pasował. Zasadniczo. Zaopatrzony dla konspiracji w gęś, faskę masła i kobiałkę grzybów wkroczył na dolny zamek, gdzie zgubiwszy się w tłumie, jął poszukiwać masztalerza. Nim znalazł, jego znaleziono.

Rupilius Ślązak szybko dowiedział się o wydarzeniach sprzed kilku dni. O wizycie śląskich i łużyckich panów i rycerzy, o sprzedaży jeńców. I o jakimś wróżu czy zaklinaczu, wsadzonym do hladomorny. Pewnym będąc, że ktoś się o owego upomni, Rupilius śledził przybywających na zamek. Wykorzystując do tego celu magię. Magia bezbłędnie wykryła Samsona.

– Serce mi zamarło – przyznał Samson – gdy zaskoczył mnie w stajni...

– Mnie zamarło – Rupilius był równie szczery – gdy zaskoczony złapał mnie za gardło. Szczęście, żeśmy się szybko na sobie poznali...

Ani jeden, ani drugi nie był zbyt wylewny odnośnie szczegółów, Reynevan nie nalegał, o detale tego szybkiego wzajemnego rozpoznania postanowił wypytać Samsona później. Teraz wysłuchał dalszego ciągu – o tym, jako to poznawszy się na sobie Rupilius i Samson Miodek postanowili uwolnić Reynevana z *oubliette* i uczynić to takim sposobem, który w nikim nie wzbudzi podejrzeń o czary – to znaczy rozwalając kłódkę kraty kowalskim młotem. Teraz, zakończył szeptem Samson, idą ku tajemnemu przejściu, łączącemu zamek Troski z okolicą.

Bo takie przejście istnieje. I wbrew krążącej legendzie nie jest legendarne.

– Żywiej, żywiej – ponaglił ich Rupilius. – Musimy się spieszyć. Coś niedobrego, czuję to, krąży nad zamkiem.

•

Kręcone schody były strome, a ich stopnie wyjątkowo nierówne. Schodzili długo. Do momentu, gdy drogę zagrodziła im lita, chropowata skała. Nie było śladu drzwi ani wejścia. Dla Rupiliusa, ma się rozumieć, to nie był żaden problem.

– Yashiel, Vehiel, Baxasoxa! Effetha! *Ecce cecidit paries!*

Ściana, jak sugerowałby to biblijny tekst zaklęcia, nie runęła, lecz rozstąpiła się, rozsunęła jak kurtyna. Za nią była czarna czeluść, z której wiało niemiłą wonią.

– Stąd pójdziecie już sami – oświadczył Rupilius Ślązak, wręczając Samsonowi latarnię. – Godzina marszu, nie więcej, powinniście więc wyjść przed świtem. Lampa jest magiczna, zapewni wam światło na czas dostatecznie długi, ale sugeruję, byście się raczej spieszyli. To jest po trosze labirynt, ale łatwy, na rozwidleniach skręca się zawsze w prawo. Dacie sobie radę. Nie myszkujcie po odnogach, nie zatrzymujcie się nazbyt długo, starajcie nie dotykać czego nie trzeba. Bądźcie uważni i czujni. Mówiłem już: coś niedobrego wisi nad zamkiem. Bywajcie.

– Gdzie wyjdziemy?

– Ach – czarownik pacnął się w czoło. – Byłbym zapomniał. Wyjście znajduje się na północny wschód od zamku. Niedaleko wyjścia będzie potok, idąc z jego biegiem dotrzecie do osady, która zwie się Ktova. To jest przy samym niemal żytawskim gościńcu... A gdzie czekają wasi?

– W lasach na północ od zamku. Odnajdziemy ich.
– Z Bogiem tedy. Bywaj, Samsonie. Bywaj, krajanie Reinmarze. Nie zapomnijcie o naszej umowie.
– Nie zapomnimy. Dzięki za wszystko, mistrzu i krajanie... Pozwól spytać: z których stron Śląska pochodzisz?
– Z Poznania. Idźcie już. Latarnia jest magiczna, ale nie wieczna.

●

Korytarze, którymi szli, były niezawodnie naturalnego pochodzenia, wypłukane przez wodę. Tylko na początkowym odcinku, pod samymi Troskami, nosiły ślady ludzkiej ingerencji. Ściany obrobione były jednak tak prymitywnie, a walające się tu i ówdzie resztki oskardów i innych narzędzi tak przeżarte rdzą, że było jasnym, iż prace górnicze prowadzono tu przed wiekami. Zamek Troski, początek budowy którego datowano na rok mniej więcej 1370, nie powstał na dziewiczej skale. Nie ulegało kwestii, że Babę i Pannę zbudowano na jakiejś pradawnej, a głęboko sięgającej konstrukcji.

Im dalej, tym śladów działalności górniczej było mniej, wreszcie znikły całkowicie, ustępując naturalnym a majestatycznym stalaktytom, z których woda gęsto kapała na stalagmity. Podłoże zrobiło się nierówne, musieli iść wolniej i ostrożniej. Gdy pod stopą Samsona po raz kolejny coś zachrzęściło, olbrzym schylił się, poświecił latarnią. I westchnął.

Ślady działania człowieka znikły. Ale nie ślady samego człowieka. A dokładniej jego szczątki. Stąpali po porozrzucanych ludzkich kościach.

Reynevan już od jakiegoś czasu miał periapt Visumrepertum w pogotowiu, teraz aktywował go drżącą nieco dłonią i zaklęciem.

Nie mylił się – podziemna kawerna rozjaśniła się iskrzącym blaskiem. Światło latarni budziło złowrogie cienie, migające po ścianach jak wielkie nietoperze. W tej iluminacji pokrywające ściany malowidła zdawały się ożywać. Spiralne meandry wirowały w sposób przyprawiający o zawrót głowy, konie i jelenie zdawały się stawać dęba, węże zwijały i rozwijały sploty. Tańczyli rogaci ludzie.

264

– Celtowie – powiedział Samson. Miał chyba rację.

– Nie stójmy tu.

Czaszki ludzkie z grzechotem toczyły się spod nóg, chrupały miażdżone piszczele.

Otwarła się przed nimi kolejna kawerna, sklepiona wysoko, tak wysoko, że sklepienie ginęło w ciemnościach. Światło latarni i poświata periaptu wydobyły z mroku kolejny naskalny relief. Westchnęli *unisono*.

Sponad ułożonego z czerepów kurhanu szczerzyła na nich zęby i wybałuszała oczy potworna gęba, demoniczna maska, oblicze samego rogatego diabła. Zza kożucha bladych mchów przebłyskiwała wyblakła czerwona farba, którą makabryczny idol był kiedyś pochlapany. Kości ludzkie walały się wszędzie, piętrzyły stosami.

– To – przełknął ślinę Reynevan – nie Celtowie.

– Nie – zgodził się Samson. Mówił z wysiłkiem, jakby w wielkim zmęczeniu. – Nie zatrzymujmy się tu. Idźmy i wyjdźmy stąd wreszcie. Coś złego wisi nad tym miejscem. I nad całą okolicą.

Szli, pilnie bacząc, by skręcać w prawo, zawsze w prawo, a rozwidlenia mnożyły się w miarę, jak korytarz stawał się węższy.

Wreszcie zrobiło się tak ciasno, że musieli iść gęsiego. Gdzieś za ścianą Reynevan wyraźnie słyszał szum płynącej wody.

Mógł to być potok, o którym wspominał Rupilius. Wędrowali podziemiami, obliczał, dobrze ponad godzinę, musieli już oddalić się od zamku Troski na odległość znaczną, co najmniej ćwierć mili, może nawet więcej.

– Wydaje mi się – zatrzymał się nagle – że czuję na twarzy powiew... Zasłoń latarnię. Może dostrzeżemy światło?

– Nie dostrzeżemy. Na zewnątrz wciąż jest noc.

Przejście stawało się coraz ciaśniejsze. Już nawet gęsiego iść nie mogli, musieli posuwać się bokiem, krok po kroku, noga za nogą. Reynevan co chwila szorował po skale brzuchem, skrobał po niej guzami kubraka. Dla mającego znacznie większe gabaryty Samsona Miodka ciasnota przejścia musiała być istną gehenną, Reynevan słyszał, jak olbrzym stęka i klnie.

– Samsonie?

– Idź, idź... Jestem za tobą...

– Przejdziesz?

– Przejdę... Jakoś... Ty idź... Znajdź wyjście... Daj znać... Że blisko...

Zimny powiew na twarzy Reynevana stał się wyraźnie wyczuwalny, zdawało mu się też, że węszy zapach lasu, jodeł, szyszek. Zaczął przepychać się szybciej, wykonywać coraz gwałtowniejsze ruchy. Nagle przejście rozszerzyło się i zobaczył gwiazdy. Od wyjścia, wyglądało, dzielił go zaledwie krok.

– Jest wyjście! – krzyknął. – Samsonie! Przeszedłem! Przesze... Eeeeeeeeeee!

Stracił grunt pod nogami, z krzykiem poleciał w dół. Upadł, na szczęście z niewysoka, na kamienisty piarg, wyślizgane wodą otoczaki ustąpiły pod nim jak żywe, osypały się, zjechał wraz z lawiną po stromym zboczu, fiknął kozła na obrywie, łupnął w przelocie o głaz, wreszcie padł na mech, z obydwiema rękami w pieniącej się i lodowato zimnej wodzie potoku.

I momentalnie zorientował się, że nie jest sam.

Pojął to, zanim jeszcze usłyszał chrap konia, stuk podkowy o kamień. I głos.

– Reinmar z Bielawy. Powitać, powitać. Jakżem rad.

Znał ten głos. Wypływający w okienko między chmurami księżyc dał dość światła, by Reynevan mógł zobaczyć karego konia o połyskliwej sierści i i sylwetkę trzymającego wodze mężczyzny, jego świecącą w mroku, bladą, ptasią twarz, czarne włosy do ramion. Reynevan widział już tego mężczyznę, słyszał ten głos. A Jan Smirzycky ze Smirzyc zdradził mu nazwisko. To był Birkart Grellenort, biskupi poufnik i zbir. Człowiek, który zabił Peterlina. Reynevan zmartwiał.

– Dziwisz się? – błysnął zębami Pomurnik. – Że tu czekam? Znam to przejście od lat, biedny głupcze. Wiedziałem, że tędy spróbujesz ucieczki. A o tym, że jesteś na Troskach, doniesiono mi. Ja mam uszy i oczy wszędzie. I dopadłem cię, Bielau. Nareszcie cię dopadłem...

Zagrzechotały otoczaki piargu, z góry zjechał po kamieniach Samson Miodek. Jak burza. I anioł zemsty. Nagle huknął grom, oślepiająco łysnęła – w listopadzie! – błyskawica. Koń Pomurnika stanął dęba wśród dzikiego rżenia, on sam wyszarpnął miecz z pochwy. I na oczach Reynevana rzucił go, w panice odskoczył kilka kroków do tyłu.

– Reayahyah! – zawył. – Bartzabel! Ha-Shartatan!

Błysnęło po raz drugi. Nim go oślepiło, Reynevan widział, jak Pomurnik krzywi w panicznym strachu twarz, jak zaciska oczy, jak nieskoordynowanie macha rękami. I jak nagle zaczyna maleć, rozpływać się, zmieniać kształt, by wreszcie ulecieć w postaci dziko skrzeczącego ptaka.

– *Adsuuumus!* – rozbrzmiało skądś z niedaleka, na zew odpowiedziały kolejne głosy, bliższe i dalsze. Rozległo się rżenie, łomot kopyt.

– *Adsuuumus! Adsuuumuuuuus!*

– Bierz konia – sapnął Samson, wciskając Reynevanowi wodze karego wierzchowca. – Na siodło i w las...

– A ty?

– Nie przejmuj się mną. Musimy się rozdzielić. Świtem się odnajdziemy. Uciekaj! Jazda!

Wskoczył na siodło, Samson z mocą trzepnął konia po zadzie, karosz zarżał i poszedł w cwał, między jodły. Choć galop po ciemnym lesie groził katastrofą, ogłupiały od wydarzeń Reynevan nie wstrzymywał go, koń, zdało się, umiał dopasowywać bieg do warunków i radzić sobie z przeszkodami. Gdzieś z tyłu, a potem z boku, dolatywał tętent i dzikie krzyki. Reynevan przywarł do grzywy.

– *Adsuumuus! Adsumuus!*

Księżyc skrył się za chmurami, pogrążając świat w nieprzebytych ciemnościach. Dopiero wówczas Reynevan zaczął hamować wierzchowca, bez trudu zresztą; cwał wycieńczył karosza, koń chrapał rzężąco, ociekał pianą. Reynevan zatrzymał go, nadstawił ucha. Lasem wciąż niosły się krzyki. I gwizdy. Karosz zachrapał.

Znowu przenikliwy gwizd, bliższy. Koń targnął głową i zarżał. Reynevan capnął go za chrapy, nie pomogło, karosz wyszarpnął łeb, zarżał jeszcze donośniej. Pojmując, że koń reaguje na wezwania, Reynevan bez namysłu zeskoczył z kulbaki, udartą z krzaka witką zaciął karosza po zadzie. Koń z wizgiem runął w galop, a Reynevan biegiem puścił się przez las. W przeciwnym kierunku. Byle dalej. Biegł na oślep, bez wytchnienia, trwoga dodawała sił i rączości.

●

Szlak zagrodził mu najpierw rwący potok, potem wzniesienie i jary wśród skał o dziwacznych kształtach. Potok przebrodził bez namysłu, mocząc się po uda, pobiegł ku jarom. I nagle zmienił plan. Jary były zbyt oczywistą drogą ucieczki, mogły nadto wpędzić go w pułapkę, w jakiś *cul-de-sac* bez wyjścia. Jął ile sił piąć się na stromiznę; wkrótce dotarł na łysy szczyt, gdzie siadł, dygocąc, wciśnięty między dwa głazy.

Nie minęły trzy pacierze, jak strumień wzburzyły chrapiące konie i kilkunastu jeźdźców w czarnych płaszczach. Sforsowawszy potok, pościg zagłębił się w jary.

Niebo na wschodzie zaczęło nieco jaśnieć. Reynevan dygotał, szczękał zębami. Mokra odzież sztywniała na nim, zamarzała, zimno kąsało jak wściekły pies.

Było zupełnie cicho.

Rozdział jedenasty

w którym Reynevan zostaje – kolejno – napadnięty, uratowany, pojmany, nakarmiony i porwany, mandragora zaś – za sprawą pewnego księdza – zasianą jest na południowym podnóżu Karkonoszy.

Jedynym, co się w okolicy poruszało, było stado wron, krążące nad lasem. Jedyne, co dało się słyszeć, to dzikie owych wron krakanie.

Nie było śladu po czarnych jeźdźcach, wiatr nie donosił okrzyków: *„Adsumus"*. Wyglądało, że zgubił pościg. Mimo to Reynevan długo nie opuszczał swej kryjówki na wzgórzu. Chciał upewnić się całkowicie i zupełnie. Wzniesienie dawało nadto jaką taką szansę zorientowania się w terenie. Czyli w leśnym i skalistym pustkowiu.

Jego wzgórze – czy raczej górka – nie wznosiło się jednak dość wysoko, by dało się z jego szczytu ogarnąć wzrokiem wystarczająco szeroki horyzont, zasłaniały je inne, wyższe wzniesienia. W szczególności nigdzie nie było widać Baby i Panny, wież zamku Troski, widok których pozwoliłby ustalić strony świata.

Spod Trosk, obliczył, szli pod ziemią ponad godzinę, co daje dystans około ćwierci mili. Potem był konny cwał lasami, następnie długotrwały bieg. Zakładając, że cwałował i biegł w prostej linii, pokonał w sumie nie więcej niż dziesięć staj. Musiał być więc niezbyt daleko od miejsca, gdzie wyszedł z podziemi, gdzie zaskoczył go Grellenort. Gdzie Samson...

Grellenort, pomyślał, przestraszył się Samsona. Birkart Grellenort, morderca Peterlina. Potrafiący zamieniać się w ptaka czarownik, *timor nocturnus*, demon, co niszczy w południe, zbir biskupa, zbir, którego, jak twierdził w Pradze Jan Smirzycky, sam biskup się boi. I taki typ wpada w paniczny strach na widok Samsona Miodka, olbrzyma z facjatą idioty.

Czyli to jednak prawda. Samson Miodek nie jest z tego świata. Poznał się na tym z miejsca Huon von Sagar, poznali się magicy spod „Archanioła", poznał Axleben, poznał Rupilius. Tylko ja wciąż traktuję Samsona jako dobrego i rubasznego druha, jak kamrata. Mam na oczach łuski, nie pozwalające przejrzeć.

Westchnął, ale zarazem poczuł i ulgę. Przedtem dręczyły go nieco wyrzuty sumienia, myśl, że usłuchał Samsona i uciekł, zostawiając druha w biedzie. Teraz pojął, że Samson świetnie obył się bez jego pomocy. Z pewnością bez trudu umknął przed pościgiem, pomyślał, zapewne już dawno dołączył do Szarleja i reszty kompanii. Z pewnością już mnie poszukują.

Mimo to muszę iść, pomyślał. Odzienie przez noc wcale nie wyschło, chmurzy się wyraźnie, robi się zimno. Będę tu siedział, to zasnę i zamarznę. Marsz mnie rozgrzeje. Jeśli nie na Samsona i Szarleja, to z pewnością trafię na kogoś innego, napotkam jakąś dobrą duszę, rozpytam się. Trafię na dukt lub drogę, wyjdę na trakt, zamek Troski leży blisko uczęszczanego gościńca, wiodącego z Pragi do Żytawy przez Jiczyn i Turnov. Na południe zaś od Trosk jest drugi gościniec, szlak boczny, prowadzący do Żytawy przez Mimoń i Jablonne. Ten drugi gościniec znam, to tamtędy jechałem z Michalovic, to tam Jelinek sprzedał mnie martahuzom Hurkovca. Jelinek... Niech no ja cię dorwę, draniu...

Rupilius mówił, że wyjście z podziemi znajduje się na północny wschód od zamku. W okolicy wsi Ktovy, czy jakoś tak. Mieliśmy po wyjściu z pieczar iść z biegiem strumienia. Strumień jest. Tylko czy to aby ten właściwy?

Potok, zamoczenie w którym prawie przyprawiło go nocą o śmierć z wychłodzenia, meandrował silnie, niknął w krętym wąwozie. Dokąd płynął, wiedział jeden Bóg. Mimo to, uznał, to jest jedyna sensowna droga. Potok musi dokądś wpadać. Nawet przy kompletnej dezorientacji droga brzegiem potoku wyklucza chodzenie w kółko. Nad potokami leżą wsie, opodal potoków zakładają swe siedliska węglarze, smolarze i drwale.

Ostatnie przemyślenia o zaletach potoków czynił już w marszu.

•

Szedł bardzo szybko, najszybciej, jak pozwalał dziki teren. Zmęczył się i zdyszał, ale rozgrzał tak, że mokra odzież wręcz parowała na nim, schła szybko, nie ziębiła już tak dotkliwie. Choć jednak pokonał całkiem sporą odległość, żadnych śladów nad potokiem nie znalazł, jeśli nie liczyć dróżek wydeptanych przez sarny i wygniecionych przez dziki wgłębień w błocie.

Zachmurzyło się, jak przewidział, zaczął nawet prószyć drobniutki śnieg.

Las nagle zrzedł wyraźnie, zza rosnących na skraju polany jaworów Reynevan ujrzał zarysy drewnianych budowli. Z biciem serca przyspieszył kroku, na polanę niemal wybiegł.

Budowle okazały się krytymi korą szałasami, będącymi zresztą większością w ruinie. Nie było co nawet zaglądać do środka. Wszelkie ślady po ludziach zarosły trawą i chwastem. Całymi połaciami zalegające teren wióry i trociny poczerniały i nawet nie pachniały już żywicą. Wbita w pieniek, zapomniana widać siekiera była czerwona od rdzy. Drwale – do nich albowiem niewątpliwie należały szałasy – musieli porzucić polanę całe lata temu.

– Jest tu kto? – wolał upewnić się Reynevan. – Hej! Heeeeej!

Za jego plecami coś zaszeleściło. Odwrócił się szybko – mimo szybkości zdołał jedynie ulotnie dostrzec, jak coś znika za węgłem szałasu. To coś było małe. Jak dziecko.

– Hej! – skoczył w tamtą stronę. – Stój! Zaczekaj! Nie bój się!

Mała istota nie była dzieckiem. Dzieci nie bywały kudłate i nie miewały psich głów. Ani łap sięgających ziemi. Nie uciekały w dziwacznych podskokach, kolebiąc się na krzywych i krótkich nogach, skrzecząc przy tym głośno. Reynevan rzucił się w pościg. Ku wyrwie w ścianie lasu, sygnalizującej przesiekę. I drogę. Gdy na drogę wypadł, kosmaty stwór zatrzymał się. Odwrócił. Wybałuszył oczy. I wyszczerzył psie zęby.

– Nie bój się... – wydyszał Reynevan. – Nic ci...

Stwór – leśny kobold, waldszrat – przerwał mu głośnym i jakoś dziwnie szyderczo brzmiącym skrzeczeniem. Odpowiedział mu chór podobnych skrzeków. Dobiegający ze wszystkich kierunków. Nim Reynevan połapał się, w co wdepnął, rzuciło się na niego chyba ze dwudziestu.

Kopnął jednego, pięścią powalił drugiego, a potem sam znalazł się na ziemi. Koboldy oblazły go jak wszy. Reynevan wrzeszczał, kopał, wierzgał, tłukł na oślep, gryzł nawet, bez rezultatu. Gdy zrzucał z siebie jednego, w zwolnione miejsce właziły dalsze dwa. Sytuacja zaczęła wyglądać groźnie. Nagle jeden kobold wpił mu pazury we włosy i uszy, drugi zaś siadł na twarzy, zatykając nos i usta włochatą sempiterną. Zaczął się dusić, ogarnęła go panika. Poczuł, jak na jego udach i łydkach zaciskają się zęby. Wierzgnął niezdarnie, koboldy wisiały mu na nogach, nie dawały się strącić. Reynevan wyszarpnął głowę spod dławiącego go kudłatego zadu i zawył. Dziko i nieludzko.

I – jak w bajce – pomoc nadeszła. Dukt rozbrzmiał nagle krzykiem, rżeniem i łomotem podkutych kopyt. Siedzącego na nim kobolda jakby zmiotło, zniknął też ciężar z nóg. Reynevan zobaczył nad sobą brzuch konia i żelazny sabaton w strzemieniu, złowił okiem błysk miecza, zobaczył, jak z rozrąbanej psiej głowy bryzga krew. Tuż obok ciskał się i zwijał drugi waldszrat, przygwożdżony do ziemi rohatyną. Dookoła łomotały kopyta, pryskał mokry piach. Ktoś klął, ktoś inny śmiał się, rechotał. Jakby było z czego.

– Wstawaj – usłyszał z góry. – Przepędziliśmy czortków.

Wstał. Otaczali go zbrojni na koniach. Wśród nich ocierający krew z klingi miecza rycerz w zbroi, ten, który kazał mu wstać. Reynevan widział ocienioną przez podniesiony hundsgugel wąsatą twarz. Dziwnie znajomą.

– Całyś? Nie odgryzły ci niczego?

Zbrojni zarechotali, gdy odruchowo przesunął dłońmi po poszarpanych kłami spodniach. Rycerz zdjął hełm. Reynevan poznał go od razu.

– Warto było jednak – powiedział, opierając pięść o łęk siodła, Janko Schaff, pan na zamku Chojnik. – Warto było jednak pokręcić się po okolicy te parę dni. Czułem, że zdołasz prysnąć z Trosk. Reynevanie von Bielau.

●

Urządzili popas opodal duktu, pod grupą wielkich dębów. Kilku zbrojnych udało się w pozbawiony raczej perspektyw pościg za koboldami. Reszta przez czas jakiś dziwowała się trupom, oglądała je, dyskutowała. Wreszcie cztery zewłoki ubitych waldszratów zawisły za nogi na konarach, a armigerzy i pachołcy wzięli się za ściąganie skór, mających stanowić dowody zwycięstwa i trofea. Reynevan przyglądał się ponuro. Nie miał pewności, czy i jego przypadkiem nie zaczną zaraz skórować. Pozornie miła i złośliwie chytra zarazem mina Janka Schaffa niczego dobrego nie wróżyła. Reynevan nie dawał się zwieść sztucznej wylewności.

– Szczęście twoje – mówił pan na Chojniku – żeś wrzeszczał i że posłyszeliśmy. Inaczej krucho by z tobą było. My tych włochaczy znamy, sporo ich siedzi po karkonoskich komyszach. Zimą głód je bliżej ludzkich sadyb przypędza. Napadają kupą, żywcem żrą, do kości objadają. Jedni mówią, że rodzą je tutejsze góralskie baby, co się z psami parzą, tfu, obrzydliwość. Inni gadają, że to *si-*

273

miae, bydlęta zamorskie, przez templariuszy ongi hodowane. Jeszcze inni mniemają, że to diabły, z piekła dziurami wyłażące. Prawda, Zwicker?

– Co złe, to od diabła – odrzekł przechodzący obok ksiądz, obrzucając Reynevana wyjątkowo zjadliwym spojrzeniem spod kaptura. – A każdy grzech woła kary.

– Głupek – skomentował półgłosem Schaff. – Hola, paniczu Bielau! Niebezpieczeństwo minęło, a ty wciąż chmurny. Nakarmionyś, przeodzianyś, a toś cięgiem nieswój. Czemuż to?

– Na Troskach – Reynevan zdecydował się postawić sprawy jasno – chcieliście mnie kupić. Dawaliście czterdzieści kóp praskich groszy, bez ochyby po to, by się wam przy odsprzedaży z nawiązką zwróciły. Kogoż to, ciekawość, upatrywaliście jako kupca? Inkwizycję? Wrocławskiego biskupa?

– Biskupa – Schaff splunął – srał pies, Inkwizycję też. Ja cię z dobrego serca wykupić chciałem. Przez sympatię.

– Sympatię do czego? Nie znamy się wszak.

– Znamy lepiej, niż ci się zda. Twój brat Piotr, świeć Panie nad jego duszą, był porządnym człowiekiem. Będącym w potrzebie pomocy nie odmawiał. Ani pożyczki. Gdy przydarzyła się nam, Schaffom, potrzeba, kto pomógł? Piotr z Bielawy!

– Aha.

– A kto się teraz zawziął na Reinmara, Piotrowego brata? Kto na niego dybie? Biskup? Srał go pies, mówiłem! Sterczowie? Sterczowie są zwyczajni zbóje. Książę ziębicki Jan, krzyw o to, że mu Reinmar kochankę wyobracał, bo młodszego i jurniejszego wolała? Jan von Biberstein ze Stolza wreszcie. Niby wielkiej szlachetności pan, a co czyni? Za schwytanie szlachcica nagrodę wyznacza jak za zbiegłego raba. I za co? Że mu córę zbałamucił? Chryste Jezu! Dyć od tego i są panny, po to je Pambuczek stworzył, coby je bałamucić, a po to, by się bałamucić dawały, kurewską je obdarzył naturą. Źle mówię?

– Na Troskach cię rozpoznawszy – podjął Schaff, nie czekając aprobaty – pomyślałem sobie, wezmę i chłopaka zratuję, nie dam Sześciu Miastom, nie zwolę, by się nad bratem Piotra z Bielawy na szafocie kaci znęcali na motłochu złą uciechę. Wykupię, pomyślałem sobie, nieszczęśnika...

– Dzięki wam serdeczne. Dłużnikiem waszym...

– Czterdzieści kóp groszy – Janko Schaff jakby nie słyszał – suma, pomyślałem sobie, nie tak duża, nieboszczyk pan Piotr wiele więcej nam ongi użyczył. A i zratowany z łap łużyckich oprawców panicz Reinmar, pomyślałem sobie, przecie zrewanżować się będzie umiał. Panicz Reinmar ma wszak pięćset grzywien, które dwa roki temu nazad podatkowemu poborcy zagrabił. Będzie umiał się odwdzięczyć. I podzielić.

– Ejże, panie Schaff – westchnął pozornie niefrasobliwie Reynevan. – Wierzycie pogłoskom? Sami dopiero co przyznaliście, że na Śląsku nastają na mnie, że paskudnymi metodami się posługują. Że nie cofają się przed oczernieniem i potwarzą, że wredne plotki rozpuszczają, byle mnie zohydzić. Bo potwarz to i fałsz, jakobym napadł kolektora. Potwarz i fałsz, pojmujecie? Za ratunek dzięki, nie zapomnę wam. Ale teraz, jeśli pozwolicie, pożegnam się. Muszę odnaleźć druhów, którzy...

– Pomału – Schaff dał wzrokiem i gestem znak zbrojnym, ci natychmiast stanęli w pobliżu. – Pomału, panie Bielawa. Żegnać się chcesz? Tak rychło? A wdzięczność gdzie? Na Troskach nie zdołałem cię wykupić, ale liczą się wszak dobre chęci. Ale od monstrów leśnych cię wybawiłem, nie zaprzeczysz. Gdyby nie ja, byłoby po tobie. Gdy więc grzywnami poborcy dzielić się będziem, ja wezmę trzysta, ty resztę. Tak będzie sprawiedliwie.

– Nie napadałem na poborcę i nie mam tych pieniędzy!

– O tym, czy masz, co masz i gdzie masz – Schaff zmrużył lekko oczy – to sobie jeszcze pogawędzimy. Na zamku Chojnik. Dokąd zaraz ruszamy. Dasz mi słowo rycerskie, że nie będziesz uciekał, to nie każę cię wiązać. Zresztą dokąd ci uciekać? Lasy roją się od stworów piekielnych. De Bergow ściga cię już niezawodnie. Czyha też wciąż pod Troskami Ulryk Biberstein, okrutnie na ciebie zawzięty. U mnie nie będzie ci krzywda. Zostawię ci nawet część pieniędzy kolektora, sobie wezmę tylko... Tylko czterysta grzywien. Dlatego...

Nim dziedzic Chojnika sprecyzował, periapt Visumrepertum uaktywnił się na ręce Reynevana. Samoczynnie. Magia, która amulet uruchomiła, była tak silna, że Reynevan nie miał najmniejszych trudności w ustaleniu kierunku. Zaskakując zarówno Schaffa, jak i jego zbrojnych, skoczył przez dukt, za krzaki jałowca, przesadził wykrot i bez namysłu rzucił się na przykuczniętego za zwalonym pniem człowieka w kapturze. Zamaszystym uderzeniem pięści wybił mu z rąk przypominające mały relikwiarz puzderko, kopnął, zdzielił w kark, poprawił w ucho. Kaptur spadł, błysnęła tonsura. Reynevan byłby przyłał księdzu jeszcze raz, ale zbrojni Schaffa dopadli go i chwycili w żelazny uścisk.

– Co ty, u diabła, wyprawiasz? – wrzasnął Schaff. – Szalonyś? Azali obłąkany?

– Zobaczcie – wrzasnął Reynevan jeszcze głośniej – co on miał! Spytajcie, co robił!

– O czym ty gadasz? To ojciec Zwicker! Mój kapelan!

– To zdrajca! Ta szkatułka to czarodziejski komunikator! Wysyłał sygnał, chciał się z kimś magicznie skontaktować! Kogoś tu magicznie przyzwać! I ja wiem, kogo!

Schaff zbliżył się do leżącego na ziemi puzderka, cofnął gwałtownie, słysząc wibrujące buczenie. Bez namysłu, potężnym uderzeniem buta zmiażdżył szkatułkę, obcasem wgniótł ją w piasek. Kapelan wydał na ten widok zduszony krzyk.

– Zechcesz – zbliżył się do niego Schaff – mi to wyjaśnić, Zwicker? Hę?

– Wyjaśnić – krzyknął wciąż trzymany przez zbrojnych Reynevan – mogę ja! Ten klecha mnie zdradził, mnie! Ściągnął mi na kark prześladowców, to przez niego o mało mnie wczoraj nie dopadli! Spytajcie go o Birkarta Grellenorta, czarownika! Spytajcie, od jak dawna mu służy, od jak dawna informuje! Od jak dawna także i was zdradza!

– Birkart Grellenort – powtórzył złowrogo Janko Schaff, chwytając kapelana za odzienie pod szyją. – Biskupi poufnik. Więc to tak? Tak? Donosisz mu? Za pomocą czarów donosisz biskupowi? O wszystkim, co mówię, co czynię i co zamyślam? Sprzedajesz mnie?

Kapelan zaciął usta, odwrócił głowę.

– Odpowiedz na zarzut, klecho. Broń się. Przysięgnij, żeś niewinny. Żeś mój posłuszny sługa. Że wiernością odpłacasz za chleb, który z mej łaski spożywasz. I za grosz, który łaskawie pozwalam ci kraść!

Ksiądz milczał. Schaff przyciągnął go ku sobie. A potem odepchnął, rzucił na ziemię.

– Związać to ścierwo – rozkazał. – Kat z nim będzie gadał.

– Apostato! – zawył z ziemi Zwicker. – Bezbożniku! Nie tyś mój pan, nie tobie służę! Służę Bogu i tym, co z boskiego działają rozkazu! Dosięgnie cię ich ręka, diabli pomiocie! A moje męczeństwo będzie pomszczone! Poznasz gniew moich panów, będziesz jak pies wył ze strachu, gdy nocą na czarnych koniach przybędą! A ty, Bielawa, łotrze występny, i za morzem się nie skryjesz! Już dla ciebie w piekle miejsce nagotowane! A tu, na ziemi, zakosztujesz męki! Ze skóry cię...

Jeden ze zbrojnych uciszył go potężnym kopniakiem. Kapelan zwinął się, zarzęził.

– Na koń – rozkazał Janko Schaff, nie patrząc na niego. – W drogę!

•

Orszak Schaffa liczył dziewięciu konnych – dwóch burgmanów, dwóch armigerów, trzech strzelców i dwóch zbrojnych pachołków. Na Troski musiało ich przybyć więcej – nie było z nimi siedmiorga niewolników, jacy przypadli Schaffowi z podziału, zapewne wydzielona eskorta popędziła ich już w stronę śląskiej granicy. Teraz jedynymi jeńcami byli kapelan i Reynevan. Reynevanowi – w odróżnieniu od księdza – nie związano rąk ani nie spętano nóg pod końskim brzuchem. Naciskany dał słowo rycerskie, że nie będzie uciekał, poparł je przysięgą na honor i krzyż. Uciec miał naturalnie zamiar przy pierwszej sposobności, ale Szarlej byłby z niego dumny – przy krzywoprzysięganiu ni twarz mu nie drgnęła, ni głos; sam niemal w przysięgę uwierzył. Schaff jednak nie był tak łatwowierny, niezawodnie miał już do czynienia z przysięgami. I ludźmi pokroju Szarleja. Reynevana nie związano, ale jego koń prowadzony był na kantarze, a jadący tuż za nim strzelec stale miał go na oku. I celu.

Jechali w miarę szybko, nie mitrężąc, kierując się ku północy, ku górom. Trasa wiodła przez dziką i odludną okolicę, było oczywistym, że Schaff celowo unika głównych dróg i traktów. Reynevan Podkarkonosza nie znał i był zupełnie zagubiony. Cel podróży był jednak wiadomy – zamek Chojnik koło Jeleniej Góry. Było to po śląskiej stronie Karkonoszy, należało więc przypuszczać, że oddział skieruje się ku którejś z przełęczy. Reynevan za słabo znał jednak teren, by wiedzieć, ku której.

Karkonosze i okolicę, jak się rzekło, znał słabo, ale opowieści o zamku Chojnik zdarzało mu się słyszeć. Wiedział o Chojniku dość, by się niepokoić. Owiana już licznymi legendami prastara warownia stała na szczycie wysokiej i stromej góry, wznoszącej się nad bezdenną i jakoby usłaną ludzkimi kośćmi przepaścią, zwaną, by uniknąć niedomówień, Piekielną Doliną. Nowoczesny kamienny zamek, postawiony przez Piastów świdnicko-jaworskich, przejął przed mniej więcej pięćdziesięciu laty i włączył do swych wielce już bogatych dóbr sławny Gocze Schaff, burgrabia jeleniogórski. Po nim zamczysko odziedziczył syn, Janko właśnie. Drugi syn, Gocze junior, siedział na pobliskim zamku Gryf. Bracia niepodzielnie władali okolicą, w tym fragmentem biegnącego brzegiem Bobru ważnego szlaku handlowego.

Genealogia i majętność rodu Schaffów obchodziły Reynevana raczej niewiele. Inaczej było z zamkiem Chojnik. Straszne opowieści o warowni można było zapewne większością włożyć między bajki, ale fakt pozostawał faktem: Chojnik był warownią, na którą dostać się było trudno, a wydostać stamtąd jeszcze trudniej. Ucieczka, jeśli miała się powieść, musiała być podjęta teraz, zaraz, w drodze.

Była po temu jeszcze jedna ważna przyczyna.

Gruda na dukcie była rozryta, mech na przydrożnej polanie zdarty wieloma kopytami. Zbrojni Schaffa utworzyli kolisko, rozglądali się dookoła z dłońmi na rękojeściach. Strzelcy napięli kusze, uważnie obserwowali drogę i skraj lasu.

– Bitka tu była – ocenił Gwido Buschbach, niski, krępy i niemłody już armiger, przewodnik i tropiciel oddziału. – Koni ze trzydzieści. Rąbali się, potem rozjechali. Wczoraj, z łajna końskiego wnosząc.

– Kto z kim się rąbał? – spytał Schaff. – Jest jakiś ślad?

– Ino to – Buschbach wzruszył ramionami. – Na sęku wisiało. Wiela nam nie powie.

– Powie – zdecydował się pobladły lekko Reynevan, patrząc na strzęp czarnej tkaniny. – Już powiedziało. Ja wiem, kto nosi takie płaszcze.

– Na co tedy czekasz? Gadaj!

– Nie będzie wam łatwo uwierzyć.

– Sam ocenię.

●

Janko Schaff wysłuchał opowieści o Pomurniku i czarnych jeźdźcach w skupieniu i ze zmarszczonym czołem. Choć opowieść Reynevan odpowiednio przykroił i ocenzurował, pan na Chojniku nie miał z nią problemów. Reynevan kilkakrotnie dostrzegł w jego oku błysk, mogący świadczyć, że rycerz słyszał już to i owo o czarnych jeźdźcach, zamordowanych kupcach, jak również o strachu nocnym, demonach niszczących w południe i innych cudactwach wymienionych w psalmie dziewięćdziesiątym.

– Rota Śmierci – mruknął. – Jeźdźcy na czarnych koniach. Znaczy się, ci sami, którymi mnie klecha straszył. Naskoczyli tu na kogoś. Ciekawym, na kogo.

– Pan de Bergow podobno wysłał pościg – przypomniał od niechcenia Reynevan. – Pan Biberstein też...

– Wiem – uciął Schaff. – Myśliwi polują na ciebie. A Grellenort i jego czarni jeźdźcy polują na myśliwych. By odebrać im zdobycz. Tyś ich celem. O ciebie im idzie.

– Niewątpliwie. Dlatego sądzę...

– Że powinienem puścić cię wolno? – dziedzic Chojnika uśmiechnął się wilczo. – W trosce o własne bezpieczeństwo? Ładna próba, Bielawa, ładna próba. Ale nie ze mną te numery.

– Miejcie się chociaż dobrze na baczności...

– Nie ucz mnie.

Cała sprawa miała fatalny skutek dla księdza Zwickera. Postawiony przed Schaffem i zasypany pytaniami duchowny zaciął zęby i nie uronił słowa. Nawet wówczas, gdy parę razy dostał po pysku.

– Bielawa! – Schaff przyzwał go gestem. – Pokazałeś, że się na czarach znasz. Gadaj tedy: możliwe to, by klecha, choć w pętach, zdołał jakimsi gusłem ściągnąć nam tego Grellenorta na kark?

Reynevan rozłożył ręce, wzruszył ramionami. A Schaffowi to wystarczyło. Powróz przerzucono przez poziomy konar i nim zdążyłbyś zmówić zdrowaśkę, kapelan Zwicker dyndał na stryczku, kurcząc i konwulsyjnie prężąc nogi, czemu cały orszak przyglądał się ze znudzonymi minami.

– Trzeba będzie wpaść tu za jakiś czas – powiedział Gwido Buschbach. – Klecha poszczał się, widzicie? Ani chybi wyrośnie tu mandragora.

•

Schaffa faktycznie nie trzeba było uczyć, jak postępuje się w warunkach zagrożenia. Wciąż podróżowali leśnymi drogami, dość skrzętnie unikając tych co bardziej wyjeżdżonych. Podążali wolno, a przodem cały czas jechała czujka – Gwido Buschbach ze strzelcem. Reszcie pan na Chojniku surowo nakazał ciszę, uwagę i baczność. Oddział zaczął wyglądać tak bojowo, że Reynevana prawie opuścił lęk przed Pomurnikiem, już nawet nie kulił się w siodle, ilekroć nad duktem przeleciał lub zaskrzeczał jakiś ptak.

Kij, jak każdy, miał jednak dwa końce. Wobec takiej czujności o ucieczce trudno było nawet myśleć.

Mimo to Reynevan wciąż o niej myślał.

•

Na pierwszy nocleg stanęli w opuszczonej osadzie hawerzy, latem dobywających tu i topiących rudę. Na drugi nocny odpoczynek, wkrótce po sforsowaniu rzeczki, którą nazwał Mumlavą, Gwido Buschbach wybrał dla nich niewielką góralską wioszczynę, zabitą dechami, odciętą od świata i skrytą w głębokim jarze dziurę o nazwie Mumlavske Udoli. Reynevan poznał i zapamiętał nazwę z rozmowy Schaffa ze starszym osady, zarośniętym jak rosomak siwawym mężczyzną. Rosomak był wyraźnie wystraszony, spanikowany wręcz, tak bardzo, że Schaff się zlitował. Miast zwykłym rycerskim obyczajem nawrzeszczeć i skopać, zdecydował się odegrać rolę pana dobrego i hojnego. Obdarowany półgarścią drobnych pieniędzy Rosomak pojaśniał jak słoneczko, a uśmiech rozpołowił jego zarośniętą gębę tak szeroko, że aż strasznie. Natychmiast zaprosił rycerza do swego obejścia, w drodze zaś wyjawił, dukając, czemu taki zalękniony i czemu cała wieś w strachu. Przelatywały tędyk, wyjaśnił, dopiero co bardzo *hrozne* pany, bardzo *hrozne*, bardzo konne i bardzo zbrojne, kilkakroć przelatywały, a takie były, że ua-ha-ha i pomahaj Pambu. Ustalenie, kiedy to dokładnie miały miejsce owe straszne kawalkady, trochę trwało, wreszcie jednak wydało się, że przedwczoraj w nocy i wczoraj świtaniem. Określenie, jak jeźdźcy wyglądali i w jaką barwę byli odziani przekraczało jednak zdecydowanie możliwości wieśniaka.

Schaff zachmurzył się, gryzł wąs – nagle jednak humor mu się poprawił. Wszystkim się poprawił. Z Rosomakowego obejścia powiało bowiem czymś niezwykle miłym, czymś bosko i rozkosznie smakowitym, czymś tkliwie i tęsknie domowym, czymś rzewnie i rozczulająco matczynym, zapachniało jakąś cudowną, niezapomnianą, głęboko wrytą w podświadomość wonią, kojarzącą się ze wszystkim, co miłe, dobre i radosne, takie, że tylko siądź i ze szczęścia płacz. Mówiąc inaczej, a krócej: z chałupy zaleciało topionym smalcem i smażonymi w nim cebulą i mięsem. Schaffowi, jego zabijakom i Reynevanowi łzy popłynęły z oczu, a ślina pociekła po zębach z siłą górskiej siklawy.

– Wieprzka bilim – wyjaśnił Rosomak. – Bo to, panie, pora...

Pan na Chojniku nie dał mu dokończyć. Sięgnął do kalety. Na widok monet w jego garści chłopina aż się zatoczył, otwarł gębę, przez moment zanosiło się, że zacznie wyć. Opanował się jednak szybko.

– Zapraszam... – wydyszał, chowając pieniądze za pazuchę. – Na poczęstunek...

●

– Ci, co tu niby jeździli – Janko Schaff zgonił kurę ze stołu – to mogą być ci Czarni Jeźdźcy, Rota Śmierci. Ale mogą to też być ludzie Bibersteina. Albo z Trosk, od de Bergowa... Diabli ich nadali. Że się tak zawezmą, nie liczyłem. Że tak im na tobie zależy, Bielawa.

– Jakby nas... – Werner Dorfinger, jeden z chojnickich burgmanów, obrzucił Reynevana ponurym spojrzeniem. – Jakby nas, nie daj Bóg, doszli... Będziem się o niego bić, czy jak?

– Co będzie – uciął Schaff – to będzie. A będzie, co ja postanowię. Jasne?

Objedli się smażonych na smalcu wieprzowych okrawków tak, że ledwie ruszać się mogli, jakiś czas wydawało się, że nie przełkną już ni kęsa. Wytrzymali do chwili, gdy gospodyni jęła wyciągać z kotła ugotowane *jitrnice*, czyli wątrobianki, krwawniczki i nadziewane kaszą jelitka. Ledwo trochę wystygły, rzucili się na nie jak wilki.

– Chryste Panie... – Dorfinger poluźnił pas o dalsze dwie dziurki. – Dawnom takich *jitrniczek* nie kosztował... Ha, zjem jeszcze, jeno wpierw za stodołę mus mi.

– Kożuch weź – poradził wyłaniający się z sieni Ralf Moser, drugi burgman z Chojnika, strząsając śnieg z czapki i kołnierza. – Sypie na dworze. A duje, jakby się kto powiesił.

– Dyć to i prawda – wyszczerzył zęby Schaff. – Zwicker się przecie powiesił. A że nie sam i nie z własnej woli, tego wicher przecie nie wie.

– Klecha... – Moser zakrztusił się parą i dymem, zakaszlał. – Klecha zza grobu jeszcze nam szkodzi...

– Pomaga raczej – zaprzeczył Gwido Buschbach, kopniakiem odpędzając natrętnego kozła, usiłującego poszczypywać cholewki. – Bo jeśli kto na nas parol zagiął, gracko zgadnie, którędy nam droga. Mogą się na nas zasadzić na Kruhonoszowej Hali, pod Szrenicą. Mogą czekać przy Borówczanych Skałach. Mogą nas chcieć dopaść nad górną Szklarką, nim zjedziemy w dolinę Wrzosówki... A w zamieci i dujawicy, da Bóg, może się jakoś przemkniem... Dajcie no jeszcze jelitko...

– Dajcie i mnie. Święty Maurycy, patronie rycerzy... Niebo w gębie. Więcej nie ma?

– Są, panoczku, są.

– Naści tu, dobry człeku, jeszcze pieniędz... Hej! A ty, Bielawa, dokąd?

– Za stodołę muszę.

– Idź z nim, Moser. Żeby mu jaka głupota do głowy nie przyszła.

– Dopierom co z mrozu – zaprotestował burgman. – A jemu dokąd uciekać? W zimę, w śnieżycę? Między wilki i potwory? Na zatracenie? Przeca on nie durny!

– Ruszaj, rzekłem.

●

Śnieżyca nie śnieżyca, wilki nie wilki, Reynevan nie dbał. Musiał uciec, a to była jedyna szansa. Teraz, w nocy, gdy Schaff i jego ludzie byli obżarci, gnuśni i senni. W mroku sieni, gdy Moser zamieniał kilka słów i grubych żartów z wracającym Dorfingerem, Reynevan chwycił kożuch. I ciężki odważnik od stojącej tam wagi.

Podwórze przywitało ich zimnem i zamiecią. I ciemnością. Za stodołę szli niemal po omacku.

– Uważaj – ostrzegł prowadzący Moser. – Bo tu gdzieś pług leży...

Potknął się, przewrócił z łomotem. Gdy bluźniąc na czym świat stoi podnosił się na czworaki, Reynevan już sunął ku niemu ze swym odważnikiem, już, już zamierzał się, by walnąć biedaka w potylicę. W tym momencie na tle ośnieżonej kupy gnoju mignęły szybkie cienie, rozległ się głuchy stuk, Moser stęknął i padł plackiem. W następnej chwili w oczach Reynevana rozbłysło sto świec, a w głowie huknęło sto gromów. Podwórko, chałupa, stodoła i kupa gnoju zaplątały i wycięły dzikiego hołubca, ziemia i niebo zaś kilkakroć zamieniły się miejscami.

Nie upadł, podtrzymywany przez kilka par tęgich ramion. Na głowę wciągnięto mu gruby worek. Ręce skrępowano. Powleczono. Wrzucono na siodło chrapiącego i tupiącego konia. Koń od razu skoczył w galop, bijąc kopytami o kamienie. Reynevanowi zęby kłapały i dzwoniły pod workiem, bał się, że język sobie odgryzie.

– W drogę! – skomenderował ktoś o chrapliwym, paskudnie złym głosie. – Jazda, jazda! W cwał!

Wicher wył i świszczał.

Rozdział dwunasty

w którym Reynevan wraca na Śląsk. Z perspektywą życia równie dalekosiężną, co jętka z rodzaju *Ephemera*, ale za to wyposażony w jeszcze jeden powód do zemsty.

Gdy gwałtownym szarpnięciem ściągnięto mu z głowy worek, Reynevan zgarbił się i skurczył, z grymasem zacisnął powieki, skrząca biel śniegu oślepiła go boleśnie i zupełnie. Węszył dym i koński pot, słyszał tup, chrap i rżenie koni, brzęk ekwipunku, pogwar, pojął, iż otacza go spora gromada ludzi.

– Pogratulować – usłyszał, nim zaczął widzieć. – Pogratulować udanych łowów, panie Dachs. Trudno było?

– Nic wielkiego – odpowiedział zza ramienia znany mu głos, ten zły i chrapliwy, teraz jakby nieco uniżony. – Bywało trudniej, cny panie Ulryku.

– Z ludzi Schaffa ktoś szwanku doznał? Krzywda się komuś stała?

– Nic, czego maść nie goi.

Reynevan ostrożnie otworzył oczy.

Był we wsi, dużej; nad strzechami chałup, stodół i lamusów wznosiła się wieża kościelna. Ulicę wypełniali jeźdźcy, co najmniej czterdzieści koni. Byli wśród konnych rycerze w pełnych białych zbrojach. Były proporce. W tym jeden złoty z czerwonym jelenim rogiem. Zanim zresztą zobaczył herb, Reynevan już domyślił się, czyim tym razem jest jeńcem.

– Podnieś głowę!

Ulryk von Biberstein, pan na Frydlandzie i Żarach, wuj Nikoletty, na swym bojowym rumaku wznosił się nad nim jak góra.

Miast zląc się, czuł ulgę. Że to nie Birkart Grellenort.

– Wiesz, kim jestem?

Kiwnął sztywno głową, przez moment nie mógł dobyć głosu, co wzięte zostało za nieuprzejmość. Ten o złym głosie łupnął go kułakiem w okolicę nerki. Jego Reynevan też widział na Troskach. Mikulasz Dachs, przypomniał sobie. Klient Bibersteinów. Burgraf na jakimś zamku. Zapomniałem, na jakim.

– Wiem... Wiem, kim jesteście, panie Biberstein.

Ulryk Biberstein wyprostował się w siodle, wznosząc przez to jeszcze wyżej. Pięść w stalowej rękawicy oparł o folgowy fartuch norymberskiej zbroi.

– Za to, coś uczynił, ukarany będziesz.

Nie odpowiedział, ryzykując, że znowu dostanie kuksańca. Ale tym razem Mikulasz Dachs zachował obojętność.

– Wyszykować go do drogi – rozkazał Biberstein. – Dać cieplejsze odzienie, by nie uświerkł. Ma dotrzeć na Stolz cały, zdrów i w pełni sił.

Z grupy trzymających się chałup rycerzy trzech wyjechało stępa i przybliżyło się. Dwóch było w pełnej płycie, w białych zbrojach nowoczesnego typu, z pogrubionym i rozbudowanym lewym naramiennikiem i naręczakiem, co pozwalało na całkowitą rezygnację z tarczy. Trzeci, najmłodszy, nie nosił blach, pod wilczurą miał tylko watowany, trochę przybrudzony wams. Reynevan poznał go od razu.

– Kołem toczy się fortuna! – parsknął pogardliwie Nikel von Keuschburg, niedawny jeniec na zamku michalowickim. – Dziś ty mnie, jutro ja ciebie! I jak ci się to podoba, mości kacerzu? Jam dziś wolny, z niewoli wykupiony! A ty w pętach! Z powrozem na szyi! I wnet ci kat zaświeci!

Zmusiwszy wierzchowca do drobienia nogami, młodzik podjechał bliżej. Miał ewidentny zamiar wepchnąć się koniem między pana na Frydlandzie a Reynevana, przeszkodził temu, zagradzając mu drogę, Mikulasz Dachs.

– Jakim prawem – krzyknął Keuschburg – bierzecie sobie tego jeńca, panie Biberstein?

Ulryk von Biberstein wydął wargi, ani myśląc odpowiadać. Panosza poczerwieniał ze złości.

– Zły przykład dajecie! – rozdarł się. – Przykład prywaty! Dla jakiejś ciemnej rodowej wróżdy, dla jakiejś osobistej pomsty i samolubnych porachunków narażacie kraj! Haniebny to postępek! Haniebny!

– Panie Foltsch – przerwał spokojnym głosem Biberstein. – Wyście człek poważny, z rozwagi znany i radą słynący. Poradźcie tedy temu gówniarzowi, by zamknął gębę.

Keuschburg sięgnął do boku, ale jeden z jeźdźców złapał go za rękę żelazną rękawicą i ścisnął tak, że młodzik skulił się w siodle. Reynevan domyślił się, kto to jest, pamiętał zasłyszane na Michalovicach opowieści. Hans Foltsch z zamku Roimund. Najemnik zgorzelecki.

– Jakże mnie jemu doradzać – przemówił wolno Foltsch – kiedy on praw? Jeniec twój, panie Ulryku, to ważny rangą husyta, znaczniejszych tutejszych hejtmanów komiliton, za pan brat pono z owymi. Siła on o zamiarach kacerzy i planach ich sekretnych wiedzieć musi. Wojna nad nami, a na wojnie ten górą, kto wroga zamiary przejrzy. Tego jeńca trza do Zgorzelca albo Żytawy zabrać, na spytki wziąć, po trochu, bez pośpiechu wydusić z niego wszystko, co wie. Po temu i mówię: oddajcie go nam. Dla dobra kraju wyrzeknijcie się wróżdy i oddajcie go.

Ulryk von Biberstein spojrzał w lewo, spojrzał w prawo, posłuszni jego spojrzeniu rycerze, junkrzy i knechci ruszyli się z miejsc, zaczęli podprowadzać konie coraz to bliżej i bliżej. Do stojącego obok Reynevana Mikulasza Dachsa podszedł giermek z potężnym bidenhänderem, trzymając broń tak, by dwunastocalową rękojeść Dachs miał w wygodnym zasięgu ręki. Hans Foltsch widział to wszystko.

– A gdybym się wyrzec nie zechciał – wycedził Ulryk von Biberstein z pięścią wciąż opartą o bok – to co wtedy? Uderzycie na mnie? Dla dobra kraju?

Foltsch nie drgnął nawet. Ale burgmani z Roimundu i zbrojni zgorzeleccy ruszyli konie, podjechali, czołowo kontrując szyk ludzi Bibersteina. Było ich, zauważył Reynevan, nieco więcej. Tu i ówdzie zazgrzytały już w pochwach miecze, ale spokój Hansa Foltscha zmitygował wszystkich.

– Nie, panie von Biberstein – powiedział chłodno zgorzelecki najemnik. – Nie uderzymy na was. Bo zbytnio by to naszych wrogów ucieszyło. Bo ilekroć my się wzajem za łby bierzem, husyci ręce zacierają. Rzekłem wam, com miał rzec.

– A jam wysłuchał – zadarł głowę pan na Frydlandzie. – I na tym koniec. Żegnam. Panie Foltsch. Panie Warnsdorf.

Lekceważąco pominięty w pożegnaniu Keuschburg zbladł ze wściekłości.

– Nie koniec! – wrzasnął. – Nie koniec, o nie! Nie będzie to tak ostawione! Zdacie sprawę, panie Biberstein! Jak nie przed sądami, to na udeptanej ziemi!

– Tych, co mnie sądami straszą – podniósł głos Ulryk Biberstein – zwykłem jak pachołków kijami traktować. Hamuj się więc, szczeniaku, jeśli miła ci skóra na grzbiecie. Nie na udeptanej ziemi, ale tu, na błocie, obić cię każę. Ty chłystku! Co z tego, że się Dohnom do rodu wżenić zamiarujesz? Choćby i była żonka Dohnówna z domu, ty nie urośniesz! Gdzie tedy i z czym do starej szlachty, ty synku merseburskich biskupich ministeriałów? Na śmiech się podajesz!

Keuschburg z bladego zrobił się czerwony jak przekrojony burak, zdawało się, zaszarżuje na Bibersteina z gołymi rękoma. Foltsch ucapił go za ramię, nazwany Warnsdorfem drugi rycerz chwycił konia za uzdę przy munsztuku. Ale reszta zgorzeleckich zbrojnych rwała się do walki. Ktoś krzyknął, ktoś krzyk podchwycił, błysnęły miecze i barty. Zarżały spinane konie, zaświeciły klingi i w dłoniach ludzi Bibersteina. Mikulasz Dachs chwycił i podniósł bidenhänder.

– Stać! – ryknął Hans Foltsch. – Stać, psiakrew! Broń do pochew!

Roimundzcy i zgorzeleccy usłuchali go. Niezbyt chętnie. Konie chrapały, rozdeptując śnieg w błoto.

– Ruszajcie stąd – powiedział złowrogo Ulryk Biberstein. – Ruszajcie w swoją drogę, panie Foltsch. Zaraz. Zanim do niedobrych jakich rzeczy dojdzie.

•

Śnieg stopniał błyskawicznie, wystarczyło te troszkę słońca, które przedarło się przez chmury. Wiatr ścichł. Zrobiło się cieplej.

Wróciła jesień.

Szklarska Poręba – Reynevan poznał już, przysłuchując się rozmowom, nazwę wsi z kościółkiem – opustoszała nieco, gdy oddział Foltscha i Warnsdorfa zniknął w wąwozie wiodącym ku Jakubowej Przełęczy, dzielącej, jak pamiętał z czyichś opowieści, Karkonosze od Gór Jizerskich. Mikulasz Dachs czas jakiś ponuro spoglądał w ślad, coś powiedział do Bibersteina, wskazując już to na odjeżdżających, już na Reynevana. Biberstein wydął wargi, zmierzył jeńca złym spojrzeniem, kiwnął głową. Potem wydał polecenia. Dachs skłonił się.

– Panie Liebenthal! – zawołał, podchodząc. – Panie Stroczil, panie Priedlanz, panie Kuhn! Proszę do mnie.

Czterej rycerze wyszli z gromady, zbliżyli się, popatrując ciekawie, ale demonstracyjnie niechętnie. Czym Dachs nie przejął się wcale.

– Tego oto delikwenta – wskazał na Reynevana – wielmożny pan Ulryk von Biberstein rozkazuje dostawić na Śląsk, na zamek Stolz, tam wydać do rąk brata wielmożnego pana Ulryka, pana Jana Bibersteina. Jeniec ma być dostawiony nie później niż za pięć dni, znaczy, w poniedziałek, bo dziś czwartek mamy. Ma być dostawiony żywy, zdrowy i nieuszkodzony. Dowódcą eskorty raczył pan Biberstein mianować pana Liebenthala. Ale za jeńca i za wykonanie rozkazu głową odpowiadają wszyscy. Zrozumieli panowie? Panie Liebenthal?

– Dlaczego akurat my? – spytał opryskliwie ów Liebenthal, trąc mocno zarysowany, czarny od zarostu podbródek. – I dlaczego jeno we czwórkę?

– Dlatego, że tak pan Ulryk kazać raczył. I dlatego, żem ja mu to doradził.

– Z serca dziękujemy – rzekł z przekąsem drugi z eskorty, we wdzianej na bakier bobrzej czapie. – Znaczy, na Stolz całego i zdrowego dowieźć. A nie dowieziemy, głowy damy. Fajnie.

– A gdyby uciekać próbował? – trzeci, dryblas z jasnym wąsem, zmierzył Reynevana ponurym wzrokiem. – Wolnoć nam będzie choć kulas mu przetrącić?

– Istnieje ryzyko – odrzekł zimno Dachs – że wówczas pan na Stolzu każe poprzetrącać kulasy wam.

– Tedy co? – nie rezygnował wąsacz. – Spętać go i we worze wieźć? A może w żelazną beczkę wsadzić, taką, w jakiej Konrad Głogowski trzymał Henryka Grubego? A może...

– Dość! – uciął Dachs. – Jeniec za pięć dni ma znaleźć się na Stolzu, cały i zdrowy. Wasza w tym głowa i gadaniu koniec. Od siebie dodam, że musiałby on pomylony być, by uciekać. Sporo łowców nań poluje, a komu by w łapy nie wpadł, śmierć go czeka. I to ani szybka, ani lekka.

– A na Stolzu co? Kwieciem go niby obsypią?

– Nie moja to rzecz – wzruszył ramionami Dachs – czym go tam obsypią. Ale co go czeka w Zgorzelcu, Żytawie lub Budziszynie, wiem: katownia i stos. Złapie go znów de Bergow albo Schaff, też się złej śmierci nie wywinie. Nie myślę tedy, by on uciekał...

– Nie będę uciekał – oświadczył Reynevan, mając dość milczenia. – Mogę dać słowo. Przysiąc na krzyż i wszystkie świętości!

Rycerze ryknęli dzikim i serdecznym śmiechem. Dachs aż się popłakał.

– Oj, panie Bielau – otarł łzy z policzków. – Setnieżeś mnie rozbawił. Przysiężesz, powiadasz? A przysięgaj se do woli! My zaś tymczasem spętamy cię kawałem tęgiego powroza. I na chłopską szpotawą kobyłę wsadzimy, by ci się wypadkiem cwałować nie zamarzyło. Wszystko to ot tak, gwoli pewności. Nic osobistego.

•

Długo nie potrwało, a wyruszyli. Reynevanowi zgodnie z obietnicą Dachsa spętano ręce, bez zbędnego okrucieństwa, ale pewnie i mocno. Zgodnie z obietnicą wsadzono go na konia, a raczej na będącą nim tylko z nazwy paskudną, ociężałą, koślawo stawiającą zadnie nogi szkapę, w oczywisty sposób niezdolną nie tylko do cwału, ale nawet kłusa. Na takim wierzchowcu w samej rzeczy nie było co marzyć o ucieczce – nie dałoby się na nim prześcignąć nawet pary wołów w jarzmie.

Jechali na wschód. W stronę Jeleniej Góry. W stronę traktu, łączącego Zgorzelec ze Świdnicą, Nysą i Raciborzem.

Jadę na Śląsk, pomyślał Reynevan, ocierając swędzący nos o futrzany kołnierz płaszcza. Wracam na Śląsk, jak obiecałem. Jak przyrzekłem. Sobie i innym.

Flutek, gdyby wiedział, cieszyłby się pewnie. Jest początek listopada, ledwo cztery dni po Zaduszkach. Do Bożego Narodzenia kupa czasu, a ja już jestem na Śląsku.

Jechali na wschód. W stronę Jeleniej Góry. W stronę traktu zwanego Drogą Podsudecką, łączącą Zgorzelec ze Świdnicą, Nysą i Raciborzem. Po drodze przechodzącą przez Frankenstein. I okolice zamku Stolz.

Zamku, myślał Reynevan, ocierając nos o kołnierz, na którym przebywa moja Nikoletta. I mój syn.

•

Około południa dotarli do wsi Hermsdorf. Tu przyspieszyli, pognali konie, niespokojnie zerkając w stronę górującej nad osadą granitowej skały i wieży zamku Chojnik. Mikulasz Dachs, ostrzegając przed możliwymi podstępami ewentualnych ścigających, nakazał zachować szczególną czujność w okolicach Chojnika. Rozsądek podpowiadał, że Janka Schaffa na zamku być nie mogło, droga przez karkonoskie uroczyska i kotły musiała zająć mu zdecydowanie więcej czasu niż im, jadącym gościńcem. Ale niepokój nie opuszczał ich dopóty, dopóki zamczysko nie znikło im z oczu.

Minęli w kotlinie Cieplice, wieś słynną ze swych ciepłych źródeł i leczniczych wód. Wnet też zobaczyli Jelenią Górę, wieżę kościoła farnego i wznoszącą się nad miastem basztę grodu. Który podobno wzniósł przed trzystu z górą laty Bolesław Krzywousty, książę Polan, a rozbudował przed dwustu jego praprapra- i coś tam wnuk, Bolko I Świdnicki.

Prowadzący eskortę Liebenthal obrócił konia, podjechał, oparł się strzemieniem o strzemię Reynevana. Potem dobył noża i przeciął mu więzy na rękach .

– Jedziemy przez miasto – powiedział sucho. – Nie chcę, by się ludzie gapili. I plotkowali. Rozumiesz?

– Rozumiem i dziękuję.

– Rano dziękować. Bo wiedz: popróbujesz sztuczek, tym oto kozikiem uszy ci utnę. Klnę się na Świętą Trójcę, że to zrobię. Choćbym i miał to u Bibersteinów odpokutować, utnę ci uszy. Miej na uwadze.

– Miej i to także – dorzucił von Priedlanz, ten z jasnym wąsem – że choć z nami ci niewola, od innych może cię gorsza przykrość spotkać. Ci, co cię ścigają, zły ci los gotują, męczarnię i śmierć, pomnisz, co Dachs mówił. A wiada to, czy kto za nami nie jedzie? Może Foltsch i ten drugi, Warnsdorf z Rohozca? Może de Bergow? Klüx? Janko Schaff? A tutejsze okolice, wiedz to, Schaffów dobra właśnie, i ich krewniaków i kmotrów: Nimpczów, Zedlitzów, Redernów. Choćbyś nam i uciekł, daleko nie zajdziesz. Złapią cię chłopi, panom swym wydadzą.

– Ani chybi – kiwnął głową trzeci z eskorty. – Prawie, lepiej dać ci się nam na Stolz dostawić. Na pana Jana Bibersteina zmiłowanie liczyć.

– Nie będę próbował ucieczki – zapewnił Reynevan, rozcierając przeguby. – Nie lękam się Jana Bibersteina, bo nie poczuwam się do żadnej winy. Dowiodę swej niewinności.

– Amen – podsumował Liebenthal. – W drogę tedy.

●

Na popas i nocleg stanęli niedaleko za Jelenią Górą, we wsi Maywaldau. Zjedli byle co, a nocowali w szopie, w której wiejąca znów od gór wichura gwizdała przez liczne dziury w ścianach i dachu.

Reynevan, zmęczony przejściami, zasnął szybko. Tak szybko, że jawa przeszła w sen gładko i niepostrzeżenie, nierealność płynnie zajęła miejsce realności. Uch, uch, panowie, ależ mi się ckni do baby jakiejś. Niech cię kat, Priedlanz, żeć się też akurat wspominać zachciało, teraz nie usnę. Nic to, za niedługo w Świdnicy będziemy, wiem tam jeden zamtuzik... A w Rychbachu na podgrodziu znam dwie wesołe panny, szwaczki...

Konia pode mną zabił, mojego Sturma, pieni się Nikel Keuschburg, gestykulując ogryzaną kością, z kuszy ustrzelił, suczy syn, czterdzieści grzywien zań dałem, alem nigdy nie żałował, bo rączy był... Nie, nie husyta! Koń był rączy! Mój Sturmi... A ten husyta, Reinmar Bielau, oby go zła śmierć nie minęła...

Biegnij, syczy, mrużąc błękitnozielone oczy, Douce von Pack. W dłoni kołysze oszczep. Uciekaj, dopowiada stojący obok Birkart von Grellenort. I tak cię dopadnę. Mam uszy i oczy wszędzie. W każdym klasztorze.

Wykaraska się z tego, mówi Grzegorz Hejncze, *inquisitor a Sede Apostolica specialiter deputatus* na diecezję wrocławską. I wtedy jest szansa, że doprowadzi nas do...

Interesuje mnie ptasi śpiew, mówi Konrad z Oleśnicy, biskup wrocławski. Reinmar Bielau naprowadzi mnie na trop ptasiego śpiewu.

Konny pędzi w noc, przez lasy i skaliste wąwozy, łomocze do okutej furty umocnionego niczym twierdza klasztoru. Otwiera mu zakonnik w białym habicie z czarnym szkaplerzem, ozdobionym krzyżem z literą „S" owiniętą wokół podstawy.

●

Hans Foltsch, najemnik zgorzelecki na Roimundzie, wywiązał się z obowiązku w pełni i do końca – osobiście odstawił wykupionego z husyckiej niewoli Nikela Keuschburga na stojący na szczycie Sokolej Góry zamek Falkenberg, jedną z siedzib rodu von Dohna. Oswobodzonego młodzieńca witano na zamku z wylewną radością, a licząca sobie lat czternaście panna Barbara Dohnówna aż popłakała się ze szczęścia. Popłakała się też jej siostra, trzynastoletnia Eneda – w końcu identyczna przygoda mogła nie dziś, to jutro spotkać jej własnego zalotnika, Kaspra Gersdorfa. Dla towarzystwa popłakała się matka Barbary i Enedy, jejmość Margareta z Jenkwiczów. Popłakał się dziadek, stary pan Bernhard von Dohna, ale on był w wieku sędziwym i choć śmiał się i płakał często, to rzadko wiedział, z czego i dlaczego.

Frydrych von Dohna, pan na Falkenbergu, syn Bernharda, małżonek Margarety i rodzic dziewcząt, wielkiej radości nie objawiał. Uśmiechał się raczej krzywo, a szczęście pozorował jeno. Był nie tylko uboższy o wydane na okup osiemdziesiąt kóp groszy. Płacąc husytom za Keuschburga, oficjalnie się zdeklarował, mianował go oficjalnym kandydatem na zięcia. A pewien był, że córka mogła trafić lepiej. Przygryzał więc wąs, uśmiechał się wymuszenie i nie mógł doczekać uczty, na której miał zamiar schlać się w trupa celem zapomnienia.

Pośród pozostałych jednym z nielicznych radujących się naprawdę szczerze był Hans Foltsch. Od Frydrycha von Dohna wziął na okup za Keuschburga kwotę stu kóp groszy. Z husyckim hejtmanem Janem Czapkiem stargował do sześćdziesięciu. Panu Frydrychowi powiedział, że do osiemdziesięciu.

Gdy opowieść o przygodach Nikela Keuschburga obiegła już zarówno zamek górny, jak i dolny, Falkenberg cichaczem opuścił jeździec.

Jeździec nie żałował konia. Po niecałej godzinie jazdy, niedługo po północy, łomotał już do furty umocnionego niczym twierdza klasztoru celestynów w Oybinie. W klasztorze już nikt nie spał – surowa celestyńska reguła nakazywała z wybiciem północy wstawać z wyrek i brać się do modlitwy i pracy.

•

– Skąd przyszła wiadomość?

– Z Oybina, wasza wielebność. Od celestynów. Od przeora Burcharda.

– Jak bardzo jest spóźniona?

– Wiadomość dotarła do Oybina wczorajszej nocy, czyli *post sexta die mensis Novembris*, we trzecią wigilię nocną. A ninie jest noc po listopada dniu siódmym i właśnie upływa pierwsza wigilia. Goniec, pozwolę sobie zauważyć, jechał dniem i nocą, nie żałując koni. Wieści, które przywiózł, uznać należy za aktualne jak najbardziej.

Grzegorz Hejncze, *inquisitor a Sede Apostolica specialiter deputatus* na diecezję wrocławską, rozsiadł się wygodniej, wyciągając podeszwy butów w kierunku bijącego z komina żaru.

– Należało się tego spodziewać – mruknął. – Należało oczekiwać, że Reinmar von Bielau nie usiedzi spokojnie, zwłaszcza gdy dowie się o... O pewnych sprawach. Było też do przewidzenia, że Bibersteinowie go capną. Wiozą go oczywiście na Stolz?

– Oczywiście – potwierdził Łukasz Bożyczko, Polak, pilnie i z wielkim zaangażowaniem pracujący dla Świętego Oficjum diakon od Świętego Łazarza. – Jadą, rzecz jasna, Drogą Podsudecką, w tej chwili muszą być w okolicach Bolkowa. Nocami z pewnością nie peregrynują, a dzień ninie krótki. Wasza wielebność? W Świdnicy możemy ich przejąć. Mamy tam ludzi...

– Wiem, że mamy.

– Jeśli on... – diakon odchrząknął w pięść. – Jeśli Reinmar z Bielawy trafi na Stolz, żywy stamtąd nie wyjdzie. Gdy dostanie się w ręce pana Jana Bibersteina, zginie umęczony. Zhańbił córkę pana Jana, pan Jan srogo zemści się na nim...

– Jeśli zawinił – przerwał Hejncze – to na karę zasłużył. Litujesz się nad nim? Wszak to kacerz, husyta, jego śmierć to dla nas, dobrych katolików, radość, szczęście i uciecha. Im śmierć okrutniejsza, tym uciecha większa. Przysięgałeś wszak, cały Śląsk przysięgał. Muszę przypominać rotę? *Die Ketzer und in dem christlichen Glauben irresame Leute zu tilgen und zu verderben...* Tak to szło, prawda?

– Ja jeno... – wybąkał diakon, zupełnie zbity z pantałyku sarkazmem inkwizytora. – Jeno pod konsyderację dać chciałem, że ów Reinmar siła wiedzieć może... Jeśli Biberstein jego zamęczy, to my...

– Stracimy sposobność zamęczyć go sami – dokończył Hejncze. – Cóż, takie ryzyko istnieje.

– To raczej pewne.

– Pewne są tylko podatki. I to, że Kościół rzymski jest wieczny.

Diakon nie miał argumentów.

– Pchniesz gońca do Świdnicy – powiedział po chwili inkwizytor. – Do dominikanów. Niech wyślą najlepszych agentów. Niech śledzą i dyskretnie obserwują. Bo myślę...

Hejncze zorientował się, że mówi do siebie. Oderwał wzrok od zacieku na suficie, spojrzał na pobladłego nieco diakona.

– Myślę – dokończył – że Reinmar z Bielawy się z tej opresji wykaraska. Myślę, że jest szansa, iż doprowadzi nas do...

•

– ...doprowadzi mnie do Vogelsangu – dokończył Konrad z Oleśnicy, biskup wrocławski. – Sprawa zrabowanego podatku furda, załatwimy ją tak czy inaczej, co się odwlecze, to nie uciecze. Ale Vogelsang... Gdybym dorwał się do Vogelsangu, ha, to byłoby coś. A ten cały Reynevan de Bielau, subiekt, przyznaję, coraz bardziej interesujący... On może mnie do Vogelsangu doprowadzić.

Biskup dopił kielich reńskiego wina. Od porannego nabożeństwa wypił już dziś, lekko licząc, trzy garnce różnych win. Wino dawało zdrowie, przepędzało melankolię, wzmagało potencję i chroniło od zarazy.

– Z tego – podjął, nalewając sobie – co donosi z Oybina przeor Burchard, wynika, że teraz musi być ów Bielau w okolicach Bolkowa, liczyć więc trzeba, że za dwa dni, w niedzielę, *nona die Novembris*, dotrze do Świdnicy. Ha. Mam agentów u świdnickich dominikanów, ale obawiam się, że wielu pracuje na dwie strony, znaczy, dla Hejnczego też... Będę musiał posłać kogoś z moich własnych przybocznych... Ha. Niechętnie wyzbywam się przybocznych, doniesiono mi o planowanym zamachu na mnie. Husyci, ma się rozumieć. Ech, pokazałbym im, gdybym dopadł tych z Vogelsangu... Gdybym ich przekabacił, przewerbował, gdyby zaczęli pracować dla mnie... Ha! Pojmujesz mój plan, Birkarcie, synu mój?

Pomurnik nie odpowiedział. Szczelniej otulił się futrem, w komnacie panował chłód, wiejący od Rychlebów wicher wszystkimi szparami wciskał się do wnętrza nyskiego zamku.

– Pojmujesz – odpowiedział sam sobie Konrad. – Pojmiesz zatem i rozkaz, który ci niniejszym wydaję: zostaw Reynevana w spokoju. A tak nawiasem, to jakim cudem on zdołał uciec ci w Karkonoszach?

– Cuda – albo twarz Pomurnika drgnęła, albo było to migotanie świecy. – Cuda się zdarzają. Wątpi w to wasza dostojność?

– Owszem, wątpi. Bo widziała, jak się je prokuruje. Ale nie czas na dysputy. Widać opatrzność chciała, by Reynevan ci umknął. Nie stawaj, synu, okoniem opatrzności. Odwołaj z tropu twoje psy, twoją osławioną Rotę, twoich Czarnych Jeźdźców. Niech siedzą cicho na Sensenbergu, czekają na rozkazy. Będą potrzebni, gdy idąc śladem Reinmara de Bielau, wytropimy Vogelsang. Ty zaś, Birkarcie von Grellenort, będziesz stale przy mnie, u mojego boku. Tu, w Nysie. Na zamku otmuchowskim. We Wrocławiu. Słowem, gdziekolwiek przebywać mi wypadnie. Chcę mieć cię blisko siebie. Zawsze i wszędzie. Mówiłem, husyci dybią na mnie, planują zamach na me życie...

Pomurnik kiwnął głową. Doskonale wiedział, że „planowany zamach" był humbugiem, wymyślił go sam biskup, by mieć pretekst do nasilenia terroru i prześladowań. Wielce wątpliwą była też sprawa łączenia osoby Reynevana de Bielau z tajną husycką organizacją o kryptonimie Vogelsang. Biskup Konrad miał, i owszem, liczne własne źródła informacji, nie zawsze jednak były one wiarygodne. Zbyt często usłużni donosiciele donosili biskupowi o tym, o czym biskup chciał, by donoszono.

– Na wypadek tego zamachu – powiedział – może lepiej będzie, jeśli moi Jeźdźcy...

– Twoi Jeźdźcy – biskup walnął pięścią w stół – mają cicho siedzieć na Sensenbergu! Powiedziałem! Za dużo już się o tych Jeźdźcach mówi! Hejncze patrzy mi na ręce, ucieszyłby się, mogąc mnie powiązać z Jeźdźcami, z tobą, z czarną magią i gusłami! Za dużo już się o was gada, za dużo plotek krąży!

– Staraliśmy się, by krążyły – przypomniał spokojnie Pomurnik. – By budziły postrach. To w końcu nasza wspólna inicjatywa, kochany księże biskupie. Robiłem to, cośmy ustalili. I to, co mi osobiście zrobić rozkazywałeś. Dla sprawy. *Ad maiorem Dei gloriam*.

– Dla sprawy? – biskup łyknął z kielicha, wykrzywił się, jakby to była żółć, nie reńskie. – Husyckich szpiegów i sympatyzantów, z których można by wydusić informacje, mordowałeś z zimną krwią. Dla przyjemności. Dla radości mordowania. Nie mów więc, że było to na Bożą chwałę. Bo się Bóg gotów zdenerwować.

– Rzecz tę – twarz Pomurnika nie drgnęła – zostawmy więc Bożemu osądowi. Rozkazu posłucham, biskupie. Moi ludzie zostaną na Sensenbergu.

– To rozumiem. To rozumiem, synu. Zostaną na Sensenbergu. Ty zaś, jeśli potrzebujesz ludzi, dobierz sobie kogoś z moich najemników. Chcesz, to bierz.

– Wdzięcznym.

– Ja myślę. A teraz idź już. Chyba że masz coś do mnie.

– Tak się składa, że mam.

– Cóż takiego?

– Dwie rzeczy. Pierwsza to ostrzeżenie. Druga to prośba. Uniżona suplika.

– Zamieniam się w słuch.

– Nie lekceważ Reinmara z Bielawy, biskupie. Nie wierzysz w cuda, drwisz z Arkanów, magię raczysz kwitować pogardliwym uśmiechem. Niezbyt to mądre, biskupie, niezbyt mądre. *Magna Magia* istnieje, a cuda się zdarzają. Jeden cud ostatnio widziałem. W pobliżu Reynevana właśnie.

– Doprawdy? Cóż takiego widziałeś?

– Istotę, której nie powinno być. Która nie powinna istnieć.

– Ha. Możeś tedy przypadkiem, mój synu, spojrzał we zwierciadło?

Pomurnik odwrócił głowę. Biskup, choć rad z udanej złośliwości, nie uśmiechnął się. Obrócił klepsydrę – minęła *media nox*, do *officium matutinum* zostawało około ośmiu godzin. Najwyższy czas iść wreszcie spać, pomyślał. Za dużo pracuję. I co z tego mam? Kto to docenia? Papież Marcin, ten skurwiel, *zum Teufel mit ihm*, nadal nie chce słyszeć o arcybiskupstwie dla mnie. Diecezja nadal formalnie podlega Gnieznu!

Odwrócił się do Pomurnika. Twarz miał poważną.

– Ostrzeżenie zrozumiałem. Wezmę je pod rozwagę. A prośba? Wspominałeś o prośbie.

– Nie wiem, jakie masz plany, księże. Chciałbym jednak, gdy czas nadejdzie, móc zająć się tym Reynevanem... własnoręcznie. Nim i jego towarzyszami. Chciałbym, by wasza dostojność mi to przyobiecała.

– Obiecuję – kiwnął głową biskup. – Dostaniesz ich. Jeśli będzie to w interesie moim i Kościoła, dodał w myśli.

Pomurnik spojrzał mu w oczy i uśmiechnął się.

•

Jechali drogą biegnącą wzdłuż brzegu rwącego po bystrzynach Bobru, w szpalerze olch i wiązów. Pogoda poprawiła się, czasem nawet błyskało słońce. Niestety, rzadko i na krótko, ale cóż, był wszak listopad. Dokładniej, siódmy listopada. *Septima Novembris*. Piątek.

Wilrych von Liebenthal, wyróżniony przez Bibersteina komendą nad eskortą, wiódł swój ród z Miśni. Był – jakoby – odlegle spokrewniony z możnymi Liebenthalami z Liebenthalu pod Lwówkiem. Lubił to podkreślać. Ale w sumie była to jedna z nielicznych jego wad.

Niewiele pod względem wad można było zarzucić i pozostałym członkom eskorty. Reynevan w duszy dziękował opatrzności, świadom, że mógł trafić na dużo gorszych.

Bartosz Stroczil powiadał się Ślązakiem. Reynevan niejasno pamiętał, że jakiś Stroczil faktycznie miał aptekę we Wrocławiu, ale wolał nie dochodzić koneksji.

– Wiem – po raz nie wiadomo który powtarzał Stroczil, kołysząc się w siodle. – Wiem we Świdnicy foremny zamtuzik... A w Rychbachu na podgrodziu znałem dwie wesołe panny, szwaczki. Prawda, było to ze dwa roki temu nazad, mogły, kurwy jedne, za mąż powychodzić...

– Można by to sprawdzić – wzdychał Stosz von Priedlanz. – Stanąwszy tamój...

– Trzeba będzie.

– *Jo, jo* – mówił Otto Kuhn. – Trza będzie.

Stosz von Priedlanz, Łużyczanin, ale o czeskich korzeniach, był klientem Bibersteinów – podobnie jak jego ojciec, dziad i zapewne pradziad. Otto Kuhn pochodził z Bawarii. Nie chwalił się tym, będąc raczej milczkiem, ale gdy się już odezwał, gardłowy bełkot wątpliwości nie pozostawiał: tak potrafili krzywdzić piękną niemiecką mowę wyłącznie Bawarzy.

– Ha! – popędzał konia Liebenthal. – Staniemy tedy, widzi mi się, w tym świdnickim bordelu. Mnie też ostatnim czasem często coś dupa na myśli. A we mnie, gdy o dupie pomyślę, budzi się poeta. Wypisz wymaluj: Tannhäuser.

– Ze mną jest tak samo. Ino bez Tannhäusera.

– Hej! – Priedlanz poderwał się nagle, obrócił w siodle. – Widzieliście? Tam?

– Co?

– Konny! Z tamtego garbu nas obserwował! Z wysoka, zza tamtych jedli. Teraz znikł. Skrył się...

– Do czarta. Tego nam brakowało. Barwę rozpoznałeś?

– Czarny był. I koń kary.

– Czarny Jeździec! – zarechotał Stroczil. – Znowu! Ostatnio nic, cięgiem ino Czarni Jeźdźcy, czarne widma, Rota Śmierci. Rota Śmierci tu, Rota Śmierci tam, Rota przejeżdżała, Rota się pokazała, Rota na ludzi de Bergowa za Jizerą napadła... Ale żeby i tobie się udzieliło? Priedlanz?

– Widziałem, niech mnie grom spali! Był tam!

– Popędźcie konie – rozkazał sucho Wilrych Liebenthal, nie spuszczając oczu ze skraju lasu. – I miejcie baczenie.

Usłuchali, pojechali szybciej, z dłońmi na rękojeściach mieczy. Konie chrapały.

Reynevan czuł, jak falami ogarnia go strach.

●

Niepokój udzielił się wszystkim. Jechali czujnie, rozglądając się bacznie. Nikt już nie dowcipkował, wręcz przeciwnie – incydent potraktowano niezwykle poważnie. Do tego stopnia, że zorganizowano zasadzkę. Sprytnie i sprawnie. W jednym z mijanych rozdołów Stroczil i Kuhn zeskoczyli z siodeł i skryli się w chaszczach z kuszami gotowymi do strzału. Reszta pojechała dalej, przesadnie hałasując i głośno rozmawiając.

Ślązak i Bawarczyk czekali w ukryciu prawie godzinę. Nadaremnie. Nie doczekali się nikogo jadącego śladem. Ale nawet wtedy napięcie nie spadło. Nadal jechali ostrożnie i często oglądali się wstecz.

– Chybaśmy... – westchnął Stroczil – go zgubili...

– Albo się – wydusił z siebie Kuhn – jednak Priedlanzowi przywidział.

– Ani jedno, ani drugie – warknął Liebenthal. – Łajdak jedzie za nami, widziałem go dopiero co. Na wzgórzu po lewej. Nie oglądać się, do czarta.

– A to chytra jakaś cholera.

– Jedzie za nami... Czego chce?

– Diabli go wiedzą...

– Co robimy?

– Nic. Broń mieć w pogotowiu.

Jechali, spięci i ponurzy, drogą biegnącą wąwozami, wzdłuż brzegu szumiącego na bystrzynach Bobru, wśród jesiennych olch, wiązów, jaworów i licznych skupisk starych, gigantycznych niekiedy dębów. Widok był piękny i winien uspokajać. Nie uspokajał. Reynevan kątem oka patrzył na rycerzy, obserwował, jak rosła w nich złość. Kuhn, oglądając kuszę, mełł w zębach jakieś gardłowe bawarskie przekleństwa. Priedlanz spluwał. Gadatliwy zwykle Stroczil milczał jak grób. Liebenthal długo zachowywał pozory spokoju, wreszcie jednak i on nie wytrzymał.

– A ten – wycharczał, obrzucając Reynevana paskudnym spojrzeniem. – A ten, piekło nam go nadało, na tej półzdechłej chabecie jedzie, że ani przyspieszyć! Wleczemy się przez niego jak te zasrane ślimaki!

Reynevan odwrócił głowę, zdecydowany nie dać się sprowokować.

– Heretyku jeden! – zaczepił go ponownie Liebenthal.

– Co ci do łba strzeliło, od prawdziwej wiary odstąpić? Matki Boskiej się zapierać? Husu-diabłu się kłaniać? Sakramentom bluźnić?

– Dajże pokój, Wilrych – poradził spokojnie Stosz von Priedlanz. – Dajże pokój.

Liebenthal sapnął, ale usłuchał. Jechali wśród ciężkiej ciszy.

Reynevan zaś, do tej pory nie do końca zdecydowany, powziął postanowienie. Musiał uciec. Wychodziło, że Birkart Grellenort nie kłamał, faktycznie wszędzie miał oczy i uszy. Powieszony u podnóża Karkonoszy kapelan Zwicker nie był jedynym jego szpiegiem, był, okazywało się, jakiś donosiciel również w orszaku Ulryka Bibersteina. Wioząca go na Śląsk eskorta okazała się łatwa do wytropienia, a w grożącej konfrontacji z Czarnymi Jeźdźcami była raczej bez szans. Sam, myślał, łatwiej zdołam się skryć, łatwiej zmylę pogoń.

Wprawa rycerzy nie uszła jednak jego uwadze. Tym ludziom nie można było tak po prostu uciec. Konieczny był sposób. Metoda.

•

Po przejechaniu mniej więcej mili, równo w ogłaszane przez dzwon kościółka południe, wjechali do Janowic, dużej wsi nad Bobrem. Jakąś godzinę później dotarli do rozstaja – ich droga krzyżowała się tu z gościńcem wiodącym ze Świerzawy do Landeshutu. Pusty dotąd szlak zaroił się od podróżnych, a nastrój eskorty wyraźnie się poprawił. Rycerze przestali się oglądać, świadomi, że teraz, wśród gromady ludzi, są znacznie bezpieczniejsi niż w leśnej dziczy karkonoskiego podgórza. Priedlanz znów żalił się, że mu się ckni do baby, Stroczil wznowił zachwalanie odwiedzonych onegdaj zamtuzów. Otto Kuhn nucił pod nosem bawarskie piosnki. Tylko Liebenthal nadal był nerwowy, drażliwy i zły. Niemal każdy mijany podróżny zarabiał sobie u niego na mruczane pod nosem inwektywy. Żyd domokrążca został „mordercą Chrystusa", „krwiopijcą" i – jakżeby inaczej – „parchem". Wszyscy kupcy naturalnie byli „złodziejami", a hawerze z pobliskiej Miedzianki „walońskimi przybłędami". Wędrujący grupką Bracia Mniejsi doczekali się miana „pieprzonych nierobów", a jadący pod bronią joannici pojechali dalej jako „banda sodomitów".

– Wiecie co? – odezwał się nagle Stroczil, bezbłędnie wyczuwając przyczynę nastroju. – Tak sobie dumam, że to nie był człowiek, ten czarny, co nas śledził.

– Niby więc kto?

– Duch. Demon. Dyć to Karkonosze, zapomnieliście?

– Ribezahl... – odgadł Kuhn. – *Jo, jo...*

– Ribezahl – rzekł z przekonaniem Priedlanz – nosi rogi jelenie i brodzisko wielgachne. Tamten nie nosił.

– Ribezahl może każdą postać przybrać.

– Kurwa... Przydałby się krucyfiks. Albo inny jaki krzyż. Ma który? A ty, Bielawa? Nie masz czasem krzyża?

– Nie.

– Zostaje, kurwa, do świętych się modlić... Ino do których?

– Do Czternastu Wspomożycieli – podpowiedział Stroczil. – Do wszystkich naraz w kupie. Jest pośród nich paru chwatów. Choćby Jerzy, wiadomo. Z innych Cyriak diabła wziął na łańcuch, Małgorzata smoka poskromiła, zaś Eustachy lwy. Wit... Wit co zrobił, nie pomnę. Ale niechybnie coś.

– Wit – wtrącił Kuhn – ucieszne podskoki wyczyniał.

– No. Nie mówiłem?

– Zamknijcie się wreszcie, do psiej maci! – wrzasnął Wilrych von Liebenthal. – Szlag chce trafić, gdy się tego słucha!

•

– Pojrzyjcie, jaki orszak bogaty.

Faktycznie, trzeba było przyznać, mijający ich, nadciągający od strony Bolkowa orszak prezentował się okazale. Przodem jechał laufer w błękitno-srebrnej barwie, z podobnie szachowanym proporcem. Za nim podążali zbrojni jeźdźcy i strojni dworzanie, otaczający zaprzężony w czwórkę siwków wóz, obity wzorzystą tkaniną i udekorowany błękitnymi wstęgami. Na wozie, w otoczeniu dwórek, zasiadała korpulentna i roztaczająca aurę dostojeństwa matrona w czepcu i podwice.

– Rozamunda von Borschnitz – rozpoznał, kłaniając się, Priedlanz.

– Z domu Bolz – potwierdził półgłosem Stroczil. – Ha, cudnie piękna była to podobnież niegdyś białogłowa. Opowiadał mój nieboszczyk tatko, jako za jego młodych lat pół Śląska się w niej kochało, latali za nią kawalerowie jak psi za suką, bo prócz tego, że gładka, jeszcze i posażna była. Wreszcie się za Kunona Borschnitza wydała, tego, który...

– Czasów, kiedy twój tatko młody był – przerwał zjadliwie Liebenthal – najstarsi ludzie nie pamiętają. Biskupi wrocławscy pono byli wonczas jeszcze posłuszni metropolii gnieźnieńskiej, księstwem świdnickim pono władali Piastowie, a król czeski Wacław IV maluśkim pono był pędraczkiem. Tak dawno to było. Borschnitzowa, babsko stare, musi mieć tedy grubo ponad sześćdziesiąt roków, dziw, że się jeszcze próchno nie rozsypało. Popędźcie konie, cholera bierze, gdy się tak wlec! Heretyk, pogoń kobyłę! Hej! Sięgnij no który jego chabetę nahajką przez zad!

– Dałbyś pokój, Wilrych.

•

Nocować wypadło im w Bolkowie, miasteczku leżącym u stóp góry, na szczycie której wznosiło się słynne i groźne zamczysko.

Tym razem spali w zajeździe – Liebenthal zdecydował się wreszcie głębiej sięgnąć do kiesy, którą dostał od Dachsa jako ryczałt na koszta podróży. Zafundowali sobie także wieczerzę pod postacią suto okraszonych pierogów z kapustą i grzybami.

Objedzony Reynevan spał bez snów.

•

Nazajutrz niebo znowu zaciągnęły niskie chmury, zaczęło mżyć. Jechali, rzadko przerywając milczenie. Oglądali się, ale po tropiącym ich jeźdźcu nie było śladu. Zniknął. Jak duch. Może rzeczywiście był duchem? Może naprawdę był to Ribezahl, demon Karkonoszy? Może powodem jego zniknięcia był fakt, że się od Karkonoszy oddalili?

Mżyło.

Wypogodziło się dopiero późnym popołudniem. Gdy dotarli do Świebodzic.

•

Stanęli w gospodzie „Pod Brodatym Kozłem". Jest późno, orzekł Wilrych Liebenthal, istnieje ryzyko, że do Świdnicy nie zdąży się przed zmrokiem i zamknięciem bram. A że Świdnica egzekwuje prawo milowe, w promieniu mili od miasta karczmy nie uświadczysz. A od tego „Kozła" przyjemnie czymsiś zalatuje.

Zalatywało, okazało się, kapustą, cebulą, kaszą i żurem na wędzonce, a nade wszystko pieczoną gęsią. Święty Marcin był za pasem i przypominał o sobie. Przed usytuowaną w bezpośrednim pobliżu Bramy Bolkowskiej karczmą stało sporo wozów, a w stajni sporo koni. Gości mogła przywabić kuchnia „Kozła" – albo zmusił ich do przejazdu tędy posiadany przez Świebodzice przymus drogowy.

– Tłoczno dziś u was – zagadnął Reynevan chłopca stajennego. – Roboty po uszy, co? A czyje to te konie?

Chłopiec wyjaśnił, czyje. Wyjaśniając, wzdychał. Bardzo był przejęty. I bardzo gadatliwy. Gawędziliby dłużej, gdyby nie Liebenthal.

– Hola! Ty! Bielawa! Co to za pogaduszki? Gębę na kłódkę i sam tu! Żywo!

Wypełniona dymem, swądem i przytulnym ciepełkiem karczma pełna była ludzi. Przeważali wieśniacy, którym odwieczna rolnicza tradycja surowo nakazywała w sobotni wieczór upić się w sztok. Byli i kupcy, byli pielgrzymi w opończach obszytych muszlami z Compostelli. Byli cysterscy kwestarze, w dużym tempie opróżniający tak miski, jak i dzbanki. Na ławie u komina siedziała szóstka knechtów w skórzanych kabatach, obok zaś u stołu czterech czarno odzianych i smutnych osobników.

Głośno i opryskliwie, jak na rycerzy przystało, zamówili jadło i napitek. Liebenthal znów zdecydował się uszczuplić otrzymany na podróż ryczałt, wnet więc ich stół zapełniły miski z mięchem, dzieże z kaszą, konwie z winem i gąsiorki z jabłecznikiem.

– Uuach... – stęknął po jakimś czasie Priedlanz. – Niczego żarcie... A i picie ujdzie.

– Jo, jo – beknął Kuhn. – Dobre, gut. Wia sih's g'hört.

– Tedy łyknijmy!

– Zdrowia! Polewaj, Bartoszu!

– Zdrowie wasze!

– Żal – westchnął Bartosz Stroczil – że podjadłszy i wypiwszy nie pochędożym. Ale jutro, psiakrew, inaczej będzie, obaczycie. Gdy we Świdnicy staniem. Na laskę świętego Grzegorza Cudotwórcy! Wiem ja we Świdnicy zamtuzik, gamratki tamój niczym łanie...

– Ufam – otarł wąsy Liebenthal – że z nowożytnych więcej czasów pochodzą te wieści. Co, Stroczil? Jak dawno żeś te łanie znawał? Żeby nie okazało się, że ninie to starej Borschnitzowej równolatki. Takie same próchna!

– Przesadzacie, panie – odezwał się Reynevan. – Nadto, widzi mi się, obrażacie tu cześć niewiasty.

– Pyta ktoś ciebie? – wrzasnął Liebenthal. – Czego gębę rozwierasz?

– Ciszej, waszmościowie – syknął Priedlanz, zerkając niespokojnie. – Ciszej nieco. Już się na nas gapić poczynają. A tobie, Bielawa, o co idzie?

– Szlachetna pani Borschnitzowa stara nie jest bynajmniej. Mój ojciec tyleż roków liczy i starcem nie jest.

– Czego? Że jak?

– Sześćdziesiąt lat – Reynevan podniósł głos – to nie starość. Mój ojciec...

– Do dupy z twoim ojcem! – ryknął Liebenthal. – Diabeł niech ojca twego porwie! Sześćdziesiąt nie starość?

Baranie ty! Komu szósty krzyżyk stuknie, ten próchno, truchło i pierdzielina! Rzekłem! A ty milcz i nie przeciw się, bo w pysk strzelę!

– Głośniej gadajcie, głośniej – warknął Priedlanz. – Nie wszyscy jeszcze was słyszeli. O, choćby tamten brudas u drzwi. On chyba nie słyszał.

– Nadto – rzekł cicho Reynevan, patrząc Liebenthalowi prosto w oczy. – Nadto nie podoba mi się sposób, w jaki waszmościowie o niewiastach rozprawiają. Jak niegodnie je traktują. Mógłby kto pomyśleć, że wszystkie białogłowy identyczną mierzycie miarą. Że dla was wszystkie one jednakie.

– Szlag mnie trafi! – Liebenthal wyrżnął pięścią w stół, aż podskoczyły naczynia. – Na miły Bóg! Nie zdzierżę!

– Przymkniecie się czy nie? Do diabła...

– Panie Bielawa – Stroczil przechylił się przez stół. – Co waści napadło? Spiłeś się czy jak? A może chory? Wpierw ojciec, teraz białogłowy jakieś... Co tobie?

– Że niewiasty wszystkie jednakie są, temu przeczę.

– Wszystkie jednakie są! – zaryczał Liebenthal. – Jednakie, mać ich w tę i nazad! I jednakiej rzeczy służą!

– No nie! – Reynevan zerwał się zza stołu, zamachał rękami. – Nie, panowie! Mnie tego słuchać się nie godzi!

– Ledwom ścierpiał – podniósł i piskliwie zawyżył głos – gdyście Ojca Świętego znieważali, papieża Marcina V, do dupy go przyrównując, zwąc starym truchłem i pierdzieliną! Ale odmawiać czci Matce Boskiej? Mówić, że cześć jej nie należy? Że taka sama, jak wszystkie niewiasty, że *sicut ceterae mulieres* poczęła i urodziła? Nie, tego spokojnie słuchać nie myślę! Kompanię waszą opuścić jestem zmuszon!

Szczęki Liebenthala i Priedlanza opadły. Ale do końca opaść nie zdążyły. Nim zakończyły opadanie, czterech smutnych zza stołu w kącie zerwało się. Zerwali się też, jak na komendę, knechci w skórzanych kabatach.

– Imieniem Świętego Oficjum! Jesteście aresztowani!

Liebenthal odepchnął stół, porwał za miecz, Stroczil kopniakiem wywrócił ławę, Priedlanz i Kuhn błysnęli wpół dobytymi klingami. Ale czterej smutni znaleźli niespodziewanych sprzymierzeńców. Na czole Kuhna z trzaskiem rozpękł się gliniany garnek, rzucony z niewiarygodną celnością i siłą przez jednego z obszytych muszlami pielgrzymów. Bawarczyk runął plecami na ścianę, nim się opamiętał, już trzymali go w mocnym uścisku dwaj cystersi. Trzeci cysters, chłop niewysoki, ale krępy i nabity w sobie, uderzył Liebenthala barkiem, kropnął krótkim a precyzyjnym lewym sierpowym, poprawił prawym. Liebenthal oddał, mnich wykonał unik, maleńki, ale wystarczający, by pięść ledwie musnęła mu tonsurę, sam wyprowadził z dołu ładny hak, a po nim jeszcze ładniejszy prosty. Prosto w nos. Liebenthal zalał się krwią, zniknął pod gromadą rzucających się na niego knechtów. Inni zdążyli już obezwładnić Stroczila i Priedlanza.

– Jesteście aresztowani – powtarzał jeden ze smutnych, z których żaden udziału w walce nie wziął. – Imieniem Świętego Oficjum jesteście aresztowani. Za bluźnierstwo, świętokradztwo i obrazę uczuć.

– Pies was jebał! – ryczał przyduszany do podłogi Priedlanz.

– To będzie zaprotokołowane.

– Skurwysyny pierdolone!

– To też.

Nie trzeba chyba dodawać, że Reynevana dawno już w izbie nie było. Gdy tylko zaczęło się zamieszanie, prysnął.

•

Chłopak stajenny spełnił prośbę, nie rozkulbaczył jednego z koni. Do zachodu słońca było jeszcze na tyle daleko, że bramy nie zamknięto, a na tyle blisko, by na drodze nie było już żywej duszy, nikogo, kto mógłby udzielić wskazówek pościgowi. A Reynevan nie wątpił, że pościg ruszy, ruszy natychmiast, gdy sprawa się wyjaśni. Ścigać go będzie, wiedział to, nie tylko jego niedawna eskorta, ale i ci smutni, w których bezbłędnie rozpoznał ludzi Inkwizycji. Musiał jak najprędzej zwiększyć dystans, oddalić się na tyle, by nadciągający zmrok pokrzyżował ścigającym szyki. Gdy zapadnie mrok, musiał być daleko. Za wszelką cenę. Choćby miał na śmierć zajeździć konia.

Szczęście nadal zdawało się mu sprzyjać, koń póki co nie zdradzał w galopie objawów zmęczenia. Zaczął mydlić się pianą i robić bokami dopiero wówczas, gdy dopadł boru. Tu Reynevan i tak musiał zwolnić. W borze było już niemal zupełnie ciemno.

Fart skończył się, gdy ściemniało całkiem. Gdy przejeżdżał mostek na strumieniu, łomot kopyt na dylach poniósł się echem. Tłumiąc tętent innych kopyt. Czarny i niewidoczny w mroku jeździec wyłonił się z ćmy jak upiór. Nim Reynevan zdołał zareagować, został ściągnięty z kulbaki. Bronił się, ale czarny jeździec miał siłę wręcz nadludzką. Uniósł go i z wysokości rzucił na kamienisty grunt.

Był błysk, ból, paraliżujący bezwład. Potem twarda ziemia jakby rozpłynęła się pod nim, wessała w puszystą ciszę. W bezdenną otchłań miękkiego niebytu.

•

Odzyskał przytomność w pozycji półleżącej. I w więzach. Nadgarstki miał skrępowane na podołku, nogi spętane w kostkach. W ciągu ostatnich dziesięciu dni, pomyślał, po raz piąty ktoś mnie łapie, po raz piąty jestem czyimś jeńcem. Chyba ustanowiłem rekord.

To była pierwsza jego myśl. Poprzedzająca nawet tę bardziej w jego sytuacji sensowną: kto mianowicie złapał go tym razem?

Plecami opierał się o coś, co prawdopodobnie było murem, było bowiem twarde i wydzielało woń starej wapiennej zaprawy. Resztki muru widział też obok, osłaniały przed wiatrem płonące ognisko. Wiatr duł silnie, wręcz wył w porywach. Szumiały i skrzypiały jodły. Reynevan nie mógł się oprzeć wrażeniu, że jest gdzieś wysoko, na szczycie góry lub wzgórza.

– Ocknąłeś się?

Człowiek – siłacz – który go pojmał i związał, nosił czarny płaszcz z grubej wełny. Miał też na sobie zbroję. I rycerski pas. W niczym nie przypominał Birkarta Grellenorta ani żadnego z jego czarnych jeźdźców. Reynevan stwierdził to ze zdziwieniem większym nawet niż ulga –

sądził, że dopadł go Grellenort właśnie. Dlaczego więc porwał go i kim był siłacz w zbroi? Bo przecież nie Ribezahlem, duchem Karkonoszy?

Reynevan przełknął ślinę. Nie wierzył w istnienie Ribezahla. Z drugiej strony w ciągu ostatnich dwóch lat zdarzyło mu się spotkać i widzieć mnóstwo rzeczy, w istnienie których nie wierzył.

– Jesteś Reinmar z Bielawy? Potwierdź. Nie chciałbym popełnić omyłki.

– Jestem Reinmar z Bielawy. A kim ty jesteś?

– Kim jestem? – głos rycerza w czarnym płaszczu zmienił się nieco, i to nie na lepsze. – Powiedzmy, że konsekwencją.

– Konsekwencją czego?

– Twoich dawnych postępków. I występków.

– Ach. Anioł zemsty? Wysłannik losu? Nieubłagane ramię sprawiedliwości?

Reynevan sam się dziwił, jak łatwo przychodzi mu swobodny ton. Rutyna, pomyślał. Zwyczajnie nabrałem wprawy.

– Żądałeś potwierdzenia, że ja to ja – mówił dalej, nadal beztrosko. – Nie znasz mnie więc. Ja ciebie też w życiu na oczy nie widziałem. Działasz tedy, to oczywiste, w czyimś imieniu i na czyjeś zlecenie. Czyje? Któż to ma powody, by rozliczać mnie z moich dawnych postępków? Spróbuję zgadnąć. Znam tych, co na mnie dybią.

– Strasznie dużo gadasz.

– Jan von Biberstein i Inkwizycja odpadają. Bergow i Łużyczanie są mało prawdopobni. Kto zostaje? Biskup wrocławski Konrad? Sterczowie? Książę Jan Ziębicki? Buko von Krossig? Może Adela Sterczowa?

Czarny rycerz usiadł naprzeciw. Ogień oświetlał jego twarz, odblaskami migotał na zbroi.

– Interesujące nazwiska. Interesujące osoby. Zwłaszcza ta ostatnia. Adela von Stercza. Zdziwiłoby cię, gdybym działał w jej imieniu właśnie? Na jej zlecenie?

– A działasz?

– Spróbuj zgadnąć.

Milczeli obaj. Wiatr dął, świszczał, to przytłumiał, to rozniecał ogień.

– Na Śląsku – odezwał się rycerz – do czorta i trochę ładnych dziewuszek. Nie brak tam też urodziwych i pozbawionych przesądów mężatek, a ostatnimi czasy nader szybko rośnie w siłę poczet pięknych, chętnych i stosunkowo mało używanych wdówek. A co ty, Bielawa, wybierasz z tego rogu obfitości? Najgorszą zołzę, Adelę von Stercza. Co cię tak właśnie do niej sparło? Coś w niej zobaczył, czego inne nie miały?

– Strasznie dużo gadasz.

– Podnieciło cię, że zamężna? Że mąż daleko, w obcej stronie? Że pewnikiem nie wygadzał żonce jak należy? Że dopiero z tobą prawdziwych rozkoszy zaznaje? To ci mówiła? Do uszka szeptała? Takeście sobie oboje w łożnicy z męża rogala wśród igraszek dworowali? Ja myślę...

– Nie ciekawi mnie – uciął ostro Reynevan – co myślisz. Mówisz o rzeczach, o których pojęcia nie masz, nie miałeś i mieć nie będziesz. Daruj więc sobie.

– Aha! Boli bolączka, gdy tknąć, co? Z rogacza kpić wesoło było, skończyło się wesele, gdy się samemu rogaczem zostało. Niezłą, oj, niezłą sztukę ci ta gamratka uczyniła... Pół Śląska boki zrywało, słuchając, jakeś to do Ziębic na turniej był zjechał i przed księciem Janem miłość zdzirze wyznawał. Oj, uszczerbiła piękna Adela twój rycerski honor, uszczerbiła... Na pośmiewisko wystawiła! Musisz jej, myślę, strasznie nienawidzić. Ale pocieszę cię... Duszę twą uraduję...

– Wiedz – przerwał ponownie Reynevan – że bynajmniej nie czuję się uszczerbionym. I nie nazywaj jej więcej w mojej obecności gamratką. Czujesz się bezkarny, bo mam ręce związane. O mój się tedy honor nie troskaj, a raczej swego patrz, bo tanieje. Zaś bez pocieszeń obejdę się. A tak z ciekawości: czym i jak zamierzałeś mnie pocieszyć?

Czarny rycerz milczał długo, patrzył dziwnym wzrokiem. Wreszcie przemówił.

– Adela Sterczowa nie żyje.

Znowu długo panowało milczenie. I to znów rycerz zdecydował się je przerwać.

– Książę Jan, pan na Ziębicach – wyrzekł, ważąc słowa – umyślił umocnić sojusz swego księstwa z Kłodzkiem, z panem Putą z Czastolovic. Obaj uznali, że najlepszym ku temu sposobem będzie mariaż Jana z Anką, najmłodszą córką pana Puty. Ale był problem, a problem nazywał się Adela. Adela de Stercza, która panoszyła się już po Ziębicach jak udzielna pani i księżna. Która, gdy jej doniesiono o małżeńskich planach księcia Jana, zrobiła takie piekło, że się mury trzęsły. Jasne się stało, że to nie kolejna zwykła metresa, nie jedna z wielu lewoboczna miłośnica, którą można napędzić, przekupić albo scedować na wasala. Jasne było, że porzucona Adela zrobi wielki szum i tęgo naskandali. Zaś pan Puta z Czastolovic nos krzywił, skandalu sobie nie życzył, swojej Anki na żadne przykrości, zarzekał się, nie narazi. Zrękowiny nie wcześniej, klął się na wszystkich świętych, aż narzeczony będzie bez skazy ni zmazy, a na ziębickim dworze ład zapanuje i pobożność. Nie wcześniej da córę do Ziębic, aż będzie pewien, że nie zagrożą jej tam ni plotki, ni prześmiewki, ni żadna inna zelżywość.

– Dość prędko, podobno za podszeptem spowiednika, Jan Ziębicki znalazł sposób na pozbycie się problemu. Zaciekawi cię, ale po części tym sposobem byłeś ty, mój panie. Burgundka, przypomniał sobie hercog, była wszak ongi w bliskich konszachtach z Reinmarem z Bielawy, osławionym czarownikiem. Dziwny, dziwny masz wyraz twarzy. Myślałem, iż ucieszy cię zemsta, iż lubość ci sprawi wieść, że po części to właśnie tobie ta Jezabel zawdzięcza upadek... Mniemałem...

– Źle mniemałeś. Mów dalej.

– Jak dodatkowo dociekano, Adela faktycznie próbowała zadawać księciu lubczyki, imała się miłosnych guseł. Oskarżono ją o czary i pakt z diabłem. Sprawę zbadał największy w okolicy specjalista od czarostwa, Mikołaj Kappitz, opat klasztoru w Kamieńcu. Znalazł Adelę winną, wykrył w niej i wokół niej diabelskie klimaty i zapachy. Mówią, że wykrył to wszystko za sto węgierskich dukatów, które dostał od księcia. Złapano babę zielarkę, przypieczono pięty... Wyznała, że Adela kupowała u niej nie tylko napoje miłosne. Że z lęku, iż hercog Jan ją porzuci, zawczasu knuła zemstę. Że zamówiła szatański dekokt, mający przyprawić księcia o trwałą niemoc członka męskiego. Że, na wszelki wypadek, zamówiła też bieluń. Dla Anki z Czastolovic.

– Zeznanie zielarki pokazano Adeli. I zaproponowano układ. Ale Burgundka nie zlękła się. Proces o czary? Proszę bardzo. Będzie o czym na procesie zeznawać, będą mieli czego posłuchać sędziowie, kanonicy i opaci. Ona, Adela, wie dużo i chętnie opowie. Zobaczymy, czy książę Jan ucieszy się z rozgłosu.

– Jan, który sprawę już miał za załatwioną, wściekł się. Wydał rozkazy. Piękna Burgundka nie wiedząc kiedy znalazła się w ratuszowej ciemnicy. Z puchów i atłasów na zgniłą słomę...

– Torturowano... – Reynevan chrząknięciem ulżył ściśniętemu gardłu. – Torturowano ją, tak?

– Skądże. Szlachcianka, było nie było. Na podobne łotrostwo w stosunku do szlachcianki Jan Ziębicki nie poważył się. Uwięzieniem chciał ją tylko nastraszyć. Zmusić do uległości, sprawić, by wypuszczona poszła sobie z Ziębic grzecznie i bez szumu. Nie wiedział...

– Czego... – Reynevan poczuł, jak gorąco bije mu na policzki. – Czego nie wiedział?

– W ratuszowym karcerze – głos rycerza zmienił się, a Reynevanowi się zdało, że słyszy cichy zgrzyt zębów – działała, jak się okazało, szajka. Dozorcy, pachołcy katowscy, drabi ze straży grodowej, kilku łyków, kilku czeladników... Krótko rzekłszy, urządzili sobie w więzieniu darmowy bordel. Gdy więziono kobietę, zwłaszcza podejrzaną o czary, łotrzykowie przychodzili nocą...

Urwał.

– Któregoś razu – podjął jeszcze bardziej zmienionym głosem – jeden z hultajów w pośpiechu i zamieszaniu zapomniał w celi paska od portek. Rano znaleziono Adelę. Powieszoną na tym pasku.

– Śledztwa, oczywista, nie było. Nikogo nie ukarano. Jan Ziębicki bał się rozgłosu. Burgundkę, rozpowiedziano, zamordował w celi sam diabeł, bo zdradziła go, zamierzała wyrzec się, prosiła o sakramenty. Wszystko to potwierdził i z ambony ogłosił tenże sam Mikołaj Kappitz, opat kamienieckich cystersów. Ponownie zresztą wspomniał wtedy o tobie. Ku przestrodze, do czego przywodzą kontakty z czarownikami.

– I nikt... – Reynevan przemógł skurcz gardła. – Nikt...

– Nikt – dokończył rycerz. – Kogo to obchodziło? A do tej pory wszyscy już zapomnieli. Może oprócz pana Puty z Czastolovic. Pan Puta nadal jest z księciem Janem w dobrej komitywie i sojuszu, ale małżeństwo Jana z Anką wciąż jest odkładane.

– I nie dojdzie do niego – charknął Reynevan. – Zabiję Jana. Pojadę do Ziębic i zabiję go. Choćby w kościele, ale zabiję. Pomszczę Adelę.

– Pomścisz?

– Pomszczę. Tak mi dopomóż Bóg i Święty Krzyż.

– Nie bluźnij – upomniał sucho i chrapliwie rycerz. – W zemście nie szuka się pomocy Boga. Zemsta, by być prawdziwie zemstą, musi być okrutna. Ten, kto się mści, Boga musi odrzucić. Jest wyklęty. Na wieki.

Błyskawicznym ruchem dobył mizerykordii, pochylił się, capnął Reynevana za koszulę przy szyi, poderwał, dusząc, przyłożył ostrze do gardła, zbliżył twarz do twarzy, a oczy do oczu.

– Jestem Gelfrad von Stercza.

Reynevan zamknął oczy, drgnął, czując, jak klinga mizerykordii nacina mu skórę na szyi, a gorąca krew wpływa za koszulę. Ale trwało to tylko chwilę, ułamek chwili, potem ostrze cofnęło się. Poczuł, jak puszczają przecięte więzy.

Gelfrad von Stercza, małżonek Adeli, wyprostował się.

– Byłem zdecydowany zabić cię, Bielawa – powiedział chrapliwie. – Dowiedziawszy się w Szklarskiej Porębie, kim jesteś, śledziłem cię, czekając na okazję. Wiem, nie jesteś winny śmierci Niklasa. Przed dwoma laty darowałeś życiem Wolfhera; gdyby nie twoja szlachetność, straciłbym dwóch braci miast jednego. Mimo tego byłem zdecydowany pozbawić cię życia. Tak, tak, słusznie podejrzewasz... chciałem cię zabić z urażonej męskiej dumy. Chciałem twoją krwią spłukać przylgnięty do mego herbu brud osławy. W twojej krwi utopić hańbę żałosnego *cocu*, rogacza nad rogaczami.

– Ale cóż... – dokończył, wsuwając mizerykordię do pochwy. – Sporo się zmieniło.

– O tym, że żyję, że jestem na Śląsku, nie wie nikt, nawet Apeczko, ninie senior rodu. Nie wiedzą nawet Wolfher i Morold, moi rodzeni bracia. A długo tu nie zabawię. Załatwię, co należy, nie wrócę już nigdy. Ja już jestem z Łużyc, na służbie u Sześciu Miast... Żenił też się będę z Łużyczanką. Wkrótce. Chodzę już w zaloty, wiesz? Żebyś ty ją widział... Oczy bławe i nie za mądre, nos perkaty, w piegach cały, nogi krótkie, dupa wielka, nic, ale to nic z Francji, nic z Burgundii... Może więc mi się co w życiu na lepsze odmieni. Jak dobrze pójdzie.

– To, co powiedziałeś – odwrócił się – traktuję jako słowo szlachcica. Wiedz, że jadę do Ziębic. Odgadujesz, w jakim celu. Jadę do Ziębic spełnić obowiązek. Spełnię go, tak mi dopomóż czart. Ale gdybym trafunkiem nie zdołał... Gdyby mi się nie powiodło... Wtedy trzymam cię za słowo, Bielawa. Za *verbum nobile*.

– Przysięgam – Reynevan roztarł zdrętwiałe przeguby. – Tu, w obliczu tych odwiecznych gór, przysięgam, że dręczyciele i mordercy Adeli nie będą spać spokojnie i cieszyć się bezkarnością. Przysięgam, że Jan Ziębicki, nim skona, będzie wiedział, za co umiera. Składam przysięgę i dopełnię jej, choćbym duszę miał diabłu zaprzedać.

– Amen. Bywaj, Reinmarze von Bielau.

– Bywaj, Gelfradzie von Stercza.

Rozdział trzynasty

w którym Zielona Dama, nie mniej zagadkowa niż Zielony Rycerz z wiadomej legendy, domaga się od Reynevana różnych usług – w tym i tego, by sprawił jej przyjemność.

Czekał na nich w Mokrzeszowie, wsi leżącej jakieś pół mili za Świebodzicami, przy wiodącym do Świdnicy gościńcu. Nie czekał długo. Eskortujący go do wczoraj rycerze musieli opuścić Świebodzice wczesnym rankiem, gdy zobaczył ich, nadjeżdżających traktem, w mokrzeszowskim kościele wciąż trwała niedzielna msza, proboszcz był, jak się zdawało, przy *postcommunio*.

Gdy go spostrzegli, osłupieli, wstrzymali wierzchowce. Reynevan miał czas przyjrzeć się im. Sprowokowany zatarg z Inkwizycją, choć zapewne szybko wyjaśniony, pozostawił ślady. Priedlanz miał podbite oko. Kuhn nosił na czole bandaż. Nos Liebenthala, złamany chyba, był czerwonosiny i napuchły tak, że litość brała na sam widok.

To Liebenthal właśnie otrząsnął się ze zdumienia pierwszy. I zareagował. Dokładnie w taki sposób, jakiego

Reynevan oczekiwał. Zeskoczył z kulbaki i rzucił się na niego z rykiem.

– Zostaw, Wilrych!

– Zabiję skurwiela!

Reynevan przed ciosami pięści zasłaniał się tylko, cofał, kryjąc głowę. Nawet nie próbował kontrować. Mimo to – absolutnie przypadkowo – jego napięstek zaczepił jakoś o spuchnięty nos rycerza. Liebenthal zawył i upadł na kolana, hołubiąc twarz w obu dłoniach. Do Reynevana doskoczyli zaś Stroczil i Priedlanz, chwytając go za ramiona. Kuhn, przekonany, że Reynevan będzie chciał bić klęczącego Liebenthala, zasłonił go własnym ciałem.

– Panowie... – wykrztusił Reynevan. – Po co ten gwałt... Przecież wróciłem. Nie będę już próbował ucieczki. Pozwolę się bez oporu dostawić na Stolz...

Liebenthal zerwał się z klęczek, starł łzy z oczu i krew z wąsów, dobył noża.

– Trzymajcie go! – zaryczał, a raczej zabuczał. – Trzymajcie zasrańca mocno! Uszy mu utnę! Kląłem się, że utnę! To i utnę!

– Zostaw, Wilrych – powtórzył Priedlanz, oglądając się na wychodzących już z kościoła ludzi. – Nie szalej.

– Toć widzisz – dodał Stroczil – że wrócił. Obiecał, co nie będzie już uciekał. Zwiąże się go zresztą dla pewności jak barana.

– Chociaż jedno ucho! – Liebenthal wyszarpnął się próbującemu osadzić go Kuhnowi. – Jedno aby! Za karę!

– Nie. Ma być dowieziony cały.

– Chociaż kawałek ucha!

– Nie.

– To niech choć w mordę mu dam!

– To możesz.

– Hola! Mości panowie! A cóż to tu wyczyniacie?

Kobieta, która wypowiedziała te słowa, była wysoka, a władcza poza czyniła ją jeszcze wyższą. Nosiła podróżną *houppelande*, prostą w kroju i szarą, ale wykonaną z cienkiego sukna wysokiej jakości, wykończoną popielicowym kołnierzem i takimiż obszyciami rękawów. Z popielic uszyty był również kołpak kobiety, włożony na muślinowy *couvrechef*, skrywający włosy, policzki i szyję.

Spod kołpaka spoglądała para oczu. Oczu błękitnych i zimnych jak słoneczne styczniowe przedpołudnie.

– Jasełki – dodała kobieta – panom w głowie? Choć jeszcze się nawet adwent nie zaczął?

Liebenthal tupnął, gniewnie zmarszczył brew, zadarł głowę, szybko się jednak zmitygował. Wpłynął na to między innymi widok zbrojnych, wyłaniających się za kobietą z kruchty. Między innymi. Bo nie tylko.

– Pan Liebenthal, czyż nie tak? – kobieta zmierzyła go wzrokiem. – Zeszłego lata gościłam na zamku w Żarach, byłeś waść w orszaku, który mi następnie przydzielono. Poznaję cię, choć nos miałeś wtedy innej nieco formy i barwy. A ty mnie pamiętasz? Wiesz, kim jestem?

Liebenthal skłonił się głęboko. Priedlanz, Stroczil i Kuhn poszli za jego przykładem. Reynevan skłonił się również.

– Czekam odpowiedzi. Co tu się wyrabia?

– Onego, wielmożna pani – Liebenthal wskazał Reynevana – mus nam pilnie na Stolz zawieźć. Z rozkazania jego mości Ulryka Biberlsteina. Mus nam go na zamek dostawić...

– Pobitego?

– Rozkaz mam – rycerz zachrząkał, pokraśniał. – Głowa moja w tym...

– Głowa twoja – przerwała kobieta – mniej wiechcia słomy warta będzie, gdy ów młodzian dotrze na Stolz choćby z jednym zadrapaniem. Znasz pana na Stolzu, szlachetnego Jana Bibersteina? Bo ja znam. I uprzedzam: bywa porywczy.

– To co mnie robić? – zabuczał czupurnie Liebenthal. – Kiedy on mi się przeciwi? Uciekać próbuje?

Kobieta skinęła dłonią, na palcach miała pierścienie, łączna wartość oprawionych w złoto kamieni wykraczała poza możliwość szybkiej wyceny. Zbliżyli się słudzy i uzbrojeni pachołcy, za nimi strzelcy prowadzeni przez grubego dziesiętnika w nabijanej mosiądzem brygantynie i z szerokim kordem u boku.

– Zmierzam oto na Stolz właśnie – powiedziała niewiasta. Adresując słowa bardziej do Reynevana niż do Liebenthala.

– Mój orszak gwarantuje wam bezpieczeństwo w drodze – dodała swobodnie, jakby od niechcenia. – I właściwe wykonanie rozkazu pana Ulryka. Ja zaś zapewniam nagrodę, sowitą nagrodę, której pan Jan Biberstein nie poskąpi, gdy was przed nim pochwalę. Co waść na to, mości Liebenthal?

Liebenthal nie miał innego wyjścia, jak tylko skłonić się znowu.

– O dobre traktowanie więźnia – dodała kobieta, wciąż patrząc na Reynevana – zadbam sama, osobiście. Ty zaś, Reinmarze z Bielawy, zrewanżujesz mi się miłą konwersacją w drodze. Czekam odpowiedzi.

Reynevan wyprostował się. I skłonił.

– Jestem zaszczycony.

– To oczywiste, że jesteś – niewiasta uśmiechnęła się wystudiowanym uśmiechem. – W drogę tedy. Podaj mi ramię, młodzieńcze.

Wyciągnęła rękę, gest wyłonił spod popielicowego mankietu obcisły rękaw samitowej sukni, zielony piękną, żywą, soczystą zielenią. Ujął jej dłoń. Dotyk sprawił, że drgnął.

– Znasz mnie, pani – przemówił. – Wiesz, kim jestem. Znaczną masz zatem nade mną przewagę.

– Nawet nie wiesz, jak znaczną – uśmiechnęła się drapieżnie. – Nazywaj mnie zaś...

Zawahała się, spojrzała na rękaw sukni.

– Nazywaj mnie Zieloną Damą. Co tak patrzysz? Że niby tylko wam, błędnym rycerzom, wolno występować incognito, pod romantycznymi przydomkami? Jestem dla ciebie Zieloną Damą i kropka. Rzecz nawet nie w barwie szat. Z tamtym Zielonym Rycerzem śmiało mogę iść w komparację. Bywali tacy, co na jedno moje skinienie gotowi byli kłaść głowy pod topór. Wątpisz może?

– Nie śmiałbym. Niech tylko trafi się okoliczność, pani, a i ja się nie zawaham.

– Okoliczność, mówisz? Kto wie? Zobaczymy. Na razie nie wahaj się pomóc mi na siodło.

●

Jechali, mając po prawej widok na sine na tle chmur grzbiety Sudetów. Zieloną Damę i Reynevana poprzedzała tylko czujka: gruby sierżant i dwóch strzelców. Za Damą i Reynevanem podążała reszta zbrojnych, pachołkowie i służba wiodąca luzaki i konie juczne. Ariergardę orszaku tworzyli Liebenthal *et consortes*.

Nie byli sami, na drodze panował ruch, i to nawet dość ożywiony. Rzecz nie mogła zaskakiwać – podróżowali wszak znanym i od czasów starożytnych uczęszczanym szlakiem handlowym, łączącym Zachód ze Wschodem. Do Zgorzelca znany jako *Via Regia*, droga królewska, idąca przez Frankfurt, Erfurt, Lipsk i Drezno do Wrocławia, w Zgorzelcu szlak rozgałęział się w tak zwaną Drogę Podsudecką, biegnącą podnóżem gór przez Jelenią Górę, Świdnicę, Nysę i Racibórz, by w Krakowie znowu złączyć się z traktem wrocławskim i podążyć na wschód, ku Czarnemu Morzu. Nic dziwnego, że Drogą Podsudecką ciągnął wóz za wozem, karawana za karawaną. Ze wschodu na zachód, ku krajom niemieckim, tradycyjnie wędrowały woły, barany, świnie, skóry, futra, wosk, potaż, miód i łój. W stronę przeciwną tradycyjnie wieziono wino. I wyroby produkowane przez rozwinięty na zachodzie przemysł, który na wschodzie tradycyjnie nijak rozwinąć się nie chciał.

Zielona Dama ściągnęła wodze zgrabnej białej klaczy, podjechała tak blisko, że musnęła kolanem jego kolano.

– Na kołnierzu – zauważyła – masz zaschniętą krew. To ich robota? Liebenthala i kompanii?

– Nie.

– Krótka odpowiedź – wydęła usta. – Lapidarna do bólu. A ja, pomyśleć, w cichości ducha liczyłam, że rozwiniesz temat, uraczysz przygodową opowieścią. Miałeś mnie bawić, przypominam. Ale skoro ci to nie w smak, narzucać się nie będę.

Nie odpowiedział, zwyczajnie zapomniał języka w gębie. Jakiś czas jechali w ciszy. Zielona Dama sprawiała wrażenie całkowicie pochłoniętej podziwianiem widoków. Reynevan co i rusz rzucał na nią okiem. Ukradkiem. Za którymś razem przyłapała go, schwytała oczami jak pająk muchę. Uciekł przed spojrzeniem. Przyprawiało o dreszcz.

– Jak zrozumiałam – dość niefrasobliwie wznowiła rozmowę, przecinając wiszącą między nimi ciszę. – Jak zrozumiałam, zdołałeś umknąć strażnikom. Po to, by nazajutrz wrócić. Dobrowolnie. Swobodą cieszyłeś się zaledwie jedną noc. I jedziesz oto na zamek Stolz, w ręce i w moc pana Jana Bibersteina. By tak postąpić, musiałeś mieć powód. Miałeś?

Nie odpowiedział, kiwnął tylko głową. Oczy Zielonej Damy zwęziły się niebezpiecznie.

– Istotny powód?

Chciał znowu kiwnąć, ale w porę się pohamował.

– Istotny, pani. Ale wolałbym o tym nie mówić. Bez urazy. A jeślim uraził, kajam się i proszę wybaczenia.

– Wybaczam.

Znowu spojrzał na nią ukradkiem, znowu złapała go w pułapkę oczu. Wyrazu których nie potrafił rozszyfrować.

– Miałam i nadal mam chętkę na konwersację. Pytaniami zamierzałam jedynie nakłonić cię do większej rozmowności. Bo na większość pytań odpowiedzi i tak znam.

– Doprawdy?

– Oddajesz się w moc pana Jana dla demonstracji. By próbować przekonać go, że masz czyste sumienie. W sprawie Kasi, rzecz jasna.

– Zadziwiasz mnie, pani.

– Wiem. Robię to celowo. Wróćmy jednak, jak często mawia mój spowiednik, do *meritum*. Na panu Janie, możesz mi wierzyć, twoja demonstracja wrażenia nie wywrze. Na zamku Stolz oczekują cię, myślę, dość przykre procedury. Zakończone żałosnym raczej finałem. Trzeba było uciekać, póki była szansa.

– Ucieczka potwierdziłaby zasadność oskarżeń. Byłaby przyznaniem się do winy.

– Och. Jesteś więc niewinny. Nic na sumieniu?

– Nasłuchałaś się plotek o mnie.

– Owszem – przyznała. – Sporo ich krążyło. O tobie. O twoich wyczynach. I podbojach. Słuchałam, chcąc nie chcąc.

– Wiesz, pani – odchrząknął – jak to jest z plotką. Wróblem wyleci, wołem powraca...

321

– Wiem i to, że nie ma dymu bez ognia. Nie cytuj więcej przysłów, bardzo proszę.

– Zbrodni, które mi się zarzuca, nie popełniłem. Nie napadłem, w szczególności, ani nie obrabowałem poborcy podatków. I nie mam zagrabionych pieniędzy. Jeśli cię to interesuje.

– To nie.

– Cóż więc?

– Już mówiłam: Katarzyna Biberstein. Jeżeli o nią idzie, jesteś bez winy? Sumienia twego nie obciąża tu żaden grzech? Czy choćby grzeszek?

– Na ten akurat temat – zaciął usta – wolałbym nie konwersować.

– Wiem, że wolałbyś. Świdnica przed nami.

•

Wjechali do miasta Bramą Strzegomską, wyjechali Dolną. W czasie przejazdu Reynevan westchnął razy kilka, widząc i poznając dobrze znane mu i mile kojarzące się miejsca – aptekę „Pod Złotym Lindwurmem", w której ongi praktykował, karczmę „Pod Krzyżowcem", w której ongi popijał świdnickie marcowe i próbował szans u świdniczanek, podcienia warzywne, gdzie chodził próbować szans u przyjeżdżających z towarem dziewczyn ze wsi. Tęsknie popatrzył w kierunku ulicy Kraszewickiej, gdzie Justus Schottel, znajomek Szarleja, drukował karty do gry i świńskie obrazki.

Choć pochłonięty wspomnieniami, co i rusz rzucał ukradkiem okiem na jadącą po jego prawicy Zieloną Damę. A ilekroć rzucił, tylekroć gryzły go wyrzuty. Kocham Nikolettę, powtarzał sobie. Kocham Katarzynę Biberstein, która urodziła mi syna. Nie myślę o innych kobietach. Nie myślę. Nie powinienem myśleć.

Myślał.

•

Zielona Dama również sprawiała wrażenie pogrążonej w rozmyślaniach. Milczała cały czas. Odezwała się dopiero za wsią o nazwie Boleścin, gdy ścichł łomot kopyt koni orszaku, przejeżdżającego przez most na Piławie.

– Za jakąś milę – powiedziała – będzie Faulbrück. Potem miasto Rychbach. Potem Frankenstein. A za Frankensteinem zamek Stolz.

– Znam trochę okolicę – pozwolił sobie na leciutko drwiący ton. – Między Rychbachem a Frankensteinem są jeszcze bodajże Kopanica i Koziniec. Ma to jakieś większe znaczenie?

– Dla mnie żadnego – wzruszyła ramionami. – Na twoim jednak miejscu poświęcałabym trasie więcej uwagi. Każda przebyta mila i każda mijana miejscowość przybliżają cię do pana Jana Bibersteina i jego słusznego gniewu. Gdybym była tobą, w każdej z tych miejscowości wypatrywałabym sposobności.

– Już mówiłem, nie mam zamiaru uciekać. Nie jestem przestępcą. Nie lękam się stanąć przed Bibersteinem. Ani przed jego córką.

– Proszę, proszę – przeszyła go spojrzeniem – jakież szczere uniesienie. Co ty chcesz mi wmówić, chłopcze? Żeś niewinny jako dziecię? Że nic cię nie łączyło z Kasią Biberstein? Że choćby pasy darli i kości łamali, nie przyznasz się do pulchnego pacholątka, które na Stolzu czepia się Kasinej spódnicy?

– Poczuwam się... – Reynevan poczuł, że czerwienieje, rozzłościło go to trochę. – Poczuwam się do odpowiedzialności. Tak, właśnie tak: do odpowiedzialności. Nie do winy. Jak jednak zaznaczyłem wcześniej, wolałbym o tym nie rozmawiać. Możemy konwersować na inne tematy. Choćby o krajobrazie. Ta rzeczka to Piława, a tam są Góry Sowie.

Roześmiała się. Odetchnął ukradkiem, obawiał się innej reakcji.

– Staram się – powiedziała – zrozumieć motywy twego postępowania. Jestem dociekliwa, ot, taka słabostka kobiecej natury. Lubię wiedzieć, kojarzyć przyczynę ze skutkiem, pojmować. Sprawia mi to przyjemność. Spraw mi przyjemność, Reinmarze. Jeśli nie z sympatii, to choć przez grzeczność.

– Pani... Bardzo cię proszę...

– Tylko jedna rzecz, jeden problem, odpowiedź na jedno pytanie. Jak to możliwe, że nie lękasz się lochów Stolzu? Gniewu Bibersteina? Zadawszy gwałt jego jedynaczce?

– Słucham?

– Znowu święte oburzenie? Posiadłeś Katarzynę Biberstein gwałtem. Wbrew jej woli. Wszyscy to wiedzą.

– Wszyscy? – gwałtownie odwrócił się w siodle. – Znaczy, kto?

– Ty mi powiedz.

– Nie ja zacząłem – poczuł, że krew znowu uderza mu do twarzy. – Z całym szacunkiem, nie ja zacząłem tę rozmowę.

Milczała długo.

– Znane fakty – zaczęła nagle – są takie: przed dwoma laty, czternastego września we wczesnych godzinach popołudniowych ty i twoi kamraci napadliście w Lasach Goleniowskich na orszak, z którym podróżowały szlachetnie urodzone Katarzyna von Biberstein, córka Jana Bibersteina ze Stolza, i Jutta de Apolda, cześnikówna z Schönau. Porwaliście skarbniczek, w którym panny jechały. Pościg, który ruszył za wami po kilku godzinach, odnalazł wehikuł. Po pannach nie było ni śladu.

– Słucham?

– Po obu pannach – Zielona Dama spojrzała na niego przenikliwie – słuch zaginął, mówię. Masz coś do dodania? Jakiś komentarz?

– Nie. Nic.

– Ścigający ruszyli waszym tropem, ale stracili go nad Nysą, a było już na odwieczerz. Dopiero wówczas zdecydowano się pchnąć konnego na zamek Stolz. Wieść dotarła przed nocą, pan Jan Biberstein rozesłał wici do swych manów, lecz nie mógł niczego konkretnego przedsięwziąć przed świtem. Nim zbrojni się zebrali, w Kamieńcu cystersi dzwonili na sekstę. A gdy dzwonili na nonę, na Stolzu nagle zjawiły się, w orszaku ormiańskiego kupca, obie panienki, Katarzyna i Jutta. Obie całe, zdrowe i na pierwszy rzut oka niepokalane.

– W efekcie – podjęła wobec milczenia Reynevana – było to jedno z najkrótszych porwań w historii Śląska.

324

Banalna afera znudziła się wszystkim prędko i zapomniano o niej. Zapomniano tak jakoś do Matki Boskiej Gromnicznej. To znaczy do czasu, gdy błogosławionego stanu Katarzyny Biberstein nijak nie dało się już ukryć.

Reynevan zachował kamienną twarz. Zielona Dama obserwowała go spod rzęs.

– Teraz dopiero – podjęła – Jan von Biberstein wściekł się nie na żarty. Wyznaczył nagrodę. Sto grzywien srebra dla tego, kto wskaże i wyda porywaczy, jeśli kto zaś byłby sam w aferę uwikłany, dodatkowo ma gwarancję uniknięcia kary. Wziął też pan Jan w obroty córeczkę, ale Kasia szła w zaparte: ona nic nie wie, nic nie pamięta, była bez zmysłów i w mdłościach, bla, bla, bla. W zaparte szła też Jutta de Apolda, co do której istniało poważne podejrzenie, że również nie uniosła wianuszka w całości.

– Czas upływał, brzuch Katarzyny rósł szybko i pięknie, a bezpośredni twórca tego cudu natury nadal pozostawał nieznany. Jan Biberstein się pieklił, a cały Śląsk bawił plotkami. Ale sto grzywien to kwota niemała. Znalazł się ktoś, kto na sprawę rzucił światło. Uczestnik napadu i porwania, niejaki Notker Weyrach. Nie był taki głupi, by uwierzyć w zapewnienia o immunitecie, sprawę wolał załatwić na odległość. Przez swych krewniaków, Bolzów z Zeiskenbergu, przed którymi, w obecności księdza, złożył i na krzyż zaprzysiągł zeznanie. I wyszło szydło z wora. Znaczy, tyś wyszedł, mój ty efebie.

– Szacownej córce szacownego pana Jana, przysiągł Weyrach, porywacze okazali szacunek, nikt nie tknął jej palcem ani nie uchybił czci nawet śmielszym spojrzeniem. Niestety, w szacownej raubritterskiej kompanii znalazł się, całkiem przypadkowo, pewien zdeklarowany szubrawiec, łajdak, zboczeniec i w dodatku czarownik. Ów, mając do pana Jana jakiś rankor, córkę jego magicznym sposobem porywaczom porwał. I niechybnie niebogę zgwałcił. Posiłkując się niechybnie czarną magią, oto skutkiem czego nieboga rzeczy zupełnie nie jest świadoma. Krył się ów łotr gwałciciel pod aliasem Reinmara von Hagenau, aliści wieści krążą szybko, dwa a dwa jest cztery, a oliwa na wierzch wypływa. To nie kto inny, a Reinmar de Bielau, zwany Reynevanem.

- I to było zaprzysiężone na krzyż? Cierpliwe zaiste są niebiosa.

- I bez krzyża – parsknęła – uwierzono by w rewelacje Weyracha. Opinia Reinmara de Bielau była już wszak na Śląsku ustalona. Zdarzało mu się już używać czarów celem niewolenia kobiet... Wystarczy przypomnieć aferę z Adelą de Stercza... Lekko zbladłeś, zauważam. Ze strachu?

- Nie. Nie ze strachu.

- Tak myślałam. Wracając do rzeczy: zeznań raubrittera nikt nie kwestionował, nie poddał w wątpliwość. Nikogo nic nie zastanowiło. Poza mną.

- Aha?

- Weyrach klął się, że porwano tylko jedną pannę: Bibersteinównę mianowicie. Tylko ją. Druga panna została przy skarbniczku, kazano jej przekazać żądanie okupu... Masz coś do dodania?

- Nie mam.

- I nic cię w tej historii nie dziwi?

- Nic.

- Nawet to, że pościg nie odnalazł tej drugiej panny, Jutty de Apolda? Że nazajutrz obie panny wróciły na Stolz? Obie razem, choć, jeśli wierzyć Weyrachowi, jedna była w ciągu doby porywana dwukrotnie, druga zaś ani razu? Nawet to cię nie zadziwia?

- Nawet to.

- Aż tak odporny na zadziwienie być nie możesz – skrzywiła nagle usta, w błękitnych oczach zaświecił gniew. – A zatem drwisz sobie ze mnie.

- Krzywdzisz mnie, pani, takim posądzeniem. Albo, co prawdopodobniejsze, bawisz się mną.

- Jak było z pannami, sam wiesz najlepiej, z pierwszej ręki. Byłeś tam, nie zaprzeczysz, brałeś w napadzie udział. Wyznania Weyracha wskazują na ciebie jako ojca dziecka Katarzyny Biberstein, ty sam wszak temu też nie zaprzeczasz, zdajesz się jedynie sugerować, że do zbliżenia doszło z przyzwoleniem. Co wydaje się dziwnym, ba, nieprawdopodobnym zgoła... Ale i niewykluczonym... Bledniesz i czerwieniejesz na przemian, chłopcze. To daje do myślenia.

– Oczywiście – wybuchnął. – Musi dawać. Z góry zostałem uznany za winnego. Jestem gwałcicielem, przesądziło o tym świadectwo osoby tak wiarygodnej, jak Notker Weyrach, zbój i bandyta. Jako kata i krzywdziciela córki Biberstein każe mnie stracić. Nie dając mi, rzecz jasna, możliwości obrony. A że wleczony na kaźń będę bladł i czerwieniał na przemian? Wrzeszczał, żem niewinny? Każdy gwałciciel tak wrzeszczy. Ale któżby dał wiarę?

– Oburzasz się tak święcie i szczerze, że ja niemal daję.

– Niemal?

– Niemal.

Popędziła klacz, wyjechała w przód. Zaczekała na niego. Przyglądając się z uśmiechem, którego nie mógł odgadnąć.

– Przed nami Faulbrück – wskazała sterczącą ponad las wieżę kościoła. – Staniemy tu. Jestem głodna. I spragniona. Tobie też, Reinmarze, wypitką gardzić nie warto, *carpe diem*, chłopcze, *carpe diem*, kto wie, co jutro przyniesie. A zatem... Pojedziemy na ops, jak zwykł był mawiać, gdy żył, mój krewniak, biskup krakowski Zawisza z Kurozwęk. Dziwujesz się? Jam, trzeba ci wiedzieć, z wielkopolskich Toporczyków, Toporczycy z Różycami spokrewnieni. Koniowi ostrogę, rycerzyku. Jedziemy na ops!

•

W zdecydowanych ruchach Zielonej Damy, w sposobie trzymania głowy, hardym, acz zarazem naturalnym, a zwłaszcza w sposobie, w jaki piła, wdzięcznie i swobodnie wychylając kolejne kubki, w tym wszystkim faktycznie było coś, co budziło wspomnienie o Zawiszy z Kurozwęk. Względem pokrewieństwa Zielona Dama mogła, Reynevan powziął nieco podejrzeń, zwyczajnie konfabulować. Toporem pieczętowało się w Polsce dobre pięćset rodzin i wszystkie, jak to w Polsce, umiały dowodzić przeróżnych rodzinnych koligacji. Pokrewieństwo z biskupem krakowskim bladło wobec deklarowanych przez niektóre rody krewniaczych związków z królem Arturem, królem

Salomonem i królem Priamem. Patrząc jednak na Zieloną Damę, Reynevan nie mógł opędzić się od skojarzeń z osobą Zawiszy, legendarnego już biskupa hulaki. Za tym zaś szły inne skojarzenia. Biskup poniósł wszak śmierć skutkiem występnych żądz – poturbował go ojciec, którego córkę usiłował zniewolić. A duszę rozpustnika czarci zanieśli wprost do piekła, dzikimi głosy, co słyszało wielu, wołając: „Jedziem na ops!"

– Przepijam do ciebie, Reinmarze.

– Twoje zdrowie, pani.

Przebrała się do wieczerzy. Popielicowy kołpak zastąpił aksamitny rondlet z otokiem i muślinową *liripipe*. Widoczne teraz ciemnoblond włosy ujmowała na karku złota siateczka. Na dość śmiało odsłoniętej szyi pobłyskiwał skromny sznureczek pereł. Noszona na zielonej sukni biała *cotehardie* miała po bokach wielkie wycięcia, pozwalające podziwiać talię i cieszącą oko krągłość bioder. Wycięcia takie, niezwykle modne, ludzie nieżyczliwi modzie zwali *les fenêtres d'enfer*, twierdzono bowiem, że piekielnie kuszą do grzechu. Coś, fakt, w tym było.

Liebenthal i jego kompani zajęli ławę w kącie za kominem i upijali się tam w ponurym milczeniu.

Karczmarz dwoił się i troił, dziewki biegały z miskami jak opętane, usługiwali też pachołkowie Zielonej Damy, dzięki czemu nie musieli czekać na jadło i napoje. Jadło było proste, ale smaczne, wino znośne, jak na tej klasy lokal zaskakująco dobre.

Jakiś czas milczeli, poświęcając sobie wzajem włącznie napiętą uwagę i kontakt oczu, całą aktywność zaś piwnej polewce z żółtkami, lokalnym pstrągom z Piławy, kiełbasie z dzika, zającowi w śmietanie i pierogom.

Potem był kołacz z kminkiem i cypryjska małmazja, piernik miodowy i więcej małmazji, ogień w kominie trzaskał, obsługa przestała przeszkadzać, Liebenthal i jego kompania poszli spać do stajni, zrobiło się bardzo cicho i bardzo ciepło, ba, gorąco, krew tętniła w skroniach, pałała na policzkach. Ogień przeglądał się w ognistych spojrzeniach.

- Twoje zdrowie, efebie.
- Twoje, pani.
- Pij. Chcesz coś powiedzieć?
- Nigdy... Nigdy nie zniewoliłbym kobiety. Ani przemocą, ani magią. Nigdy, przenigdy. Uwierz mi, pani.
- Wierzę. Choć trudno mi to przychodzi... Masz oczy Tarkwiniusza, piękny chłopcze.
- Dworujesz sobie ze mnie.
- Ani trochę. Czasem, by zniewolić, nie trzeba ani przemocy, ani magii.
- Co chcesz przez to powiedzieć?
- Jestem zagadką. Odgadnij mnie.
- Pani...
- Nic nie mów. Pij. *In vino veritas*.

•

Ogień w kominie przygasł, żarzył się czerwono. Zielona Dama oparła łokieć o stół, a podbródek o knykcie.

- Jutro - powiedziała, a głos zadrgał jej gardłowo i podniecająco - staniemy na Stolzu. Jak nie liczyć i jak nie mierzyć, dzień jutrzejszy, wiesz o tym doskonale, będzie dla ciebie... Będzie dniem ważnym. Co się zdarzy, tego nie wiemy i nie przewidzimy, niezbadane są wszak wyroki. Ale... Może być i tak, że dzisiejsza noc...

- Wiem - odpowiedział, gdy zawiesiła głos, po czym wstał i skłonił się głęboko. - Zdaję sobie sprawę, o piękna pani, z wagi tej nocy. Wiem, że może być moją ostatnią. Dlatego chciałbym spędzić ją... Na modlitwach.

Milczała czas jakiś, bębniąc palcami po stole. Patrzyła mu prosto w oczy. Tak długo, aż je spuścił.

- Na modlitwach - powtórzyła z uśmiechem, a był to uśmiech godny Lilith. - Ha! Oto i sposób na grzeszne myśli... Cóż, tedy i ja będę się dziś nocą modlić. I rozmyślać. Nad przemijaniem. Nad tym, jak to *transit gloria*.

Wstała, a on przyklęknął. Natychmiast. Dotknęła jego włosów, natychmiast cofnęła rękę. Zdawało mu się, że słyszał westchnienie. Ale mogło to być jego własne.

- Piękna pani - jeszcze niżej schylił głowę. - Zielona Damo. Twoja gloria nie przeminie nigdy. Ani twoja gloria, ani twa uroda, równych nie mająca. Ach... Gdybyż los zetknął nas w innych...

– Nic nie mów – mruknęła. – Nic nie mów i idź już. Ja też idę. Muszę prędko zacząć się modlić.

●

Nazajutrz dotarli na Stolz.

Rozdział czternasty

w którym na zamku Stolz wychodzą na jaw różne rzeczy. W tym i fakt, że za wszystko winę ponoszą, w kolejności: przewrotność kobiet i Wolfram Pannewitz.

Jan von Biberstein, pan na zamku Stolz, był podobny do brata Ulryka jak bliźniak. Wiedziano, że pan na Stolzu był od pana na Frydlandzie znacznie młodszy, ale nie rzucało się to w oczy. Sprawiał to wygląd rycerzy, iście homeryczny: wzrost tytanów, postawa herosów, bary godne Ajaksa. Do tego, by już do cna wyczerpać homeryckie porównania, oblicza i greckie nosy obu panów Bibersteinów z punktu przywodziły na myśl Agamemnona Atrydę, władcę Myken. Poważnego, dumnego, wielkopańskiego, szlachetnego – ale nie będącego tego dnia w najlepszym humorze.

Jan von Biberstein czekał na nich w zamkowej zbrojowni, wysoko sklepionej, surowo zimnej i śmierdzącej żelaziwem komnacie.

W najlepszym humorze zdecydowanie nie był.

– Wszyscy wyjść! – skomenderował zaraz na wstępie głosem, od którego zadrżały rohatyny i glewie na przyściennych stojakach. – Tu się będzie omawiać sprawy prywatne i rodzinne! Wszyscy wyjść, mówiłem! Pani, pani cześnikowo, to nie dotyczy, oczywista. Twoja osoba jest nam miła, a obecność pożądana.

Zielona Dama skinęła leciutko głową, poprawiła mankiet gestem sygnalizującym umiarkowane zainteresowanie. Reynevan nie uwierzył. Była zainteresowana. Chyba nawet bardzo.

Pan na Stolzu skrzyżował ręce na piersi. Być może przypadkiem, ale stał tak, że zawieszoną na ścianie tarczę z czerwonym rogiem miał wprost nad głową.

– Diabeł chyba – przemówił, patrząc na Reynevana tak, jak musiał patrzeć Polifem na Odysa i towarzyszy. – Diabeł chyba podkusił mnie, by jechać do Ziębic na turniej, wtedy, w dzień Narodzin Marii. Czart w tym był, bez dwóch zdań. Gdyby nie piekielne moce, nie doszłoby do tych wszystkich nieszczęść. Nigdy bym o tobie nie usłyszał. Nie wiedziałbym, że istniejesz. Nie musiałbym gryźć się tym, że istniejesz. Nie musiałbym zadawać sobie tyle trudu, byś wreszcie istnieć przestał.

Zamilkł na chwilę. Reynevan był cicho. Nawet oddychał cicho.

– Jedni mówią – podjął Biberstein – żeś ukrzywdził mi córkę z zemsty, z rankoru, który miałeś ku mnie. Biskup wrocławski, aferę uwagą zaszczyciwszy, rozgłasza, że to z husyckich i kacerskich poduszczeń, by mnie jako katolika pognębić. Książę ziębicki Jan twierdzi zaś, żeś zwyrodnialec i że taka natura twoja zbrodniarska. Gadają też, żeś z diabłem w zmowie i diabeł ci ofiary podsuwa. Mnie, szczerze powiedziawszy, zajedno, ale tak z ciekawości: jak to z tobą jest? Odpowiadaj, kiedy pytam!

Reynevan zorientował się nagle, że całkowicie i absolutnie zapomniał tekstu mowy obrończej, ułożonej na tę okoliczność zawczasu i mającej w założeniu przyćmić tę Sokratesową. Zorientował się w tym z uczuciem bliskim raczej przerażenia.

– Nie myślę... – w to, by głos brzmiał jakoś, włożył

wszystkie siły. – Nie myślę kłamać ni wybielać się. Ponoszę odpowiedzialność za... Za to, co się stało. Za skutki... Panna Katarzyna i ja... Panie Janie, prawdą jest, że zawiniłem. Ale nie jestem zbrodniarzem, oczerniono mnie przed wami. W tym, co zaszło między mną a panną Katarzyną... W tym nie było złych intencyj. Klnę się na grób matki, ni złych intencyj, ni premedytacji. Zdecydował przypadek...

– Przypadek – powtórzył wolno Biberstein. – Pozwól, niech zgadnę: idziesz sobie oto bez złych intencyj, wracasz, załóżmy, z karczmy do dom. Nocka ciemna, choć oko wykol. W mroku za sprawą przypadku wpada na cię moja córka i bęc, zupełnie przypadkowo nadziewa się na kuśkę, która przypadkiem sterczy ci z rozporka. Tak było? Jeśli właśnie tak, w moich oczach jesteś rozgrzeszony.

– Gotów jestem – Reynevan nabrał powietrza w płuca – zadośćuczynić...

– Chwali się, żeś gotów. Bo zadośćuczynisz. Jeszcze dziś.

– Gotów jestem pojąć pannę Katarzynę za żonę.

– Ha! – Biberstein zwrócił głowę ku Zielonej Damie, pogrążonej, zdało się, w kontemplacji własnych paznokci. – Słyszy pani, pani cześnikowo? On pojąć gotów! A ja, jak przypuszczam, mam na takie *dictum* zacząć nie posiadać się ze szczęścia? Że bękart będzie miał ojca, a Kaśka męża? Czy jemu nikt nie objaśnił sytuacji? Tego, że ino mi palcami strzelić, a ustawi się tu w ogonku czterdziestu chętnych? Że ja, Biberstein, mogę w mężach dla Bibersteinówny przebierać jak w ulęgałkach? Posłuchaj no, chłystku. Na męża mojej Kaśki nie spełniasz warunków. Jesteś wywołaniec. Jesteś heretyk. A jakby tego mało było, jesteś kompletny golec. Żebrak. Tak, tak, Jan Ziębicki skonfiskował wam, Bielawom, całą ojcowiznę. Za zdradę i kacerstwo.

– A nade wszystko – pan na Stolzu podniósł głos – potrzebny jest przykład. Taki raczej dobitny. Taki, by głośno o nim było na Śląsku. Taki, by długo pamiętano. Gdy brak przykładów grozy, gdy zbrodnie uchodzą bezkarnie, społeczeństwo się demoralizuje. Mam rację?

Nikt nie zaprzeczył. Jan Biberstein zbliżył się, spojrzał Reynevanowi w oczy.

– Długo się zastanawiałem – powiedział głosem wcale spokojnym – co ci zrobię, gdy cię wreszcie dopadnę. Trochę postudiowałem. Nie uwłaczając dziejom dawnym, najbardziej pouczającą okazała się historia najnowsza. W roku oto dziewiętnastym, ledwie osiem lat temu, czescy panowie katoliccy, złapawszy kaliszników, tracili ich na wymyślne sposoby, wręcz prześcigali się w pomysłach. W mojej ocenie palma pierwszeństwa należy się panu Janowi Szvihowskiemu z Ryzmberka. Jakiemuś schwytanemu husycie pan Szvihovsky kazał oto napchać do gęby i gardła strzelniczego prochu, po czym ów proch zapalić. Naoczni świadkowie twierdzą, że przy eksplozji płomień i dym buchnęły kacerzowi aż z zadu.

– Gdy o tym usłyszałem – kontynuował Biberstein, wyraźnie napawając się wyrazem twarzy Reynevana – doznałem olśnienia. Już wiedziałem, co z tobą każę uczynić. Posunę się jednak dalej niż pan Szvihovsky. Nabiwszy do pełna prochem, każę wepchnąć ci do dupy ołowianą kulę i zmierzę, na jaki dystans wystrzelona poleci. Taki dupny strzał powinien zaspokoić zarówno moje uczucia ojcowskie, jak i ciekawość badacza. Jak sądzisz?

– Muszę ci też nie bez satysfakcji oznajmić – podjął, nie czekając na odpowiedź – że strasznie okrutnie obejdę się z tobą również po śmierci. Sam uważałem to za idiotyzm i zbytek zachodu, ale mój kapelan się uparł. Jesteś heretykiem, nie pochowam więc twych resztek w poświęconej ziemi, lecz każę cisnąć je gdzieś na polu, na żer krukom. Albowiem, jeśli dobrze zapamiętałem: *quibus viventibus non communicavimus mortuis communicare non possumus*.

– Jestem w waszym ręku, panie Biberstein – rezygnacja pomogła Reynevanowi zebrać resztki odwagi. – Na waszej łasce i niełasce. Postąpicie ze mną wedle woli. Zechcecie po rakarsku, któż was powstrzyma? A może straszycie mnie kaźnią w nadziei, że zacznę skamleć o litość? Otóż nie, panie Janie. Jestem szlachcicem. I nie poniżę się w oczach ojca panny, którą kocham.

– Ładnie powiedziane – ocenił zimno pan na Stolzu. – Ładnie i śmiele. Znowu budzisz we mnie ciekawość badacza: na ileż starczy tej śmiałości? Ha, nie traćmy czasu, proch i kula czekają. Masz jakieś ostatnie życzenie?

– Chciałbym zobaczyć pannę Katarzynę.

– Ach! I co jeszcze? Wychędożyć ją na pożegnanie?

– I mego syna. Nie możesz mi tego zabronić, panie Janie.

– Mogę. I zabraniam.

– Ja ją kocham!

– Temu zaraz zaradzimy.

– Panie Janie – odezwała się Zielona Dama, a tembr jej głosu przywodził na myśl różne rzeczy, w tym miód. – Okaż wielkoduszność. Okaż rycerskość, przykładów której historia najnowsza również nam nie skąpi. Nawet czescy katoliccy panowie spełniali, myślę, ostatnie życzenia husytów, zanim nabili ich prochem. Spełnij życzenie panicza z Bielawy, panie Janie. Brak przykładów wielkoduszności, zauważę, demoralizuje społeczeństwo nie mniej niż zbytnia pobłażliwość. Nadto, ja proszę za nim.

– I to przeważa – skłonił głowę Biberstein. – To przeważa, pani. Niech więc tak będzie. Hola! Służba!

Pan na Stolzu wydał rozkazy, służący pobiegli je wykonać. Po niemiłosiernie dłużącym się czasie oczekiwania skrzypnęły drzwi. Do zbrojowni weszły dwie kobiety. I jedno dziecko. Chłopczyk. Reynevan poczuł, jak oblewa go fala gorąca, a krew uderza do twarzy. Zorientował się też, że bezwiednie otwiera usta. Zacisnął je, nie chcąc wyglądać jak osłupiały kretyn. Nie był pewien efektu. Musiał wyglądać jak osłupiały kretyn. Bo tak się czuł.

Jedna z kobiet była matroną, druga młodą panną, a różnica wieku i uderzające podobieństwo wątpliwości nie pozostawiały – były to matka i córka. Nietrudny był do zidentyfikowania również rodowód obu, zwłaszcza dla kogoś, kto – jak Reynevan – wysłuchał niegdyś lekcji o typowych cechach dziedzicznych niewiast i panien z co znaczniejszych śląskich rodów, lekcji, której udzieliła niegdyś pani Formoza von Krossig na raubritterskim zamczysku Bodak. Tak matrona, jak i panna były niskiego raczej wzrostu i raczej przysadziste, szerokie w biodrach jak wżenione z dawien w ród Bibersteinów Pogorzelki, niewiasty z rodziny Pogorzelów. Również małe, perkate i hojnie obsypane piegami nosy świadczyły niezbicie o płynącej w ich żyłach pogorzelskiej krwi.

Matrony Reynevan nie znał i nigdy nie widział. Pannę widział. Kiedyś. Raz jeden. Uczepiony jej spódnicy chłopczyk miał jasne oczy, pulchne rączęta, główkę całą w złociutkich kędziorkach i w ogóle wyglądał jak mały głupek – inaczej mówiąc: jak mały, śliczny, gruby i piegowaty cherubinek. Reynevan pojęcia nie miał, po kim ta uroda. I w sumie mało go to obchodziło.

Na powyższe obserwacje i przemyślenia, opis których tych kilku zdań wymagał, Reynevanowi wystarczyła jedna chwila. Ponieważ wedle co uczeńszych astronomów owej doby godzina – *hora* – dzieliła się na *puncta*, *momenta*, *unciae* i *atomi*, można uznać, że przemyślenia zajęły Reynevanowi nie więcej niż jedną uncję i atomów trzydzieści.

Mniej więcej tyle samo uncji i atomów potrzebował na przeanalizowanie sytuacji pan Jan Biberstein. Twarz pociemniała mu niebezpiecznie, homerycka brew zmarszczyła się groźnie, grecki nos nasępił, wąsy zjeżyły złowrogo. Wnuczek aniołek miał, wychodziło, za dziadka starego złego diabła. Takiego bowiem pan na Stolzu w tej chwili przypominał. Tak wiernie, że choć bierz i od razu maluj na kościelnym fresku.

– Nie ta panna – stwierdził fakt, a gdy mówił, w krtani grało mu jak lwu. – Wychodzi, że to wcale nie ta panna. Wychodzi, że ktoś tu durnia ze mnie próbuje robić.

– Pani żono – jego głos zadudnił w zbrojowni niczym wóz z ładunkiem pustych trumien. – Bądź łaskawą zabrać córkę do niewieścich komnat. I przemówić jej do rozsądku. W sposób, jaki uznasz za stosowny, przy czym ja, jeśli wolno, doradzam brzozową rózgę na goły tyłek. Do skutku, czyli do czasu uzyskania wiedzy. Gdy wiedzę tę już posiędziesz, droga pani żono, i będziesz mogła podzielić się nią ze mną, pokaż mi się na oczy. Ani wcześniej, ani w innym celu pokazywać się nie próbuj.

Matrona przybladła nieco, ale dygnęła tylko, nie pisnąwszy słowa. Reynevan złowił jej spojrzenie, gdy pociągnęła córkę za biały rękawek, wyglądający spod zielonej *cotehardie*. Nie było to spojrzenie specjalnie życzliwe. Córka – Katarzyna von Biberstein – też spojrzała. Przez łzy. W spojrzeniu był wyrzut. I żal. Czego żałowała, co mu wyrzucała, mógł się domyślać. Ale nie chciało mu się móc. Przestało go to interesować. Przestała go interesować osoba Katarzyny von Biberstein. Wszystkie jego myśli biegły ku innej osobie. O której, uświadomił sobie to nagle, nic nie wiedział. Oprócz imienia, które już odgadł.

Gdy kobiety wyszły wraz z chłopaczkiem, Jan von Biberstein zaklął. Potem zaklął znowu.

– *Nec cras, nec heri, nunquam ne credas mulieri* – zawarczał. – Skąd w was, niewiastach, tyle przewrotności? Pani cześnikowo?

– Jesteśmy przewrotne – Zielona Dama uśmiechnęła się swym zabójczo uroczym uśmiechem demonicy. – Jesteśmy pokrętne. Bośmy córy Ewy. Z krzywego wszak jakoby stworzono nas żebra.

– Tyś powiedziała.

– Jednak – Zielona Dama spojrzała na Reynevana spod rzęs – wbrew pozorom wcale nie tak łatwo nas zwieść. Ani uwieść. Od czasów rajskiego ogrodu zdarza nam się, to fakt, ulegać wężom. Ale nigdy padalcom.

– Co to niby miało znaczyć?

– Jestem zagadką. Odgadnij mnie, panie Janie.

Błysk w oku Jana Bibersteina zgasł równie szybko, jak się pojawił.

– Czcigodna pani cześnikowa – mocniej niż dotychczas zaakcentował tytuł – raczy filuterną być. A nam tu nie do figli. Prawda, panie z Bielawy? A może się mylę? Może ci wesoło? Może zda ci się, żeś się już wywinął? Niczym węgorz z opresji wyśliznął? Daleko do tego jeszcze, oj, daleko. Żeś to nie ty Kaśkę moją zbrzuchacił, dobra twoja. Aleś napadł ją po zbójecku, za to jedno warto by cię dać poćwiartować. Albo, żeś kacerz, biskupowi wydać, niechaj cię we Wrocławiu na stosie usmaży... Chciałaś może coś powiedzieć, pani? Czy mi się zdało?

– Zdało ci się.

Skrzypnęły drzwi, do zbrojowni weszła matrona. Bez czepca. Nieco zarumieniona. Z falującym biustem.

– O – ucieszył się pan Jan. – Tak szybko poszło?

Jejmość Bibersteinowa spojrzała na męża z pobłażliwą wyższością, zbliżyła się, coś długo szeptała na ucho. Im dłużej szeptała, tym bardziej pan Jan promieniał.

– Ha! – wykrzyknął wreszcie, rozpromieniony do limitu. – Młody Wolfram Pannewitz! Ha, na mą duszę! Kojarzę! Szwendał się po Goleniowskich Lasach, w błędnego rycerza zabawiał! Musiał się na nią napatoczyć, gdy od skarbniczka w bór uciekła... Ha, do stu rogatych diabłów! Toć pamiętam! A jak to potem tu zjeżdżał, pomnisz, żono, jak to oczami strzelał, kraśniał i ślinił się... Podarki przywoził! Ha! Ale żenić się ochoty nie było! To teraz będzie. Bo to jest partia niezła, pani żono, całkiem niezła. Wnet na Homole jadę, do starego pana Pannewitza, pogwarzymy, dwaj ojcowie, o psotach potomków naszych. Pogwarzymy o honorze...

Urwał, spojrzał na Zieloną Damę i Reynevana, jakby zdziwiony, że jeszcze tu są. Nasępił się.

– Powinienem...

– Nic nie powinieneś – przerwała ostro Zielona Dama. – Sprawę przejmuję ja. Zabieram go i odjeżdżam zaraz.

– Nie zanocujesz, pani? Do Schönau kawał drogi...

– Odjeżdżam zaraz. Bywaj, panie Janie.

•

Zielona Dama spieszyła się, zmuszała swój orszak do pośpiechu. Skierowali się na północ, na skałki i wzgórza. Jechali spiesznie, mając przed sobą zamglony masyw Ślęży, a za plecami sine Rychleby i Jesioniki. Reynevan jechał w końcu pochodu, nie bardzo wiedząc, dokąd i po co. Nie ochłonął jeszcze.

Jazda jednak długo nie potrwała. Zielona Dama nagle dała rozkaz do zatrzymania. Skinęła na Reynevana, by jechał za nią.

U stóp wzgórza stał kamienny krzyż pokutny. Zwykle takie krzyże wywoływały u Reynevana skojarzenia, pobudzały do rozmyślań. Teraz krzyż niczego nie wywołał ani nie pobudził.

– Zsiadaj.

Usłuchał. Stała przed nim, wiatr szarpał jej płaszczem, oblepiał nim sylwetkę.

– Tu się rozstaniemy – powiedziała. – Jadę do Strzelina, stamtąd do domu, do Schönau. Twoje towarzystwo nie jest wskazane. Rozumiesz? Radź sobie sam.

Kiwnął głową. Podeszła, z bliska spojrzała mu w oczy. Przez chwilę. Potem odwróciła wzrok.

– Uwiodłeś mi córkę, niegodziwce – powiedziała cicho. – A ja... Ja, miast dać ci teraz po twarzy i okazać wzgardę, muszę się czerwienić. I w myśli być ci wdzięczną za... Wiesz, za co. Ha, też się czerwienisz? Dobrze. Zawsze jakaś pociecha. Marna, ale zawsze.

Zagryzła wargi.

– Jestem Agnes de Apolda. Małżonka cześnika Bertolda Apoldy. Matka Jutty de Apolda.

– Domyśliłem się.

– Lepiej późno niż wcale.

– Interesuje mnie, kiedy ty się domyśliłaś.

– Wcześniej. Ale dość o tym.

– Sprzyja ci fortuna – podjęła. – Jesteś klasycznym wręcz przykładem wybrańca losu. Ale przestań kusić licho. Uciekaj. Zniknij ze Śląska, najlepiej na zawsze. Nie jesteś tu bezpieczny. Biberstein nie był twoim jedynym wrogiem, masz ich tu wielu. Prędzej czy później któryś z nich dopadnie cię i wykończy.

– Muszę zostać – zagryzł wargi. – Nie wyjadę, zanim nie spotkam się...

– Z moją córką, tak? – niebezpiecznie zmrużyła oczy. – Zabraniam ci tego. Przykro mi, ale nie zaakceptuję tego związku. Nie jesteś dla Jutty godną partią. Jan Ziębicki faktycznie wyzuł cię ze wszystkiego i wszystko odebrał, ale ja nie jestem aż tak wyrachowana jak Biberstein, przeżyłabym zięcia ubożątko, bogatego jedynie sercem, niechajże miłość triumfuje w chałupeczce niskiej. Ale nie pozwolę córce związać się ze ściganym banitą. Ty sam, jeśli masz choć trochę przyzwoitości, a wiem wszak, że masz, nie dopuścisz, by twoi wrogowie dotarli twym tropem do niej. Nie wystawisz jej na niebezpieczeństwo i szwank. Potwierdź.

– Potwierdzam. Ale chciałbym...

– Nie chcij – przerwała natychmiast. – To nie ma sensu. Zapomnij o niej. I pozwól jej zapomnieć. To już dwa lata, chłopcze. Wiem, że cię to zaboli, ale to powiem: czas ma wielkie zdolności lecznicze. Strzała Amora, bywa, utkwi głęboko. Ale i takie rany goją się z czasem, jeśli ich nie rozdrapywać. Ona zapomni. Może już zapomniała. Nie mówię tego, by cię ranić. Przeciwnie: by ci ulżyć. Gryziesz się myślą o odpowiedzialności, o obowiązku. O długu. Nie masz żadnych długów, Reinmarze. Jesteś wolny od zobowiązań. Będę może prozaiczna do bólu, ale co tu poetyzować? To, żeście się ze sobą przespali, to epizod bez znaczenia.

Nie odpowiedział. Podeszła doń, bardzo blisko.

– Spotkanie z tobą... – szepnęła, ostrożnie dotykając jego policzka. – Spotkanie z tobą było przyjemnością. Będę je pamiętać. Ale nie chciałabym już nigdy cię spotkać. Ani widzieć. Nigdy i nigdzie. Czy to jest jasne? Odpowiedz.

– Jest jasne.

– Na wypadek, gdyby ci coś zaczęło chodzić po głowie, wiedz: Jutty nie ma w Schönau. Wyjechała. Na nic się zda wypytywanie tamtejszych ani okolicznych, nikt nie zna miejsca jej pobytu. Zrozumiałeś?

– Zrozumiałem.

– Żegnaj więc.

Rozdział piętnasty

w którym Reynevan – dzięki pewnemu anarchiście – spotyka się wreszcie ze swą ukochaną.

Przechodząca obok karczmarka spojrzała pytająco, wzrokiem wskazując na pusty kufel. Reynevan odmówił ruchem głowy. Miał już dość, piwo nie było zresztą najprzedniejsze. Mówiąc wprost, było podłe. Podobnie jak serwowane tu jedzenie. Fakt, że jednak zatrzymywało się tu sporo gości, tłumaczyć można było wyłącznie brakiem konkurencji. Sam Reynevan stanął tu, w Ciepłowodach, dowiedziawszy się, że następna traktiernia jest dopiero w Przerzeczynie, przy gościńcu wrocławskim. Do Przerzeczyna była jednak mila z hakiem, a szło na zmierzch.

Potrzebuję czyjejś pomocy, pomyślał.

Od blisko godziny analizował sytuację i usiłował wykoncypować jakiś sensowny plan działania. Za każdym razem dochodząc do wniosku, że bez pomocy niewiele zdziała.

Po rozstaniu z Agnes de Apolda, Zieloną Damą, pokonawszy przygnębienie, w jakie wpędziły go jej słowa, pojechał do Powojowic. To, co tam zastał, przygnębiło go jeszcze bardziej. Włodarzowi, którego książę Jan Ziębicki osadził na skonfiskowanym Peterlinowi majątku, wystarczyło niecałych dwóch lat, by sławny i prosperujący folusz obrócić w kompletną ruinę. Nicodemus Verbruggen, flamandzki mistrz farbiarski, wywędrował, jak się okazało, gdzieś do Wielkopolski, nie mogąc znieść szykan. Na koncie księcia Jana przybywało zapisów. Przyjdzie czas, zgrzytnął zębami Reynevan, przyjdzie czas rozliczenia, mości książę. Czas zdawania rachunków. I zapłaty.

Na razie jednak potrzebuję pomocy. Bez pomocy niewiele tu zdziałam.

W kącie, schyleni nad kuflami, siedzieli dwaj niepozorni mężczyźni. Odziani byli prosto i ubogo, ale zbyt czysto jak na zwykłych wagabundów, nie było też na ich twarzach znać piętna, jakie zostawiało wieczne przymieranie głodem. Jeden miał bardzo krzaczaste brwi, drugi twarz rumianą i błyszczącą. Obaj nosili kaptury. Obaj, zauważył Reynevan, często – zbyt często – zerkali w jego stronę.

Potrzebuję pomocy. Do kogo się zwrócić? Do kanonika Ottona Beessa? Trzeba by jechać do Wrocławia, a to ryzykowne.

Do Brzegu, do duchaków? Wątpliwe, by go jeszcze pamiętali, pięć lat minęło od czasu, gdy pracował w hospicjum. Nadto Birkart Grellenort mógł mieć oczy i uszy i tam. Może więc jechać do Świdnicy? Justus Schottel i Szymon Unger, znajomi Szarleja z drukarni na Kraszewickiej, pamiętali go z pewnością, cztery dni pomagał im przy obscenicznych malunkach i drzeworytach.

To chyba najlepszy plan, pomyślał. Szarlej i Samson, którzy będą go na Śląsku szukać – a szukać przecież będą niezawodnie – z pewnością trafią do drukarni. Do tego czasu utaję się tam, obmyślę inne plany, w tym...

W tym plan, jak skrycie zbliżyć się do Nikoletty.

Dwaj mężczyźni z kąta rozmawiali cicho, przechyliwszy się przez stół i zbliżywszy zakapturzone głowy. Od dłuższej chwili ani razu nie spojrzeli w stronę Reynevana. Może mi się zdawało, pomyślał, może to już podejrzliwość ocierająca się o chorobę? Wszędzie już węszę i widzę szpicli. O, choćby teraz, ten wysoki typek przy szynkwasie, smagły i ciemnowłosy, wyglądający na wędrownego czeladnika, przygląda mi się ukradkiem. Zdaje mi się, że się przygląda.

Do Świdnicy tedy, zdecydował, wstając i rzucając na stół kilka monet. Z tych, którymi obdarowała go na pożegnanie Zielona Dama. Do Świdnicy, przez Rychbach. Na koniu, którego Zielona Dama mu użyczyła.

Wyszedłszy z zadymionego wnętrza, odetchnął wieczornym listopadowym powietrzem, w którym czuło się już borealny powiew zimy, zapowiedź mrozu i śnieżyc. Jest dwunasty listopada, pomyślał, dzień po świętym Marcinie. Za trzy niedziele zacznie się adwent. Za następne cztery będzie Boże Narodzenie. Postał chwilę, patrząc na niebo, wymalowane zachodem w ognistopurpurowe smugi.

Wyruszę skoro świt, postanowił, wchodząc w zaułek i kierując się ku stajni, w której trzymał konia i w której zamierzał nocować. Jeśli nie będę marudził, zdążę do Świdnicy przed zamknięciem bram...

Potknął się. O ciało. Na ziemi, tuż przy progu chałupy, leżał człowiek. Poznał go natychmiast. To był jeden z tych z kąta, ten z krzaczastymi brwiami. Teraz, gdy kaptur i czapka spadły, widać było tonsurę, wygoloną głęboko, aż po cienki wianuszek włosów nad uszami. Leżał w kałuży krwi. Gardło miał przerżnięte od ucha do ucha.

Bełt z kuszy łupnął w belkę nad jego głową z taką siłą, że aż słoma sypnęła się z daszku. Reynevan odskoczył, skulił się, drugi bełt trzasnął w bieloną ścianę tuż obok jego twarzy, pudrując ją wapiennym pyłem. Rzucił się do panicznej ucieczki; widząc po lewej czarną otchłań zaułka, wskoczył w nią bez wahania. Koło ucha zaśpiewały mu lotki kolejnego bełtu.

Przesadził jakieś beczki, jakąś kupę gnoju, wpadł w podcienia. I tu zderzył się z kimś. Tak mocno, że obaj upadli.

Tamten zerwał się pierwszy. Był to drugi z tych z kąta, ten z błyszczącą twarzą. Też miał tonsurę. Reynevan porwał grube polano ze sterty pod ścianą, zmierzył się do ciosu.

– Nie! – krzyknął człeczyna z tonsurą, wpierając się plecami w ścianę. – Nie! Ja nie...

Zacharczał, rzygnął krwią. Nie upadł, zawisł. Spod podbródka sterczał mu bełt, który przybił go do belek. Reynevan nie słyszał gwizdu. Skulił się i popędził w zaułek.

– Hej! Stój!

Zatrzymał się tak ostro, że aż pojechał po śliskiej trawie, prosto pod kopyta konia. Jego własnego konia. Gniadosza od Zielonej Damy, którego wodze trzymał teraz wysoki smagły typ o wyglądzie wędrownego czeladnika.

– Na siodło – skomenderował chrapliwie, wciskając mu wodze. – Na siodło, Reynevanie z Bielawy. Na trakt! I nie zatrzymuj się.

– Kim jesteś?

– Nikim. Jedź! Rysią!

Usłuchał.

•

Nie ujechał daleko, noc była nieprzejrzanie ciemna i potwornie zimna. Napatoczywszy się przy drodze na bróg, Reynevan głęboko zagrzebał się w sianie. Dzwonił zębami. Z chłodu i ze strachu.

W Ciepłowodach ktoś targnął się na jego życie. Próbował go zabić. Kto? Biberstein, przemyślawszy rzecz dogłębniej?

Zbiry księcia Jana, do którego mogły dojść wieści? Słudzy biskupa? Inkwizycja? Kim byli ludzie z wygolonymi tonsurami, którzy obserwowali go w zajeździe? I dlaczego ich zabito? Kim był typ o wyglądzie czeladnika, który go ocalił?

Gubił się w domysłach. Zasnął, zgubiony kompletnie.

•

Świtem obudziło Reynevana zimno, a z senności definitywnie wyczmuciło bicie dzwonów. Całkiem niedalekich, okazało się. Gdy wygrzebawszy się z brogu rozejrzał się, dostrzegł mury i wieże. Widok był znajomy. Oglądanym w mglistej i mistycznej jasności poranka miastem była Niemcza – Reynevan uczęszczał tu do szkół, zdobywał wiedzę i brał rózgi.

Wjechał do miasta wśród gromady wędrowców. Zgłodniały, kierował się raczej ku kuchennym zapachom, ciągnący ulicami tłum powlókł go jednak ze sobą w stronę rynku. Rynek wypełniony był narodem, stłoczonym głowa przy głowie.

– Kaźnić kogoś będą – oświadczył z przekonaniem pierwszy zapytany o przyczynę zbiegowiska potężny chłop w skórzanym fartuchu. – Kołem pewno łamać.

– Albo na pal wsadzać – oblizała wargi chuda kobieta w zapasce, wieśniaczka z wyglądu.

– Jałmużny będą pono rozdawać.

– I odpusty będą, nie darmo, ale tanio ponoć. Dyć to biskupowe popy przyjechały. Z samego Wrocławia!

Na górującym nad tłumem rusztowaniu szafotu stały cztery osoby: dwóch mnichów w habitach dominikańskich, czarno odziany jegomość o wyglądzie urzędnika i zwalisty żołnierz w kapalinie i czerwono-żółtej tunice wdzianej na pancerz. Jeden z dominikanów przemawiał, co i rusz przesadnym gestem wznosząc ręce. Reynevan nadstawił ucha.

– Burzy owa obmierzła czeska herezja cały porządek! Złe i przewrotne nauki głosi o sakramentach! Potępia małżeństwo. Zwracając wzrok ku rozkoszom cielesnym i zwierzęcej chuci, znosi wszelkie więzy praw i wszelki ład publiczny, za pomocą którego zbrodnie zwykły być powściągane. A nade wszystko, łaknąc krwi katolickiej, nakazuje każdego, kto się z jej błędami nie godzi, z bestialskim okrucieństwem zabijać i palić, jednym wargi i nosy obcinać, innym ręce i członki, innych ćwiartować i różnymi sposobami dręczyć. Obrazy Jezusa Chrystusa, jego świętej rodzicielki i innych świętych niszczyć i na pohańbienie wydawać...

– Kiedy jałmużny dawać będziecie, a? – zawołał ktoś z tłumu. Żołnierz na szafocie wyprostował się, wziął pod boki ze złym grymasem na twarzy. Krzykacza uciszono.

– Żeby lepiej wagę rzeczy wam wyświetlić, dobrzy ludzie – mówił tymczasem czarny urzędnik. – By wam oczy na ohydę czeskiej herezji otworzyć, będzie odczytan tu list spadły z nieba. Spadł on z niebios we Wrocławiu mieście, przed samą katedrą, a napisan jest ręką Jezusa Chrystusa, Pana naszego, amen.

Przez tłum przeleciała szeptana modlitwa, ludzie żegnali się, potrącając łokciami sąsiadów. Powstało nieco zamieszania. Reynevan zaczął wycofywać się, przepychać przez ciżbę. Miał dość.

Na szafocie drugi z dominikanów rozwinął pergamin.

– O wy, grzesznicy i niegodziwcy – przeczytał z przejęciem – zbliża się do was kres. Jam cierpliwy, ale jeśli z czeskim heretyctwem nie zerwiecie, jeśli Kościół matkę obrażać będziecie, przeklnę was na wieki wieków. Ześlę na was grad, ogień, pioruny i burze, aby zginęły wasze prace, zniszczę wasze winnice i zabiorę wam wszystkie owce wasze. Będę was karał złym powietrzem, włożę na was wielką nędzę. Napominam was tedy i zakazuję dawać ucho husom, herezjarchom, kacermistrzom i innym skurwysynom, sługom Szatana. A kto się sprzeniewierzy, nie ujrzy życia wiecznego, a w domu jego narodzą się dzieci ślepe, głuche...

– Szalbierstwo! – gromkim basem zakrzyknął ktoś z ciżby. – Popi fałsz machlowany! Nie wierzcie w to, bracia, ludzie dobrzy! Nie dawajcie wiary biskupim mataczom!

Żołnierz z szafotu podbiegł do skraju, wykrzyczał rozkazy, wskazując miejsce, z którego krzyczano. Tłum zafalował, gdy wdarli się weń halabardnicy, roztrącając ludzi drzewcami. Reynevan zatrzymał się. Zaczynało być interesująco.

– Matką – wykrzyknął ktoś z zupełnie przeciwnego końca placu, głosem, który wydał się Reynevanowi znajomy. – Matką mieni się ten rzymski kościół! A jest wężem najokrutniejszym, co jad trujący na chrześcijaństwo wylał, kiedy krzyż okrutny przeciw Czechom krwawymi wydźwignął rękami, a przekupnymi usty krucjatę przeciw prawym chrześcijanom obwołał! Pełna kłamstwa księża nieprawość chce zabić w Czechach nieśmiertelną prawdę Bożą, która samego Boga ma za pomnożyciela i obrońcę! A kto na prawdę Bożą rękę podnosi, temu śmierć i męki potępienia!

Urzędnik z szafotu wydał rozkazy, wskazał ręką, ku wołającemu jęli przedzierać się przez ścisk smutni drabi w czarnych kabatach.

– Rzym to sprzedajna dziewka! – zaryczał ktoś basem z zupełnie nowej lokalizacji. – Papież to antychryst!

– Kuria rzymska – rozległ się podobny bas, ale całkiem skądinąd – to szajka złodziei! Nie kapłani to, lecz grzeszne łotry!

Brzdąknęła lutnia, a dobrze znany Reynevanowi głos zaśpiewał głośno i dźwięcznie.

> *Prawda rzecz Krystowa,*
> *Łeż – antykrystowa*
> *Prawdę popi tają,*
> *Iże się jej lękają,*
> *Łeż pospólstwu bają!*

Ludzie zaczęli śmiać się, podchwytywać śpiewkę. Halabardnicy i smutni miotali się w różnych kierunkach, klęli, szturchali i tłukli drzewcami, przeczesywali plac w poszukiwaniu krzykaczy. Na próżno.

Reynevan miał większe szanse. Wiedział, kogo szukać.

•

– Pomóż Bóg, Tybaldzie Raabe.

Na dźwięk słów goliard aż podskoczył, walnął plecami o przegrodę, płosząc stojącego za nią konia. Koń łomotnął kopytem w ścianę stajni, zachrapał, inne konie zawtórowały.

– Panicz Reinmar... – Tybald Raabe odzyskał oddech, ale bladość z jego lic nijak nie chciała ustąpić. – Panicz Reinmar! Na Śląsku? Oczom nie wierzę!

– Ja jego znam – powiedział towarzysz goliarda, zakapturzony karzeł. – Ja jego już widziałem. Dwa lata temu, na Grochowej Górze, na zlocie z okazji święta Mabon. Czyli, jak wy mówicie, *aequinoctium*. Z ładną panną był. Wychodzi, to swój.

Ściągnął kaptur. Reynevan mimowolnie westchnął.

Jajowatą i wydłużoną głowę istoty – co do tego, że człowiek to nie był, wątpliwości być nie mogło – zdobiła szczecinka rudawych włosów, sztywnych jak jeżowe kolce.

Obrazu dopełniał nos, zakrzywiony jak u papieża na husyckiej ulotce, i wyłupiaste, pocięte czerwonymi żyłkami oczy. I uszy. Duże uszy. Tak duże, że słowo „kolosalne" samo cisnęło się na usta.

Stwór zarechotał, rad widać z wrażenia, jakie wzbudzał.

– Jestem mamun – pochwalił się. – Nie mów, że nie słyszałeś.

– Słyszałem. Przed chwilą, na rynku. A zatem prawdą jest, co o was mówią...

– Że możemy dowolnie kierunkować dźwięk? – mamun otworzył usta, ale jego basowy głos rozległ się zza pleców Reynevana, który aż podskoczył z wrażenia.

– Pewnie, że możemy – mamun uśmiechnął się radośnie, a głos dobiegł skądś z boku, zza końskich przegród. – Przychodzi nam to z dziecinną łatwością.

– Dawnymi czasy mamiliśmy tym sposobem podróżnych na bagna – mówił dalej stwór, a jego głos dobiegał z coraz to innych miejsc: zza ściany, spod sterty słomy, ze stryszku. – Dla krotochwili. Teraz też mamimy, ale rzadziej, bo się nam krotochwile przejadły, ile można, do kurzej nędzy. Ale sztuka przydaje się niekiedy...

– Widziałem i słyszałem.

– Chodźmy się czegoś napić – zaproponował Tybald Raabe.

Reynevan przełknął ślinę. Mamun zarechotał, naciągnął na głowę obcisły kaptur.

– Nie ma strachu – wyjaśnił z uśmiechem goliard. – Mamy to przećwiczone. Gdy się kto dziwuje, mówimy, że on jest cudzoziemcem. Przybyłym z daleka.

– Ze Żmudzi – karzeł smarknął, otarł nos mankietem. – Tybald wymyślił mi nawet żmudzińską ksywkę. Faktycznie nazywam się Malevolt, Jon Malevolt. Ale przy ludziach mów mi Brazauskas.

•

Karczmarz postawił na stole kolejny dzban, po raz kolejny ciekawie spojrzał na mamuna.

– Jak tam u was jest, na tej Żmudzi? – nie wytrzymał. – Też taka drożyzna?

348

– Jeszcze gorsza – odrzekł poważnie Jon Malevolt. – Za byle niedźwiedzia żądają już piętnastu groszy. Przeniósłbym się w wasze strony na stałe, ale ciut za bardzo rozcieńczają tu trunki.

Karczmarz odszedł, nic nie wskazywało, by zrozumiał aluzję. Tybald Raabe drapał się w głowę. Wysłuchał właśnie opowieści Reynevana. W skupieniu, nie przerywając ani razu. Sprawiając wrażenie pogrążonego we wspomnieniach.

– Drogi Reinmarze – rzekł wreszcie, porzucając denerwującą manierę tytułowania go „paniczem". – Jeśli oczekujesz ode mnie rady, będzie ona banalnie wręcz prosta. Uciekaj ze Śląska. Ostrzegłbym cię, że masz tu wielu wrogów, ale ty wszak sam doskonale o tym wiesz. Z ich powodu tu jesteś, prawda? Posłuchaj więc dobrej rady: uciekaj do Czech. Twoi wrogowie są ciut zbyt potężni, byś mógł im zaszkodzić.

– Doprawdy?

– Tak jest, niestety – goliard spojrzał na niego bystro, przeszył niemal wzrokiem. – W szczególności Jan, książę na Ziębicach, to trochę za wysoko jak na ciebie. Wiem, że ograbił cię z majątku, widziałem, jak zmarnował folusz pana Piotra. I wystarczająco wiele wiem o okolicznościach śmierci Adeli Sterczowej, by móc przejrzeć twe zamiary. I radzę: porzuć je. Dla księcia Jana twoja zemsta to, wybacz porównanie, jakby pies na słońce szczekał.

– Zbyt pochopne wnioski – Reynevan wychylił kubek wina, faktycznie nieco zbyt mocno chrzczonego. – Zbyt pochopne, Tybaldzie. A może mam na Śląsku inne zadania i sprawy, inne posłannictwo? Chciałbyś mnie od tego odwieść? Ty? Po tym, co widziałem dziś na niemczańskim rynku?

Mamun zarechotał.

– Dobre to było, co? – wyszczerzył nierówne zęby. – Gonili w tłumie jak wyżły, kręcili się jak te gówna w przerębli...

– Taka praca – Tybald Raabe był bardziej poważny. – Agitacja ważna rzecz. A Malevolt, jak widziałeś, współpracuje, pomaga mi. Popiera naszą sprawę. Podziela przekonania.

– O! – zaciekawił się Reynevan. – W kwestii nauk Wiklefa i Husa? Likwidacji prymatu papiestwa? Komunii *sub utraque specie* i modyfikacji liturgii? Konieczności reformy w Kościele?

– Nie – przerwał mamun. – Nic z tych rzeczy. Nie jestem idiotą, a tylko idiota może wierzyć, że wasz Kościół jest reformowalny. Wszelkie ruchy i zrywy rewolucyjne popieram jednak. Bo cel jest niczym, ruch jest wszystkim. Trzeba ruszyć z posad bryłę świata. Wywołać chaos i zamęt! Anarchia to matka porządku, kurwa mać. Niechaj runie stary ład, niechaj spłonie do cna! A na dnie popiołu zostanie gwiaździsty dyjament, wiekuistego zwycięstwa zaranie.

– Rozumiem.

– Akurat. Karczmarzu! Wina!

●

Karczmarz, o dziwo, przejął się chyba złośliwością Malevolta, bo zaczął podawać wino mniej rozcieńczone. Skutek nie kazał na siebie długo czekać – podszywający się pod Żmudzina mamun zachrapał, oparty o ścianę. A że i zajazd opustoszał, Reynevan uznał, że czas pogadać szczerze.

– Potrzebuję miejsca, w którym mógłbym się ukryć, Tybaldzie. I to na czas raczej dłuższy niż krótszy. Do Wynachten. Może dłużej.

Tybald Raabe pytająco uniósł brwi, Reynevan nie czekając na wyraźniejsze zachęty zrelacjonował mu więc zdarzenie w Ciepłowodach. Nie pomijając detali.

– Masz na Śląsku licznych wrogów – podsumował niezbyt odkrywczo goliard. – Na twoim miejscu nie ukrywałbym się, lecz wiał stąd, gdzie pieprz rośnie. A przynajmniej do Czech. Nie rozważałeś takiej koncepcji?

– Muszę... hmm... zostać – Reynevan uciekł wzrokiem, niezbyt pewien, jak wiele może zdradzić. Z Tybalda Raabe był jednak szczwany lis.

– Rozumiem – mrugnął znacząco. – Mamy rozkazy, co? Wiedziałem, że Neplach będzie umiał cię wykorzystać. Spodziewałem się tego. Spodziewał się tego również Ur-

350

ban Horn. Horn też domyśla się, o co w tym wszystkim chodzi.

– A o co chodzi, jeśli wolno spytać?

– O Vogelsang.

– Co to jest Vogelsang?

– Hmm, khem... – Tybald niespodzianie zakasłał, zakłopotany podrapał się w nos. – Nie wiem, czy powinienem ci to mówić. Skoro pytasz, znaczy, Flutek ci nie powiedział. A i mnie się widzi, że lepiej wyjdziesz na niewiedzy.

– Co to jest Vogelsang?

●

– W 1423 roku – wyjaśnił Grzegorz Hejncze przysłuchującemu się Łukaszowi Bożyczce – Jan Żiżka rozkazał utworzyć grupy do zadań specjalnych, które miały zostać wysłane za granice Czech, na teren wroga, dokąd Żiżka już wówczas planował przeniesienie walki o Kielich. Grupy miały działać w głębokim utajnieniu, całkowicie niezależnie od zwykłych siatek szpiegowskich. Ich jedynym zadaniem było przygotowanie gruntu pod planowane agresywne wypady na ościenne kraje. Miały wspomóc idących z rejzą taborytów dywersją, sabotażem, aktami terroru, szerzeniem paniki.

– Grupy powstały i wysłano je. Do Rakus, do Bawarii, na Węgry, na Łużyce, do Saksonii. I na Śląsk, rzecz jasna. Grupa śląska otrzymała kryptonim...

– Vogelsang... – szepnął Bożyczko.

●

– Vogelsang – potwierdził Tybald Raabe. – Jak mówiłem, grupa otrzymywała rozkazy wyłącznie od naczelnego wodza. Kontakt utrzymywano za pośrednictwem specjalnych łączników. Zdarzyło się, że łącznik Vogelsangu poniósł śmierć. Został zamordowany. A wówczas kontakt się urwał. Vogelsang po prostu zniknął.

– Wyjaśnienie nasuwało się samo: grupa obawiała się zdrady. Każdy nowo pojawiający się łącznik mógł być podstawionym prowokatorem, podejrzenie takie umacniała fala aresztowań, która dotknęła stworzone przez Vogelsang siatki i podgrupy. Neplach długo myślał nad tym, kogo posłać. Komu Vogelsang zaufa i zawierzy.

– I wymyślił – pokiwał głową Reynevan. – Bo to Peterlin był łącznikiem tego Vogelsangu. Prawda?

– Prawda.

– Neplach sądzi, że ów głęboko zakonspirowany Vogelsang ujawni się mnie? Tylko dlatego, że Peterlin był moim bratem?

– Jakkolwiek mała, taka szansa istnieje – potwierdził poważnie goliard. – A Flutek jest zdesperowany. Wiadomo, że Prokop Goły od dawna planuje rejzę na Śląsk. Prokop bardzo liczy na Vogelsang, uwzględnia grupę w swej strategii. Musi wiedzieć, czy Vogelsang...

– Czy Vogelsang nie zdradził – dokończył, doznając olśnienia, Reynevan. – Grupa mogła zostać wykryta, jej członkowie schwytani i przewerbowani. Jeśli szukający z grupą kontaktu łącznik wpadnie... To znaczy, jeśli ja wpadnę, jeśli zostanę pojmany i stracony, zdrada będzie dowiedziona. Mam rację?

– Masz. I co teraz powiesz na moją radę? Potraktujesz poważniej i dasz nogę, pókiś cały?

– Nie.

– Wystawiają cię na strzał. A ty dajesz się wystawiać. Jak ostatni naiwniak.

– Liczy się sprawa – rzekł po dłuższej chwili milczenia Reynevan, a głos miał uroczysty jak biskup w Boże Ciało.

– Co?

– Najważniejsza jest nasza sprawa – powórzył, a głos miał twardy jak kamień nagrobny. – Gdy idzie o dobro sprawy, jednostki się nie liczą. Jeśli dzięki temu wielka sprawa Kielicha ma postąpić krok ku zwycięstwu, skoro ma to być kamień na szaniec naszego ostatecznego triumfu... To gotów jestem się poświęcić.

– Dawno już – powiedział mamun, jak się okazało, wcale nie śpiący. – Dawno już nie słyszałem czegoś podobnie głupiego.

●

A mój tatko zaś był furman
Co zarobił, zaniósł kurwom

A ja jestem taki sam
Co zarobię, to im dam!

Mieszkańcy wsi Mieczniki ponuro przyglądali się trójce kolebiących się w siodłach jeźdźców. Ten, który śpiewał, akompaniując sobie na lutni, nosił czerwoną czapkę z rogami, wyglądały spod niej włosy siwe i nieporządne. Jednym z jego towarzyszy był sympatyczny młodzieniec, drugim niesympatyczny karzeł w obcisłym kapturze. Karzeł był, wyglądało, najbardziej pijany z całej trójki. Z konia mało nie spadał, ryczał basem, gwizdał na palcach, zaczepiał dziewczęta. Chłopi miny mieli zacięte, ale nie podchodzili, draki nie zaczynali. Ten w czerwonej czapce miał u pasa kord i wyglądał poważnie. Niesympatyczny karzeł poklepywał wiszącą na łęku siodła niesympatyczną pałę, której grubszy koniec był solidnie okuty żelazem i zaopatrzony w żelazny cierń. Chłopi nie mogli wiedzieć, że ta pała to osławiony flandryjski *goedendag*, broń, z którą francuskie rycerstwo bardzo przykro przywitało się niegdyś pod Courtrai, pod Roosebeke, pod Cassel i w innych bitwach i starciach. Ale sam wygląd im wystarczał.

•

– Nie tak głośno, panowie – czknął sympatyczny młodzieniec. – Nie tak głośno. Trzeba pamiętać o zasadach konspiracji.

– Konspiracji-sracji – skomentował nietrzeźwym basem karzeł w kapturze. – Jedziemy! Hola, Raabe! Gdzie ta znakomita jakoby oberża? Jedziem i jedziem, a w gardłach zasycha!

– Jeszcze ze staje – zakolebał się w siodle siwy w rogatej czapce. – Jeszcze staje... Albo dwa stajania... W drogę! Popędź konia, Reinmarze z Bielawy!

– Tybaldzie... *Nomina sunt odiosa...* Konspiracja...

– E tam!

Matuś moja była praczką
Ale nie prała
Co kto wyprał i powiesił
Ona zabrała...

Karzeł w kapturze beknął przeciągle.

– W drogę! – zaryczał basem, poklepując wiszący u siodła gudendag. – W drogę, panowie szlachta! A wy czego się gapicie, wiejskie ćwoki? Chamy? Skotopasy? Mieszkańcy osady Grauweide przyglądali się ponuro.

●

Gdy nastała pora zwana *nox intempesta*, a klasztorną wieś Gdziemierz okutała i objęła w niepodzielne panowanie nieprzenikniona i czarna ciemność, do skąpo oświetlonego zajazdu „Pod Srebrnym Dzwonkiem" podkradło się dwóch ludzi. Obaj odziani byli w czarne, obcisłe, lecz nie krępujące ruchów kubraki. Głowy i twarze obydwu spowijały czarne chusty.

Obeszli zajazd, znaleźli na tyłach drzwi kuchenne, przez nie bezszelestnie dostali się do wnętrza. Skryci w ciemności pod schodami przysłuchiwali się bełkotliwym głosom, wciąż, mimo późnej godziny, dobiegającym z izby gościnnej na piętrze.

Pijani w sztok, dał znać gestami jeden z czarno odzianych drugiemu. Tym lepiej, odpowiedział drugi, również posługując się umówionym alfabetem znaków. Słyszę tylko dwa głosy.

Pierwszy przysłuchiwał się czas jakiś. Trubadur i karzełek, zasygnalizował. Dobra nasza. Schlany prowokator śpi w izbie obok. Do dzieła!

Ostrożnie weszli po schodach. Teraz wyraźnie słyszeli głosy rozmawiających, głównie jeden głos, niezbyt wyraźnie monologujący bas. Z izdebki obok dobiegało miarowe i donośne chrapanie. W dłoniach czarno odzianych mężczyzn pojawiła się broń. Pierwszy dobył rycerskiej mizerykordii. Drugi szybkim ruchem otworzył navaję, składany nóż o wąskiej i ostrej jak brzytwa klindze, ulubiony oręż Cyganów z Andaluzji.

Na dany znak wpadli do izdebki, obaj tygrysimi susami skoczyli na wyrko, przygnietli i stłamsili pierzyną śpiącego tam człowieka. Obaj jednocześnie zatopili noże. Obaj jednocześnie pojęli, że ich nabrano.

Ale było za późno.

Pierwszy, zdzielony w potylicę gudendagiem, runął jak

354

drzewo pod toporem drwala. Drugiego powalił spadający znikąd cios toczonej stołowej nogi. Obaj upadli, ale wciąż byli przytomni, wili się na podłodze jak robaki, drapali deski. Dopóty, dopóki spadający gudendag nie wybił im tego z głów.

– Bacz, Malevolt – usłyszeli, nim zapadli w nicość. – Nie pozabijaj ich.

– Nie ma strachu! Walnę jeszcze tylko razik i fertig.

●

Jeden ze związanych miał włosy jasne jak słoma, takież brwi i rzęsy, takiż zarost na szerokim i wydatnym podbródku. Drugi, starszy, łysiał mocno. Żaden nie odezwał się słowem, nie wydał dźwięku. Siedzieli, związani, oparci plecami o ścianę, tępo zapatrzeni przed siebie. Twarze mieli martwe, zastygłe, bez śladu emocji. Powinni być choć trochę zaskoczeni, zdumieni – tym choćby, że mimo odgłosów libacji żaden z ich pogromców nie jest nietrzeźwy. Tym, że głosy dobiegały z miejsca, w którym nikogo nie było. Tym, że na nich czekano, że wpadli w precyzyjnie obmyśloną i zastawioną pułapkę. Powinni być zaskoczeni. Może i byli. Ale tego nie okazywali. Czasem tylko migot świecy sprawiał, że ich martwe oczy ożywały. Ale był to pozór jeno.

Reynevan siedział na wyrku, patrzył i milczał. Mamun krył się w kącie, wsparty na gudendagu. Tybald Raabe bawił się navają, otwierając ją i zamykając.

– Ja ciebie znam – goliard pierwszy przerwał przedłużające się milczenie, wskazując nożem łysiejącego. – Nazywasz się Jakub Olbram. Dzierżawisz od henrykowskich cystersów młyn pod Łagiewnikami. Zabawne, powszechnie uważano cię za kapusia donoszącego opatowi, czyżby to była przykrywka? Bo, jak widzę, nie tylko donosić umiesz. Przed skrytobójczym mordem też się nie cofasz.

Łysiejący osobnik nie zareagował. Nawet nie spojrzał na mówiącego, zdawał się w ogóle nie słyszeć jego słów. Tybald Raabe z trzaskiem otworzył navaję i zostawił ją otwartą.

– Jest tu niedaleko w lesie jeziorko – odwrócił się do

Reynevana. – Na dnie szlamu tam na sążeń. Nikt ich nigdy nie znajdzie.

– Twoją misję możesz uznać za niebyłą – dodał poważnie. – Znalazłeś Vogelsang. Tylko że to już nie jest Vogelsang. To szajka złodziei, gotowych mordować w obronie ich złodziejskiego łupu. Nie rozumiesz? Grupa została wyposażona w ogromne fundusze. Wielkie pieniądze na organizację siatek i grup dywersyjnych, na przygotowanie „operacji specjalnych". Oni sobie ten grosz przywłaszczyli, zdefraudowali go. Wiedzą, co ich czeka, gdy to się wyda, a Flutek ich znajdzie, dlatego tak unikali kontaktu. Teraz wpadli w popłoch, są niebezpieczni. To oni, nikt inny, dokonali na ciebie zamachu w Ciepłowodach. Dlatego radzę: żadnej litości. Kamień do szyi i do stawu.

Na twarzach obu związanych nie pojawił się nawet cień emocji, w martwych oczach nie zagościł nawet ślad życia. Reynevan wstał, wyjął z ręki goliarda navaję.

– Kto strzelał do mnie z kuszy w Ciepłowodach? Kto zabił zakonników? Wy?

Ani śladu reakcji. Reynevan schylił się, przeciął więzy. Najpierw jednemu, potem drugiemu. Rzucił im nóż pod nogi.

– Jesteście wolni – oświadczył sucho. – Możecie iść.

– Robisz błąd – rzekł Tybald Raabe.

– Bardzo głupi – dorzucił z kąta mamun.

– Jestem – Reynevan jakby ich nie słyszał – Reinmar z Bielawy. Brat dobrze wam niegdyś znanego Piotra z Bielawy. Służę tej samej sprawie, której służył Piotr. Mieszkam tu, „Pod Srebrnym Dzwonkiem". Będę tu mieszkał cały tydzień. Jeśli zjawi się tu Inkwizycja albo ludzie biskupa, informacja o tym trafi do Czech. Jeśli którejś nocy zginę z rąk skrytobójców, informacja o tym trafi do Czech. Prokop będzie wiedział, że nie można liczyć na Vogelsang, bo Vogelsangu już nie ma.

– Jeśli zaś – podjął po chwili – jest tak, jak mówi Tybald, to dobrze wykorzystajcie te siedem dni. Przed upływem tygodnia nie poślę do Czech żadnych wieści. Powinno wam wystarczyć, w takim czasie daleko można zajechać. Neplach i tak was odnajdzie, prędzej czy później, ale to już sprawa jego i wasza. Mnie to nie interesuje. A teraz zabierajcie się stąd.

Uwolnieni patrzyli na niego, ale tak, jakby patrzyli na przedmiot, na rzecz, w dodatku zupełnie im obojętną. Ich oczy były martwe i puste. Nie odezwali się ani słowem, nie wydali dźwięku. Po prostu wyszli.

Długo panowało milczenie.

– Popatrz tylko na niego, Raabe – przerwał ciszę Jon Malevolt. – Poświęcił się dla sprawy. Ciekawe, wcale na idiotę nie wygląda. Jak też to pozory mylą.

– Gdy już husyci będą mieli własnego papieża – dorzucił Tybald Raabe – ów powinien ogłosić cię świętym, Reinmarze. Jeśli tego nie zrobi, okaże się niewdzięcznym kutasem.

•

Reynevan przemieszkał „Pod Srebrnym Dzwonkiem" tydzień, w dzień siedząc z kuszą na kolanach, nocą drzemiąc z nożem pod poduszką. Był sam – Tybald Raabe i mamun Malevolt wyjechali i ukryli się. Za duże ryzyko, tłumaczyli. Gdy coś się stanie, lepiej być daleko. Nic się jednak nie stało. Nikt nie przybył, by Reynevana aresztować lub zamordować. Szanse na zostanie męczennikiem malały z dnia na dzień.

Dwudziestego listopada zjawił się Tybald Raabe. Z wiadomościami i plotkami. Jakub Olbram spod Łagiewnik zniknął. Przepadł jak kamień w wodę. Niechybnie dobrze wykorzystał skredytowany mu przez Reynevana tydzień zwłoki. W ciągu siedmiu dni, oświadczył goliard, można dotrzeć do Lubeki, a stamtąd statkiem choćby na koniec świata. Krótko mówiąc: Vogelsangu nie ma, o Vogelsangu można zapomnieć, na Vogelsangu można krzyżyk położyć. Trzeba o tym donieść Prokopowi. Bezzwłocznie. Nie ma już na co czekać.

Dla zupełnej pewności zaczekajmy jednak, poprosił Reynevan. Jeszcze tydzień. Albo lepiej półtora...

•

Reynevan sam jednak utracił już nadzieję, do tego stopnia, że przestał wysiadywać „Pod Dzwonkiem" i zabijać nudę lekturą *Horologium sapientiae* Henryka Suso, które to dzieło pozostawił w traktierni pewien bakałarz, nie mogąc inaczej zapłacić za wikt i trunki. Rankiem siodłał konia i wyjeżdżał. Często dość spoglądał w stronę Brzegu. W stronę wsi Schönau, posiadłości cześnika Bertolda Apoldy. Zielona Dama twierdziła, że Nikoletty w Schönau nie ma, ale może by tak samemu sprawdzić?

Tybald, który wpadał do Gdziemierza coraz częściej, dość łatwo go przejrzał i rozszyfrował. Nie dał się zbyć wykrętami, zmusił Reynevana do wyznań. Wysłuchawszy, pomroczniał. Takie rzeczy, oświadczył, źle się kończą.

– Ledwo wyplątałeś się z afery z jedną dziewką, ledwo cudem wywinąłeś się z łap Bibersteina i już pakujesz się w drugą kabałę? To cię może drogo kosztować, paniczu. Cześnik Apolda pluć sobie w kaszę nie da, a biskup i Grellenort też umieją dodać dwa do dwóch, już mogą pod Schönau na ciebie czatować. Może czatować Jan Ziębicki. Głośno się bowiem już o tobie zrobiło na Śląsku.

– Głośno? Jakim sposobem?

Plotki krążą, opowiedział goliard, nie jest wykluczone, że ktoś celowo je rozpuszcza. W Ziębicach książę Jan podwoił straże, podobno nadworny astrolog ostrzegł go przed możliwym zamachem. Na mieście mówi się bez ogródek o jakimś mścicielu, o odwecie za Adelę. Szeroko komentowane są skrytobójstwa dokonane w Ciepłowodach. Echem powraca sprawa napadu na poborcę podatków. Różni dziwni ludzie pojawiają się i zadają różne dziwne pytania. Słowem, podsumował Tybald Raabe, eskapad po Śląsku rozumniej zaniechać. A już szczególnie w stronę Schönau.

– Vogelsangu nie ma, ale ty, Reinmarze, wciąż masz na Śląsku misję do spełnienia. Przed Wynachten możesz się spodziewać Flutkowego posłańca. Będą sprawy do załatwienia, ważne sprawy, lepiej, byś ich nie zawalił. A jeśli zawalisz i wyda się, że to przez zaloty i umizgi, odpowiesz głową. A szkoda głowy.

Tybald wyjechał. A Reynevan, do tej pory nie do końca zdecydowany, teraz zaczął o Nikolecie myśleć bez przerwy.

•

Dwudziestego ósmego listopada zjawił się w Gdziemierzu Jon Malevolt, mamun anarchista. Z dość zaskakującą propozycją. W okolicznych borach, oznajmił, znacząco mrugając i oblizując się, bytują dwie leśne wiedźmy, młode, krągłe i sympatyczne, mające duże potrzeby, a gardzące monogamią. A do tego gotujące wyśmienity bigos. On, Malevolt, właśnie wybiera się do wiedźm z wizytą towarzyską, a we dwu, jak to mówią, zawsze raźniej. Widząc, że Reynevan wzdycha, waha się i ogólnie kręci, mamun zamówił gąsiorek trójniaka i wziął go na spytki.

– Kochasz więc – podsumował to, czego się dowiedział, dłubiąc paznokciem w zębach. – Wielbisz, tęsknie jęczysz i usychasz, na domiar złego całkiem bezproduktywnie. Rzecz niby nienowa, zwłaszcza u was, ludzi, wy chyba nawet to lubicie, a wasi poeci, wygląda, dwóch rymów bez czegoś takiego nie są zdolni sklecić. Ale ty wszak jesteś Toledo, bracie. Od czego, pytam ja się ciebie, jest magia miłosna? Od czego jest *philia*?

– Uwłaczałoby i mnie, i jej, gdybym próbował skłonić ją ku sobie *philią*.

– Ważny jest efekt, młodzieńcze, efekt! To jest w końcu kwestia pociągu płciowego, kóry zaspokaja się zwykle poprzez, wybacz proste słowa, wsadzenie czego trzeba w to, co trzeba. Nie rób min! Innego sposobu nie ma, Natura nie przewidziała. No, ale jeśliś taki prawy, taki *preux chevalier*, nie nalegam. Skłoń ją więc ku sobie klasycznie. Wyczaruj w zimie kwiaty, tuzin róż, nabądź w miasteczku dwadzieścia ciasteczek z lukrem i hajda w konkury.

– Sęk w tym, że... Że na dobry porządek nie wiem, gdzie jej szukać

– Ha! – mamun palnął się w kolano. – Ten problem rozwiążemy w try miga! Znaleźć kochaną osobę? Fraszka. Potrzeba tylko troszkę magii. Wstawaj, jedziemy.

– Ja do wiedźm nie jadę.

– Twoja strata, szlag cię trafił. Ja natomiast pojadę, pojem bigosu... Hmm... A najważniejsze, przywiozę komponenty do zaklęcia... Wrócę wnet, weźmiemy się za dzieło. By nie tracić czasu, wykreśl tu na podłodze Schevę.

– Czyli Czwarty Pentagram Wenus?

– Widzę, że znasz się na rzeczy. Inskrypcje też znasz?

– Elohim i El Gebil pismem hebrajskim, Schii, Eli, Ayib alfabetem Malachimów.

– Brawo. Dobra, jadę. Spodziewaj się mnie... Co za dzień dziś mamy?

– Dwudziesty ósmy listopada. Piątek przed pierwszą niedzielą w adwencie.

– Spodziewaj się mnie w niedzielę właśnie.

●

Mamun dotrzymał słowa i terminu. Trzydziestego listopada, w pierwszą niedzielę adwentu, zjawił się, i to z samego rana. Od razu zabrał się do dzieła. Krytycznym okiem obejrzał wykreślony przez Reynevana pentagram, sprawdził inskrypcje, kiwnięciem głowy dał znać, że wszystko znalazł prawidłowym. Ustawił i zapalił w rogach świece z czerwonego wosku, wytrząsnął z torby komponenty, w większości pęki ziół. Umocował na trójnogu malutką żelazną miseczkę.

– Myślałem – nie wytrzymał Reynevan – że użyjesz magii Starszego Ludu. Waszej własnej.

– Użyję jej.

– Czwarty Pentagram Wenus to wszak kanon magii ludzi.

– A skąd, myślisz – wyprostował się Malevolt – ludzie wzięli swoje magiczne kanony? Wynaleźli je?

– A jednak...

– A jednak – przerwał mamun, sypiąc do miseczki sól, zioła i proszki – połączymy to, co trzeba, z tym, co trzeba. Ludzkie Arkana znam również. Studiowałem.

– Gdzie? Jak?

– W Bolonii i w Pawii. A jak? Normalnie. A ty co myślałeś? Aha, rozumiem. Mój wygląd. Dziwi cię to, co? No to ci powiem: dla chcącego nie ma nic trudnego. Grunt, to myśleć pozytywnie.

– Doczekamy się i tego – westchnął Reynevan – że zaczną na uczelnie przyjmować dziewczyny...

– Tutaj ździebko przesadziłeś – ocenił kwaśno mamun.

– Dziewczyn na uniwerkach nie doczekamy się, choćbyśmy wiek czekali. A szkoda, szczerze powiedziawszy. Ale basta, dość będzie fantazyjować, bierzmy się do rzeczy konkretnych... Do diabła... Gdzieś mi się zapodział flakonik z krwią... O, jest.

– Krew? Malevolt? Czarna magia? Po co?

– Dla ochrony. Zanim zaczniemy Schevę, trzeba się ochronić.

– Przed czym?

– A jak ci się zdaje? Przed zagrożeniem!

– Jakim?

– Wchodząc w astral i dotykając eteru – cierpliwie, jak dziecku, wyjaśnił mamun – narażamy się. Odsłaniamy. Stajemy łatwym celem dla *malocchio*, złego oka. Nie wolno wchodzić w astral bez zabezpieczenia. Nauczyłem się tego w Lombardii, od dziewcząt ze Stregherii. Zaczynamy, szkoda czasu. Powtarzaj za mną.

> *Na wschodzie Samael, Gabriel, Vionarai,*
> *Na zachodzie Anael, Burchat, Suceratos.*
> *Z północy Aiel, Aquiel, Masagariel,*
> *Z południa Charsiel, Uriel, Naromiel...*

Płomienie świec tętniły. Czerwony wosk pryskał.

●

O tym, co kryją katakumby pod kościołem Świętego Macieja, nie wiedział nikt, nawet najstarsi i najbardziej bywali mieszkańcy Wrocławia. O tym, co znajduje się zaledwie parę sążni pod posadzką nawy, nie wiedzieli nawet codziennie stąpający po tej posadzce Krzyżowcy z Czerwoną Gwiazdą, do których kościół należał. By być dokładnym: spośród Krzyżowców znało sekret tylko dwóch. Dwóch z grupy siedmiu szpitalników służących Pomurnikowi i będących jego informatorami. Owi dwaj wtajemniczeni znali ukryte wejście, znali otwierające je magiczne hasło. Obaj, będąc adeptami nauk tajemnych, znali też Arkana. Ich zadaniem było utrzymywać *occultum* w porządku i w charakterze akolitów asystować Pomurnikowi podczas wiwisekcji, nekromantycznych doświadczeń i demonicznych konjuracji.

Dziś asystował Pomurnikowi tylko jeden. Drugi chorował. Lub symulował, by nie musieć asystować.

Kryptę zalewało trupie światło kilkunastu świec i migotliwy infernalny poblask płonących na wielkim trójnogu węgli. Pomurnik, w czarnej szacie z kapturem, stał przed obłożonym księgami pulpitem, przerzucając stronice *Necronomiconu* Abdula Alhazreda. Obok leżały inne, nie mniej znane i potężne magiczne grymuary: *Ars Notoria*, *Lemegeton*, *Arbatel*, *Picatrix*, jak również *Liber Juratus* autorstwa Honoriusza Tebańczyka, księga osławiona i tak niebezpieczna, że mało kto odważał się używać zawartych w niej zaklęć i formuł.

Na zajmującym środek pomieszczenia bloku granitu, wielkim i płaskim jak katafalk, spoczywał kościotrup. Właściwie nie był to kościotrup, lecz ułożone we właściwy kształt luźne kości ludzkiego szkieletu: czaszka, łopatki, żebra, miednica, kości ramienne, promieniowe, udowe, piszczelowe i strzałkowe. Szkielet nie był kompletny, brakowało wielu drobnych kostek stóp, śródręcza i palców, kilku kręgów szyjnych i lędźwiowych, gdzieś zatracił się prawy obojczyk. Wszystkie kości były czarne, niektóre mocno zwęglone. Asystujący jako akolita szpitalnik wiedział, że szczątki należały do pewnego franciszkanina, przed pięcioma laty spalonego żywcem za herezję i czary. Szpitalnik osobiście wygrzebywał z popiołu, zbierał, segregował i układał kości, własnoręcznie, by odnaleźć te najmniejsze, przesiewał zimne węgle stosu przez sito.

Pomurnik odstąpił od pulpitu, stanął nad marmurowym stołem, nad rozwiniętym zwojem czystego pergaminu. Podciągnąwszy rękawy czarnej szaty, uniósł ręce. W prawej trzymał różdżkę wykonaną z gałęzi cisu.

– *Veritas lux via* – zaczął spokojnie, kornie wręcz schylony nad pergaminem – *et vita omnium creaturarum, vivifica me*. Yecologos, Matharihon, Secromagnol, Secromehal. *Veritas lux via, vivifica me*.

Przez kryptę, przysiągłbyś, przeleciał wicher. Płomienie świec zamigotały, ogień na trójnogu wybuchnął gwałtownie. Cienie na ścianach i sklepieniu przybrały fantastyczne formy. Pomurnik wyprostował się, gwałtownym ruchem rozpostarł ręce.

– Conjuro et confirmo super vos, Belethol et Corphandonos, et vos Heortahonos et Hacaphagon, in nomine Adonay, Adonay, Adonay, Eie, Eie, Eie, Ya, Ya, qui apparuis monte Sinai, cum glorificatione regis Adonay, Saday, Zebaoth, Anathay, Ya, Ya, Ya, Marinata, Abim, Jeia, per nomen stellae, quae est Mars, et per quae est Saturnus, et per quae est Luciferus, et per nomina omnia praedicta, super vos conjuro, Rubiphaton, Simulaton, Usor, Dilapidator, Dentor, Divorator, Seductor, Seminator, ut pro me labores!

Ogień strzelał wybuchami, cienie tańczyły. Na czystym do tej chwili i dziewiczym pergaminie zaczęły nagle pojawiać się hieroglify, symbole, sigle i znaki, początkowo blade, ale szybko nabierające czerni.

– Helos, Resiphaga, Iozihon – recytował Pomurnik, śledząc ruchami różdżki pojawiające się figury. – Ythetendyn, Thahonos, Micemya. Nelos, Behebos, Belhores. *Et diabulus stet a dextris.*

Szpitalnik zadrżał. Rozpoznawał gesty i formuły. Na tyle, by móc odgadnąć, że mistrz Grellenort rzuca na kogoś straszliwe zaklęcie, czar, zdolny na odległość porazić upatrzoną osobę słabością, chorobą, paraliżem, śmiercią nawet. Nie było jednak czasu ni na zgrozę, ni na analizowanie, kogóż to mistrz upatrzył sobie na ofiarę. Pomurnik niecierpliwym gestem wyciągnął rękę. Akolita szybko wyjął z drewnianego kojca i podał mu białą gołębicę.

Pomurnik łagodnym dotknięciem uspokoił trzepoczącego się ptaka. I gwałtownym ruchem oderwał mu głowę. Ściskając w pięści wyciskał, jak cytrynę, wprost na *occultum*, sikająca krew wypisywała na pergaminie zawikłane wzory.

– Alon, Pion, Dhon, Mibizimi! *Et diabulus stet a dextris!*

Następną gołębicę Pomurnik rozszarpał, trzymając za skrzydło i nóżkę. Kolejnym trzem urwał głowy zębami.

– Shaddai El Chai! *Et diabulus stet a dextris!*

Trzeba czasu, myślał akolita, by ten czar dotarł tam, dokąd jest posyłany. Ale gdy już dotrze, człowiek będący celem będzie zgubiony.

Pierze i puch wirowały w krypcie, spalały się w ogniu, z ciepłym powietrzem płynęły pod sklepienie. Pomurnik wypluł przylepione do ubroczonych warg piórka, położył różdżkę na mokrym od krwi pergaminie.

– Rtsa-brgyud-blama-gsum-gyaaaal! – zawył. – Baib-kaa-sngags-ting-adsin-rgyaaai! Pokaż mi go! Znajdź go! Zabij go!

Na oczach przerażonego akolity, który wszak niejedno już widział, zwęglonego kościotrupa na katafalku zaczęła nagle otaczać czerwonawa poświata. Poświata gęstniała szybko, nabierała formy, stawała się coraz to bardziej i bardziej materialną, szybko oblekała szkielet w świetliste ciało. Karminowe żyły i tętnice z ognia zaczęły wić się i spiralnie oplatać osmalone kości.

– N'ghaa, n'n'ghai-ghaaai! Iä! Iä! Znajdź go i zabij go! Kościotrup drgnął. Poruszył się. Kości drapnęły granit katafalku. Kłapnęła osmalonymi zębami czarna czaszka.

– Shoggog, phthaghn! Iä! Iä! Y-hah, y-nyah! Y-nyah!

•

– Scheva! Aradia! – Malevolt sypnął na węgle garść proszku, wnosząc z zapachu, mieszanki suszonej bylicy i szpilek sosnowych. W płomień, który buchnął, wlał z flakonika krew.

– Aradia! *Regina delle streghe!* Niechaj zaćmi się wzrok tego, kto na mnie czyha. Niechaj lęk go ogarnie. *Fiat, fiat, fiat.*

– Eia! – mamun wylał na żarzące się węgle trzy krople oliwy, strzelił palcami. – Scheva! Eia!

Con tre gocciole d'olio,
Oliwy kroplami trzema
Zaklinam cię, zgiń, spłoń, malocchio,
Przepadnij Aradii mocą.
Se la Pellegrina adorerai
Tutto tu otterai!

Płomienie świec raptownie wystrzeliły w górę.

•

Świece zgasły momentalnie, napełniając kryptę smrodem kopcia. Ogień na trójnogu uciekł w głąb żaru, utajony w głębi tlił się tylko. Kościotrup na granitowym katafalku z grzechotem rozpadł się znowu na sto czarnych, zwęglonych kości i kosteczek.

A pokryty nekromantycznymi hieroglifami, zalany krwią i oblepiony puchem gołębic pergamin na pulpicie zapłonął nagle żywym ogniem, zwinął się, sczerniał. I rozpadł.

Zrobiło się potwornie zimno. Magia, jeszcze niedawno wypełniająca kryptę jak ciepły klej, znikła. Całkowicie i bezpowrotnie.

Pomurnik plugawie zaklął.

Szpitalnik westchnął. Trochę jakby z ulgą.

Tak to z magią bywało. Zdarzały się dni, kiedy nic się nie udawało. Kiedy wszystko się psuło. Kiedy nie pozostawało nic innego, jak tylko dać sobie z magią spokój.

•

Przed rzuceniem właściwego zaklęcia miłosnego Malevolt, obyczajem Starszych Ras, ustroił się w wieniec z zeschłych badyli. Wyglądał w nim tak pociesznie, że Reynevan z trudem zachował powagę.

Właściwe zaklęcie miłosne było zadziwiająco proste: mamun ograniczył się do pokropienia pentagramu ekstraktem gencjany i bodajże heliotropu. Rzucił na żarzące się węgielki kilka szpilek sosnowych, nasypał na nie szczyptę roztartych listków czarnej jagody. Kilkakrotnie strzelił palcami, zagwizdał, jedno i drugie także było typowe dla Starszej Magii. Gdy jednak rozpoczął inwokację, posłużył się wersem z *Pieśni nad Pieśniami*.

– *Pone me ut signaculum super cor tuum ut signaculum super brachium tuum quia fortis est ut mors*. Ismai! Ismai! Matko Słońca, której ciało białe jest od mleka gwiazd! *Elementorum omnium domina*, Pani Stworzenia, Karmicielko Świata! *Regina delle streghe!*

Una cosa voglio vedere,
Una cosa di amore
O vento, o acqua, o fiore!
Serpe strisciare, rana cantare
Ti prego di non mi abbandonare!

•

– Patrz – szepnął Malevolt. – Patrz, Reynevan.

W mgiełce, jaka uniosła się nad pentagramem, coś się poruszyło, zadrgało, zatańczyło mozaiką migotliwych refleksów. Reynevan pochylił się, wytężył wzrok. Przez jeden ulotny moment zdawało mu się, że widzi kobietę, wysoką, czarnowłosą, o oczach jak gwiazdy, ze znakiem półksiężyca na czole, odzianą w suknię wielowzorzystą, mieniącą się wieloma odcieniami już to bieli, już to miedzi, już to purpury. Nim do końca pojął, kogo ogląda, widziadło znikło, ale obecność Matki Wszechświata wciąż była wyczuwalna. Mgiełka nad pentagramem zgęstniała. A potem rozjaśniła się ponownie i zobaczył to, co chciał zobaczyć.

– Nikoletta!

Wydawało się, że go usłyszała, gwałtownie poruszyła głową. Miała na sobie kołpak z futrzaną lamówką, haftowany kubraczek, wełniany szal owinięty wokół szyi. Za jej plecami widział sto białopiennych bezlistnych brzóz. A za brzozami mur. Budynek. Zamek? Stanicę? Świątynię?

A potem wszystko znikło. Całkiem, zupełnie i ostatecznie.

– Ja wiem, gdzie to jest – powiedział mamun, zanim Reynevan zaczął narzekać. – Poznałem miejsce.

– Mów więc!

Mamun powiedział. Nim skończył, Reynevan gnał już do stajni siodłać konia.

●

Wizja nie kłamała. Zobaczył ją na tle białopiennych brzóz, bielszych jeszcze przez to, że flankowały skraj boru, czarną starą dębinę. Jej siwa klacz stąpała wolno, ostrożnie stawiając nogi w głębokim śniegu. Uderzył konia ostrogami, podjechał bliżej. Klacz zarżała, jego gniady ogier odpowiedział.

– Nikoletto.

– Reinmarze.

Nosiła męski strój: watowany, wzorzyście haftowany kubrak z bobrowym kołnierzem, rękawice do konnej jazdy, grube, wykonane z barwionej wełny *braccae*, czyli nogawice, wysokie buty. Kołpaczek z futrzaną lamówką miała wdziany na kryjące kark i policzki jedwabne zawicie, szyję kilkakrotnie owijał wełniany szal, końcem swobodnie odrzucony na ramię wzorem męskiej *liripipe*.

– Rzuciłeś na mnie urok, magiku – powiedziała chłodno. – Czułam to. Do tego, by tu przyjechać, zmusiła mnie jakaś moc. Nie mogłam się oprzeć. Czarowałeś, przyznaj.

– Czarowałem. Nikoletto.

– Nazywam się Jutta. Jutta de Apolda.

Pamiętał ją inną. Niby nic się nie zmieniło, ani oblicze, owalne jak u Madonny Campina, ani wysokie czoło, ani regularne łuki brwi, ani lekko zadarty nos, ani wykrój ust. Ani wyraz twarzy, myląco dziecinny. Zmieniły się oczy. A może wcale się nie zmieniły, może to, co dostrzegał w nich teraz, było tam zawsze? Ukryta w turkusowo błękitnej otchłani chłodna rozwaga, rozwaga i czekająca na odgadnięcie zagadka, oczekująca na odkrycie tajemnica. Rzeczy, które już widział. W oczach identycznie niemal błękitnych i podobnie zimnych. W oczach jej matki. Zielonej Damy.

Podjechał jeszcze bliżej. Konie parskały, para z ich nozdrzy mieszała się.

– Cieszę się, widząc cię w zdrowiu, Reinmarze.

– Cieszę cię, widząc cię w zdrowiu... Jutto. To piękne imię. Szkoda, że tak długo kryłaś je przede mną.

– A czy ty – uniosła brwi – kiedykolwiek mnie o imię zapytałeś?

– Jak mogłem? Brałem cię za inną osobę. Zwiodłaś mnie.

– Sam się zwiodłeś – spojrzała mu prosto w oczy. – Zwiodło cię marzenie. Może w duszy pragnąłeś, bym była kimś innym? Podczas porwania to ty, ty sam, własnym palcem wskazałeś mnie kamratom jako Bibersteinównę.

– Chciałem... – ściągnął koniowi wodze. – Musiałem uchronić was przed...

– Właśnie! – wpadła mu w słowo. – Co więc ja miałam wtedy zrobić? Zaprzeczyć? Wyjawić twym koleżkom zbójom, kto naprawdę jest kim? Kaśkę widziałeś, ze strachu omal nie umarła. Wolałam sama dać się porwać...

– A mnie zwodzić nadal. Na Grochowej Górze brew ci nie drgnęła, gdy nazywałem cię „Katarzyną". Było ci wygodniej z *incognito*. Wolałaś, bym nic o tobie nie wiedział. Zwiodłaś mnie, zwiodłaś Bibersteina, zwiodłaś wszystkich...

– Zwodziłam, bo musiałam – zagryzła wargi, spuściła wzrok. – Nie pojmujesz tego? Gdy rankiem zeszłam z Grochowej do Frankensteinu, spotkałam kupca, Ormianina. Przyrzekł odwieźć mnie na Stolz. I zaraz za miastem, oczom nie wierząc, spotykam tych dwoje, Kasię Biberstein i Wolframa Pannewitza Młodszego. Nie musieli nic mówić, wystarczyło na nich popatrzeć, by wiedzieć, że tej nocy nie tylko ja zaznałam... Hmm... Że nie tylko ja miałam... Hmm... Ciekawe przygody. Kaśka panicznie bała się ojca, Wolfram swego jeszcze bardziej... A ja co miałam zrobić? Opowiedzieć o czarach? O podniebnym locie na sabat czarownic? Nie, lepiej było dla nas obu udawać idiotki i twierdzić, że uciekłyśmy porywaczom. Liczyłam, że ze strachu przed zemstą pana Jana raubritterzy uciekną za siódmą górę i że prawda nigdy nie wyjdzie na jaw. Że nikt jej nawet nie będzie dociekał. Nie mogłam przecież wiedzieć, że Kasia Biberstein jest w ciąży...

– I że jej gwałcicielem okrzykną mnie – dokończył gorzko. – Nic a nic nie przejęłaś się faktem, że dla mnie oznaczało to wyrok śmierci. I gorszą od śmierci hańbę. Plamę na honorze. Prawdziwa z ciebie Judyta, Jutto. Milcząc w sprawie gwałtu, załatwiłaś mnie jak twoja biblijna imienniczka Holofernesa. Dałaś im moją głowę.

– Nie słuchałeś, co mówiłam? – szarpnęła wodze. – Oczyszczenie cię z zarzutu gwałtu oznaczało oskarżenie o czary, sądzisz, że twoja głowa lepiej by na tym wyszła? Nikt by mnie zresztą i tak nie słuchał, jaką wagę ma słowo panny, bezrozumnej jak wiadomo, przeciw słowu rycerza przysięgającego na krzyż? Wyśmiano by mnie, uznawszy, że cierpię na wapory i palpitacje macicy. A ty byłeś bezpieczny w Czechach, nikt nie mógł cię tam dosięgnąć. Przynajmniej do czasu, gdy, jak oczekiwałam, Wolfram Pannewitz opanuje strach i padnie Bibersteinowi do nóg, prosić o Kasiną rękę.

– Do dziś tego nie zrobił.

– Bo to dupek. Świat, okazuje się, roi się od dupków. Przespać się z dziewczyną każdy na wyprzódki. A co potem? Dudy w miech. Nogi za pas, drapaka w obce kraje...

– To do mnie było?

– Jakiś ty bystry.

– Pisałem listy do ciebie.

– Adresując je do Katarzyny Biberstein. Ale i ona żadnego nie dostała. Czasy nie sprzyjają korespondencji. Szkoda. Z radością przyjęłabym wieść, że żyjesz. Chętnie przeczytałabym, co piszesz... Mój Reinmarze.

– Moja Nikolet... Jutto... Kocham cię, Jutto.

– Kocham cię, Reinmarze – odpowiedziała, odwracając głowę. – Ale to niczego nie zmienia.

– Nie zmienia?

– Przyjechałeś na Śląsk wyłącznie dla mnie? – podniosła głos. – Kochasz mnie dozgonnie, pragniesz złączyć się ze mną po kres życia? Jeśli się zgodzę, rzucisz wszystko i uciekniemy oboje gdzieś na kraj świata? Zaraz, natychmiast, tak, jak stoimy? Dwa lata temu, oddawszy ci się, byłam gotowa. Ale ty się bałeś. Teraz z kolei stanie pewnie na przeszkodzie ważna misja, którą masz do wypełnienia. Przyznaj! Masz misję do wypełnienia?

– Mam – przyznał, nie wiedzieć czemu czerwieniejąc.

– Misja to prawdziwie ważna, obowiązek prawdziwie święty. To, co robię, robię i dla ciebie. Dla nas. Moja misja zmieni obraz świata, poprawi ten świat, uczyni go lepszym i piękniejszym. W takim świecie, w prawdziwym Królestwie Bożym, gdy nastanie, będziemy żyć, ty i ja, żyć i kochać się dozgonnie. Pragnę tego, Jutto. Marzę o tym.

– Mam prawie dwadzieścia lat – powiedziała po długim milczeniu. – Moja siostra ma piętnaście, na Trzech Króli wychodzi za mąż. Patrzy na mnie z wyższością, a miałaby za pomyloną, gdyby wydało się, że zupełnie jej nie zazdroszczę zamążpójścia, a tym bardziej narzeczonego, blisko trzykrotnie od niej starszego opoja i prostaka. A może ja naprawdę jestem nienormalna? Może ojciec miał rację, odbierając mi i paląc książki Hildegardy z Bingen i Krystyny de Pisan? Cóż, mój ukochany Reinmarze, wypełniaj zatem swą misję, wojuj o ideały, szukaj Graala, zmieniaj i poprawiaj świat. Jesteś mężczyzną, a to męskie rzeczy, wojować o marzenia, szukać Graala i poprawiać. Ja zaś wracam do klasztoru.

– Jutto!

– Nie rób przerażonej miny. Tak, przebywam obecnie w klasztorze klarysek w Białym Kościele. Z własnej woli. Gdy przyjdzie decydować, co dalej, również z własnej woli decyzję podejmę. Na razie nie jestem tylko *conversa*... I to nie całkiem. Zastanawiam się. Nad tym, co dalej...

– Jutto...

– Jeszcze nie skończyłam. Wyznałam ci miłość, Reinmarze, bo kocham cię, kocham prawdziwie. Ty zatem zmieniaj świat, ja będę czekała. Nie mając, mówiąc szczerze, alternatywy...

Przerwał jej, przechylając się w kulbace i chwytając ją wpół. Uniósłszy w ramionach, ściągnął ją z siodła, wyrwał stopy ze strzemion, oboje zsunęli się w głęboką zaspę. Zamrugali oczami, strząsając suchy śnieg z powiek i rzęs, patrzyli sobie w oczy. W raj utracony i raj odzyskany.

Rozdygotanymi dłońmi pieścił jej kubrak, gładził delikatny meszek i drobną fakturę falandyszu, upajał się wyzywająco ostrą szorstkością kwiecistych haftów, śledził drżącymi palcami tchnące tajemnicą plisy i zgrubienia szwów, muskał opuszkami, chwytał, ściskał i pieścił podniecająco twarde guzy i guziczki, knefle i knefliki, cudownie tajemnicze zapinki, haftki, feretki i bukle. Wśród westchnień obdarzał karesami mile drażniący palce gruby splot wełny szala, głaskał zawicie, boską delikatność drogiego tureckiego koftyru. Zanurzał twarz w futrze kołnierza, rozkosznymi zapachami całej Arabii szczęśliwej tchnącym. Jutta dyszała i jęczała spazmatycznie, prężąc się w jego ramionach, wpijała paznokcie w rękawy jego kurtki, przyciskała policzek do pikowanego sukna.

Gwałtownym ruchem zdjął jej kołpak, drżącymi palcami rozkutał szal, więżący szyję i spleciony jak wąż Jörmungander, odsunął niecierpliwie skraj jedwabnej podwiki, dotarł, niczym Marco Polo do Kitaju, do jej nagości, do nagiej skóry policzka i do cudownie wyuzdanej nagości ucha, wyłaniającego się spod tkaniny. Dotknął ucha niecierpliwymi ustami. Nikoletta jęknęła, wyprężyła się, objęła go za watowany kołnierz, drapieżną dłonią chwytając, ściskając i pieszcząc śliską i mosiężną twardość klamry jego pasa.

Objęci mocno, zwarli usta w pocałunku, długim i namiętnym. Bardzo długim i bardzo namiętnym.

Jutta jęknęła.

– Zimno mi w tyłek – wydyszała mu namiętnie wprost do ucha. – Przemakam od śniegu.

Wstali, cali rozdygotani. Z zimna i podniecenia.

– Słońce zachodzi.

– Zachodzi.

– Muszę wracać.

– Nikoletto... A czy nie moglibyśmy...

– Nie, nie moglibyśmy – odszepnęła. – Mieszkam w klasztorze, mówiłem ci przecież. I zaczął się adwent. Nie można w adwencie...

– Ale... Ale ja... Jutto...

– Jedź, Reinmarze.

●

Gdy obejrzał się po raz ostatni, stała na skraju lasu, pałająca światłem chylącego się ku zachodowi słońca. W blasku tym i zimowej poświacie, stwierdził to z przeraźliwą pewnością, nie była już Juttą de Apolda, cześnikówną z Schönau, konwersą u klarysek. Na skraju lasu, wierzchem na siwej klaczy, stała bogini. Postać świetlana piękności przedziwnej, zjawa nieziemska, *divina facies, miranda species*. Wenera niebiańska, pani żywiołów. *Elementorum omnium domina.*

Kochał ją i wielbił.

Rozdział szesnasty

w którym dochodzi do licznych spotkań, rozdzieleni przyjaciele znowu się schodzą i nastaje Rok Pański tysiąc czterysta dwudziesty ósmy. Rok, który będzie obfitował w wydarzenia.

Wracał wolno, zamyślony, ze wzrokiem wbitym w grzywę, pozwalając koniowi człapać sennie w mokrym śniegu i samemu nieledwie wybierać drogę. Przeciąwszy gościniec wrocławski pojechał na skróty, tą samą drogą, którą przybył. Nie spieszył się, choć zmierzchało, a czerwona kula słońca powoli zapadała już za wierzchołki drzew.

Koń prychnął, kopyta zadudniły na balach i deskach, Reynevan poderwał głowę, ściągnął wodze. Wcześniej, niż oczekiwał, dotarł do kładki, spinającej krawędzie leśnego jaru, dnem którego huczał i burzył się wartki potok. Kładka była niezbyt szeroka, chwiejna i dość zmurszała. Spiesząc się do Jutty, pokonał ją wierzchem. Teraz wolał zsiąść i ciągnąć pochrapującego konia za tręzle.

Był w połowie drogi, gdy zobaczył, jak zza buków za kładką wyłania się jeździec w czarnym płaszczu.

Reynevan zmartwiał. Instynktownie obejrzał się, choć o tym, by zawrócić konia na kładce, i marzyć nie było można. Instynkt nie zawiódł go. Za plecami też miał jeźdźca. Zgrzytnął zębami, przeklinając w duchu własną niefrasobliwość i brak czujności.

Do stojącego u wylotu kładki konnego dołączył jeszcze jeden. Reynevan mocniej uchwycił wodze i munsztuk chrapiącego konia. Zmacał rękojeść szczytu. I czekał na rozwój wypadków.

Blokujący go ewidentnie również na ten rozwój czekali, żaden bowiem nie przemówił ani nie wykonał gestu. Reynevan spojrzał w dół, pod mostek. Nie spodobało mu się to, co zobaczył. Jar był głęboki, a głazy, wokół których pieniła się woda, miały paskudnie ostre granie i krawędzie.

– Kim jesteście? – spytał, choć wiedział, kim są. – Czego chcecie ode mnie?

– To ty – powiedział ten z tyłu, odrzucając kaptur – chcesz czegoś od nas. Pora sprecyzować, czego. I z czyjego rozkazu.

Reynevan poznał go natychmiast. To był ten wysoki i smagły, o nijakiej twarzy i wyglądzie wędrownego czeladnika. Ten, który najpierw obserwował go w karczmie w Ciepłowodach, a potem ocalił, podając konia.

Pozostali też odsłonili twarze. Z tych jednego znał również. To był świński blondyn o wydatnym podbródku, ten sam, który przed dwoma tygodniami wpadł nocą do jego izdebki z andaluzyjską navają w dłoni. Trzeciego, którego chuda i koścista gęba przypominała trupią czaszkę, nie znał i nigdy nie widział. Ale domyślał się, kim jest.

– A gdzież czwarty? – spytał hardo. – Ów pan Olbram, czy jak mu tam? Ów, któremu „Pod Dzwonkiem" nie udało się zakłuć mnie podczas snu?

Trupiogęby odrzucił spadający na bok konia płaszcz, odsłaniając napiętą kuszę. Niewielkie rozmiary i estetyka wykonania zdradzały broń myśliwską, nie bojową. Kusze takie ustępowały bojowym pod względem donośności i siły przebicia, ale zdecydowanie górowały celnością. Wprawiony strzelec nie chybiał z takiej broni, a z dystansu nie przekraczającego dwudziestu kroków trafiał w jabłko równie pewnie co Wilhem Tell z kantonu Uri.

– Drasnę twojego konia – trupiogęby jakby czytał w myślach Reynevana. – Tylko drasnę go bełtem. Koń ciśnie się i zwali cię z mostku. Znalazłszy cię trupem na dnie jaru, z połamanymi kośćmi, twoi mocodawcy z Inkwizycji uznają to za wypadek. Zwyczajnie spiszą cię na straty i zapomną.

– Nie służę Inkwizycji.

– Wszystko mi jedno, komu służysz. Ja prowokatora poznaję węchem. Twój smród dolatuje aż tutaj.

– Mam niemniej czuły nos! – Reynevan, choć ze strachu wręcz skamieniały, udawał hardego. – A śmierdzi mi tu zdrajcą, złodziejem i defraudantem, a do tego zwykłym zbirem. Dość mam gadania z tobą. Strzelaj, zabij mnie, sprzedajny łajdaku. Och, raduje mnie myśl o tym, co zrobi z tobą Neplach, gdy cię dorwie.

– Trzęsiesz się ze strachu, szpiclu – powiedział blondyn. – Każdy szpicel to tchórz.

Reynevan puścił tręzle, dobył sztyletu.

– Wejdź na kładkę, panie odważny w przewadze – warknął. – Tu miejsca akurat na dwu! Nuże, stawaj! A może nosisz ten hiszpański nóż tylko na śpiących?

Trupiogęby opuścił kuszę, zaśmiał się sucho. Smagły czeladnik zawtórował, po chwili zarechotał i blondyn.

– Jako żywo – powiedział. – Wykapany brat.

– Wykapany brat – powtórzył trupiogęby. – Podejdź do nas, Reinmarze z Bielawy, bracie Piotra z Bielawy. Chcemy uścisnąć ci prawicę, Reynevanie, bracie naszego druha, nieodżałowanej pamięci Peterlina.

Reynevan ściągnął chrapiącego konia z kładki. Minę miał marsową, a nad drżeniem kolan panował. Trupiogęby uścisnął mu rękę, klepnął w ramię. Z bliska dało się widzieć jego niezwykłą chudość, kadaweryczną wręcz kompleksję.

– Wybacz nam przesadną czujność – powiedział. – Życie nas jej nauczyło. I dzięki tej nauce żyjemy.

– Jak słusznie się domyśliłeś – ciągnął – jesteśmy Vogelsangiem. Nie zdradziliśmy, nie zostaliśmy przewerbowani, nie zmieniliśmy stronnictw. Nie zdefraudowaliśmy powierzonych nam środków. Jesteśmy gotowi do działania. Wierzymy, że przybywasz od Prokopa i Neplacha. Wierzymy, że ich reprezentujesz, że masz ich pełnomocnitwa. Że z ich rozkazu masz nami pokierować, bo czas przyszedł. Kieruj więc, Reynevanie. Ufamy ci. Nazywam się Drosselbart.

– Bisclavret – podając rękę przedstawił się blondyn.

– Rzehors – dłoń smagłego czeladnika była twarda i chropowata jak nieheblowana deska.

– Dzięki za konia w Ciepłowodach.

– Nie ma za co – Rzehors oczy miał jeszcze twardsze od dłoni. – Ciekawiło nas, dokąd na tym koniu pojedziesz.

– Jechaliście w trop?

– Chcieliśmy wiedzieć, dokąd pojedziesz – powtórzył jak echo blondyn, Bisclavret. – U kogo poszukasz pomocy.

– Ci zakonnicy...

– Świdniccy dominikanie, szpiedzy Inkwizycji. Widzieli Rzehorsa, nie chcieliśmy ryzykować... Tym bardziej, że w karczmie byli jeszcze dwaj inni, co do których mieliśmy podejrzenia. Więc...

– Więc zrobiliśmy, co trzeba – dokończył beznamiętnie Rzehors. – I jechaliśmy za tobą w trop. Niektórzy z nas sądzili, że właśnie wprost do Świdnicy pocwałujesz, schronić się pod inkwizytorskie skrzydełka... Olbram...

– Właśnie – wtrącił Reynevan, gdy blondyn urwał. – A gdzież ów pan Olbram? Mój niedoszły morderca?

Bisclavret milczał długo. Rzehors chrząknął cicho. Na wąskich wargach Drosselbarta pojawił się dziwny grymas.

– Wystąpiła różnica zdań – powiedział wreszcie chudzielec. – Odnośnie ciebie, twojej osoby. Odnośnie tego, co należy zrobić. Nie dogadaliśmy się z nim, więc...

– Więc on wyjechał – wtrącił szybko Rzehors. – Teraz jest nas trzech. Nie stójmy tu, noc zapada. Jedźmy do Gdziemierza.

– Do Gdziemierza?

– Sprawdziliśmy Gdziemierz i twój zajazd „Pod Dzwonkiem" – powiedział Drosselbart. – To jest całkiem dobra i bezpieczna meta. Chcemy się tam przenieść. Masz coś przeciwko?

– Nie.

– Tedy na koń i w drogę.

Zapadła noc, szczęściem jasna, księżyc świecił, śnieg skrzył się i błyszczał.

– Długo mi nie ufaliście – odezwał się Reynevan, gdy z lasu wyjechali na trakt. – Omal nie zabiliście. Jestem bratem Peterlina, a jednak...

– Nastał czas – przerwał Drosselbart – gdy brat zdradza brata i jest dlań jak Kain. Nastał czas, gdy syn zdradza ojca, matka syna, żona męża. Poddany zdradza króla, żołnierz wodza, a ksiądz Boga. Mieliśmy cię w podejrzeniu, Reinmarze. Były powody.

– Jakież to?

– We Frankensteinie siedziałeś w więzieniu Inkwizycji – odezwał się jadący z drugiego boku Rzehors. – Inkwizytor Hejncze mógł cię zwerbować. Zmusić do współpracy szantażem lub groźbą. Lub zwyczajnie przekupić.

– Właśnie – potwierdził poważnie Drosselbart, poprawiając kaptur. – O to szło. I nie tylko o to.

– O cóż jeszcze?

– Neplach – parsknął z tyłu Bisclavret – posłał cię na Śląsk w charakterze przynęty. On był rybakiem, my rybą, ty zaś dżdżownicą na haczyku. Nie chciało nam się wierzyć, że jesteś do tego stopnia naiwny, by na taki układ przystać. Bez własnego ukrytego celu, nie prowadząc jakiejś podwójnej gry. Nie byliśmy pewni, jaki to cel i co to za gra. A mieliśmy prawo podejrzewać najgorsze. Przyznaj.

– Mieliście – przyznał niechętnie.

Jechali. Księżyc świecił. Podkowy stukały na zmarzłej grudzie.

– Drosselbart?

– Tak, Reinmarze?

– Było was czterech. Jest trzech. A początkowo? Nie było was więcej?

– Było. Ale się sfilcowało.

Drosselbart, Bisclavret i Rzehors rozgościli się „Pod Dzwonkiem" z beztroską swobodą bywałych światowców, jaką do tej pory Reynevan znał i widywał tylko u Szarleja. Karczmarz miał początkowo niewyraźną minę i rozbiegane oczy, ale uspokoił go wręczony mu przez Drosselbarta pokaźny i nabity do metalicznej twardości trzos. I zapewnienie Reynevana, że wszystko gra i jest w porządku.

Reakcja i mina karczmarza były niczym w porównaniu z reakcją i miną Tybalda Raabe, który zjawił się w Gdziemierzu nazajutrz. Goliard literalnie osłupiał. Rzecz jasna, natychmiast rozpoznał Bisclavreta i wiedział, z kim ma sprawę. Długo jednak nie mógł ochłonąć i wyzbyć się nieufności, trzeba było do tego długiej i męskiej rozmowy. Na zakończenie której Tybald Raabe odetchnął. I przekazał wieść, którą przynosił.

Lada dzień, oświadczył, do Gdziemierza zjedzie emisariusz, posłaniec Prokopa i Neplacha.

•

„Lada dniem" okazał się dopiero piąty grudnia, piątek po świętej Barbarze. Zaś długo oczekiwanym posłańcem od Prokopa i Flutka był, ku wielkiemu zdumieniu, ale i ku niemałej radości Reynevana, stary znajomy: Urban Horn. Druhowie przywitali się wylewnie, wkrótce jednak to na Horna przyszła kolej się zdumieć, a to na widok ustawiających się przed nim w szeregu Drosselbarta, Rzehorsa i Bisclavreta.

– Prędzej śmierci bym się spodziewał – przyznał, gdy po prezentacji zostali sami. – Neplach przysłał mnie, bym wspomógł cię w poszukiwaniu Vogelsangu. A ty, patrzajcie narody, nie tylkoś ich odnalazł, ale i w ewidentny sposób obłaskawił. Gratuluję, przyjacielu, gratuluję serdecznie. Ucieszy się Prokop. Liczy na Vogelsang.

– Kto przekaże mu wiadomość? Tybald?

– Oczywista, że Tybald. Reynevan?

– Hę?

– Ten Vogelsang... Jest ich tylko trzech... Trochę mało... Więcej nie było?

– Było. Ale się sfilcowało.

•

Nim prawda buty wzuje, kłamstwo pół świata przebieży – dłuższe obcowanie z Vogelsangiem niezbicie dowodziło słuszności tego przysłowia. Cała trójka łgała bez przerwy, zawsze, w każdych okolicznościach, we dnie, w nocy, w dni powszednie i w niedziele. Byli to łgarze wręcz chorobliwi, ludzie, dla których pojęcie prawdy nie istniało w ogóle. Bez wątpienia był to rezultat długoletniego życia w konspiracji – czyli w udawaniu, w kłamstwie, wśród pozorów.

Skutkiem tego nie można było mieć pewności i co do samych osób, ich życiorysów czy nawet narodowości. Kłamstwo kaziło wszystko. Bisclavret, dla przykładu, powiadał się Francuzem, francuskim rycerzem, lubił przedstawiać się jako woj galijski, *miles gallicus*. Pozostali dwaj z upodobaniem przekręcali to na *morbus gallicus*, czym Bisclavret nie przejmował się, snadź przyzwyczajony. Należał niegdyś, jak sam twierdził, do jednej z band słynnych *Ecorcheurs*, Obłupiaczy, okrutnych zbójów, którzy ofiary rabowali nie tylko z bogactw, ale i z żywcem zdzieranej skóry. Wersji tej przeczył jednak trochę akcent, przywodzący na myśl okolice Krakowa raczej niż Paryża. Ale akcent też mógł być skłamany.

Kadaweryczny Drosselbart nie ukrywał, że nosi imię przybrane. *Verum nomen ignotum est*, mawiał górnie. Zagadywany o narodowość, określał się dość ogólnie jako *de gente Alemanno*. Mogła to być prawda. O ile nie było to kłamstwo.

Rzehors względem urodzenia nie precyzował ni kraju, ni okolicy, w ogóle o tym nie mówił. Gdy zaś mówił o czym innym, jego akcent i kolokwializmy tworzyły mętlik i miszmasz tak bezładny, tak zamącony i tak mylący, że każdy gubił się po pierwszych zdaniach. O co zresztą Rzehorsowi niewątpliwie szło.

Cała trójka dawała jednak pewne charakterystyczne sygnały – Reynevan zbyt mało miał doświadczenia, by je rozpoznać i odczytać. Wszyscy trzej członkowie Vogelsangu cierpieli na chroniczne zapalenie spojówek, często odruchowo pocierali nadgarstki, a gdy jedli, zawsze przedramieniem osłaniali talerz lub miskę. Szarlej, gdy się

378

później im przyjrzał, rozszyfrował sygnały szybko. Drosselbart, Rzehors i Bisclavret znaczną część życia spędzili w więzieniach. W lochach. W kajdanach.

•

Gdy rozmowa schodziła na sprawy służbowe, Vogelsang przestawał łgać, robił się konkretny i rzeczowy aż do obrzydzenia. Podczas kilku przeciągających się głęboko w noc rozmów trójka zdała Reynevanowi i Hornowi relację z tego, co na Śląsku przygotowała. Drosselbart, Rzehors i Bisclavret kolejno składali meldunki o zwerbowanych i uśpionych agentach, których mieli w większości miast Śląska, zwłaszcza tych leżących na kierunkach najbardziej prawdopodobnych tras marszowych husyckich armii. Bez oporów – a nawet z pewną dumą ze swej solidności – rozliczył się też Vogelsang ze stanu swych finansów, pomimo olbrzymich wydatków nadal więcej niż zadowalającego.

Omawianie planów i strategii uświadomiły Reynevanowi fakt, że od ataku i wojny dzielą ich tak naprawdę tylko tygodnie. Trójka z Vogelsangu była absolutnie pewna, że husyci uderzą na Śląsk z nastaniem wiosny. Urban Horn nie potwierdzał i nie zaprzeczał, był raczej tajemniczy. Naciskany przez Reynevana, rąbka tajemnicy uchylił. To, że Prokop uderzy na Śląsk, stwierdził, jest więcej niż pewne.

– Ślązacy i Kłodzczanie trzykrotnie zbrojnie najechali rejony Broumova i Nachodu: w dwudziestym pierwszym, dwudziestym piątym i tego roku, w sierpniu, zaraz po wiktorii tachowskiej. Bestialstwa, jakich się wówczas dopuszczali, domagają się równie okrutnego odwetu. Biskupowi Wrocławia i Pucie z Czastolovic należy się nauczka. Zatem Prokop da im nauczkę, i to taką, że przez sto lat nie zapomną. To jest konieczne dla podniesienia morale armii i ludności.

– Aha.

– To nie wszystko. Ślązacy uszczelnili blokadę ekonomiczną tak dokładnie, że praktycznie unicestwili handel. Zamykają też skutecznie drogę dla towarów z Polski. Ta blokada za drogo Czechy kosztuje, a jeśli potrwa dłużej, może Czechów kosztować życie. Papiści i zwolennicy Luksemburczyka nie mogą pokonać husytów orężnie, na polach bitew ponoszą klęskę za klęską. Na polu wojny gospodarczej zaczynają natomiast zwyciężać, zadają husytom dotkliwe ciosy. To nie może trwać. Blokadę trzeba złamać. I Prokop złamie ją. Łamiąc przy okazji, jeśli się uda, kręgosłup Śląska. Z trzaskiem. Tak, by okaleczyć na sto lat.

– I tylko o to miałoby iść? – spytał z rozczarowaniem w głosie Reynevan. – Tylko o to? A misja? A przesłanie? A niesienie prawdziwego słowa Bożego? A walka o prawdziwą apostolską wiarę? O ideały? O sprawiedliwość społeczną? O nowy lepszy świat?

– Ależ oczywiście! – Horn uniósł głowę, uśmiechnął się kącikiem ust. – O to idzie także. O nowy lepszy świat i o prawdziwą wiarę. To tak oczywiste, że aż wspominać nie warto. Dlatego nie wspomniałem.

– Atak na Śląsk – rzekł, przerywając długą i ciężką ciszę – jest więc pewny, ponad wszelką wątpliwość nastąpi wiosną. Jedno, czego wciąż nie wiem, to kierunek, z którego Prokop uderzy. Którędy wkroczy: przez Przełęcz Lewińską? Przez Bramę Międzyleską? Od Landeshutu? A może wejdzie od strony Łużyc, dając wpierw nauczkę Sześciu Miastom? Tego nie wiem. A chciałbym wiedzieć. Gdzie, u diabła, podziewa się Tybald Raabe?

•

Tybald Raabe wrócił dwunastego grudnia, w piątek przed trzecią niedzielą adwentu. Oczekiwanych przez Horna informacji nie przywoził, przywoził plotki. W Krakowie na świętego Andrzeja królowa Sonka urodziła królowi polskiemu Jagielle trzeciego syna, nazwanego Kazimierzem. Radość Polaków psuł nieco horoskop słynnego maga i astrologa, Henryka z Brzegu, zgodnie z którym trzeci syn Jagiełły począł się i urodził był pod złowróżebną gwiazd koniunkcją; za jego rządów, wieszczył astrolog, królestwo polskie nieszczęścia liczne spotkają i klęski. Reynevan tarł czoło, dumał. Henryka z Brzegu znał i wiedział, że horoskopy ów kupował „Pod Archaniołem", u Telesmy. A horoskopy Telesmy sprawdzały się zawsze. W całej rozciągłości.

Urbana Horna, widać to było, losy dynastii Jagiellonów interesowały średnio. Czekał na inne wieści. Nim Tybald Raabe porządnie wypoczął, został ponownie posłany w świat.

●

Po trzeciej niedzieli adwentu zaczęły się pierwsze śnieżyce. Mimo tego Reynevan kilka razy pojechał do Białego Kościoła na schadzkę z Juttą de Apolda. Ze względu na zimno nie mogli już spotykać się w lesie, „schadzki" więc odbywały się za przyzwoleniem uśmiechniętej opatki, zupełnie jawnie, w przyklasztornym ogrodzie, na ciekawych oczach odzianych w szare habity klarysek. I siłą rzeczy sprowadzać się musiały do trzymania się za ręce. Opatka ostentacyjnie udawała, że nic nie widzi, ale zakochani nie ośmielali się na nic więcej.

Mamun Malevolt, który zawitał „Pod Dzwonek" siedemnastego grudnia, miał w kwestii klasztoru nieco do dodania. Nieco, bo trochę Reynevan wiedział i bez niego. To na przykład, że kościół o bielonych murach, który nazwy *Alba Ecclesia* użyczył całej położonej obok osadzie, stoi już lat z górą sto pięćdziesiąt i że wieś należała do panów z Byczenia. Gdy ów ród wymarł, książę Bolko I Świdnicki, prapradziad Jana Ziębickiego, podarował wieś strzelińskim klaryskom. I ufundował w Białym Kościele klasztorek. Prepozyturę.

– To nie jest zwykły klasztor ani prepozytura – poinformował z dziwnym grymasem Malevolt. – Biały Kościół, powiadają, to miejsce kary. Miejsce zesłania. Dla mniszek nieprawomyślnych. Czyli takich, co myślą. Zbyt dużo, zbyt często, zbyt samodzielnie i zbyt swobodnie. Podobno zebrała się tam już istna elitka wolnomyślicielek.

– Jak to? A Jutta?

– Twoja Jutta – mrugnął mamun – musi mieć nieliche znajomości. Dostać się do Białego Kościoła to marzenie większości śląskich mniszek i kandydatek na mniszki.

– Dostać się do miejsca kary i odosobnienia?

– Niedomyślnyś, czy jak? Niedawno rozmawialiśmy o dziewczynach i uniwersytetach, o tym, że żadna uczelnia nigdy, za nic w świecie nie wpuści dziewczyny w swe progi. Ale babskie uniwersytety już istnieją. Utajone po klasztorach, takich właśnie jak Biały Kościół. Więcej nie powiem. Powinno ci wystarczyć

Więcej powiedział Urban Horn, kilka dni później.

– Uniwersytet? – wykrzywił się. – Cóż, można to i tak nazwać. Obiło mi się wszelakoż o uszy, że program obejmuje tam nauki, których na innych uczelniach nie uświadczysz.

– Hildegarda z Bingen? Krystyna de Pisan? Hmm... Joachim z Fiore?

– Mało. Dołóż jeszcze Mechthildę z Magdeburga, Beatryczę z Nazareth, Julianę z Liege, Baudonivię, Hadewijch z Brabantu. Dorzuć Elsbet Stangl, Margueritte Porette i Bloemardine z Brukseli. I na okrasę Maifredę da Pirovano, papieżycę gwilelmitek. Z tymi ostatnimi nazwiskami ostrożnie, jeśli nie chcesz narobić twej miłej kłopotów.

•

Śnieg walił i walił, świat utonął w białym puchu, utonęła w nim do pół ścian i karczma „Pod Dzwonkiem". Drogi zawaliło z kretesem. Reynevan, chcąc nie chcąc, musiał zaniechać wyjazdów do Białego Kościoła i spotkań z Juttą de Apolda. Zaspy były takie, że najgorętsza miłość grzęzła w nich i stygła.

•

W ostatnią niedzielę przed Bożym Narodzeniem śnieżyce ustały, zaspy sklęsły, drogi nieco się przetarły. I wtedy, ku ogromnej radości Reynevana, Tybald Raabe przywiódł do Gdziemierza Szarleja i Samsona Miodka. Witający się i obejmujący przyjaciele wzruszyli się do tego stopnia, że mieli łzy w oczach, ba, nawet Szarlej raz czy dwa razy siąknął nosem.

Momentalnie znalazł się jeden z drugim gąsiorek, a że

do opowiadania wszyscy mieli mnóstwo, na dwóch się nie skończyło.

Po ucieczce spod Trosk Samson odnalazł był Szarleja, Berengara Taulera i Amadeja Batę, wszyscy natychmiast postanowili ruszyć na poszukiwanie Reynevana. Świadomi, że we czwórkę niewiele wskórają przeciw Czarnym Jeźdźcom Grellenorta, co sił w koniach pognali do Michalovic, prosić pomocy u Jana Czapka. Czapek zgodził się ochoczo – zdaje się, że bardziej niż los Reynevana interesowało go owo tajne podziemne przejście, którym Reynevan i Samson z Trosk uciekli. Łatwo sobie wyobrazić rozdrażnienie hejtmana, gdy okazało się, że Samson lokalizacji jaskini zapomniał i odszukać jej nie może. Szukano cały dzień, bez rezultatu. Rozdrażnienie Czapka rosło. Gdy Szarlej zasugerował, by miast szwendać się w górę i w dół potoku, zacząć wreszcie tropić ślad Reynevana, rozzłoszczony hejtman Sierotek nakazał swoim powrót do Michalovic, oświadczając kompanii, że dalej może sobie tropić sama.

– Tropiliśmy więc sami – westchnął Szarlej. – Dość długo. Dotarliśmy aż za Jesztied, pod Roimund i Hammerstein. Tam odnalazł nas znowu Czapek, tym razem w kompanii Szczepana Tlacha z Czeskiego Dubu. I przybyłego z Białej Góry posłańca Flutka.

Hejtman Tlach, okazało się, dostał wieść od swego informatora z klasztoru celestynów w Oybinie. Tajemnica zniknięcia Reynevana została wyjaśniona. Niestety, w trop za ludźmi Bibersteina ruszyć nie było kompanii dane. Przybyły z Białej Góry posłaniec przywoził rozkaz natychmiastowego powrotu. Rozkaz był kategoryczny, a jako że obowiązkiem dopilnowania wykonania obciążał hejtmanów, kompania ruszyła w drogę pod eskortą. A raczej konwojem.

Pod Białą Górą Neplach zatrzymał tylko Szarleja. Samson rwał się, by samemu ruszyć na Śląsk, ale demeryt wyperswadował mu samotną wyprawę.

– Długo – uśmiechnął się złośliwie – perswadować nie musiałem. Nasz przyjaciel Samson miał w Pradze ważne sprawy do załatwienia. Załatwiał je dniami całymi. Spacerując z rudą Marketą po Zderazie albo pod Slovanami. Albo siadując z nią na Podskalu, skąd oboje godzinami patrzyli, jak płynie Wełtawa i jak słońce zachodzi. Trzymając się za rączki.

– Szarleju.

– A co? Może kłamię?

– *D'antico amor senti la gran potenza...* – przypomniał sobie cytat Reynevan, również nie mogąc powstrzymać uśmiechu. – Jak ona się czuje, Samsonie?

– Dużo lepiej. Napijmy się.

●

– Krążą rumory – powiedział Szarlej, mrużąc oczy od słońca – że szykuje się rejza. Duża rejza. Można rzec: najazd. A można i rzec, że wojna.

– Jeśli byłeś u Flutka pod Białą Górą – Reynevan przeciągnął się – to z pewnością wiesz, co się szykuje. Flutek z pewnością nie omieszkał cię poinstruować.

– Krążą rumory – nie dał się zbyć Szarlej – że tobie w tej wojnie przypisana została dość ważna rola. Że masz się, jak mówi poeta, znaleźć w samym centrum wydarzeń. Z czego wynika, że wszyscy znajdziemy się w centrum wydarzeń.

Siedzieli na tarasie oberży „Pod Dzwonkiem", ciesząc się słońcem, mile grzejącym nawet pomimo lekkiego mrozu. Śnieg skrzył się na podleśnym zboczu. Z wiszących u dachu sopli leniwie pokapywała woda. Samson wydawał się drzemać. Może naprawdę drzemał? Zeszłej nocy rozmawiali do późna i chyba zupełnie niepotrzebnie odkorkowali ten ostatni gąsiorek.

– W centrum wojennych wydarzeń – kontynuował Szarlej – do tego mając do odegrania ważną rolę, niezwykle łatwo oberwać po karku. Lub po innej ciała części. Niezwykle łatwo, gdy wojna się dzieje, stracić którąś ciała część. Bywa, że częścią tą jest głowa. A wtedy robi się naprawdę groźnie.

– Wiem, do czego zmierzasz. Zaprzestań.

– Czytasz, wychodzi, w moich myślach, nie muszę tedy niczego dodawać. Bo konkluzję, jak rozumiem, też wyczytałeś.

384

– Wyczytałem. I oświadczam: walczę dla sprawy, dla sprawy ruszę na wojnę i dla sprawy odegram rolę, którą mi przypisano. Sprawa Kielicha musi zwyciężyć, ku temu idą wszystkie nasze wysiłki. Dzięki naszym wysiłkom i poświęceniom utrakwizm i prawdziwa wiara zatriumfują, nieprawościom kres nastanie, świat się odmieni na lepsze. Za to oddam krew. I życie, jeśli trzeba będzie.

Szarlej westchnął.

– Przecież nie dekujemy się – przypomniał spokojnie – Walczymy. Ty robisz karierę w medycynie i wywiadzie. Ja w Taborze awansuję w wojskowej hierarchii i po cichu gromadzę łup. Sporo już nagromadziłem. Kilka już razy w służbach Kielicha uciekliśmy kostusze spod kosy. I wciąż nic, tylko kusimy los, pchamy się na oślep z afery w aferę, a co jedna, to gorsza. Najwyższy czas poważnie porozmawiać z Flutkiem i Prokopem. Niechaj teraz młodsi nadstawiają karku w polu i na pierwszej linii, myśmy już zasłużyli na odpoczynek, zrobiliśmy dość, by móc resztę wojny przeleżeć leniwie *sub tegmine fagi*. Ewentualnie winniśmy za nasze zasługi otrzymać ciepłe stołki sztabowe. Stołki sztabowe, Reinmarze, oprócz tego, że są wygodne i intratne, mają jeszcze jedną nieoszacowaną zaletę. Gdy wszystko zacznie się chwiać, sypać i rozpadać, łatwo z takich stołków odbić się do ucieczki. I sporo można wtedy ze sobą zabrać...

– Co się ma niby zacząć chwiać i rozpadać? – zachmurzył się Reynevan. – Przed nami zwycięstwo! Kielich zatriumfuje, nastanie prawdziwe *Regnum Dei*! O to walczymy!

– Alleluja – podsumował Szarlej. – Trudna z tobą rozmowa, chłopcze. Rezygnując tedy z argumentów, zakończę krótką a rzeczową propozycją. Słuchasz?

– Słucham.

Samson otworzył oczy i uniósł głowę na znak, że słucha również.

– Uciekajmy stąd – powiedział spokojnie Szarlej. – Do Konstantynopola.

– Dokąd?

– Do Konstantynopola – powtórzył najzupełniej po-

ważnym głosem demeryt. – To takie duże miasto nad Bosforem. Perła i stolica państwa bizantyjskiego...
– Wiem, co to jest Konstantynopol i gdzie leży – przerwał cierpliwie Reynevan. – Pytałem, po co mamy tam jechać.
– By tam zamieszkać.
– A dlaczegóż mielibyśmy tam mieszkać?
– Reinmarze, Reinmarze – Szarlej spojrzał na niego z politowaniem. – Konstantynopol! Nie pojmujesz? Wielki świat, wielka kultura. Wspaniałe życie, wspaniałe miejsce do życia. Jesteś lekarzem. Kupilibyśmy ci *iatreion* w pobliżu hipodromu, wkrótce zasłynąłbyś jako specjalista od chorób kobiecych. Samsona wkręcilibyśmy do gwardii bazyleusa. Ja, z racji na wrażliwe i nie znoszące wysiłku przyrodzenie, nie parałbym się zgoła niczym... poza medytacją, hazardem i okazjonalnym drobnym oszustwem. Popołudniami chodzilibyśmy do Hagia Sofia pomodlić się o większe zyski, spacerowalibyśmy po Mese, cieszylibyśmy oczy widokiem żagli na morzu Marmara. W którejś z tawern nad Złotym Rogiem zjadalibyśmy pilaw z jagnięciny i smażone ośmiornice, zapijając je obficie winem z korzeniami. Żyć nie umierać! Tylko Konstantynopol, chłopcy, tylko Bizancjum. Zostawmy, mówię wam, za plecami Europę, tę ciemnotę i dzicz, strząśnijmy ten obmierzły pył z sandałów naszych. Jedźmy tam, gdzie ciepło, syto i błogo, gdzie kultura i cywilizacja. Do Bizancjum! Do Konstantynopola, miasta nad miastami!
– Jechać na obczyznę? – Reynevan wiedział, że demeryt żartuje, ale podjął grę. – Porzucić ziemię ojców i dziadów? Szarleju! A gdzie patriotyzm?
– Tam – Szarlej nieprzyzwoitym gestem pokazał, gdzie. – Jam jest człek światowy. *Patria mea totus hic mundus est.*
– Innymi słowy – nie rezygnował Reynevan – *ubi patria, ubi bene.* Filozofia dobra dla wagabundy lub Cygana. Masz ojczyznę, miałeś wszak ojca. Nic nie wyniosłeś z rodzinnego domu? Żadnych nauk?
– Ależ wyniosłem – Szarlej obruszył się pokazowo. – Wiele nauk, życiowych i innych. Mnóstwo mądrości peł-

nych maksym, których przypomnienie pozwala mi dziś żyć godnie.

– Do dziś – teatralnie otarł łzę – mam w uszach zacny głos ojca mego. Nigdy nie zapomnę zacnych jego nauk, którem zapamiętał i którymi w życiu niezmiennie się kieruję. Na przykład: po świętej Scholastyce wdziej grube nogawice. Albo: z pustego i Salomon nie naleje. Albo: kto sobie z rana strzeli, dzionek cały się weseli. Albo...

Samson parsknął. Reynevan westchnął. Z sopli kapało.

•

Gody – Boże Narodzenie, *Nativitas domini*, Wynachten, Jule – wyprawiono „Pod Dzwonkiem" prawdziwie hucznie, choć tylko we własnym gronie. Po krótkotrwałym ociepleniu znowu przyszły śnieżyce, zawalone drogi znów odcięły zajazd od świata, taką porą zresztą i tak mało kto podróżował. Oprócz Reynevana, Szarleja i Samsona, oprócz Vogelsangu, Urbana Horna i Tybalda Raabe, świętował gospodarz „Dzwonka", Marcin Prahl, który na tę okazję bez żalu uszczuplił swą piwniczkę o kilka antałków win reńskich, multańskich i siedmiogrodzkich. Żona gospodarza, Berta, zadbała o bogaty i smakowity jadłospis. Jedynym gościem „z zewnątrz" okazał się mamun Jon Malevolt, który, ku zaskoczeniu wszystkich, nie przybył sam, towarzyszyły mu dwie leśne wiedźmy. Zaskoczenie było wielkie, ale bynajmniej nie niemiłe. Wiedźmy okazały się atrakcyjnymi niewiastami o ujmującej aparycji i sposobie bycia, po przełamaniu pierwszych lodów zaakceptowane przez wszystkich, wliczając przerażoną z początku Bertę Prahl.

Wiedźmy uświetniły uroczystość i tym, że przytransportowały ze sobą dwie wielkie fasy bigosu. Wybornego bigosu. Określenie „wyborny" było tu zresztą absolutnie niewystarczające, ba, sama nazwa „bigos" niewystarczająca była i nieadekwatna. Przyrządzona przez leśne czarownice potrawa była istnym hymnem ku chwale duszonej kapusty, hymnem, śpiewanym w chórze z laudą na cześć wędzonki i słoniny, peanem dla dziczyzny i dytyrambem dla tłustych mięsiw, melodyjną i pełną miłości kanconą dla suszonych grzybów, kminku i pieprzu.

Nad wyraz dobrze pasowała do tej poezji przywieziona przez Malevolta wódka piołunówka. Prozaiczna, ale skuteczna.

•

Zima, już w grudniu z pozoru sroga, dopiero po *Circumcisio Domini* pokazała, co potrafi. Śnieżyce przybrały na sile, przez kilka dni waliło dzień i noc. Potem niebo przejaśniło się, błysnęło zza chmur bladawe słońce. I przyszedł mróz. Ścisnął z taką mocą, że świat, zdawałoby się, aż zajęczał. I zamarł, zmrożony.

Mróz był taki, że nawet z wyjścia do wychodka lub po drwa wracało się skostniałym, a każda dalsza wyprawa groziła poważnymi odmrożeniami. Na Horna i Tybalda, którzy w Trzech Króli postanowili wyjechać, patrzono jak na szaleńców. Ale Horn i Tybald wyjechali. Musieli.

Był rok 1428.

•

Urban Horn powrócił osiemnastego stycznia. Bulwersującą wieścią, którą przywoził, wyrwał kompanię z sennej zimowej apatii.

Na księcia Jana Ziębickiego dokonano zamachu. W Trzech Króli, dniu Objawienia Pańskiego. Gdy książę po mszy wychodził z kościoła, zamachowiec przedarł się przez straże i rzucił nań ze sztyletem. Jan ocalał wyłącznie dzięki poświęceniu dwóch swych rycerzy, Tymoteusza von Risin i Ulryka von Seiffersdorf, którzy zasłonili go własnymi ciałami. Risin przyjął nawet za księcia sztych – wykorzystali to inni, obezwładniając napastnika. Okazał się nim nie kto inny, a Gelfrad von Stercza, rycerz, który przed laty zaginął gdzieś w obcych krajach i którego wszyscy, w tym własny ród, uznawali już za zmarłego.

Plotka o wydarzeniu migiem obiegła Śląsk. Mało kto miał wątpliwości co do motywów Gelfrada Sterczy, wszyscy wiedzieli wszak o romansie księcia Jana z żoną rycerza, piękną Burgundką Adelą. Wszyscy wiedzieli, w jak bezwzględny sposób książę Jan byłą kochankę potraktował na zakończenie romansu, wszyscy wiedzieli, jaka śmierć spotkała Adelę w wyniku tego potraktowania.

I choć nikt, rzecz jasna, uczynku Gelfrada nie pochwalał ani nie próbował usprawiedliwiać, w rycerskich burgach i stanicach sprawę dyskutowano długo i poważnie. I postarano się, by wieść o dyskusjach dotarła do Ziębic. I choć rozwścieczony książę Jan domagał się dla zamachowca okrutnej kaźni z zastosowaniem potwornych męczarni, musiał pod wpływem opinii spuścić z tonu. Ujęli się za Gelfradem nie tylko najbliżej spokrewnieni Haugwitzowie, Baruthowie i Rachenauowie, ale i wszystkie inne możne rody rycerskie Śląska. Gelfrad Stercza, oświadczono, jest rycerzem, i to rycerzem ze starego rodu, działał zaś w zaślepieniu wywołanym ujmą na honorze, a kto ujmy winien, wiadomo. Książę Jan wściekał się, ale doradcy szybko wyperswadowali mu sadystyczną kaźń. Dni, gdy lada moment można spodziewać się husyckiego najazdu, orzekli, nie są dobrą porą na zrażanie sobie rycerstwa. Stronę zawziętego księcia trzymał więc wyłącznie jeszcze bardziej zawzięty biskup wrocławski Konrad. Biskup przeczył tezie o obronie honoru, robił z całej sprawy aferę polityczną, rozgłaszał, że Gelfrad Stercza działał z husyckiego poduszczenia, i domagał się dlań okrutnej śmierci za zdradę stanu, czary i herezję. Stercza, wrzeszczał biskup, działał z pobudek równie podłych, co zbójca Chrzan, morderca księcia cieszyńskiego Przemka, powinien więc być podobnie jak Chrzan palony ogniem i targany kleszczami. Rycerstwo śląskie nie chciało jednak o czymś takim słyszeć, postawiło się twardo i wzięło górę. Do tego stopnia, że niewiele brakowało, by Gelfradowi wręcz się upiekło: ukarany miał być wyłącznie banicją, na sroższą karę śląscy rycerze nie godzili się. Ku wściekłości księcia Jana i biskupa. Gelfrad Stercza uszedłby więc z życiem, gdyby nie drobny fakt. Na sądzie rycerz nie tylko nie wyraził skruchy, ale i oświadczył był, że żadne wygnanie nie powstrzyma go przed dalszym nastawaniem na życie księcia, że nie spocznie, dopóki nie wytoczy wrażej jego krwi. I odwołać swych słów nie chciał. Na takie *dictum* śląscy możni nie mieli już argumentów. Umyli ręce, a Jan Ziębicki z zadowoleniem skazał rycerza na śmierć. Przez ścięcie głowy mieczem.

Wyrok wykonano szybko, piętnastego stycznia, we

czwartek przed drugą niedzielą po Epifanii. Gelfrad Ster-cza szedł na śmierć ze spokojem, dzielnie, ale bez buty. Z szafotu nie przemawiał. Spojrzał tylko na księcia Jana i wyrzekł jedno zdanie, po łacinie.

– Co? – spytał głucho Reynevan. – Co powiedział?

– *Hodie mihi, cras tibi.*

Przygnębienia Reynevan ukryć nie zdołał, było zbyt widoczne i rzucające się w oczy. Sam czując potrzebę zwierzenia się, wyrzucenia z siebie ciężaru, opowiedział kompanii wszystko. O Adeli, księciu Janie, Gelfradzie Sterczy. O zemście. Nikt nie skomentował. Oprócz Dros-selbarta.

– Zemsta, mówią, jest rozkoszą – oświadczył chudzie-lec. – Lecz zwykle bywa to bezmyślna rozkos idioty, roz-koszującego się marzeniem o rozkoszy. Tylko idiota kła-dzie głowę na pień, gdy może nie kłaść. *Hodie mihi, cras tibi*, co dziś mnie, jutro stanie się tobie... Błysnęły ci oczy na dźwięk tych słów, Reinmarze z Bielawy, dostrzegłem to. Wiem, o czym myślisz. I proszę o jedno: nie bądź idio-tą. Możesz to obiecać? Nam wszystkim?

Reynevan kiwnął głową.

•

Równie raptownie i gwałtownie, jak ongi mróz, ninie przyszło ocieplenie. Stęskniony Reynevan osiodłał konia i pogalopował do Białego Kościoła. Galopu było mniej, mozolnego przebijania się przez topniejące zaspy więcej, wyprawa trwała kilka godzin. A jej efektem była uzyska-na od furtianki wiadomość, że Jutta wyjechała na ślub siostry i jest w Schönau.

Wyprawy do Schönau Reynevan nie mógł ryzykować. Wrócił do Gdziemierza po zmroku. A nazajutrz przyszło mu się pożegnać z Jonem Malevoltem, mamunem anar-chistą.

– Nie zostałbyś z nami? – spytał mamuna, gdy ten wy-prowadzał ze stajni swego kosmatego konika. – Nie sprzymierzyłbyś się? To, w czym pomagałeś Tybaldowi, ma naturalną konsekwencję. Nie chciałbyś wziąć w niej udziału?

– Nie, Reinmarze. Nie chciałbym.

– Twierdziłeś wszak, że jesteś za rewolucją, że popierasz zrywy. Że czas odmienić stary ład, ruszyć z posad bryłę świata. Zostań z nami. My odmienimy ład, a bryłą świata, wierzaj mi, potrząśniemy mocno. Lada moment...

– Wiem – przerwał Malevolt – co zacznie się lada moment. Przysłuchiwałem się waszym rozmowom, patrzyłem w wasze oczy, gdy mówiliście o wojnie. Jestem całym sercem za rewolucją i za anarchią, całą duszą popieram ruch i odmianę. Nie ryzykuję jednak osobistego udziału w tym procesie. W rewolucyjnej walce o odmiany odmieniasz się sam. Przemieniasz się. Trzeba wielkiej siły, by nad tym panować, by nie przemienić się w... W coś, w co niedobrze się przemieniać. Ja nie jestem pewien swej siły i samokontroli. Wolę więc usunąć się na bok. *Basta!* Ale wam... Tobie... Życzę powodzenia. Bywaj, Reynevan.

Mamun opuścił ich, ale coś po sobie pozostawił. Kilka dni później Reynevan zobaczył Samsona Miodka, trenującego na gumnie ciosy i pchnięcia gudendagiem, okutą flamandzką pałą. Samson i Malevolt, przypadłszy sobie do gustu, godzinami rżnęli w karty i kości, gudendag mógł więc być wygraną w grze. Mógł to też być prezent, podarek na pożegnanie.

Reynevan nie pytał.

•

W dniu świętego Wincentego, uroczyście fetowanego na Śląsku współpatrona wrocławskiej katedry, zjawił się w Gdziemierzu goliard Tybald Raabe. Zapewne objechał wszystkich swoich informatorów, bo wreszcie przywoził wieści z Czech. Kolin, zdał sprawę, skapitulował wreszcie. Po osiemdziesięciu czterech dniach oblężenia, we wtorek przed świętym Tomaszem, pan Dziwisz Borzek z Miletinka poddał miasto pod warunkiem swobodnego wyjścia załogi. Prokop na warunek przystał. Miał dość oblężenia. I inne plany.

– Prokop – relacjonował goliard – już mobilizuje Tabor, Sierotki i prażan. Rejza na Węgry pewna.

Tybald wyjechał znowu. Nie było go bardzo długo, bo aż do niedzieli *Invocavit*, kiedy to powrócił. Z nowymi wieściami. Tak, jak oczekiwano, dowodzone przez Prokopa i Jarosława z Bukoviny wojsko uderzyło na Uhersky Brod, stamtąd zaś na ziemie Madziarów. Zdobyte i spalone zostały kolejno Senica, Skalica, Oreszany, Modra, Pezinok i Jur, we Środę Popielcową zaś, osiemnastego dnia miesiąca lutego, Czesi podeszli pod sam Preszburg, z dymem puścili przedmieścia i wszystkie wsie okoliczne. Z wozami pełnymi zdobyczy ruszyli w drogę powrotną. Przeszli, budząc zgrozę mieszkańców, podle Trnavy i Nowego Miasta nad Wagiem. Nikt nie odważył się stanąć im na drodze ani wstąpić z nimi w bój.

– Na Morawę zaś – kontynuował znacząco Tybald – przyszły tymczasem z Czech silne posiłki. Bojowe oddziały z Nymburka, Slanego, Uniczowa i Brzecławia.

– A zatem – błysnął zębami Bisclavret – kolej na Śląsk.

– Przyszedł nasz czas – oświadczył krótko Drosselbart.

– Szykujmy się.

– Szykujmy się – powtórzył jak echo Urban Horn.

Szykowali się. Przez całe dnie i noce siedzieli nad mapami, planowali. Bisclavret i Rzehors wyjechali, biorąc juczne konie, po dwóch dniach wrócili z obciążeniem, dużym i pobrzękującym. Na oko było tego kilkadziesiąt grzywien.

Reynevan ponownie wyprawił się do Białego Kościoła, ale i tym razem Jutty w klasztorze nie zastał. Zima, wychodziło, ponownie rozłączyła ledwo co złączonych kochanków.

●

Trwał Wielki Post. Przeszedł święty Maciej, który zimę traci. Przysłowie nie skłamało. Zima traciła się, nie miała już sił dłużej się opierać. Liźnięte ciepłym południowym wiatrem śniegi stopiły się, wyjrzały spod nich białe dzwoneczki przebiśniegów. W powietrzu intensywnie zapachniało wiosną.

Z wiatrem i zapachem powrócił Tybald Raabe. Gdy zobaczyli go, nadjeżdżającego, wiedzieli: zaczęło się.

– Zaczęło się – potwierdził z płonącymi oczami goliard.

– Zaczęło się, panowie.

– Prokop uderzył. W zapusty przeszedł granicę księstwa opawskiego.

– A więc wojna.

– Wojna – powtórzył jak echo Urban Horn. – *Deus pro nobis!*

– A jeżeli Bóg z nami – dopowiedział głucho Drosselbart – któż przeciw nam?

Wiał wiatr z południa.

Rozdział siedemnasty

w którym na Śląsk wkracza Tabor, Reynevan rozpoczyna dywersyjną działalność, a książę Bolko Wołoszek załapuje się na rydwan historii.

Na spotkanie z Taborem wyruszyli Reynevan, Urban Horn i Rzehors. Bisclavret i Drosselbart pojechali pod Głuchołazy i Nysę, by szerzyć czarną propagandę i siać panikę. Szarlej i Samson zostali w Gdziemierzu, mieli dołączyć później.

Początkowo jechali traktem na Racibórz, gościńcem krakowskim. Rychło jednak, bo za Prudnikiem, zaczęły się kłopoty – drogę kompletnie zatkali uchodźcy. Głównie spod Ozobłogi i Głubczyc, skąd, jak twierdzili z trwogą w oczach uciekinierzy, husytów już widać. Poplątane, rozdygotane relacje mówiły o spaleniu Ostrawy, o splądrowaniu i zniszczeniu Hukvaldów. O oblężeniu Opawy. Husyci, bełkotali trzęsącymi się głosami zbiegowie, idą straszną siłą, ćmą niewidzianą. Słysząc to Rzehors uśmiechnął się wilczo. Nadszedł jego czas. Czas solowych numerów czarnej propagandy.

394

– Idą husyci! – krzyczał do kolejnych mijanych uciekinierów, modulując głos tak, by brzmiał panicznie. – Straszna siła! Dwadzieścia tysięcy zbrojnego luda! Idą, palą, mordują! Uciekajcie, ludzie! Śmierć nadchodzi!

– Są tuż, tuż! Już ich widać! Czterdzieści tysięcy husytów! Żadna siła ich nie powstrzyma!

Za zbiegami i ich wyładowanymi ratowanym dobytkiem wozami na drogach pojawiło się wojsko. W sposób oczywisty również uciekające. Rycerze, kopijnicy i strzelcy z dość ponurymi minami słuchali wieści o nadciągających pięćdziesięciu tysiącach husytów, wieści wykrzykiwanych sztucznie spanikowanym głosem i gęsto faszerowanych poprzekręcanymi lub całkiem zmyślonymi cytatami z Apokalipsy i ksiąg prorockich.

– Idą husyci! Sto tysięcy! Biada, biada!

– Dość – warknął Horn. – Wyhamuj trochę. Co za dużo, to niezdrowo.

Rzehors wyhamował. Nie było zresztą już kogo agitować, gościniec opustoszał. A za czas jakiś dostrzegli dwa bliźniacze słupy czarnego dymu, bijące wysoko w niebo zza ściany lasu.

– Nowa Cerekwia i Kietrz – wskazał głową jeden z ostatnich uciekinierów, powożący wraz z żoną i mnichem minorytą wozem pełnym dobytku i dzieci. – Już drugą dobę się palą... Ludzi pobitych stosy tamój pono leżą...

– To dopust Boży – orzekł Rzehors. – Uciekajcie, ludzie, a chyżo! I daleko. Albowiem zaprawdę powiadam wam, będzie jako nazad lat temu dwieście: dojdą najeźdźcy aż pod Legnicę. Tak to nas Bóg karze. Za grzechy duchowieństwa.

– Cóżże gadacie? – obruszył się mnich. – Jakie grzechy? Rozum się wam pomieszał? Nie słuchajcie jego, bracia! Fałszywy to prorok! Albo zdrajca!

– Uciekajcie, dobrzy ludzie, uciekajcie! – Rzehors popędził konia, ale jeszcze odwrócił się w siodle. – A mnichom i popom nie wierzcie! I wody po podgrodziach nie pijcie! Biskup wrocławski studnie kazał pozatruwać!

Minęli przycichłe w zgrozie Głubczyce, jechali dalej, mając po prawej Góry Opawskie i masyw Hrubego Jesionika. Kierunek wskazywały dymy, których było coraz więcej. Paliły się już nie tylko Nowa Cerekwia i Kietrz, ale i co najmniej pięć innych miejscowości. Wyjechali na wzgórze. I zobaczyli idący Tabor. Długą kolumnę konnicy, piechoty, wozów. Usłyszeli śpiew.

•

Slyšte rytieři boží, připravte se již k boji,
chválu boží ku pokoji statečně zpievajte!
Antikristus již chodí, zapálenú péčí vodí,
kněžstvo hrdé již plodí, pro Buoh znamenajte!

Na czele jadą chorążowie, nad nimi powiewają znaki. Proporzec Taboru – biały ze złotym Kielichem i dewizą „*Veritas vincit*". I druga chorągiew, wojsk polnych, również biała, na niej wyszyte czerwony Kielich i złota hostia, otoczone koroną cierniową.

Za chorążymi jadą dowódcy. Okryci kurzem i sławą wojownicy, znamienici wodzowie. Prokop Goły, łatwy do rozpoznania po posturze i wielkich wąsiskach. Obok niego Markolt ze Zbraslavic, słynny taborycki kaznodzieja i ideolog. Podobnie jak Prokop w futrzanym kołpaku i szubie, podobnie jak Prokop śpiewa. Śpiewa też Jarosław z Bukoviny, naczelny wódz wojsk polnych Taboru. Śpiewa, fałszując okropnie, Jan Bleh z Tiesznicy, hejtman wojsk wspólnoty domowej. Obok Bleha, nie śpiewając, jedzie na bojowym ogierze Błażej z Kralup w tunice z wielkim czerwonym Kielichem na zbroi. Obok Fedko z Ostroga, walczący u boku husytów kniaź ruski, watażka i awanturnik. Dalej podążają wodzowie gotowości miejskich: Zygmunt z Vranova, hejtman Slanego, i Otik z Lozy, hejtman Nymburka. Za nimi sojusznik taborytów, rycerz Jan Zmrzlik ze Svojszyna, w pełnej zbroi, na tarczy herb: trzy pasy czerwone w polu srebrnym. Dwaj jadący bok w bok ze Zmrzlikiem rycerze również noszą herby. Polska Wieniawa, czarna bawola głowa widnieje na złotej tarczy Dobiesława Puchały, weterana spod Grunwaldu, wiodącego chorągiew złożoną z Polaków. Srebrne i czerwone blanki nosi na tarczy Jan Tovaczovsky z Cimburka, dowodzący silnym hufcem Morawian.

Tráva, kvietie i povietřie, plač hlúposti človiečie,
zlato, kamenie drahé, poželejte s námi!
Anjelé archanjelé, vy Kristovi manželé,
tróny, apoštolové, poželejte s námi!

●

Wiał wiatr od Jesionika. Był jedenasty marca Anno Domini 1428. Czwartek przed niedzielą *Letare*, w Czechach zwaną Drużebną.

●

Konny podjazd. Lekkozbrojni w kapalinach i saladach, z rohatynami.

– Urban Horn i Reinmar z Bielawy. Vogelsang.
– Wiem, ktoście są – nie spuszcza oczu dowódca podjazdu. – Oczekiwano was. Brat Prokop pyta, czy droga wolna. Gdzie nieprzyjacielskie wojska? Pod Głubczycami?
– Pod Głubczycami – uśmiecha się drwiąco Urban Horn – nie ma nikogo. Droga wolna, nikt jej wam nie zastąpi. Nie ma w okolicy nikogo, kto by się odważył.

●

Głubczyckie podgrodzie płonęło, ogień szybko trawił słomiane strzechy. Dym zupełnie przesłaniał miasto i zamek, obiekt drapieżnych spojrzeń taboryckich dowódców. Prokop Goły zauważył te spojrzenia.

– Nie tykać – powtórzył, prostując się nad ustawionym pośrodku kuźni stołem. – Nie tykać mi więcej ani Głubczyc, ani okolicznych wiosek. Książę Wacław wypalne zapłacił, umowa stoi. Słowa dotrzymamy.
– Oni – warknął kaznodzieja Markolt – nam nie dotrzymują!
– A my dotrzymujemy – uciął Prokop. – Bośmy Boży bojownicy i prawdziwi chrześcijanie. Dodzierżymy słowa księciu głubczyckiemu, dziedzicowi Opawy. Przynajmniej tak długo, jak dziedzic Opawy dodzierży swego. Ale jeśli zdradzi, jeśli wystąpi przeciw nam orężnie, to klnę się na imię Pana, odziedziczy tylko dym i popiół.

397

Z obecnych w zamienionej na sztab kuźni dowódców niektórzy uśmiechnęli się na myśl o rzezi. Jarosław z Bukoviny otwarcie zarechotał, a Dobko Puchała z ochotą zatarł dłonie. Jan Bleh wyszczerzył zęby, oczyma duszy widząc już, zdaje się, pożogę i mord. Prokop zauważył wszystko.

– Idziemy w ziemie biskupie – oświadczył, wpierając pięści w zalegające stół mapy. – Tam będzie co palić, będzie co plądrować...

– Biskup Konrad – odezwał się Urban Horn – wraz z Putą z Czastolovic koncentrują wojska pod Nysą. W sukurs idzie im Jan Ziębicki. Nadciąga też Ruprecht, książę na Lubinie i Chojnowie. I jego brat, Ludwik Oławski.

– Ile ich będzie w kupie?

Horn spojrzał na Rzehorsa. Rzehors kiwnął głową, wiedział, że wszyscy czekają, jaką to wiedzą popisze się osławiony Vogelsang.

– Biskup, Puta, książęta – Rzehors uniósł głowę po dość długo trwającej kalkulacji. – Joannici ze Strzegomia i Małej Oleśnicy. Najemnicy. Kontyngenty miejskie... Do tego piechota chłopska... Razem siedem do ośmiu tysięcy ludzi. W tym ze trzysta kopii jazdy.

– Od Krapkowic i Głogówka – wtrącił Jan Zmrzlik ze Svojszyna, który właśnie wrócił był z podjazdu – nadciąga młody książę Bolko, dziedzic Opola. Jego wojsko doszło do Kazimierza, obsadziło most na Straduni, strategiczny punkt na trakcie Nysa–Racibórz. Wielkąż Bolko może mieć siłę?

– Jakieś sześćdziesiąt kopii – ocenił spokojnie Rzehors. – Plus jakiś tysiąc pieszego luda.

– Niech go sakramencka zaraza, tego Opolczyka! – warknął Jarosław z Bukoviny. – Blokuje nas, zagraża flance. Nie możemy iść na Nysę, zostawiając go za plecami.

– Uderzmy więc wprost na niego – zaproponował Jan Bleh z Tiesznicy. – Całą siłą. Zgniećmy go...

– Ustawił się w miejscu, w którym trudno będzie nań uderzyć – pokręcił głową Rzehors. – Stradunia jest rozlana, brzegi grząskie...

– Nadto – podniósł głowę Prokop – czas nie pozwala. Jeśli uwikłamy się w bój z Bolkiem, biskup zgromadzi więcej sił, zajmie dogodniejsze pozycje. Gdy spostrzeże, że mamy trudności, gotowa obudzić się w Raciborzu regentka Helena, ta wilczyca, i jej wredny synalek Mikołaj. Gotów zdecydować się na coś radykalnie głupiego Przemko Opawski, a i dla Wacława może to być zbyt silna pokusa. Skończyłoby się okrążeniem, bojem na wielu frontach. Nie, bracia. Biskup to nasz wróg najgorszy, idziemy więc co tchu pod Nysę. Wymarsz! Główne siły na trakt, kierunek Ozobłoga... A dla braci Puchały i Zmrzlika będę miał inne zadania. Ale o tym za chwilę. Pierwej... Reynevan!

– Bracie Prokop?

– Młody Opolczyk... Ty go znasz, jak mi się zdaje?

– Bolka Wołoszka? Studiowałem z nim w Pradze...

– Świetnie się składa. Pojedziesz do niego. Wraz z Hornem. W poselstwie. W moim imieniu zaproponujecie mu ugodę...

– Nie zechce – rzekł zimno Urban Horn – nas słuchać.

– Pokładajcie ufność w Bogu – Prokop spojrzał na czekających na rozkazy Dobka Puchałę i Jana Zmrzlika, usta skrzywił mu zły grymas. – W Bogu i we mnie. Już ja sprawię, by zechciał.

●

Wiosenna Stradunia faktycznie okazała się dość poważną przeszkodą terenową, bagniste łąki stały pod wodą, nurt omywał pnie nadbrzeżnych wierzb, srebrzących się już gęsto puchatymi baziami. Na rozlewiskach roiło się od żab.

Koń Urbana Horna tańczył po gościńcu, miesił kopytami błoto. Horn ściągnął mu wodze.

– Do księcia Bolka! – okrzyknął stojącą na moście straż. – Poselstwo!

Horn okrzykiwał już po raz trzeci. A strażnicy nie odpowiadali. I nie przestawali mierzyć w nich z kusz i opartych o balustrady mostu hakownic. Reynevan zaczynał się niepokoić. Co i rusz oglądał się na las, zastanawiając, czy w razie pościgu zdołają doń docwałować.

Z lasu na drugim brzegu wyjechało czterech jeźdźców. Trzech zatrzymało się na przedmościu, czwarty, w pełnej zbroi, wjechał na most wśród łomotu podków. Herb na jego tarczy nie był, jak sądził początkowo Reynevan, czeskim Odrzywąsem – był to polski Ogończyk.

– Książę – zawołał jeździec – posłów przyjmie! Bywaj obaj tu, na nasz brzeg!

– Na słowo rycerskie?

Ogończyk poprawił opadającą zasłonę hełmu, stanął w strzemionach.

– Ejże! – w jego głosie pobrzmiało zdumienie. – Dyć znam was! Wyście Bielawa!

– Wyście – przypomniał sobie Reynevan – rycerz Krzych... Z Kościelca, tak?

– Czy książę Bolko – sucho przerwał wymianę uprzejmości Horn – gwarantuje nam poselską nietykalność?

– Słowo rycerskie – uniósł pancerną dłoń Krzych z Kościelca – jegomość książę daje. A panicza Bielawy przecie nie ukrzywdzi. Przejeżdżajcie.

•

– Proszę, proszę, proszę – rzekł, przeciągając słowa, Bolko Wołoszek, książę na Głogówku, dziedzic Opola. – Prokop respekt musi czuć, skoro tak znaczne persony do mnie wysyła. Tak znaczne i tak sławne. By nie rzec osławione.

Świta księcia, towarzysząca mu w sztabowej naradzie, zaszemrała i zamruczała. Sztab zebrał się w chacie na skraju wsi Kazimierz, a składał się z jednego herolda w błękitach ozdobionych złotym opolskim orłem, pięciu rycerzy w zbrojach i jednego księdza, też zresztą opancerzonego, noszącego napierśnik i myszki. Z rycerzy trzech było Polakami – oprócz Krzycha z Kościelca księciu towarzyszył znany Reynevanowi Ślaski Nieczuja i nie znany mu Prawdzic. Czwarty rycerz miał na tarczy srebrny myśliwski róg Falkenhaynów. Piąty był joannitą.

– Pan Urban Horn – kontynuował książę, mierząc posłów nieprzyjemnym spojrzeniem – znany jest jak Śląsk długi, głównie z rozsyłanych przez biskupa i Inkwizycję nakazów ujęcia. I popatrzcie tylko, moi panowie: Urban Horn, bezbożnik, begard, kacerz i szpieg, posługuje w służbach Prokopa Gołego, arcykacerza i herezjarchy.

Joannita burknął złowrogo. Ksiądz splunął.

– Ty zaś – Wołoszek przeniósł wzrok na Reynevana – przystałeś, widzę, do heretyków na całego. Musiałeś całą duszą zaprzedać się szatanowi i ofiarnie mu służyć, skoro cię w poselstwa posyła. A może myślał kacermistrz Prokop, że jeśli ciebie pośle, to coś wskóra tytułem naszej dawnej amicycji? Ha, jeśli na to liczył, to się przeliczył. Bo rzeknę ci, Reynevan, że kiedy wszyscy na Śląsku psy na tobie wieszali, złodzieja i zbója z ciebie robili, przypisywali ci najgorsze zbrodnie z gwałtami na dziewicach włącznie, to ja cię broniłem, oczerniać nie pozwalałem. I wiesz, na co wyszło? Żem głupi był.

– Ale zmądrzałem – dokończył książę po chwili ciężkiej ciszy. – Zmądrzałem! Poselstwo antychrysta mam gdzieś, gadać z wami ani myślę. Nuże, straż! Brać ich! A tego ptaszka w łyka!

Reynevan szarpnął się i aż przykucnął, z taką mocą stojący za nim Krzych z Kościelca przydusił go, potężnymi garściami ucapiwszy za barki. Dwóch pachołków chwyciło Horna za ramiona, trzeci z wielką wprawą owinął mu powróz wokół łokci i szyi, ściągnął, ścisnął węzeł.

– Bóg widzi – przesadnym gestem uniósł ręce ksiądz. – Bóg widzi, książę, że słusznie czynicie! *Firmetur manus tua*, niechaj będzie wzmocniona ręka twoja, gdy dławi hydrę herezji!

– Jesteśmy posłami... – stęknął w uścisku Polaka Reynevan. – Dałeś słowo...

– Posłami jesteście, ale diabła. A słowo dane heretykom jest nieważne. Horn to zdrajca i heretyk. I tyś heretyk. Byłeś mi ongi druhem, Reynevan, tedy wiązać cię nie każę. Ale stul gębę!

Stulił.

– Jego – książę wskazał Horna ruchem głowy – wydam biskupowi. To mój obowiązek jako dobrego chrześcijanina i syna Kościoła. Co do ciebie... Już raz cię wybawiłem po starej przyjaźni. I teraz też cię wolno puszczę...

– Jakże to? – wrzasnął ksiądz, a Falkenhayn i joannita zawarczeli. – Kacerza puścicie? Husytę?

– I ty stul gębę, pater – Wołoszek błysnął spod wąsa zębami. – I nie otwieraj jej nie pytany. Wypuszczę cię na wolę, Reinmarze z Bielawy, pomny na drużbę naszą onegdajszą. Ale to ostatni raz, na mękę Pańską! Ostatni raz! Nie waż się mi więcej na oczy pokazać! Stoję na czele krzyżowego wojska, wnet złączymy siły z armią biskupią, razem pójdziemy pod Opawę, by was, kacerzy, zetrzeć z powierzchni ziemi. Da Bóg, doceni biskup wrocławski, jaki ze mnie prawy katolik! Kto wie, może długi mi za to umorzy. Kto wie, może zwróci, co księstwu opolskiemu ongi zagrabił. W górę tedy krzyż, Bóg tak chce, marsz, marsz na Opawę!

– Tam, gdzie były przedmieścia Opawy – odezwał się związany Horn – wicher dziś popioły rozwiewa. Wczoraj Prokop już był pod Głubczycami. Dziś jest jeszcze bliżej.

Bolko Wołoszek doskoczył i krótko wyciął go pięścią w ucho.

– Rzekłem – zasyczał – że nie będę z tobą gadał, sprzedawczyku. Słuchał twojego gadania nie będę tym bardziej.

– Reynevan! – odwrócił się gwałtownie. – Co on o Opawie mówił? Że zdobyta niby? Nie dam wiary! Puść go, panie Krzychu!

– Opawa obroniła się – puszczony Reynevan rozmasował ramię. – Ale przedmieścia poszły z dymem. Poszły z dymem Kietrz i Nowa Cerekwia, a wcześniej Hukvaldy i Ostrawa. Hradec nad Morawicą i Głubczyce ocalały, a zawdzięczają to wyłącznie rozsądkowi księcia Wacława. Ułożył się z Prokopem, zapłacił wypalne, ocalił księstwo. A przynajmniej jego część.

– Mam w to uwierzyć? Dać wiarę, że Przemko Opawski nie stanął do walki? Że zezwolił synowi układać się z husytami?

– Książę Przemko siedzi za murami opawskiego zamku jak mysz pod miotłą. Przygląda się pożarom, bo w którą stronę by nie spojrzał, to pożar. A młody książę Wacław ma, widać, swój rozum. Pozazdrościć i naśladować.

– Bóg skarze – wybuchnął ksiądz – tych, co się z kacerzami znosili, co z nimi paktowali. Pakt z kacerzem to pakt z szatanem! Kto go zawrze, ten na wieki potępiony. A tu, na ziemi, za życia, kara....

– Mości książę – krzyknął, wpadając do chaty, zbrojny w kapalinie. – Posłaniec!

– Dawać go tu!

Goniec, widać to było – i czuć – nie oszczędzał ni siebie, ni konia. Warstwa zeskorupiałego błota pokrywała go do pasa, a smród końskiego potu raził na kilka kroków.

– Gadaj!

– Idą Czesi... – wydyszał goniec, łapiąc powietrze. – Idą wielką siłą... Wszystko palą... Ozobłoga spalona... Prudnik wzięty...

– Cooo?

– Prudnik wzięty... W mieście rzeź straszliwa... Czyżowice się palą... Biała się pali... Zdobyta... Husyci...

– Rozum ci się pomieszał?

– Husyci... pod Głogówkiem...

– A gdzie wojsko biskupie? Gdzie Jan Ziębicki, gdzie książęta Ruprecht i Ludwik? Gdzie pan Puta?

– Pod Nysą. Każą... Każą, by jaśnie książę ku nim szedł co żywiej...

– Ku nim!? – wybuchnął Wołoszek, zaciskając pięść na zatkniętym za pas buzdyganie. – Oni się cofają, zostawiają moje miasta i dobra na zatracenie, a ja mam iść ku nim? Mój Głogówek zagrożony, a ja mam iść pod Nysę? Biskup każe? Konrad z Oleśnicy, ten złodziej, opój i kurewnik, śmie mi rozkazywać? A wy czego gały wytrzeszczacie! Radzić, mać waszą! Radzić! Co czynić?

– Do ataku! – wrzasnął joannita. – *Gott mit uns!*

– Może to fałszywe wieści? – zamrugał Ślaski herbu Nieczuja.

– Idźmy pod Nysę – rzekł twardo Falkenhayn – złączyć się z biskupem Konradem. Będzie nas siła, w walnej bitwie pobijemy heretyków. Pomścimy spalone grody...

Książę spojrzał na niego i zgrzytnął zębami.

– Nie radź, jak mścić. Radź, jak ocalić!

– Paktować? – bąknął Ogończyk. – Zapłacić wypalne?

– Nie mam z czego – zgrzytnął zębami Wołoszek. – Mój Prudnik... Słodki Jezu! Mój Głogówek!

– Pokładać trza – przemówił znowu ksiądz – wiarę w Bogu... Będzie, co Bóg da... Ot, Biblia... Otworzę na chybił trafił, co odczytam, temu się spełnić...

– I na mocy klątwy – wyrecytował, uprzedzając duchownego, Urban Horn – przeznaczyli na zabicie ostrzem miecza wszystko, co było w mieście: mężczyzn i kobiety, młodzieńców i starców...

Bolko Wołoszek uderzył go oczami, Horn ścichł. Ale natychmiast przemówił Reynevan.

– A Jozue – podjął – spalił Aj i uczynił z niego rumowisko na wieki, pustkowie aż do dnia dzisiejszego. Zastanów się, Bolko. Podejmij decyzję. Zanim będzie za późno.

– To jest rewolucja, Bolko – mówił, widząc, że Piastowicz nie spieszy się, by mu przerwać. – Świat przybiera nową postać, wielkich nabrawszy obrotów. Rydwan historii pędzi, żadna siła nie jest go już w stanie zatrzymać. Możesz nań wsiąść lub zostać przezeń zmieciony. Wybieraj.

– Możesz, książę – odezwał się Horn – być ze zwycięzcami lub wśród zwyciężonych. Zwyciężonym, jak chcą klasycy, zawsze biada. Zwycięzcom zaś... Zwycięzcom władza i potęga. Bo nową postać świat przybierze również na mapach.

– Hę?

– Sapienti sat dictum est. Słupy graniczne, mości książę, przesunie się na korzyść zwycięzców. I tych, co się z nimi sprzymierzą.

– Byłażby to – w oku młodego księcia pojawił się błysk – propozycja? Oferta?

– Sapienti sat.

– Ha – błysk nie znikał. – I będzie mi na korzyść, powiadasz. A konkretnie?

Horn uśmiechnął się z wyższością, wzrokiem wskazał swe więzy. Na gest Wołoszka natychmiast mu je rozcięto. Widząc to, Falkenhayn zawarczał znowu, a joannita uderzył dłonią w głowicę miecza. A ksiądz aż podskoczył.

– Panie! – wrzasnął. – Nie słuchaj diabelskich podszeptów! Jad te husyckie żmije sączą w twe uszy! Pomnij na przodków wiarę! Pomnij...

– Stul pysk, klecho.

Ksiądz podskoczył jeszcze wyżej.

– To takiś ty? Takiś ty? – wrzasnął jeszcze głośniej, machając rękami tuż przed nosem księcia. – Znają cię! Apostato! Zaprzańcze! Z kacerzami się znosisz! Rycerze! Bij go, kto w Boga wierzy! Wyklinam cię! Przeklęty bądź w domu i na dworze, przeklęty bądź śpiący, wstający, chodzący...

Bolko Wołoszek na odlew palnął go buzdyganem w skroń. Żelazna sześciopióra głowica ze słyszalnym trzaskiem zdruzgotała kość. Ksiądz padł jak kłoda, prężąc się i dygocąc. Książę odwrócił się, na wściekle wykrzywionych ustach miał rozkaz. Ale nie musiał go wydawać, Polacy z wyprzedzeniem czytali intencje swego pana. Krzych z Kościelca potężnym ciosem barty rozwalił głowę wyciągającemu miecz joannicie, Prawdzic mizerykordią pchnął Falkenhayna w gardło, Ślaski Nieczuja poprawił sztychem w plecy. Trupy padły na polepę, krew rozlała się kałużą.

Pachołcy i paziowie przyglądali się z otwartymi ustami.

– Ot – uśmiechnął się szeroko Ogończyk. – Ot, dzionek szczęśliwy. Krzyżaka ubić dawno nie trafiło się.

– Do wojska! – krzyknął książę. – Do ludzi! Uspokoić! Niemców zwłaszcza! Gdyby się który ciskał, toporem w łeb! I sposobić się do wymarszu!

– Ku Nysie?

– Nie. Ku Krapkowicom i Opolu. Wykonać!

– Tak jest!

Bolko Wołoszek odwrócił się, wpił płonące oczy w Reynevana i Horna. Oddychał szybko, głośno i nieregularnie. Dłonie mu dygotały.

– *Sapienti sat* – wyrzekł chrapliwie. – Słyszeliście, com nakazał. Wycofuję wojsko, i to takim sposobem, by uniknąć kontaktu z waszymi podjazdami. Nie pójdę pod Nysę, nie wesprę biskupa. Prokop winien traktować to jako akt przymierza. Wy w zamian oszczędzicie moje dobra. Głogówek... Ale to nie wszystko. Nie wszystko, na mękę Zbawiciela!

– Powtórzycie Prokopowi... – młody książę dumnie uniósł głowę. – Powtórzycie, że alians ze mną będzie wymagać istotnych zmian na mapach. Konkretnie...

●

– Konkretnie – powtórzył Horn – Wołoszek zażądał wieczystego lenna Hukvaldów, Przyboru, Ostrawy i Frensztatu. Jak uzgodniliśmy, przyrzekłem mu je. Ale mało mu było, domagał się Namysłowa, Kluczborka, Gryżowa, Rybnika, Pszczyny i Bytomia. Przyrzekłem mu je, bracie Prokopie, również, ręcząc twoim imieniem. Pospieszyłem się?

Prokop Goły nie od razu odpowiedział. Oparty plecami o wóz bojowy, jadł na stojąco, lipową łyżką czerpał z garnka zacierki, niósł do ust. Mleko schło mu na wąsach.

Za wozem i plecami Prokopa ryczał i szalał pożar, wielkim ogniem płonęło miasto Głuchołazy. Płonął jak pochodnia drewniany kościół farny. Ogień pożerał dachy i strzechy, dym bił w niebo czarnymi kłębami. Wrzask mordowanych nie cichł ani na chwilę.

– Nie, bracie, nie pospieszyłeś się – Prokop Goły oblizał łyżkę. – Postąpiłeś słusznie, przyrzekając w moim imieniu. Damy mu wszystko, co przyrzeczone. Bolkowi należy się rekompensata. Za krzywdy. Bo jakoś tak wyszło, że Zmrzlik i Puchała, puściwszy z dymem Białą i Prudnik, z rozpędu spalili też jego ukochany Głogówek. Wyrównamy mu tę krzywdę. Większość miast, których żąda, i tak, po prawdzie, trzeba będzie dopiero zdobyć. Zobaczymy przy zdobywaniu, jaki z księcia Bolka sojusznik. I nagrodzimy podług zasług dla sprawy.

– I zasług przed Bogiem – wtrącił z pełnymi ustami kaznodzieja Markolt. – Dziedzic Opola musi przyjąć sakrament z Kielicha i zaprzysiąc cztery artykuły.

– Przyjdzie i na to czas – Prokop odstawił miskę. – Kończcie jedzenie.

Na wąsach Prokopa zasychało mleko i zacierkowa mączność. Za plecami Prokopa miasto Głuchołazy zamieniało się w zgliszcza. Mordowani mieszkańcy wyli na różne głosy.

– Przygotować się do wymarszu! Na Nysę, Boży bojownicy! Na Nysę!

Rozdział osiemnasty

w którym we czwartek osiemnastego marca roku 1428, albo, jak zwykło się pisać w kronikach: *in crastino Sancte Gertrudis Anno Domini MCCCCXXVIII* jakieś XIV tysięcy chłopa skacze sobie do gardeł w bitwie pod Nysą. Straty pokonanych wynoszą *circa* M poległych. Straty zwycięzców kronikarski obyczaj każe pomijać milczeniem.

– Hus kacerz! – skandowały pierwsze szeregi uszykowanego na Mnisiej Łące biskupiego wojska. – Hus kacerz! Hu! Hu! Hu!

Wieść o ciągnących na Nysę taborytach musiała dotrzeć do biskupa wrocławskiego już dawno – i nie dziwota, raczej trudno jest dokonać skrytego manewru armią liczącą z górą siedem tysięcy ludzi i blisko dwie setki wozów – zwłaszcza jeśli armia ta pali wszystkie osiedla na trasie marszu i tej okolicy, czytelnie znacząc swój szlak łunami i dymami. Biskup Konrad miał więc dość czasu, by sformować wojsko. Dość czasu miał starosta kłodzki, pan Puta z Czastolovic, by przybyć z pomocą. Zgromadziwszy pod swą komendą tysiąc sto koni jazdy i prawie sześć tysięcy chłopskiej piechoty, mając mocny odwód i zaplecze w postaci uzbrojonych nyskich mieszczan i miejskich murów, biskup i Puta postanowili przyjąć bitwę w polu. Gdy Prokop Goły zjawił się pod Nysą, zastał w rejonie Mnisiej Łąki Ślązaków pod bronią i sztandarami, uszykowanych i gotowych do boju. Przyjął wyzwanie.

Gdy hejtmani sprawili wojsko – a sprawili szybko – Prokop przystąpił do modlitwy. Modlił się spokojnie i niegłośno. Całkowicie lekceważąc rzucane przez Ślązaków wyzwiska.

– Hus kacerz! Hus kacerz! Hu! Hu! Hu!

– Panie – mówił, złożywszy ręce. – Boże Zastępów, do Ciebie uciekamy się w modlitwie naszej. Bądź nam tarczą i obroną, opoką i warownią w niebezpieczeństwach wojny i krwi przelewie. Łaska Twoja niechaj będzie z nami, grzesznymi ludźmi.

– Diable syny! Diable syny! Hu! Hu! Hu!

– Odpuść nam winy i grzechy nasze. Uzbrój mocą wojska, bądź z nimi w boju, daj odwagę i męstwo. Bądź nam pociechą i ucieczką, daj siłę, byśmy mogli zwyciężyć antychrystów, nieprzyjacioły nasze i Twoje.

Prokop przeżegnał się, znak krzyża uczynili też inni: Jarosław z Bukoviny, Jan Bleh, Otik z Lozy, Jan Tovaczovsky. Szeroko, po prawosławnemu, przeżegnał się kniaź Fedor z Ostroga, który dopiero co był wrócił, spaliwszy Małą Ścinawę. Przeżegnali się Dobko Puchała i Jan Zmrzlik, którzy wrócili, spaliwszy Strzeleczki i Krapkowice. Klęczący obok bombardy Markolt żegnał się, bił w piersi i powtarzał, że jego *culpa*.

– Boże na niebiesiech – uniósł oczy Prokop – Ty ujarzmiasz pyszne morze, Ty poskramiasz jego wzdęte bałwany. Ty podeptałeś Rahaba jak padlinę, rozproszyłeś wrogów możnym Twym ramieniem. Spraw, by i dziś, z tego pola, zwyciężona zeszła moc wraża. Do boju, bracia. Poczynajcie w imię Boże.

– Naprzód! – zaryczał Jan Bleh z Tiesznicy, zajeżdżając tańczącym koniem przed front wojska. – Naprzód, bracia!

– Naprzód, Boży bojownicy! – machnął buzdyganem Zygmunt z Vranova, dając znak, by przed hufem podniesiono monstrancję. – Poczynać!

– Poczyyynaaać! – przekazywali po linii setnicy. – Poczyyynaaać! ...Czyyynaaać... czyyynaaać...

Masa taboryckiej piechoty drgnęła, zachrzęściła zbroją i bronią jak smok łuską. I niczym ogromny smok ruszyła do przodu. Licząca cztery tysiące chłopa, szeroka frontem na półtora tysiąca, głęboka na półtrzeciasta kroków formacja szła wprost na zgromadzone pod Nysą śląskie wojsko. Wmieszane w szyk turkotały wozy.

Reynevan, który wzorem Szarleja wlazł dla lepszego widoku na gruszkę na miedzy, wypatrywał, ale biskupa Konrada zlokalizować wśród Ślązaków nie zdołał. Widział tylko czerwono-złotą chorągiew biskupią. Rozpoznał proporzec Puty z Czastolovic i samego Putę, kłusującego przed liniami rycerstwa i powstrzymującego je od bezładnej szarży. Widział liczny hufiec joannitów, wśród których musiał być Ruprecht, książę lubiński, będący wszak wielkim przeorem zakonu. Dostrzegł znaki i barwy Ludwika, księcia na Oławie i Niemczy. Dostrzegł – i zgrzytnął zębami – chorągiew Jana Ziębickiego, z orłem w połowie czarnym, w połowie czerwonym.

Taboryci szli, maszerowali równym, mierzonym krokiem. Skrzypiały osie wozów. Ukryta za pawężami, najeżona ostrzami linia śląskiej kmiecej piechoty nie drgnęła, dowodzący nią najemnik, rycerz w pełnej płytowej zbroi, cwałował wzdłuż szeregów, wrzeszczał.

– Zdzierżą... – powiedział do Prokopa Błażej z Kralup, w jego głosie drżał niepokój. – Wyczekają, dopuszczą na strzał... Jazda wcześniej nie ruszy...

– Ufność w Bogu – odparł Prokop, nie odrywając wzroku od pola. – Ufność w Bogu, bracie.

Taboryci szli. Wszyscy zobaczyli, jak Jan Bleh wyjeżdża na czoło, przed szyk. Jak daje znak. Wszyscy wiedzieli, jaki rozkaz wydaje. Nad maszerujące roty wzbiła się pieśń. Bojowy chorał.

Ktož jsú boží bojovnicí
a zákona jeho!

Prostež od Boha pomoci
a doufejte v něho!

Śląska linia zadrżała wyraźnie, pawęże zachwiały się, dzidy i halabardy zakolebały. Najemnik – Reynevan rozpoznał już baranią głowę na jego tarczy, wiedział, że to Haugwitz – ryczał, wydawał komendy. Pieśń huczała, gromowym hurkotem przetaczała się nad polem.

Kristus vám za škody stojí
stokrát víc slibuje!
Pakli kdo proň život složí,
věčný mit bude!

Tent Pán velí se nebáti
záhubců tělesných!
Velít i život složiti
pro lásku svých bližních!

Zza śląskich pawęży wyjrzały kusze i piszczały. Haugwitz ryczał do ochrypnięcia, zabraniał strzelać, nakazywał czekać. To był błąd.

Z husyckich wozów, gdy zbliżyły się na trzysta kroków, wypaliły taraśnice, o pawęże załomotał grad kul. Za chwilę z sykiem poleciała na Ślązaków gęsta chmura bełtów. Padli zabici, zawyli ranni, linia pawęży zachwiała się, śląscy piechurzy odpowiedzieli ogniem, ale bezładnym i niecelnym. Strzelcom trzęsły się ręce. Bo na komendę Bleha taborycki huf przyspieszył kroku. A potem zaczął biec. Z dzikim wrzaskiem na ustach.

– Nie dostoją... – w głosie Błażeja z Kralup zabrzmiało najpierw niedowierzanie, potem nadzieja. A potem pewność.

– Nie dostoją! Bóg z nami!

Choć wydawało się to nie do wiary, śląska linia rozpadła się nagle jak zdmuchnięta wiatrem. Cisnąwszy pawęże i dzidy, kmieca piechota jak jeden mąż rzuciła się do ucieczki. Haugwitza, usiłującego ich powstrzymać, obalono razem z koniem. W popłochu i panice, porzucając broń, zakrywając w biegu głowy rękami, śląscy chłopi pierzchali w stronę podgrodzia i nadrzecznych chaszczy.

– Na nich! – ryczał Jan Bleh. – Hyr na nich! Bij!

Na Minisiej Łące zabuczały rogi. Widząc, że czas najwyższy, Puta z Czastolovic podrywał rycerstwo. Pochyliwszy kopie, tysiąc sto koni żelaznej jazdy ruszyło do natarcia. Ziemia zaczęła drżeć.

Bleh i Zygmunt z Vranova migiem zdali sobie sprawę z powagi sytuacji. Na ich rozkaz taborycka piechota błyskawicznie zwarła się w osłoniętego pawężami jeża. Wozy obrócono bokami, zza opuszczonych burt wyjrzały paszczęki hufnic.

Żelazna ława śląskiego rycerstwa przeformowała się sprawnie, rozdzieliła na trzy grupy. Środkowa, pod chorągwią biskupią, z samym Putą na czele, miała klinem rozszczepić i rozczłonkować taborycki szyk, dwie pozostałe miały zacisnąć się na nim jak kleszcze – joannici Ruprechta z prawej, książęta ziębicki i oławski z lewej.

Jazda wzniosła bojowy okrzyk i poszła we wstrząsający ziemią galop. Taboryci, choć rosły im w przerażonych oczach salady i żelazne naczółki koni, odpowiedzieli zuchwałym wrzaskiem, zza pawęży wychynęły i pochyliły się setki glewi, alszpisów, rohatyn, wideł i gizarm, wzniosły się setki halabard, cepów i morgensternów. Gradem poleciały bełty, huknęły piszczały i hakownice, gruchnęły i plunęły siekańcami hufnice. Śmiercionośna salwa skotłowała joannitów Ruprechta, raniąc i płosząc konie przyhamowała jazdę z Ziębic i Oławy. Najemnicy biskupa i żelaźni panowie Puty z Czastolovic nie dali się jednak przyhamować, z impetem i hukiem zwalili się na czeską piechotę. Załomotało żelazo o żelazo. Zakwiczały konie. Zakrzyczeli i zawyli ludzie.

– Teraz! Naprzód! – wskazał buzdyganem Prokop Goły. – Poczynaj, bracie Jarosławie!

Odpowiedział mu wrzask setek gardeł. Z lewego skrzydła runął w pole konny huf Jarosława z Bukoviny i Otika z Lozy, z prawego uderzyli Morawianie Tovaczowskiego, Polacy Puchały i drużyna Fedka z Ostroga. Za nimi popędził w pole pieszy odwód – straszni cepnicy slańscy.

– Hyyyrrr na niiiiich!

Dobiegli. Nad kwik koni i wrzask ludzi wzbił się donośny i dźwięczny łomot broni walącej w zbroje.

Szarżę Otika z Lozy usiłowali powstrzymać joannici, nymburscy znieśli ich z pierwszego uderzenia, tuniki z białymi krzyżami w mgnieniu oka zasłały przesiąkniętą krwią ziemię. Ziębiccy stawali mężnie, nie tylko nie ustąpili pod naporem, ale wręcz odrzucili kopijników Jarosława z Bukoviny. Rycerze i armigerzy z Oławy też dzielnie wytrzymali impet ataku Dobka Puchały i Tovaczowskiego, ale nie zdzierżyli walących się na nich ciosów polskich i morawskich mieczy, zachwiali się. A gdy zobaczyli, jak Puchała straszliwym uderzeniem topora rozwala głowę Typranda de Reno, dowódcy najemników, załamali się. Zachwiała się i niczym szkło pękła cała lewa flanka. Puta z Czastolovic spostrzegł to. Choć uwikłany w bój z piechotą, choć zbryzgany krwią po basinet, Puta w mig dostrzegł i zrozumiał zagrożenie. A gdy wstawszy w strzemionach zobaczył otaczającą go od prawej konnicę Jarosława z Bukoviny, gdy spostrzegł przedzierających się ku niemu pancernych Otika z Lozy i pędzącą w sukurs hordę cepników, pojął, że przegrał. Ochrypłym już głosem wykrzykując komendy, odwrócił się – by zobaczyć, jak pierzchają biskupi zaciężni, jak umyka z placu boju marszałek Wawrzyniec von Rohrau, jak ucieka Hyncze von Borschnitz, jak pierzcha Mikołaj Zedlitz, burgrabia otmuchowski. Jak idzie w rozsypkę rozbite rycerstwo z Ziębic. Jak pod naporem Morawian i Polaków podaje tył zdziesiątkowana Oława. Jak ginie komtur Dytmar de Alzey, jak na ten widok rzucają się do ucieczki niedobitki joannitów, jak jadą im na karkach, bezlitośnie rąbiąc, konni Otika z Lozy. Jak zaczepiony hakiem gizarmy spada z konia młody giermek Jan Czetterwang, syn kłodzkiego patrycjusza. Któremu on, Puta z Czastolovic, starosta kłodzki, przyrzekł, że w boju będzie czuwał nad jedynakiem.

– Do mnie! – wrzasnął. – Do mnie, Kłodzko!

Ale krzyk krzykiem, a bitwa i wojaczka miały swoje prawa. Gdy na jego wezwanie kłodzkie rycerstwo i resztki zaciężnych stawiły husytom wściekły, acz rozpaczliwy opór, Puta z Czastolovic obrócił konia i uciekł. Taki był mus, tak było trzeba. Należało ratować Nysę, wciąż mocno obsadzoną i zdolną do obrony stolicę biskupią. Należało ratować Śląsk. Ziemię kłodzką.

I własną skórę.

Będąc już całkiem blisko fosy, murów miasta i Bramy Celnej, bezlitośnie zmuszany do galopu koń Puty stratował porzuconą, wdeptaną w wiosenne błoto biskupią chorągiew. Czarne orły i czerwone lilie.

•

W ten sposób – druzgocącym zwycięstwem i kolejnym triumfem Prokopa Wielkiego – zakończyła się bitwa pod Nysą, stoczona na Mnisiej Łące i w jej okolicach nazajutrz po świętej Gertrudzie Roku Pańskiego 1428.

•

Potem było jak zwykle. Upojone zwycięstwem tłumy husytów wzięły się za dorzynanie rannych i obdzieranie zabitych. Tych drugich doliczono się około tysiąca, ale Reynevan już na odwieczerz usłyszał śpiewkę, podnoszącą wynik do trzech tysięcy. O zmierzchu śpiewka urosła o dwie nowe zwrotki, a liczba zabitych o dalsze dwa tysiące.

Teraz na triumfujących Czechów przyszła kolej wykrzykiwać pod murami Nysy obelgi, groźby, szyderstwa i różne plugastwa o papieżu, a obrońcom przyszło siedzieć jak myszy pod miotłą. Spalono podgrodzie, nie szczędząc ni jednej chałupy, ale miasta nie atakowano. Prokop ograniczył się do ostrzału z bombard, niezbyt intensywnego zresztą, a kaznodzieja Markolt zorganizował pod murami wieczorną demonstrację z pochodniami i nadzianymi na ostrza włóczni głowami poległych.

Nazajutrz, nim skończono ładować łup na wozy, u Horna i Reynevana zameldował się Vogelsang – w osobie zbiegłego z miasta Drosselbarta. Natychmiast udano się do Prokopa. Nysa, zameldował Drosselbart, jest dobrze przygotowana do obrony, pan Puta panuje nad sytuacją, dyscyplinę utrzymuje żelazną, w zarodku dławi wszelkie przejawy paniki i defetyzmu. Ma dość sił i środków, by w razie oblężenia skutecznie i długo bronić grodu, nawet po tym, jak uciekli biskup i książęta.

– Gdy wyście tu paradowali z trupimi głowami na dzidach – oświadczył dość bezczelnie chudzielec – biskup uciekł Bramą Wrocławską. Dali też nogę książęta: Ruprecht, Ludwik Oławski i Jan Ziębicki. Prokop Goły nie skomentował, patrzył tylko pytająco. Drosselbart zrozumiał bez słów.

– O Ruprechcie – oświadczył – możecie chwilowo zapomnieć, będzie uciekał aż do Chojnowa, na drodze wam już nie stanie. Jeśli chcecie znać moją opinię, lada moment pierzchnie też jego wujaszek, Ludwik Brzeski. Ludwik, jak pewno zauważyliście, w bitwie nie brał udziału, nawet nie ruszył się spod Brzegu, choć biskup się wściekał. Ma nielichą siłę, coś koło stu kopii jazdy. A walki unika. Albo ma pietra, albo... Krążą inne plotki w tym względzie... Mówić?

– Słucham – Prokop w zamyśleniu bawił się koniuszkiem wąsa. – Słucham uważnie.

– Żoną Ludwika Brzeskiego jest, jak wiecie, Elżbieta, córka kurfirsta brandenburskiego Fryderyka. Kurfirst znosi się z polskim królem Jagiełłą, swata z Jagiełłówną syna. Wie, że król polski Czechom w sercu sekretnie przychylny, więc by go nie drażnić i szans na mariaż z Polską nie popsować, poprzez córkę wpływa na księcia Ludwika, by ów unikał...

– Dość – Prokop puścił wąs. – To są bzdury jakieś, czasu na nie szkoda. Ale podsycajcie tę plotkę, podsycajcie. Niechaj krąży. Co powiecie o Janie Ziębickim? I o młodym księciu Oławy?

– Zanim uciekli z Nysy, była kłótnia. Między nimi oboma a Putą z Czastolovic. Rzecz nietajna, o co poszło. Obaj chcą ratować swe księstwa. Krótko: chcą się dogadać. Okupić.

– Tym, co z nami paktują – rzekł wolno Prokop – Luksemburczyk grozi utratą życia, czci i majętności. Kościół do kolekcji dorzuca klątwę. Zapomnieli o tym? Czy mają za czcze pogróżki?

– Luksemburczyk jest daleko – wzruszył ramionami Drosselbart. – Bardzo daleko. Za daleko, jak na króla. Król powinien poddanych bronić. A co robi Zygmunt? Siedzi w Budzie. W kłótni z Putą książęta użyli tego argumentu więcej niż jeden raz.

– Co wy na to? – uniósł głowę Prokop Goły. – Horn? Bielawa?

– Jan Ziębicki to zdrajca – wypalił pospiesznie Reynevan. – Zakłamany drań! Uciekł z Nysy, zdradził i samego zostawił pana Putę, swego przyszłego teścia. Zdradza Luksemburczyka, chce układać się z nami, bo tak mu dziś wygodnie. Jutro dla wygody zdradzi nas!

Prokop patrzył na niego długo.

– Zakładam – rzekł wreszcie – że Jan Ziębicki i Ludwik Oławski są niezdecydowani, że się wahają, że nie wiedzą, jak do nas podejść. Ułatwimy im zadanie, sami robiąc pierwszy krok. Jeśli naprawdę chcą rokować, chwycą okazję oburącz. Pojedziecie do Ziębic i Oławy, złożycie propozycję. Jeśli zapłacą wypalne i powstrzymają się od akcji zbrojnych, oszczędzę ich księstwa. Jeśli nie zapłacą lub ugodę złamią, to i za sto lat nie podniosą się z gruzów i zgliszcz. Pojedziecie zaraz. Wy dwaj. Horn i brat Drosselbart.

– A ja? – spytał Reynevan. – Ja nie?

– Ty nie – odrzekł spokojnie Prokop. – Ty mi się zbytnio coś podniecasz. Jakąś prywatę w tym węszę, jakąś złość, jakąś osobistą zemstę. My w tej kampanii realizujemy szczytne cele i idee. Niesiemy prawdziwe słowo Boże. Palimy kościoły, w których miast Boga czci się rzymskiego antychrysta. Karzemy zaprzedanych Rzymowi prałatów, ciemiężycieli, gnębicieli ludu. Karzemy żądnych słowiańskiej krwi Niemców. Ale prócz szczytnych idei mamy interes do zrobienia. Urodzaj był lichy, zaczynamy też odczuwać skutki blokady. Strych żyta kosztuje w Pradze cztery grosze, Reinmarze. Cztery grosze! Czechom grozi głód. Wyprawiliśmy się na Śląsk po zdobycz i łup. Po pieniądze. Jeśli mogę mieć pieniądze bez walki i ofiar w ludziach, tym lepiej, tym większa korzyść. Pakty i układy, zapamiętaj, to równie dobry sposób prowadzenia wojny jak ostrzał z bombard. Pojmujesz to?

– Pojmuję.

– Świetnie. Ale ja i tak poczekam, aż ci się to w duszy

uleży. Tymczasem do Ziębic i Oławy pojadą Horn i Drosselbart. Bez ciebie. Dla ciebie mam inne zadania.

●

Dnia następnego, w sobotę przed niedzielą *Judica*, na Śląsku zwaną Białą, a przez Czechów Śmiertną, Prokop rozpoczął z Putą z Czastolovic pertraktacje odnośnie okupu za wziętych w bitwie jeńców. W tym czasie Jarosław z Bukoviny i Zygmunt z Vranowa spalili Otmuchów i Paczków, dekorując niebo dwoma potężnymi, z daleka widocznymi słupami dymu. Otik z Lozy, Zmrzlik i Tovaczovsky też nie próżnowali – spalili Widnawę i zdobyli zamek Jawornik. Nie zostawał w tyle Puchała, pilnie i metodycznie paląc biskupie wsie i folwarki.

Prokop znalazł jednak chwilę dla Reynevana. Oderwał się od rokowań, by się pożegnać. I udzielić ostatnich wskazówek.

– Twoje zadanie – pouczył – ma dla kampanii znaczenie pierwszorzędne. Teraz, w cztery oczy, mówię ci: jest znacznie ważniejsze niż układy załatwiane przez Horna i Drosselbarta. Mówię ci to, bo widzę, że wciąż się dąsasz o to, że cię z nimi nie posłałem. Powtarzam: otrzymujesz zadanie stokroć ważniejsze. I, nie ukrywam, stokroć trudniejsze.

– Wykonam je, bracie Prokopie – przyrzekł Reynevan.
– Ku chwale Kielicha.

– Ku chwale Kielicha – powtórzył z naciskiem Prokop Goły. – Dobrze, że tak rozumujesz. I że rozumiesz, jak bardzo jesteś ze sprawą Kielicha związany. Jak i to, że tylko z nami pomścisz brata i doznane od papistów krzywdy. Tylko w taki, żaden inny sposób zdołasz to uczynić. Pamiętaj.

– Będę pamiętał.
– Jedź z Bogiem.

●

Wyruszyli do południa, w pięć koni: Reynevan, Szarlej, Samson, Bisclavret i Rzehors. Samson wiózł przytroczony do łęku siodła flamandzki gudendag, Szarlej uzbroił się w niebezpiecznie wyglądający brzeszczot zwany falcjonem, krzywy i rozszerzający się ku końcowi bułat. Broń taką, mimo saraceńskiego wyglądu, kuto w całej Europie, popularna była zwłaszcza w Italii. Była lżejsza od miecza i znacznie poręczniejsza w walce, szczególnie w ścisku.

Pod spalonym Otmuchowem przeprawili się na lewy brzeg Nysy i skierowali ku pasmu Rychlebów. Podróżowali trasą, którą przed paroma dniami przeszły oddziały husytów, wszędzie, jak okiem sięgnąć, widać było ślady tego przejścia i oznaki realizacji niesionych przez Tabor szczytnych celów i idei. Z kościołów, w których czciło się rzymskiego antychrysta, zostały zgliszcza. Tu i ówdzie wisiał też na suchej gałęzi jakiś zaprzedany Rzymowi prałat. Kruki, wrony, wilki i zdziczałe psy pasły się na trupach. W zasadzie należało założyć, że są to trupy wyłącznie żądnych słowiańskiej krwi Niemców i wrogów Kielicha, można było mniemać, że wśród zabitych nie ma ludzi Bogu ducha winnych i przypadkowych. Można było tak mniemać. Ale nikt tak nie mniemał.

Minęli biskupią wieś Jawornik, skierowali się w góry, na Przełęcz Krutvaldzką. A tutaj, wiosną, dopadła ich zima.

•

Zaczęło się niewinnie, od zachmurzenia, od nieco ostrzejszego i zimniejszego wiatru, od kilku drobnych śnieżynek. Bez ostrzeżenia, momentalnie, kilka śnieżynek zamieniło się w gęstą białą zamieć. Padający wielkimi płatkami śnieg momentalnie pokrył drogę, obielił świerki, wypełnił koleiny. Wędrowcom oblepił twarze, topniejąc na rzęsach, wypełnił oczy wodą. Im wyżej ku przełęczy, tym robiło się gorzej – dmący wściekle wicher wywołał zamieć, przestali widzieć cokolwiek poza białymi od śniegu grzywami koni. Oślepiwszy ich, zamieć zaigrała z innymi zmysłami – w kurniawie, przysiągłbyś, rozległy się dzikie śmiechy, chichoty, krzyki, wycia. Nikt z kompanii nie należał do przesadnie przesądnych, ale wszyscy zaczęli nagle jakoś dziwnie kurczyć się i garbić w kulbakach, a konie zupełnie nie ponaglane pokłusowały żywiej, chrapiąc tylko czasem niespokojnie.

Szczęściem, droga wwiodła ich w kotlinę, dodatkowo osłoniętą bukowym lasem. A potem poczuli dym i zobaczyli światełka.

Panowała cisza. W taką pogodę nawet psom nie chciało się szczekać.

●

W karczmie, prócz piwa, podawano wyłącznie śledzie, kapustę i groch bez omasty – trwał wszak Wielki Post. Goszczącego narodu było zaś tyle, że dla Reynevana i kompanii z trudem znalazło się miejsce. Wśród klientów przeważali górnicy ze Złotego Stoku i Cukmantla, nie brakowało i wojennych uchodźców – spod Paczkowa, spod Widnawy, nawet spod Głuchołazów. Najazd husycki zdominował, rzecz jasna, tematykę rozhoworów, wypierając nawet ekonomię i seks. Wszyscy gadali o husytach. Rzehors nie byłby sobą, gdyby nie skorzystał z okazji.

– Co wam powiem, to wam powiem – prawił, gdy dano mu dojść do głosu. – Jeden na świecie uczciwą trudni się pracą i sprawiedliwie chleb powszedni pożywa. Ale inni jedzą ten chleb jako złodzieje i grabieżcy, bo na niego nie zapracowali, jeno go pracującym ukradli i zrabowali. A do tych właśnie liczą się panowie, prałaci, księża, mnisi i mniszki, którzy ssą lud na podobieństwo pijawek, którzy nie tak czynią, jak Ewangelia uczy i każe, a całkiem na opak i wbrew. Są więc oni wszyscy prawa Bożego wrogami i na karę zasługują. Wiecie, bracia, jakim sposobem ocalali niedawno swe domy i dobytek kmiecie spod Kietrza i Głubczyc? Takim, że sami sprawy w ręce brali i załatwiali. Gdy Czesi do nich docierali, widzieli kościół i zamek pański już w zgliszczach, a pana z plebanem dyndających na stryczkach. Przemyślcie tę rzecz, bracia chrześcijanie. Przemyślcie dobrze!

Słuchacze kiwali głowami, tak, tak, prawda, prawda, dobrze gada, gnębią nas wielmoże i włodarze, żyć nie dają, jeszcze piwa, gospodarzu, a popi i mnisi najgorsze krwiopijce, żeby ich tak diabli wzięli, piwa, piwa, *mehr Bier*, a podatkami, *verfluchte Scheisse*, to nas chyba niedługo zaduszą, ciężkie czasy nastały, białogłowom ino kurewstwo w głowach, młódź się biesi i starszych nie słucha, drzewiej inaczej bywało, więcej piwa, *mehr Bier*, odczopujcież antałek, gospodarzu, słony ten wasz śledź, że niech go cholera.

Szarlej klął z cicha, schylony nad miską, Samson strugał kołek i wzdychał. Reynevan żuł groch, bez omasty smakujący jak karma dla kur. Pod niską i okopconą powałą karczmy snuł się dym, falowały pajęczyny i tańczyły złudne cienie.

•

Przenocowali w stajni, rankiem ruszyli w dalszą drogę, w kierunku Lądka. Reynevan i Szarlej nie zapomnieli Rzehorsowi jego wczorajszych popisów. Wzięty na stronę, zmuszony był wysłuchać paru uwag, tyczących głównie zasad konspiracji. Do Kłodzka, przypomniał Reynevan, Vogelsang zmierza w misji sekretnej i ważnej. To wymaga dyskrecji i skrytości. Nadmierne ściąganie na siebie uwagi może misji zaszkodzić.

Rzehors najsampierw nadął się nieco, powołał na rozkazy wydane mu bezpośrednio przez Prokopa. To szerzona wśród chłopstwa propaganda, chełpił się, zachwiała morale biskupiej piechoty pod Nysą, i tak dalej, i tak dalej. Wreszcie zgodził się zachowywać nieco większą dyskrecję. Wytrzymał jakieś pół mili, do położonej pół mili za Lądkiem wsi Radochów.

– Co wam powiem, to wam powiem! – wykrzykiwał, wlazłszy na beczkę, do gromady chłopów i uchodźców. – Bają popi i wielmoże, że niosą Czesi wojnę. Kłamią! Nie wojna to, ale bratnia pomoc, misja pokojowa. Z misją pokojową przybywają na Śląsk Boży bojownicy, bo pokój, *pax Dei*, to dla dobrych Czechów najświętsza ze świętości. Ale by był pokój, trza zwyciężyć wrogów pokoju, gdy mus, to orężem i siłą! To nie śląski lud pobratymczy Czechom wrogiem, lecz biskup Wrocławia, łotr, ciemięzca i tyran. Biskup wrocławski z diabłem jest w zmowie, studnie zatruwa, umyślił zarazę po Śląsku rozszerzyć, lud wygubić. Tedy Czesi ino przeciw biskupowi, przeciw popom, przeciw Niemcom! Lud prosty lękać się Czechów nie musi!

Gdy tłum zgęstniał, pole do popisu znalazł i Bisclavret. Odczytał zgromadzonym list Jezusa Chrystusa, spadły z nieba na pole w okolicach Opawy.

– O wy grzesznicy i niegodziwcy – czytał z przejęciem – zbliża się do was kres. Jam cierpliwy, ale jeśli z Rzymem, z tą bestią babilońską, nie zerwiecie, przeklnę was wraz z Ojcem moim i z anioły memi na wieki wieków. Ześlę na was grad, ogień, pioruny i burze, aby zginęły wasze prace, i zniszczę wasze winnice, i zabiorę wam wszystkie owce wasze. Będę was karał złym powietrzem, włożę na was wielką nędzę. Napominam was tedy i zakazuję dawać dziesięciny niegodnym papieżnikom, prezbitrom i biskupom, sługom antychrystowym; zakazuję ich słuchać. A kto się sprzeniewierzy, nie ujrzy życia wiecznego, a w domu jego narodzą się dzieci ślepe, głuche i parchate...

Słuchacze żegnali się z twarzami wykrzywionymi przerażeniem. Szarlej klął pod nosem. Samson milczał spokojnie i udawał idiotę. Reynevan wzdychał, ale już niczego nie przedsiębrał i niczego nie mówił.

•

Dolina Białej wwiodła ich wprost w Kotlinę Kłodzką, na popas stanęli w karczmie pod osadą Żelazno. Obfitość gospód i karczem nie dziwiła, podróżowali szlakiem handlowym, uczęszczanym zwłaszcza przez kupców chcących w drodze do Czech ominąć kłodzkie myta i komory celne. Z uwagi na znaczne wzniesienie Przełęczy Krutvaldzkiej szlak był zbyt uciążliwy dla wyładowanych wozów, ale kupcy podróżujący lekko często wybierali tę właśnie drogę. Kompania wybrała ją z innych powodów.

W karczmie w Żelaźnie, oprócz kupców, podróżnych i zwykłych ostatnio wojennych uchodźców, popasała grupa wagantów, rybałtów i wesołych żaków, robiących sporo hałasu i zamieszania. Rzehors i Bisclavret nie wytrzymali, rzecz jasna. Pokusa była zbyt silna. Po opowiedzeniu kilkunastu obscenicznych anegdot na temat papieża, wrocławskiego biskupa i kleru w ogóle, zaczęła się zabawa w polityczne zagadki.

– Kuria rzymska owieczki pasie? – zapytywał Rzehors.

– Bo im wełna ostrzyga się! – odkrzykiwali chórem waganci, łupiąc kuflami o stół.

– A teraz baczcie! – wołał Bisclavret. – Będzie o hierarchii rzymskiej! Kto odgadnie? *Virtus, ecclesia, clerus, diabolus! Cessat, calcatur, errat, regnat!*

– Cnota ginie! – żacy bystrze łączyli słowa w pary. – Kościół gnębi! Kler błądzi! Diabeł rządzi!

Karczmarz kręcił głową, kilku kupców demonstracyjnie odwróciło się plecami. Wyraźnie nie w smak była też wagancka uciecha pięciu buro odzianym podróżnym przy stole obok. Zwłaszcza jednemu z nich, typkowi z cerą ciemną jak u Cygana.

– Cichajcie no! – zażądał ów ciemny wreszcie. – Ciszej, nie samiście w gospodzie! Ani pogwarzyć przez wasze szumy!

– Oho! – odwrzasnęli waganci. – Patrzcie go! Kmiotek dysputant się znalazł! Myślałby kto!

– Przymknijcie się, rzekłem! – nie rezygnował ciemny. – Dość swawoli!

Waganci zagłuszyli go gwizdami i imitowanymi odgłosami pierdzenia. Ale dalej bawili się już nieco powściągliwiej, przynajmniej o kilka tonów niżej. Być może dlatego właśnie stało się to, co się stało. Słuch Reynevana przestał być tępiony i przygłuszany śmiechem z głupawych anegdot o papieżach, antypapieżach, biskupach i przeoryszach, sam zaś Reynevan zaczął nadstawiać ucha na inne odgłosy i dźwięki. Sam nie wiedział, kiedy z bezładu i chaosu wyłowił nie co innego, a właśnie urywki konwersacji owych pięciu burych podróżnych. Coś było w ich rozmowie, coś, co przywabiło jego ucho, jakieś słowo, szyk słów, zdanie. Może imię? Sam nie wiedząc, dlaczego, Reynevan zamoczył palec w piwie i wykreślił na blacie stołu znak Supirre, używany do podsłuchiwania. Czując na sobie zdziwiony wzrok Samsona, Reynevan suchym palcem powtórzył znak, celowo wychodząc poza linię, powiększając. Od razu zaczął słyszeć wyraźniej.

– Można wiedzieć – odezwał się łagodnie Samson, przerywając struganie kołka – co ty zamierzasz?

– Nie przeszkadzaj, proszę – Reynevan skoncentrował się. – Supirre, *spe, vero. Aures quia audiunt.* Supirre, *spe, vero.*

Zaczął słyszeć każde słowo, nim przebrzmiało zaklęcie.

– Niech zdechnę, jeśli łżę – mówił ten z ciemną twarzą. – Takiego ciała foremnego to żem u żadnej baby nie widział, nigdy. Cycki miała jak święta Cecylia na obrazie w kościele, a twarde, kieby z marmuru, nawet gdy na wznak leżała, to jej sterczały. Iście nie dziwota, że książę Jan tak dla tej Francuzicy zgłupiał.

– Ale przecie zmądrzał – parsknął drugi. – I pozbył się jej, do loszku zamknąć kazał.

– Za co niech mu Bóg wynagrodzi – zarechotał Ciemny. – Inakszy nie byłoby nam dane poużywać sobie na niej. A było, powiadam wam, takie używanie, że hej... Co noc my się tam w ziębickim kabacie zbierali... I co noc ją pospołu... Broniła się, mówię wam, jak wściekła, gęby nam nieraz jak kocica podrapała... Ale przez to jeszcze większa uciecha była.

– A nie baliśta się? Że zauroczy? Gadali, że Burgundka wiedźma, z diabłem w zmowie. Sam kamieniecki opat pono orzekł...

– Ano – przyznał Ciemny – nie skłamię, miałemć z początku stracha. Ale ochota przemogła, he, he. Co, często wam się trafia rżnąć piękność, co ją wcześniej sam jaśnie książę Jan Ziębicki obracał na atłasach? Kromie tego uspokoili nas owi pachołkowie więzienni, że oni od trzech roków nasilnie chędożą wszystkie młódki, jakie do kabata trafią, a z delacyj o czary trafia najwięcej. Chędożą je, jak chcą. I nic nikomu nie było. Przereklamowane te czary.

– A ksiądz na spowiedzi?

– A co mi tam ksiądz. Dyć wam prawię, nie widzieliście jej, tej Adeli znaczy. Ujrzelibyście, do goła rozdzianą, migiem by was strachy odleciały. Którejś z rzędu nocy tośmy ją...

Tego, co wydarzyło się którejś z rzędu nocy, kompani Ciemnego nigdy już nie mieli się dowiedzieć. Reynevan zadziałał jak w transie, niemal bezwiednie. Wstał jak pchnięty sprężyną, doskoczył, z rozmachem trzasnął gadułę pięścią w twarz. Chrupnął nos, trysnęła krew. Reynevan zakołysał się w biodrach, walnął jeszcze raz. Uderzony zawył, zawył tak rozdzierająco i okropnie, że karczma zamarła. Ludzie jęli pomykać ku drzwiom. Towarzysze wędrowca zerwali się, ale stali jak skamieniali. A gdy uderzony po raz trzeci Ciemny zwalił się z ławy na podłogę, uciekli. Bisclavret i Rzehors wypychali ku wyjściu żaków i wagantów, Szarlej powstrzymał nadbiegającego karczmarza. Dziewka służebna zaczęła cienko krzyczeć.

Leżący Ciemny też krzyczał. Też cienko, rozpaczliwie, błagalnie. Zadławił się, gdy Reynevan z całej siły kopnął go w usta. Poderwany z podłogi gulgotał, pluł krwią i zębami, trząsł głową, błyskał białkami oczu, miękł, obwisał. Reynevan zamierzył się, ale pięść przestała mu wystarczać, była zupełnie nieadekwatna. Świat dokoła zrobił się oślepiająco jasny, biały, świetlisty. Pchnął wędrowca na słup, porwał ze stołu dzban, dzban rozbił się przy pierwszym uderzeniu, namacał na stole gruby kostur, zdzielił opartego o słup w ramię powyżej łokcia. Chrupnęło, Ciemny zaskowyczał jak pies. Reynevan walnął jeszcze raz, z całych sił, w drugą rękę. Potem w nogę. Padającego uderzył w głowę, leżącego na podłodze kopnął w brzuch, poprawił z drugiej nogi w podbrzusze. Ciemny nie krzyczał już, drżał tylko konwulsyjnie, dygotał jak w febrze. Reynevan też dygotał. Rzucił kostur, uklęknął na powalonym, chwycił za włosy, z furią począł tłuc potylicą o deski. Czuł, jak chrupie i ustępuje kość czaszki. Jak skorupka jajka. Ktoś chwycił go, przemocą odciągnął. Samson.

– Dosyć – powtarzał olbrzym, trzymając go w mocnym uścisku. – Dosyć, dosyć, dosyć. Opamiętaj się!

– Jeśli tak – charknął Rzehors – mają w waszym wykonaniu wyglądać konspiracja i skrytość, to ja wam serdecznie gratuluję.

– Mamy misję – dodał Bisclavret. – A ninie będą nas ścigać za morderstwo. Reynevan! Co cię napadło? Dlaczegoś go tak...

– Widać był powód – uciął Szarlej.

– Aha – odgadł Rzehors. – Zgaduję. Adela Stercza. Reynevan! Przecież obiecywałeś...

– Zamknij się.

Wokół głowy leżącego wykwitała wielka, lśniąca, czarna w świetle kaganków kałuża. Szarlej ukłęknął obok, ujął go za skronie, ścisnął mocno, skręcił gwałtownie i silnie. Chrupnęło, typ wyprężył się. I oklapł. Reynevan wciąż widział to wszystko w tonacji świetliście jaskrawej bieli. Słyszał jak przez wodę. Nogi miał jak z waty, gdyby nie uścisk Samsona, upadłby.

Szarlej wstał.

– Cóż, Reinmarze – rzekł zimno. – Pewną cezurę życiową masz już za sobą. Ale sporo jeszcze musisz się nauczyć. Mam na myśli technikę.

– Uciekajmy stąd – powiedział Bisclavret. – Szybko.

– Racja – powiedział Samson.

●

Nie rozmawiali. Uciekali w milczeniu, galopem, z biegiem Białej, w Kotlinę Kłodzką. Nie wiedzieć kiedy znaleźli się na rozdrożu, na gościńcu, biegnącym prawym brzegiem Nysy. Gościńcem, z południa, ciągnęły tłumy uchodźców. Ciągnęły w popłochu. W panice.

Wmieszali się w tłum. Nikt nie zwracał na nich uwagi. Nikt się nimi nie interesował. Nikt ich nie ścigał. Nikogo nie obchodziła pospolita zbrodnia, mało ważne morderstwo, mało ważna ofiara, mało ważny sprawca. Były sprawy ważniejsze. Dużo ważniejsze. Dużo groźniejsze. Wibrujące w trzęsących się głosach uchodzących z południa ludzi.

Boboszów spalony. Lewin spalony. Zamki Homole i Szczerba oblężone. Międzylesie w ogniu. Doliną Nysy, paląc i mordując masowo, idą najeźdźcy. Potężna, kilkutysięczna armia husyckich kacerzy. Osławionych Sierotek pod wodzą osławionego Jana Kralovca.

●

Niemal pół wieku później, wiercąc się na twardym zydlu, stary mnich kronikarz z żagańskiego klasztoru augustianów poprawił i wyrównał pergamin na pulpicie, zamoczył pióro w inkauście.

In medio quadragesime anno domini MCCCCXXVIII traxerunt capitanei de secta Orphanorum Johannes dictus Kralowycz, Procopius Parvus dictus Prokupko et Johannes dictus Colda de Zampach in Slesiam cum CC equites et IV milia peditum et cum CL curribus et versus civitatem Cladzco processerunt. Civitatem dictam Mezilezi et civitatem dictam Landek concremaverunt et plures villas et opida in eodem districtu destruxerunt et per voraginem ignis magnum nocumentum fecerunt...

Mnich poderwał głowę, w przestrachu węsząc dym. Ale to tylko palono chwasty w klasztornym ogrodzie.

Rozdział dziewiętnasty

w którym Reynevan stara się pomóc w zdobyciu miasta Kłodzka, usilnie, zawzięcie i rozmaitymi sposoby, czyli, jak napisze pół wieku później kronikarz, *per diversis modis*.

Kłodzko, którego panoramę ujrzeli rankiem, okazało się przytuloną do stoku wzgórza masą czerwonych dachówek i złotych strzech, schodzących zboczem na sam dół, do wód omywającej wzgórze Młynówki. Przeglądający się w nurcie szeroko rozlanej tu Nysy stok wieńczyło dominujące nad miastem, udekorowane wieżami Wzgórze Zamkowe.

Drogę nadal tarasowały wehikuły uchodźców, ich smrodzący inwentarz i ich smrodzące dzieci. Im bliżej miasta, tym wozów robiło się więcej, gwar rósł, dzieci zdawały się samoistnie mnożyć, a smród gwałtownie przybierał na sile.

– Przed nami Stary Targ Koński – wskazał Rzehors. – I przedmieście Wygon. Zaraz będzie most na Jodłowniku.

Jodłownik okazał się bystrą rzeczką, a most był kompletnie zakorkowany. Reynevan i kompania nie czekali, aż zwolni się droga, wzorem innych konnych wparli wierzchowce w wodę, bez trudu sforsowali strumień. Dalej po obu stronach drogi stały już chaty, klecie, szopy, ludzie uwijali się w codziennym trudzie, nie poświęcając przejezdnym niczego poza przelotnym spojrzeniem. Jechali jakiś czas dość żywo, ale wkrótce znowu zatrzymał ich korek. Tym razem nie było go już jak ominąć.

– Most na Nysie – rzekł Bisclavret, wstając w strzemionach. – To tam się zatkało. Nic nie poradzimy. Trzeba czekać.

Czekali. Kolejka posuwała się wolno, w tempie dającym możliwość podziwiania krajobrazu.

– Oho – mruknął Rzehors. – Dużo zmian widzę. Mury i wieże wyremontowane, na brzegach Młynówki szańce, kobylice, ostrokoły nowiuśkie... Nie próżnował pan Puta. Czuł, widać, pismo nosem.

– Nauczyła go czegoś – odmruknął Szarlej – Ambrożowa rejza sprzed trzech lat. A to widzicie?

Tłok na drodze zwiększyły wozy wyładowane żywnością, kamieniami i wiązkami bełtów.

– Szykują się do obrony... A co tam się dzieje? Rozwalają budynki?

– Klasztor franciszkanów – wyjaśnił Bisclavret. – Roztropnie czynią, że go rozwalają. Przy oblężeniu byłby jak gotowa wieża oblężnicza, w dodatku murowana. Najskuteczniejszy zasięg puszek to czterysta kroków, kule wystrzelone z klasztornego muru waliłyby w środek miasta, w sam ratusz. Rozumnie robią, że burzą.

– Przy burzeniu – zauważył Szarlej – najofiarniej trudzą się sami franciszkanie, pracują, jak widzę, z zadziwiającym zapałem, wręcz radośnie. Iście symboliczne losu zrządzenie. Sami własny klasztor rozpieprzają i w dodatku z ochotą.

– Mówiłem, roztropnie czynią. Ależ ścisk przy moście... Do diabła... Kontrolują czy jak?

– Jeśli – Rzehors spojrzał na wciąż milczącego Reynevana – doszła już wieść...

– Nie doszła – uciął Szarlej. – Nie mogła. Nie panikuj.

– Nie będę, bo nie zwykłem – odciął się Rzehors. –

A teraz bywajcie. Ja do miasta nie wchodzę, potrzebny wam będzie łącznik na zewnątrz murów. Bisclavret? Sygnały te co zwykle?

– Jasne. Do zobaczenia.

Rzehors popędził konia, wtopił się w tłum, zniknął. Reszta w żółwim tempie posuwała się w stronę kamiennego mostu. Reynevan milczał. Szarlej podjechał bliżej, trącił strzemieniem.

– Co zrobiłeś, zrobiłeś – powiedział oschle. – Się nie odstanie. Parę nocy, miast spać, będziesz patrzył w sufit i miał wyrzuty. Ale teraz weź się w garść.

Reynevan odchrząknął, spojrzał na Samsona. Samson wzroku nie odwrócił. Kiwnął głową, zgadzając się z Szarlejem.

Bez uśmiechu.

Na przedmościu stał oddział halabardników i grupa mnichów w czarnych habitach ściągniętych skórzanymi pasami, zdradzającymi augustianów.

– Baczność! – obwoływali dziesiętnicy. – Baczność, ludzie! Gród do obrony się sposobi, tedy wstęp na most tylko tym, co z bronią obyci i do walki sposobni! Tylko tym, co z bronią obyci!

– Kto nie obyty, a do pracy zdolny, idzie pomóc klasztor burzyć i ostrokół stawiać. Tych rodziny mogą w Kłodzku ostać. Reszta idzie dalej, na podgrodzie Rybaki, tam bracia franciszkanie strawę warzą i wydają, chorych leczą. Stamtąd, gdy odpoczniecie, uchodźcie na północ, ku Bardu. Powtarzam, Kłodzko do oblężenia się szykuje, wstęp tylko dla tych, co z bronią obyci! Ci bez zwłoki stają na rynku, do dyspozycji mistrzów cechowych...

Tłum szumiał i burzył się, ale halabardnicy byli stanowczy. Wnet dokonał się podział – jedni skręcali na most, reszta – z tych część klnąc, na czym świat stoi – jechała dalej traktem wrocławskim, wiodącym między brzegiem Nysy a chałupami podgrodzia.

Zrobiło się nieco luźniej.

– Baczność! Gród bronił się będzie! Wstęp tylko tym, co z bronią obyci!

Na przedmościu doszło do tumultu. Ktoś się z kimś

spierał, słychać było podniesione głosy. Reynevan stanął w strzemionach. Trzech duchownych w strojach podróżnych kłóciło się z setnikiem z błękitno-białą tarczą na tunice. Do kłócących się podszedł wysoki augustianin z orlim nosem i krzaczastymi brwiami.

– Jego wielebność proboszcz Fessler? – rozpoznał. – Z parafii w Waltersdorfie? Cóż sprowadza do Kłodzka?

– Ucieszny żart, zaiste – odrzekł ksiądz, przesadnie marszcząc czoło. – Jakbyście nie wiedzieli, co sprowadza. Ale nie będziemy tu dysputować u chamów na oczach. Usuń no żołdaków, frater! Grodzić przechód to możecie włóczęgom, nie mnie. Całą noc w drodze jestem, mus mi się przed dalszą podróżą wywczasować.

– A dokąd to – spytał wolno augustianin – dalsza droga wiedzie, jeśli spytać mogę?

– Nie udawaj durnia! – proboszcz wciąż był przesadnie gniewny. – Idą na nas diabelskie husyty, siłą potężną, palą, grabią, mordują. Mnie życie miłe. Uciekam aż do Wrocławia, może tam nie dojdą. Wam to samo radzę.

– Za radę dzięki – augustianin skłonił głowę. – Ale mnie tu, w Kłodzku, obowiązek trzyma. Z panem Putą będziemy miasta bronić. I obronimy z Bożą pomocą.

– Może obronicie, może nie – uciął proboszcz. – Ale to wasza rzecz. Usuń się z drogi.

– Obronimy Kłodzko – mnich ani myślał się usunąć. – Z pomocą Boga i dobrych ludzi. Każda pomoc się przyda. I twoją nie pogardzimy, Fessler. Swoich parafian w biedzie porzuciłeś. Jest sposobność winę odpokutować.

– Co ty mi tu z winą wyjeżdżasz? – rozdarł się ksiądz. – I z odkupieniem? Precz mi z drogi! I ze słowami się licz, Kościół w mojej osobie obrażasz! O co tobie idzie, żebraku bosy? Że uchodzę? A tak, uchodzę, bo to mój obowiązek, ratować siebie, swoją osobę i Kościół! Nadciągają heretycy, księży mordują, ja w mojej osobie Kościół ocalam! Bo Kościół to ja!

– Nie – zaprzeczył spokojnie augustianin. – Nie ty. Kościół to wierzący i wierni. Twoi parafianie, których zostawiłeś w Waltersdorfie, choć winieneś im pomoc i wsparcie. To ci, o, ludzie, gotujący się do obrony, nie do ucieczki. Rzuć więc tobołek, wielebny, chwyć się kilofa i nuże do pracy. I ani słowa, Fessler, ani słowa. Jam pokorny, ale tu obecny pan setnik, odpuść mu Boże, ni pokorą nie grzeszy, ni zbytnią cierpliwością. On może cię kazać do pracy batami zagonić. Może i kazać powiesić. Pan Puta w szerokie go wyposażył plenipotencje.

Fessler otworzył usta do protestu, ale mina setnika sprawiła, że prędko je zamknął. Zrezygnowany, przyjął wręczony mu kilof. Jego towarzysze pobrali łopaty. Miny wszyscy mieli prawdziwie męczennicze.

– W pracy szczęść Boże! – krzyknął im w ślad zakonnik. – A nie radzę lenić się i markierować! Setnik patrzy!

– Oj – mruknął pod nosem Bisclavret. – Oj, łatwo to nam tu, widzę, nie pójdzie. Ej, ludkowie! Kto on, ów mnich? Zna go który?

– To Henryk Vogsdorf – pouczył ich jeden z woźniców, powożący wozem pełnym kamiennych kul do bombard. – Przeor od augustianów. Ma mir wśród ludzi.

– Widać.

•

Od strony Rybaków zbliżał się kłusem oddział konny, zmierzający w stronę Dolnej Bramy Mostowej. Halabardnicy natychmiast powstrzymali kolumnę uchodźców. Oddział zbliżył się, widać było, że składa się z samych wielmożów. Towarzyszący im od mostu na Nysie, wiozący kule do bombard woźnica okazał się człowiekiem dobrze poinformowanym i rozmownym.

– Ten na czele to nasz starosta, wielmożny pan Puta z Czastolovic – pouczył ich, niepotrzebnie zresztą. Pana Putę wszyscy znali, powszechnie znany był też jego herb, skośne błękitne pasy w srebrnym polu. Reynevan i Bisclavret wymienili spojrzenia – obecność Puty w Kłodzku oznaczała, że Prokop odszedł spod Nysy.

– Obok starosty – wskazywał woźnica – jadzie pan podstarosta Hanusz Czenebis. Za nimi pan Mikołaj Moschen, wódz wojsk najemnych, i wielmożny pan Wolfram von Pannewitz. Dalej Jan von Maltwitz, pan na Eckersdorfie. Panowie z rady miejskiej: Czetterwang, Gremmel, Lischke...

Orszak pana Puty z łomotem wjechał w Bramę Dolną, echem rozbrzmiał pod bramnym sklepieniem dzwon podków. Gdy konni przejechali most na Młynówce i znikli w Bramie Górnej, halabardnicy zwolnili drogę, uchodźcy ruszyli. Bisclavret chrząknął nagle, stopą trącił strzemię Reynevana. Niepotrzebnie. Reynevan już zauważył. Wszyscy zauważyli. Za ich plecami jakaś kobieta krzyknęła głucho.

Z ryzalitów wieży nad Bramą Górną zwisały, zaczepione na hakach, cztery trupy. Zwłoki czterech ludzi. Dokładniej, resztek ludzi. Ciała pozbawione były bowiem wszystkiego, co zwykle z człowieka wystaje, wliczywszy w to uszy. Nad górnymi i dolnymi kończynami, widać to było, pracowano długo i wytrwale, skutkiem czego przypominały już kończyny tylko z grubsza.

– To husyckie szpiegi! – woźnica ściągnął lejce. – Złapali jednego, ów na mękach wspólników wydał. Gdyby husyty pod Kłodzko podeszli, mieli oni bramy cichcem odewrzeć, a w mieście pożary wzniecić. Pozawczoraj na rynku ich kaźnili. Okrutnie męczyli, innym na postrach. Rozpalonymi kleszczami i hakami szarpali, kości łamali. A bramy dobrze teraz strzeżone, w noc i w dzień. Zobaczycie.

Fakt, zobaczyli. Bramy Górnej strzegł przynajmniej trzydziestoosobowy oddział uzbrojonych po zęby żołdaków. Puszczał spod podskakującej pokrywki parę wiszący nad ogniskiem kociołek. Dowódca roty, drab z gębą bandyty, bawił się z psem, rzucając mu kijek.

Bisclavret ponuro przyglądał się, milczał.

– Wśród tych, co wisieli nad bramą – zapytał go pozornie beznamiętnie Szarlej – byli znajomi?

Obłupiacz nie odwrócił głowy. Twarz miał nieruchomą.

– Owszem – odrzekł wreszcie. – Ale raczej dalsi niż bliżsi.

●

Furta Wodna też była strzeżona, przez równie silną załogę. Bisclavret zaklął z cicha.

– Nie będzie tu łatwo – wymruczał wreszcie. – Założę się, że przy innych bramach jest podobnie. Źle, źle, źle.

Z pomysłem opanowania i otwarcia którejś z bram możemy się pożegnać. Trzeba zmienić plany.

– Co proponujesz? – zmrużył oczy Szarlej. – W tył zwrot i precz z miasta? Póki jeszcze można?

– Nie – odezwał się Reynevan. – Zostajemy.

– A ty – demeryt zmierzył go spojrzeniem – jesteś aby w pełni sił umysłowych? W mierze uprawniającej do decydowania?

– Jestem w pełni sił wszelakich. Zostajemy w Kłodzku.

– Mam nadzieję, że nie w ramach pokuty? Pytam, bo jeszcze przed momentem sprawiałeś wrażenie żądnego ekspiacji pokutnika.

– Wrażeniom koniec – Reynevan zmarszczył brew. – Posłuchałem twej rady i właśnie wziąłem się w garść. Wziąwszy, oznajmiam: mamy rozkazy. Sierotki na nas liczą, musimy pomóc w zdobyciu miasta. Sprawdźmy wszystkie bramy.

•

Sprawdzili. Reynevan, Szarlej i Samson zajęli się murem od Bramy Mostowej do Zamkowej Góry. Oględziny nie napawały optymizmem. Furta Łazienna była na głucho zabarykadowana kamieniami i belkami, pod pobliskim kościołem parafialnym obozował w dodatku oddział wojska. Przy pozostałych bramach, Zielonej i Czeskiej, stały na warcie bojowe roty najemników.

Z Bisclavretem spotkali się w umówionym miejscu, na zapleczu piekarni przy ulicy Grodzkiej. Prócz wiadomości, że Bram Wodnej i Przyłęckiej strzegą silne oddziały straży, Obłupiacz przyniósł plotki, głównie z frontu. Potwierdziło się, że Prokop odszedł spod Nysy, poprowadził Tabor na północ, na Nadodrze. Misja Horna i Drosselbarta musiała się powieść, taborycy nie zaatakowali bowiem ani Ziębic, ani Strzelina, ani Oławy. Fakt ten szeroko komentowano, a opinie były różne. Według jednych Jan Ziębicki i Ludwik Oławski dopuścili się zdrady, paktując z heretykami okazali się nie lepsi od zdrajcy Bolka Wołoszka i od tych straconych szpiegów, powieszonych na Wieży Mostowej. Byli jednak i tacy, którzy uważali, że książęta postąpili rozsądnie, że układami ocalili dobra i żywot wielu ludziom. Oby inni, dodawali znacząco, acz cicho, wykazali się równą mądrością. Druga opinia zaczęła wyraźnie przeważać, gdy do Kłodzka dotarła wieść o splądrowaniu i doszczętnym spaleniu Niemodlina – po tym, jak niemodliński książę Bernard, stryj Wołoszka, propozycję układów z Prokopem Gołym pochopnie odrzucił.

Bardziej jednak i żywiej niż taboryci Prokopa mieszczan zajmowały nadciągające z południa Sierotki. Wieści o Sierotkach właśnie dotarły i wywołały w mieście spore zamieszanie, wynikało z nich bowiem, że cały kraj na południe od Kłodzka stoi w ogniu i spływa krwią, a husyci niepohamowanie prą na północ. Padła, opowiadali trzęsącymi się głosy zbiegowie i naoczni świadkowie, strzegąca Przełęczy Lewińskiej, a uważana za niezdobytą warownia Homole. Wzięte i w perzynę obrócone zostały dwie inne twierdze, mające powstrzymać najeźdźców – Szczerba i Karpień. Z dymem poszły Lewin, Międzylesie, Schnellenstein, Lądek i liczne wsie. Kto nie uciekł, poszedł pod nóż, opowiadali bladzi ze zgrozy zbiegowie i naoczni świadkowie, a mieszkańcy Kłodzka byli o włos od totalnej paniki.

Bisclavret zatarł ręce, ale jego radość trwała krótko. Trafili na rynek akurat w momencie, gdy do zebranego tłumu przemówił pan Puta z Czastolovic. Mając u boku przeora Vogsdorfa.

– *Necessitas in loco, spes in virtute, salus in victoria!* – krzyczał pan Puta. – Przysięgam tu, przed wami, na naszą kłodzką Marię Dziewicę i na Święty Krzyż, że o krok się nie cofnę, miasto obronię lubo na jego gruzach polegnę!

– Nikogo z was – dodawał bez emfazy przeor Vogsdorf – choćby najlichszego sługi, nie ostawię bez obrony. Nikogo. Przysięgam na ten Święty Krzyż.

– Pecha mamy – stwierdził beznamiętnie Bisclavret. – Gorzej trafić nie mogliśmy. Cholerny Puta *sans peur et sans reproche*, do spółki z rzadszym od jednorożca mężnym i uczciwym klechą. Niefart!

– Niefart – zgodził się spokojnie Szarlej – Nie mamy widać, kurwa, szczęścia. Podsumujmy. Otwarcie którejś z bram nie uda się. Wywołanie wśród obrońców paniki będzie trudne. Co pozostaje?

– Mord – skrzywił wargi Francuz. – Zamach. Akt terroru. Można spróbować wyeliminować Putę i przeora. Zdajmy się w tym względzie na Reynevana, wczoraj wieczór w Żelaźnie objawił talenty...

– Dosyć – uciął Reynevan. – Ani słowa o tym słyszeć więcej nie chcę. Czekam na poważne propozycje. Co nam zostaje?

– Podpalenie – wzruszył ramionami Bisclavret. – Wzniecenie pożaru, a raczej pożarów. W kilku punktach jednocześnie. Ale to też w grę nie wchodzi. Ja się tego nie podejmuję.

– Czemuż to?

– Reynevan – głos Francuza był zimny, a wzrok jeszcze zimniejszy. – Udawaj sobie ideowca, jeśli lubisz. Lub jeśli mniemasz, że ci z tym do twarzy. Możesz, jeśli wola twoja, walczyć o Wiklefa, Husa, Boga, sakrament *sub utraque specie*, dobro ludu i sprawiedliwość społeczną. Ale ja jestem zawodowiec. Ja chcę wykonać robotę i ujść z życiem. Co, nie dotarło? Dywersyjne pożary, by były skuteczne, trzeba wzniecić w samym momencie szturmu. Pojmujesz?

– Ja pojmuję – ogłosił Szarlej. – W samym momencie szturmu. Wtedy nie ma już czasu na ucieczkę. Ci, którzy z naszą pomocą miasto zdobędą, zarżną nas podczas zwyczajowej entuzjastycznej rzezi.

– Możemy ustalić jakiś sygnał...

– Uwiesić sobie, jak Rachab w Jerycho, sznurek z czerwonych nici? Za dużo kazań słyszałeś, chłopcze. Nie plącz literatury do poważnych spraw. Popieram Bisclavreta i mówię: ja też nie idę na taki hazard. Ja też, przypominam, jestem zawodowcem. Mam nawet kilka zawodów. Każdy jest mi drogi. Na tyle, by życie kochać i cenić je sobie.

– Byłby sposób – powiedział po długim zastanowieniu Reynevan – by podpalić miasto bez narażania cennych skór panów zawodowców.

– Ha! Miałbyś taki?

– Miałbym. Bo ja, panowie, też jestem zawodowcem.

●

Mogłoby się wydawać, że praska apteka „Pod Archaniołem", azyl uczonych i filozofów, przybytek myśli i postępu, jest ostatnim miejscem, w którym można się wyszkolić w produkcji magicznych bomb zapalających. A jednak kto by tak pomyślał, w błędzie byłby. „Pod Archaniołem" można było wyszkolić się we wszystkich wyobrażalnych arkanach i umiejętnościach. A trzeba trafu, że akurat w procesie produkcji bomby zapalającej o dużej sile Reynevan osobiście uczestniczył. Bombę, zwaną w magicznym żargonie *Ignis Inextinguibilis*, postanowili sporządzić Teggendorf i Radim Tvrdik, strasznie rozgniewani na nieuczciwego konkurenta, partaczącego poza cechem czarownika dyletanta, byłego proboszcza od Świętego Szczepana. Początkowo planowali donieść nań anonimowo i zdać się na jurysdykcję miejską, ale uznali to za zemstę mało honorową. Księżulo czarownik miał piękny wiejski dom w Bubnach, dokąd w wiadomych celach zapraszał panny i mężatki. Teggendorf i Tvrdik wzięli ów dom na cel. Hej, radowali się niecnie, ale klecha gębę otworzy, gdy wróciwszy z Pragi z kolejną dupą zobaczy w miejscu chałupy czarną dziurę w ziemi!

Złość przeszła jednak magikom szybko, do żadnego zamachu nie doszło. Ale *Ignis Inextinguibilis* wyprodukowano. Według starych arabskich recept, przejętych z wydanych w Konstantynopolu ksiąg. Z aktywnym udziałem asystującego w przedsięwzięciu Reynevana. Który teraz, po ponad roku, w Kłodzku, dokładnie wiedział, czego mu potrzeba.

– Potrzeba mi – pewnie i dobitnie oświadczył patrzącym nań dość krytycznym wzrokiem kompanom – dwóch kadek oliwy lub oleju, kubła lub dwóch dziegciu, cebrzyka miodu, czterech funtów saletry, dwóch funtów siarki, tyleż gaszonego wapna. Do tego muszę mieć łagiew żywicy, najlepiej sosnowej. I dwie libry proszku antymonowego. Bywa w aptekach.

– To wszystko?

– Zrobimy, myślę, pięć bomb. Potrzeba zatem pięciu glinianych dzbanów o wąskich szyjkach. Słomy, by je owinąć. I dużo smoły, by całe zalać...

– A wąż morski? – spytał spokojnie Bisclavret. – Włócznia świętego Maurycego? Stado papug? Małpy? Nie będą potrzebne? Tyś chyba na łeb upadł, Reynevan. Miasto jest w przeddzień oblężenia, chleb już racjonują, kupić soli to sztuka, a ty nas posyłasz po siarkę i antymon.

– Potrzeba mi jeszcze – Reynevan nie przejął się tonem – lokum, w którym będę mógł pracować. Nie marudź więc, lecz weź się do dzieła. Pewien jestem, że Vogelsang ma w Kłodzku rezydenta. Może nawet niejednego.

– Widziałeś – uciął Bisclavret – tych, co wisieli na bramie? To byli właśnie rezydenci Vogelsangu. Tak, masz absolutną rację, to nie byli wszyscy, mamy jeszcze jednego. Ale skontaktować się z nim teraz to pewność, że się też zawiśnie. Na torturach się gada, Reynevan. I zdradza.

– Panowie – włączył się Szarlej. – Tak nie można, zakładać fiasko, nim się podejmie choćby próbę. Dawaj listę, Reinmarze. Obejdziemy miasto, zobaczymy, co z tych ingrediencyj da się skombinować. Lokal też znajdziemy. Mamy pieniądze, mamy czas...

– Z czasem za dobrze nie jest – zaprzeczył Bisclavret. – Dziś jest dwudziesty drugi marca, poniedziałek po Niedzieli Białej. Sierotki Kralovca będą tu w środę. Najdalej we czwartek.

– Zdążymy – rzekł z przekonaniem Reynevan. – Do roboty, panowie.

●

Rezydentem i uśpionym agentem Vogelsangu w Kłodzku okazał się altarysta u Panny Marii, nazwiskiem Johann Trutwein. Na widok Bisclavreta omal nie zemdlał. Szybko jednak, honor oddać mu trzeba, opanował nerwy na tyle, by móc sensownie odpowiadać na pytania. Zęby szczękały mu nieco, gdy opowiadał o losie innych agentów, katowanych wpierw w piwnicach ratusza, potem na rynku, na oczach gawiedzi. Sam altarysta ocalał, nieszczęśnicy nic bowiem o nim nie wiedzieli, Vogelsang był zbyt sprytny, by trzymać wszystkie jajka w jednej kobiałce. Ale co się Johann Trutwein strachu najadł, to się najadł.

Bisclavret znał jednak niezawodne remedium na stany lękowe. Altarysta na widok nabitego pieniędzmi trzosa pojaśniał, wysłuchawszy zaś, z czym do niego przychodzą, zadziałał nad podziw sprawnie. Natychmiast miał dla konspiratorów lokal, położone na ulicy Mlecznej mieszkanie kupca, który uciekł z miasta, powierzając Trutweinowi klucz i dozór. Natychmiast zaoferował też pomoc w nabyciu potrzebnych surowców. Nie pytał, czemu surowce posłużą. I dobrze, bo i tak nikt by mu nie powiedział.

Jeszcze tego samego dnia Reynevan zaczął w kupieckim mieszkaniu za pomocą zaklęć i amuletów wytwarzać magiczne zapalniki, zwane *ignis suspensus*. Reszta ekipy ruszyła zaś w miasto, by kupić, co trzeba. I powstał problem.

Problemem, o dziwo, okazała się nie siarka i nie saletra, które bez większych problemów nabyto od miejscowych aptekarzy, nie żywica, której pod dostatkiem mieli zbiegli pod ochronę murów okoliczni smolarze, nie proszek antymonowy, który – żądając, prawda, bajecznej wręcz ceny – sprzedał im uchodzący z Bystrzycy alchemik. Trudność sprawił składnik, zdawałoby się, najmniej skomplikowany: olej. Oleju w Kłodzku nie było. Cały wykupiono.

W mieście było bardzo mało wyspecjalizowanych olejarzy, zapotrzebowanie na olej pokrywały w całości tłocznie wiejskie. Produkcja oleju *intra muros* odbywała się we młynach jako działalność uboczna, parali się nią młynarscy czeladnicy. Teraz, wobec groźby oblężenia, część czeladników poszła pod broń, reszta dniem i nocą mełła mąkę na chleb.

Nieoceniony altarysta od Panny Marii znalazł i na to sposób. Właśnie w farze zasłyszał szeptaną nowinę, że jeden z miejskich oleatorów ma zapasy, ale skrywa je, by we właściwym momencie wzbogacić się na spekulacji. Może być, że zechce sprzedać kadkę albo dwie. Zadeklarowawszy gotowość pośredniczenia w negocjacjach, altarysta poszedł sobie, bo zmierzch zapadał.

●

Nazajutrz w mieście zapanowało zamieszanie i podniecenie, ludzie biegli ku Bramie Zielonej. Udała się tam więc i kompania. Stłoczony na murach tłum wskazywał palcami wzbijające się na południu słupy dymu. Płonęły, wieść niosła, Rengersdorf, Marcinów, Hannsdorf i Żelazno. Czarny dym, rozwiany wiatrem w postrzępiony pióropusz, wzbił się wkrótce na zachód od miasta, nad Schwedeldorfem i Roszycami. Podniecenie mieszczan sięgnęło zenitu. W połączeniu z wcześniejszymi wieściami o spaleniu Kunzendorfu dymy na zachodzie mogły oznaczać tylko jedno – husyci brali Kłodzko w kleszcze.

– Jutro. – Gdy wrócili, Bisclavret znacząco spojrzał na Reynevana. – Jutro Kralovec stanie pod miastem.

– Zdążę – Reynevan wskazał na pięć okręconych już słomą dzbanów. – Wystarczy wlać olej, wymieszać, zaszpuntować, zasmołować. I gotowe. Potem pozostaje podłożyć je tam, gdzie trzeba. Zastanawiałeś się, gdzie?

Bisclavret uśmiechnął się wilczo.

– A jakże – wycedził złowrogo. – To już rozplanowane.

– Trutweina tylko patrzeć. Zaraz powinien tu być. Da Bóg, z dobrą nowiną.

Johann Trutwein zjawił się jednak dopiero w dziesiątej godzinie dnia, godzinę po tym, jak u augustianów oddzwoniono nonę. Ale nowiny faktycznie przynosił dobre. Oleator, oznajmił, olej sprzeda. Żąda jednak...

Na wyszeptaną do ucha cenę Bisclavret skrzywił się wściekle. Wziął altarystę na stronę, długo się tam targowali.

– Załatwione – oświadczył, wróciwszy. – Po towar pójdziemy w nocy. Olejarz żąda, by transakcja dokonała się skrycie.

●

Pod wieczór pożary mieli już w zasięgu wzroku. Zapłonęły Kościelniki, Leszczyny, Pawłowa, Ruszowice, klasztorna wieś Podzamek. Cywilów z murów przepędzono, ich miejsce zajęli zbrojni. Opatrywano bombardy, katapulty i inne groźnie wyglądające machiny.

Dzwony miasta biły na Angelus. Bisclavret powstrzymał się od komentarzy, ale Reynevan widział i wiedział to, co wszyscy.

– Francuzie?

– Co?

– Rozumiem, że masz możliwości kontaktu z Rzehorsem?

– Prawidłowo rozumiesz.

– A nasza droga ucieczki? Pomyślałeś o tym?

– Ty się przejmuj swoimi bombami, Reynevan. By wybuchły. By zaklęcie podziało z odległości.

– Przejmuję się tym. Nawet bardzo. Pojęcia nie masz, jak bardzo.

●

Dzwon u Panny Marii trzema szybko po sobie następującymi uderzeniami ogłosił *ignitegium*, nakaz pogaszenia ogni i świateł. Porządni mieszczanie na sygnał ten powinni iść do łóżek.

Reynevan, Bisclavret, Szarlej i Samson nie byli porządnymi mieszczanami. Nie liczył się też w poczet takowych Johann Trutwein, który zjawił się na Mlecznej o zmierzchu. Gdy zapadła ciemność, jęli przekradać się w okolice Furty Wodnej, na ulicę Rzeźniczą.

Pomimo ogłoszonego *ignitegium* miasto nie spało, było niespokojne. Trudno było zresztą się dziwić, na południu i zachodzie niebo jaśniało od łun, nieprzyjaciel był już niemal u bram. Na podwalach płonęły żołnierskie ogniska, straże okrzykiwały się na murach, w uliczkach dudniły kroki patroli. W takich warunkach droga zajęła im znacznie więcej czasu, niż zakładali. Trutwein zaczął się lękać, że oleator nie będzie czekał, że uzna, iż zrezygnowali.

Jego obawy zdały się mieć uzasadnienie. Na Rzeźniczej panowały ciemności, w żadnym z okien nie dostrzegli ni świecy, ni kaganka. Furtka na podwórze była jednak otwarta.

– Szarleju, Samsonie – szepnął Bisclavret. – Zostańcie tu. Miejcie oczy otwarte.

Szarlej położył rękę na rękojeści falcjona, Samson równie znacząco uniósł swój gudendag. Reynevan zmacał rękojeść sztyletu, w ślad za Bisclavretem i Trutweinem zagłębił się w ciemność śmierdzącej kotami bramy.

W oknie w samym końcu podwórza migotał i pobłyskiwał płomyczek świecy.

– To tam... – szepnął Trutwein. – Chodźmy...

– Zaraz – syknął Obłupiacz. – Stać. Coś tu jest nie tak. Coś tu...

Z ciemności wyskoczyło i rzuciło się na nich kilkunastu drabów.

Reynevan już od dłuższej chwili ściskał w pięści jeden z amuletów Telesmy, wykonany z odłamka strzałki piorunowej. Teraz wystarczyło krzyknąć zaklęcie.

– *Fulgur fragro!*

Rozległ się ogłuszający huk, błysnęło oślepiająco, powietrze implodowało z drącym uszy gwizdem. Reynevan rzucił się do ucieczki, śladem Trutweina. Za nimi pomknął Bisclavret, zdążywszy wcześniej pochlastać kilku oślepionych i ogłuszonych drabów swoją andaluzyjską navają.

Zasadzka była jednak przygotowana precyzyjnie, drogę ucieczki mieli odciętą. Gdy wyskoczyli na ulicę, wpadli prosto w kłębowisko walki. Szarlej i Samson stawiali opór tłoczącej się gromadzie pachołków.

– Żywymi brać! Żywymi! – rozległ się gromki rozkaz. Reynevan znał głos rozkazującego.

Poczuł, jak ktoś chwyta go za kark. Dobył sztyletu, dobywając ciął zamaszyście, obrócił rękojeść w dłoni, dziabnął z góry, odkręcił się, ciął szeroko na odlew, zaraz potem, wykorzystując impet i pozycję, od prawej ku lewej. Usłyszał wrzask, krew obryzgała mu twarz, pod nogi padły dwa ciała. Krew obryzgała go znowu, ale tym razem było to dzieło Szarleja i jego krzywego falcjona. Znowu ktoś go ucapił, blokując zarazem rękę z nożem. Stuknęło głucho, uchwyt zelżał. Samson był tuż obok, druzgocącymi ciosami gudendaga rozciągał na ziemi kolejnych atakujących. Ale atakujących przybywało.

– W nogi! – wrzasnął Bisclavret, dźgając i krzyżowo tnąc navają. – Chodu! Za mną!

Za Francuzem pomknął Szarlej, w biegu siekł falcjonem, atakujący pierzchnęli przed nim. Reynevana znowu ktoś chwycił, ale pchnięty sztyletem w oko zawył i odskoczył. Gdy parował cios drugiego, nóż szczęknął o nóż, stal o stal, aż iskry poszły. Szczęściem nożownik padł pod ciosem gudendaga jak wół w rzeźni.

Reynevan wyrwał zza pazuchy okręcony słomą garnuszek. Pięć bomb zostało w kupieckim domu na Mlecznej. Ta była szóstą.

– *Ignis! Atrox!* Yah, Dah, Horah!

Zasyczało, gruchnęło straszliwie, okolicę rozświetliła potężna eksplozja, płynny ogień rozprysnął się i rozlał szeroko, lepiąc się do wszystkiego w pobliżu. Co było w pobliżu, zapaliło się. W tym sąg drewna, bielona ściana domu, kamień bruku i pomyje w rynsztoku. I kilku napastników. Wrzaski poparzonych wzbiły się aż pod rozgwieżdżone niebo. Zaś w blasku ognia Reynevan spostrzegł znajomą sylwetkę. Czarny płaszcz, czarny wams, czarne sięgające ramion włosy. Ptasią twarz i nos jak ptasi dziób.

– Żywcem brać! – krzyknął Pomurnik, zasłaniając twarz przed huczącym ogniem. – Chcę ich żywymi!

– W nogi! – Samson szarpnął za ramię sparaliżowanego zgrozą Reynevana. – W nogi!

– Gore! Gore!

Pędzili co sił, uliczka za nimi grzmiała tupotem ścigających.

– Żywymi ich! Żyyywwyymi!

– Gore! Goreeeee!

Biegli, ile sił, a sił dodawał paniczny strach. Pojmowali, co oznaczał rozkaz brania żywcem. Długie, powolne konanie w katowni, boki palone czerwonym żelazem, wyłamywane stawy, kości miażdżone w cęgach i klubach. Okrutna śmierć na szafocie. Tylko nie to, myślał Reynevan, sadząc jak chart. Tylko nie Birkart Grellenort.

Ktoś ich doganiał, Samson z półobrotu walnął jednego ze ścigających gudendagiem. Reynevan drugiego pchnął od dołu, w miękkie, raniony zawył, zwinął się na bruku, trzeci potknął się o niego; nim upadł, Reynevan rozpłatał mu twarz.

Uciekali, zyskawszy nieco przewagi. Dostrzegli Szarleja, wskazującego im drogę – w ciasny zaułek. Pobiegli. Przed nimi był Bisclavret. Trutwein zniknął.

– Biegiem! Teraz w lewo!

Odgłosy pogoni ścichły nieco, chyba udało im się na moment zmylić ścigających, pościg powstrzymali ludzie biegnący z wiadrami do pożaru. Ale Reynevan i Samson nie ustawali, biegli bez wytchnienia. Pod nogami zamlaskało błoto, zapluskała woda, w nozdrza uderzył smród, okropny zaduch moczu i odchodów. Bisclavret i Szarlej z trzaskiem łamali jakieś deski.

– Właźcie! Dalej, żywo!

Trochę potrwało, nim Reynevan połapał się, że Francuz każe mu wejść do ustępu, wprost do ustępowej dziury, do zionącego ohydnym smrodem kloacznego dołu. W dole tym, popluskując, znikał już właśnie Szarlej. Lepsze gówno niż izba tortur, pomyślał. Wziął głęboki wdech. Breja w dole powitała go miłym ciepłem. I wielką falą, gdy do dołu wskoczył Samson. Smród dławił.

– Tędy, tfu... – Bisclavret wypluł to, co z falą wpadło mu do ust. – Do kanału. Głowy wysoko. Tylko z początku jest źle. Potem będzie większy prześwit.

Odgłosy pościgu zaczęły się zbliżać. Reynevan zacisnął palcami nos i zanurkował.

Drogi na czworakach przez cembrowany kanał wolał nie pamiętać, wymazał ją z pamięci. Prześwit pod murowanym sklepieniem raz był większy, raz mniejszy, usta raz miało się nad, raz pod płynnym gównem. Ręce i kolana więzły w tym, co grubym pokładem zalegało dno, czyli gównie o konsystencji garncarskiej gliny, osiadłym tu od lat sześćdziesięciu, albowiem, jak Reynevan dowiedział się później, początki kłodzkiej kanalizacji datowano na rok 1368.

Ile trwała ta gehenna, trudno było powiedzieć. Wydawało się, że cały eon. Ale nagle była oślepiająca radość świeżego powietrza i wyciskająca łzy rozkosz czystej wody

– wprost ze ścieku wpadli do Młynówki. Stąd już niedaleko było do Nysy, w której bystrzejszym nurcie można było lepiej się opłukać. Rzucili się w wodę, przepłynęli na prawy brzeg. Powierzchnię rzeki złoto i czerwono oświetlał pożar, wielkim ogniem płonęły szopy i budy na Rybakach i Wygonie. Migotały sylwetki jeźdźców.

– Cholera – odezwał się zmęczonym głosem Szarlej. – Miałem w kieszeni drożdżową bułkę... Musiała wypaść. Przepadło śniadanie...

– Kto nas wydał? Trutwein?

– Nie sądzę – Reynevan usiadł w płytkiej wodzie, radując się obmywającym go nurtem. – Bombę, którą odpaliłem, miałem dzięki niemu właśnie... Dostarczył mi ździebko oleju. Zwędził w kościele...

– Olej w kościele?

– Do ostatniego namaszczenia.

Na przybrzeżnym piasku głucho zadudniły kopyta koni.

– Vogelsang! Dobrze widzieć was przy życiu, sukinsyny!

– Rzehors! Ha! I Brazda z Klinsztejna?

– Żyjesz, Reynevan! Cześć, Szarleju! Witaj, Samsonie!

– Berengar Tauler? Ty tutaj?

– We własnej osobie. Z Taboru przeszedłem do Sierotek. Ale nadal uważam, że wojaczka to rzecz bez przyszłości... Ależ wy, cholera, cuchniecie gównem...

– Na koń – uciął rozmowę Brazda z Klinsztejna. – Kralovec i Prokop Mały chcą was widzieć. Czekają.

●

Sztab Sierotek mieścił się na przedmieściu Neulende, w karczmie. Gdy wprowadzony przez Rzehorsa i Brazdę Reynevan wszedł, zapadła cisza.

Znał głównodowodzącego sierocych wojsk polnych, hejtmana Jana Kralovca z Hradku, ponuraka i złośliwca, ale cieszącego się zasłużenie opinią dowódcy zdolnego i uwielbianego przez wojaków niemal tak, jak niegdyś Żiżkę. Znał też Jirę z Rzeczycy, hejtmana ze starej żiżkowskiej gwardii. Znał, rzecz jasna, nie odstępującego hejtmanów kaznodzieję Prokupka. Znał zawsze uśmiechniętego i niezmiennie w dobrym humorze rycerza Jana Koldę z Żampachu. Nie znał młodego szlachcica w pełnej zbroi, z herbową tarczą dwuściętą na pola czarne, srebrne i czerwone, poinformowano go, że to Matej Salava z Lipy, hejtman Policzki. Nie widział nigdzie Piotra z Lichwina, zwanego Piotrem Polakiem, też dopiero później dowiedział się, że ów został z załogą w zdobytej twierdzy Homole.

Wiadomość o tym, że dywersja w mieście nie powiodła się, żadna z bram Kłodzka otwarta nie zostanie ni żadne pożary wzniecone nie będą, Kralovec przyjął spokojnie.

– Cóż, takie życie – wzruszył ramionami. – Zawsze zresztą uważałem, że Prokop i Flutek zbyt wysoko cię cenią, Reynevanie z Bielawy. Jesteś zwyczajnie przereklamowany. Do tego, wybacz, strasznie śmierdzisz.

– Wydostałem się z Kłodzka kanałem ściekowym.

– Słowem – Kralovec nadal był spokojny – miasto cię wysrało. Jakżeż symbolicznie. Idź, umyj się i ochędóż. Nas tu czeka niemała praca i poważne zadanie. Trzeba samemu, bez obcej pomocy, zdobyć to miasto.

– Według mnie – bąknął Reynevan – Kłodzko należałoby ominąć. Obrona jest bardzo silna, dowódcy odważni, morale załogi wysokie... Nie lepiej pójść na Kamieniec? Na cysterski klasztor? Bardzo bogaty klasztor?

Jira z Rzeczycy parsknął, Kolda pokręcił głową. Kralovec milczał, krzywiąc usta, patrzył na Reynevana długo i uporczywie.

– Jak będę chciał poznać twoje zdanie w kwestiach wojskowych – powiedział wreszcie – to dam ci znać. Odejdź.

●

Nad klasztornym ogrodem snuł się siwy dym, pachniały palone chwasty. Stary mnich kronikarz zamoczył pióro w kałamarzu.

Anno Domini MCCCCXXVIII feria IV ante palmarum Viclefiste de secta Orphanorum cum pixidibus et machinis castrum dictum Cladzco circumvallaverunt, in quo castro erant capitanei dominus Puotha de Czastolowicz et Nicolaus dictus Mosco, et ibi dictis pixidibus et machinis sagittantes et per sturm et aliis diver-

sis modis ipsum castrum conabantur aquirere et lucrare; ipsi vero se viriliter defenderunt...

Pióro skrzypiało. Pachniał inkaust.

●

– Naprzód! – ryczał, przekrzykując huk i wrzask, Jan Kolda z Żampachu. – Naprzód, Boży bojownicy! Na mury! Na mury!

Wystrzelony chyba z katapulty lub kuszy wałowej kamień gruchnął w taras z taką mocą, że byłby go obalił razem z ukrytymi za nim Reynevanem i resztą załogi. Szczęściem był z nimi Samson. Olbrzym zachwiał się pod uderzeniem, ale ustał na nogach, a podpory tarasu nie puścił. Szczęściem, bo z murów nieprzerwanie leciał rój pocisków. Na oczach Reynevana strzelec wychylający się zza sąsiedniej pawęży dostał prosto w czoło, kula rozwaliła mu czaszkę na strzępy.

Spod Bramy Czeskiej rozbrzmiewał dziki wrzask, Sierotkom udało się tam przystawić drabiny i ostrzewie, teraz pięli się po nich, dziesiątkowani przez ogień z góry. Lano na nich smołę i ukrop, zwalano głazy i najeżone ćwiekami belki. Nie lepiej szło rotom Jiry z Rzeczycy, atakującym odcinek między Bramą Zieloną a Furtą Łazienną – już dwa razy przystawiali drabiny i dwa razy ich odpierano.

Tauler i Samson znowu posunęli taras do przodu. Rzehors klął, mocując się z zaciętym lewarem kuszy. Szarlej i Bisclavret, nabiwszy hakownice, wystawili lufy zza zasłony i dali ognia, w tym samym momencie wypaliła zza sąsiedniego tarasu transportowana na wózku puszka dwunastofuntówka. Wszystko zasnuł dym, a Reynevan na chwilę kompletnie ogłuchł. Nie słyszał nic, ani huku, ani wrzasków, ani bluźnierczych klątw, ani wycia rannych. Zanim nie dostał trzonkiem harapa w ramię, nie słyszał nawet hejtmana Jana Kralovca, który podjechał konno, demonstrując szaloną pogardę dla świszczących wokół niego grotów.

– ...uuurwa! – doszło wreszcie do Reynevana. – Nie słyszysz, dżuma na twoją mać? Miałeś zakaz iść do szturmu! Zabroniliśmy ci bawić się w wojnę! Do czego innego

445

cię potrzebujemy! Precz, do tyłu! Wszyscy do tyłu! Wycofujemy się!

Wojacy Koldy rozkazu Kralovca słyszeć pod murem nie mogli, ale nie był im potrzebny. Rzuciwszy drabiny, cofali się. Część cofała się porządnie, w szyku, kryjąc za pawężami i nękając obrońców na blankach gęstym ogniem z samostrzałów. Część jednak po prostu uciekała, pierzchała w panice, byle dalej od murów i sypiącej się z nich śmierci. Spod Bramy Zielonej, Reynevan widział to, wycofywały się również ku Zarzeczu i Neulende Sierotki Jiry z Rzeczycy. Obrońcy na murach wrzeszczeli triumfalnie, wywijali bronią, machali proporcami, nie zważali na pociski zapalające, kule, bełty i siekańce z hufnic, którymi wciąż razili ich z dołu szturmujący. Z wieży bramnej podniesiono biało-niebieski proporzec Puty z Czastolovic i wielki procesyjny krucyfiks, ludzie wrzeszczeli, śpiewali. Triumfowali. Choć ćwierć miasta stała w ogniu, triumfowali.

Bisclavret zaczepił hak za brzeg tarasu, wycelował, przytknął lont do cyntlochu. Hakownica wypaliła z hukiem.

– Żeby tak... – warknął z dymu Obłupiacz. – Żeby to tak panu Pucie prosto w dupę! Prowadź mą kulę, Matko Boska!

– Wycofujemy się – Szarlej otarł twarz, rozmazał sadzę. – Wycofujemy się, chłopaki. Koniec zabawy.

Kłodzko odparło atak.

•

– Jezuuuuuuuuu! – wrzeszczał wniebogłosy leżący na pomoście hurdycji Parsifal Rachenau. – Jezuuuuuuuu! Chryyysteeeeeee!

– Przestań – syknął schylony nad nim Henryk Baruth zwany Szpaczkiem. – Zachowujże się! Nie bądź baba!

– Baba... – załkał Parsifal. – Jestem już baba! Chryyyysteeeee! Urwało mi... Urwało mi tam wszyyystkooooo! Boże, Boże...

Szpaczek schylił się, nosem niemal dotykając krwawiącego pośladka przyjaciela, fachowo obejrzał ranę.

– Niczego ci nie urwało – stwierdził stanowczo. –

446

Wszystko masz, gdzie trzeba. Kula ino w rzyci utkwiła. Wcale niegłęboko. Z dala widno wystrzelona, impetu nie miała... Parsifal zawył, załkał i rozpłakał się. Z bólu, ze wstydu, ze strachu i ulgi. Oczyma duszy widział już bowiem, wyraźnie i z detalami, infernalną iście i włosy podnoszącą scenę: oto on, on sam, mówiący cienkim falsetem, zmienion w kapłona niczym Piotr Abelard, siedzi i niczym Piotr Abelard pisze głupie traktaty i listy do Ofki von Baruth, a Ofka tymczasem używa sobie w łożnicy z innym, pełnowartościowym, mającym wszystko na właściwym miejscu mężczyzną. Wojna, uświadomił sobie ze zgrozą chłopiec, jest straszną rzeczą.

– Wszystko... mam? – upewnił się, łykając łzy. – Szpaczku... Zajrzyj jeszcze raz...

– Masz, wszystko masz – uspokoił go Szpaczek. – I prawie już nie krwawisz. Wytrzymaj. Już bieży tu mnich z bandażami, wnet ci kulę z dupska wyciągnie. Otrzyjże łzy, bo ludzie patrzą.

Obrońcy Kłodzka nie patrzyli jednak, nie interesowały ich ani łzy, ani krwawa dziura w tyłku Parsifala von Rachenau. Zajęci byli wznoszeniem na murach triumfalnych wiwatów. Pana Putę z Czastolovic i przeora Vogsdorfa obnoszono na rękach.

– Noszę wszakże – wystękał nagle Parsifal – na szyi poświęcony ryngrafik z Bogurodzicą... Od mnichów kupiłem... Miał mnie od wrażych kul chronić! To jak to jest?

– Zamknijże się, zaraza...

– Miał mnie chronić! – zawył chłopiec. – Więc jak to? Co to za...

– Zamknij się – zasyczał Szpaczek. – Zamknij gębę, bo bieda nam będzie.

●

Pióro skrzypiało.

Świadkowie dicebatur, *jako Kralowycz,* capitaneus Orphanorum, *mężnym oporem obrońców rozsierdzon będąc, kazał swoim specjalnym krzykaczom, zwanym* Stentores, *pod murami głośno wołać i obrońcom okropnemi mękami grozić, jeśli grodu nie poddadzą, horror chciał przez* clamor *ten w nich wzbudzić. Widząc, jako próżne to staranie, postaw płótna białego wziąć kazał i na onym wielgi napis uczynić, głoszący: PODDAĆ SIĘ ALBO ŚMIERĆ i ów* obrońcom demonstrare, *na tym murów odcinku, którego* prior Henricus et fratres canonici regulares *bronili, czytać umiejący. Atoli* prior Henricus, *Hektor kłodzki, mężnego będąc serca, nie uląkł się. Braciom nakazał takoż postaw płótna wziąć i na nim na wzgardę onym wiklefistom napisać: BEATA VIRGO MARIA ASSISTE NOBIS.*

•

– Co? – zawarczał Jan Kolda. – Co oni tam nabazgrali?

Brazda z Klinsztejna parsknął. Jira z Rzeczycy zarechotał.

Na płótnie, wywieszonym na murach przez wrzeszczących i wiwatujących obrońców, widniał, namalowany wielkimi literami, napis:

DEINE MUTTER DIE HUR

Kralovec długo przyglądał się transparentowi, długo i uporczywie, jak gdyby liczył na to, że litery ułożą się jakoś inaczej. Wreszcie odwrócił się, znalazł wzrokiem Reynevana.

– Kamieniec, mówiłeś? Klasztor cystersów? Bogaty klasztor cystersów. Tak mówiłeś?

– Tak mówiłem.

– No to... – Kralovec jeszcze raz spojrzał na Kłodzko, trochę tęsknie jakby. – No to na co czekamy? Chodźmy.

•

Et sic Orphani, zapisywało na pergaminie skrzypiące pióro, *a Cladzco feria II pasce recesserunt.*

Kronikarz postawił kropkę, odłożył pióro, stęknął, wyprostował obolałe plecy.

Kronikarstwo wyczerpywało.

Rozdział dwudziesty

w którym pewne wydarzenia z okresu bezpośrednio poprzedzającego Wielkanoc roku 1428 wspominają uczestnicy, świadkowie naoczni i kronikarze. I znów nie wiadomo, komu wierzyć.

Imię moje, Święty Trybunale, jest brat Zefiryn. Z kamienieckiego klasztoru zakonu cysterskiego. Raczą wybaczyć mi konfuzję wielebni ojcowie, aleć to pierwszy raz, gdy przed Oficjum staję... Lubo jeno dla *testimonium* złożenia, ale jednak...

Tak jest, jako żywo, już do rzeczy przechodzę. Znaczy się, do tego, co się w klasztorze przydarzyło w ten dzień tragiczny, w Wielki Wtorek Anno Domini 1428. A com ja na własne oczy oglądał. I tu pod przysięgą zeznam, tak mi dopomóż... Słucham? Żeby do rzeczy? *Bene, bene.* Już mówię.

Bracia nasi klasztorni częścią zbieżali już wcześniej, w sobotę przed tą niedzielą w poście, gdy śpiewa się Panu *Judica me Deus*, gdy to heretycy palili Otmuchów, Paczków a Pomianów. Łunę wonczas nocą na pół nieboskłonu baczylim, a świtem słonko ledwo przez dymy przebić się zdołało. Wonczas, jakem rzekł, w niektórych z *fratres* duch upadł, zbiegli, tyle ino biorąc, ile w dwie ręce wziąć zdołali. Pomstował opat, od tchórzów ich wyzywał, karą Bożą straszył, ha, gdyby wiedział, na co mu przyjdzie, sam pierwszy by uciekł. I ja też, nie skłamię przed Świętym Trybunałem, byłbym uciekł, inom nie miał dokąd. Jam jest z urodzenia Lombard, z miasta Tortony, a przybyłemć na Śląsk z Altenzelle, najpirwej do Lubiąża, z lubiąskiego zaś klasztoru trafiłemć do Kamieńca... Hę? Że tematu mam się trzymać? *Bene, bene*, już się trzymam. Już mówię, jak było.

Wkrótce *post dominicam Judica quadragesimalem* słyszym od zbiegów: odeszli kacerze, poszli kędyś na Grodków. Tedy ulga, dalejże do kościoła, przed ołtarz, bęc krzyżem na posadzkę, *gratias tibi Domine*, dzięki ci, wielki Boże. Aż tu znowu krzyk, wrzask: pry, idą nowi wyznawcy Husa szatana, Sirotami zwani, idą od Kłodzka. Bardo ogniem zeżgli, już wtóry raz, wtóry raz nieszczęsny on gród palą. W nas zrazu nadzieja, a nuż bokiem przejdą, może na Frankenstein pójdą, głównym wrocławskim traktem, może nie będzie im się chciało na Kamieniec skręcać. Tedy do kościoła, nuże modlić się w tejże intencji, *Sancta Maria, Mater Christi, Sancta Virgo virginum, libera nos a malo, sancte Stanislaus, sancte Andrea, orate pro nobis...* Ale nie dały nic nasze modły, widać zapragnął nas Pan jako Hioba doświadczyć, byśmy... Ach, tak, wiem. Trzymać się tematu.

No to krótko powiem: taki był temat, że wpadli piekielnicy do klasztoru rychtyk w Wielki Wtorek. Wpadli nagle, jak piorun z jasnego nieba, przez mury przeleźli, bramę wywalili, nimeś *peccatores te rogamus* zakrzyknął, już ich cała hurma wewnątrz była. I dalejże bić... Horror! *Sanctus Deus, sanctus fortis, sanctus immortalis, miserere nobis...* Brata Adalberta dzidą przebili, brata Piusa mieczami, jak świętego Dionizego... Brat Mateusz z kuszy był ustrzelon, z innych wielu *graviter vulneratis...* A husyci, niech ich Bóg pokarze, dalejże krowiny wyganiać z obory, prosiaczki z chlewa, baranki... Zabrali wszystkie, co do jednej sztuki... Tfu, psia ich mać, mało, że *haeretici*, jeszcze do tego *latrones et fures*! Z kościoła wynieśli naczynia, relikwiarze, kapy, ornaty, krzyż wielgi srebrny, wota, świeczniki... Nic nie ostawili. Nas, co w żywych się ostaliśmy, zgonili na dziedziniec, pod mur. Przyszedł wódz tej zgrai, morda paskudna, poznasz, że kacerz, wołali nań Kralowicz, z nim drugi, jakisi Kolda. Wołają chłopów. Bo trza Świętemu Trybunału wiedzieć, że z onymi husyckimi Czechami i tutejsi chłopi szli, bezbożnicy, zaprzańcy. Onym rozkazuje heretyk Kralowicz, pry, tak i siak, nuże, wskażcie, które tu mnichy lud ciemiężyły, wnet będzie tu sąd. Wnet tych krwiopijców opasłych – tak on na nas – karać się będzie. A te chłopskie Judasze zaraz na brata Maternusa wskazały, pry, ten ciemiężył. Jużci prawda, że ciężki bywał kmiotkom frater Maternus, zawżdy gadał, jako to *rustica gens optima flens*. To i miał. Wywlekli go, cepami na śmierć bili, zbrodniarze. Zaraz potem *celerarius* Scholer był ubit, wskazali go chłopi, bo dziewki macał, a i za chłopiętami, bywało, uganiał się... Po nim *custos* Wencel, brat Idzi, brat Laurenty... Krzyk, jęk, błagania, razy, krew bluzga, my na kolana, w płacz, *ab ira tua, ab odio et omni mala voluntate libera nos, Domine...*

Jak było z ojcem opatem, pytacie? Już gadam. Już się odchodzić sposobiły husyty, gdy wpadł paniczyk taki jeden, jasnowłosy, wdały, ale oko złe, grymas na uściech... Wołali nań Renewan. Nijak nie, wielebny ojcze, nie mylę się, dobrzem słyszał: Renewan. Na krzyż mogę przysiąc... Tedy ów Renewan cap ojca opata za habit. Ów jest, krzyczy, Mikołaj Kappitz, opat kamieniecki, najgorszy ludu krzywdziciel, łajdak, donosiciel i inkwizytorski... hem, hem, wybaczcie... inkwizytorski pies. A do opata nachyliwszy się, pamiętasz, mówi, a zębami zgrzyta, Adelę, suczy synu? Coś ją w Ziębicach za sto dukatów o czary skarżył? Na śmierć wydał? Zapłacisz za to teraz. Wspomnij Adelę w drodze do piekła, podły klecho. Tak do opata gadał, nim go na dziedziniec wywlókł. Dobrzem słyszał. Każdziuteńkie słowo. Na krzyż przysiąc mogę... Tematu się trzymając: zatłukli opata Kappitza. Pałami bili, siekierami... Ten Renewan nie bił. Stał ino i przyglądał się.

I to wszystko już, co się wonczas zdarzyło, Święty Trybunale, w ten Wielki Wtorek Anno Domini 1428. Prawdę żem tu rzekł, całą prawdę i tylko prawdę, tak mi dopomóż Bóg. Podpalili kacerze kościół nasz i klasztor. Podłożyli ogień pod stodoły, pod młyn, pod piekarnię, pod browar. I odeszli, po drodze Radkowice paląc, naszą wioskę klasztorną. A z nas, cośmy w żywych ostali, na odchodnym habity zdarli. Wtedy jeszcze nie wiedzielim, przecz to czynią. To dopiero później stało się wiadome. Wówczas, gdy zbóje te na Frankenstein napadły...

●

– Coście za jedni? – ryczał wartownik z Bramy Kłodzkiej. Obok wychylało się zza blanków kilku innych, z kuszami gotowymi do strzału. – Furty zamknione! Nikogo do grodu nie wpuszczamy!

– My z Kamieńca! – zapiał spod mnisiego kaptura Rzehors. – Cystersi! Lasami uciekliśmy z rzezi! Klasztor płonie! Odewrzyj bramę, dobry człeku!

– Jeszcze czego! Zakaz! Rozumiesz, mnichu? Nie wolno!

– Wpuśćcież, na Boga – zawołał błagalnie Reynevan. – Bracia w Chrystusie! Kacerze nam po piętach depcą! Nie zostawiajcie na zgubę! Nie bierzcie naszej krwi na sumienia! Otwórzcie!

– A ja wiem, kto wy? Może husyty w przebraniu?

– My zakonnicy, dobrzy i pobożni chrześcijanie! Cystersi kamienieccy! Nie widzicie habitów? Otwórzcie, na Boga żywego!

Obok dowódcy warty pojawił się mnich, wnosząc z habitu bożogrobiec.

– Jeśliście naprawdę cystersi z Kamieńca – krzyknął – to rzeknijcie: jak się zwie wasz opat?

– Mikołaj Kappitz!

– Jaki kantyk śpiewa się na *laudes* w niedzielę i święta?

Reynevan i Bisclavret popatrzyli na siebie z głupimi minami. Sytuację uratował Szarlej.

– Kantyk Trzech Młodzieńców – oświadczył pewnie. –
Czyli *Benedicite Dominum.*

– Zaśpiewajcie.

– Co?

– Śpiewać! – ryknął wartownik. – A głośno! Bo was,
kurwa, bełtami naszpikujem!

– *Benedicite, omnia opera Domini, Domino!* – zabeczał
fałszywie demeryt, znowu ratując dzień. – *Laudate et su-
perexaltate eum in saecula! Benedicite, caeli, Domino, benedicite, angeli Domini...*

– To w samej rzeczy mnisi – rzekł z przekonaniem bożogrobiec. – Trza ich wpuścić. Odkładajcie zawory! Żywo,
żywo!

•

A to, pokazało się, zdrada była, nie byli to monachi
żadni, *lecz heretycy,* qui se Orphanos appellaverunt,
w habity przeodziani z cystersów zdarte, gdy in feria
III pasce na monasterium Cisterciense de Kamenz *napadli, które to monasterium* eodem die efractum et
concrematum est. *Nie boże owieczki to były, lecz wilcy,*
lupi in vestimento ovium, *te same sprzedawczyki osławione, co się sami Vogilsangiem mianowali, zdrajcy,
Judasze, łotry bez czci i wiary. Wdarli się ci nikczemni-
cy przez bramę niemądrze odemknioną, uderzyli na
straże, za nimi hurmą inni* Orphani, *na wozie dotąd
pod płachtą jako Achajowie w koniu drewnianym się
ukrywający. Pobili straż, wrota na oścież, a już walą
heretyccy* equites *cwałem, za jazdą piechota biegiem,
w dwa pacierze było w mieście kacerzy z półszósta sta,
a nowych wciąż przybywało. I uczyniła się trwoga straszna...*

•

Gdy biegli nowomiejskim podwalem, ulicą Nową, nikt
nie ośmielił się zastąpić im drogi. Było ich zaledwie dwudziestu, ale hałasu i wrzasku czynili za stu. Husyci ryczeli i hałłakowali, klekotali na drewnianych kołatkach. Bisclavret i Rzehors dęli w mosiężne trąby, Szarlej łupił
w blaszany cymbał. Przerażeni i oszołomieni ogłuszają-

cym harmiderem mieszkańcy Frankensteinu pierzchali przed nimi, uciekali w stronę rynku. Raz tylko, z okien browaru, ostrzelano ich z kusz i samopałów, ale zupełnie niecelnie. Nawet nie zwolnili biegu ani nie przestali hałasować. Z południa, od wziętej podstępem Bramy Kłodzkiej, a za niedługo i z zachodu narastały wrzask i palba, Sierotki szturmowały już widać zamek i kościół Świętej Anny.

Biegli. Przy Dolnołaziennej ostrzelano ich ponownie, tym razem skuteczniej, dwa ciała zostały w błocie rynsztoków. Bezładną salwą z kusz powitała ich też kilkunastuosobowa obsada Bramy Ziębickiej, strzelcom jednak dygotały ręce, i nie dziwota: widzieli już wzbijający się nad dachy czarny dym, słyszeli wrzask mordowanych.

Uderzyli na strażników od razu, z wściekłością, wyglądało, jakby Sierotki chciały odbić sobie na nich ten morderczy bieg.

Momentalnie padły trupy, krew zbryzgała bruk podbramia. Reynevan w walce udziału nie brał, wraz z Berengarem Taulerem i Samsonem dopadli bramy, wzięli się do zrzucania zaworów. Szarlej strzegł im pleców, strażnika, który ich zaatakował, pochlastał szybkimi cięciami falcjona.

Zawory i belki spadły z gruchotem, pchnięte od zewnątrz skrzydła wrót rozwarły się, z łomotem kopyt wdarli się w bramę jeźdźcy, za nimi z wrzaskiem sypnęła się piechota. Bruk zahuczał od podków, Sierotki rzeką wlały się w miasto, wprost w ulicę Ziębicką.

– Dobra robota, Reynevan! – krzyknął, wyrywając przed nim konia, Jan Kralovec z Hradku. – Dobra robota z tą bramą! Zmieniam o tobie zdanie! Słusznie cię chwalono! A teraz naprzód, naprzód! Miasto wciąż nie jest nasze!

Gdy dobiegli do rynku, wyglądało, że Kralovec się myli, że Frankenstein już jest w ręku Sierotek. Płonął dom opata henrykowskiego, płonęły sukiennice, gorzały ławy i kramy, dym i płomienie waliły z okien domów cechowych. Trwał szturm ratusza, nad bojowy ryk napastników wybijały się już wysokie krzyki mordowanych, wyrzucani z okien ludzie spadali wprost na nastawione sudlice i halabardy. Rzeź trwała w podcieniach rynkowych kamienic. Od południowej części miasta wciąż słychać było wystrzały, atakowany przez Koldę z Żampachu zamek bronił się widać. Ale dzwonnica Świętej Anny stała już w dymie i ogniu.

Na rynek wpadli piesi husyci, za nimi jeźdźcy pod wodzą Mateja Salavy. Młody rycerz twarz miał czarną od sadzy, w ręku zbroczony miecz.

– Tam! – wskazał buzdyganem Kralovec, opanowując ślizgającego się we krwi konia. – My się tu sami sprawim, wy bieżajcie tam! Na klasztor dominikański! Na klasztor, Boży bojownicy!

– Nuże, chłopcy – Reynevan odwrócił się. – Pod klasztor. Biegnijmy. Szarleju, Rzehorsie...

– Biegnijmy, Mężny Reinmarze od Otwierania Bram.

– Tauler, jesteś? Samsonie?

– Też jestem.

•

Konni Salavy, zupełnie nieprzydatni w walkach o zabudowania, rozjechali się po uliczkach, szturm na klasztor dominikański pozostawiając piechocie. Z górą setce ludzi, dowodzonych przez Smila Pulpana, podhejtmana nachodskiego, grubawego typa z ostrzyżoną do skóry głową. Reynevan znał go. Widywał wcześniej.

– Hyr na nich! – wrzeszczał Smil Pulpan, wskazując kordem kierunek natarcia. – Hyr na nich, bratrzy! Bij, zabij!

Husyci z wrzaskiem podrywali się do natarcia, raz po raz załamującego się w ulewie pocisków. Ale zaraz podrywali się znowu.

– Hyr na nich! Śmierć papieżnikom!

Wspierani przez mieszczan i cechowych dominikanie dzielnie i zażarcie bronili swej siedziby, ale była to obrona beznadziejna. Przewaga Sierotek była przytłaczająca, zajadłość ich ataku straszna. Zakonnicy ustępowali pod naporem, wycofywali się, zostawiając ciała w białych habitach, oddając husytom kolejne klasztorne budynki.

Ostatnim bastionem obrony był kościół Podwyższenia

Krzyża, kruchta i zabarykadowane wejście główne. Zakonnicy bili się tu do ostatniego bełtu z kuszy i ostatniej kuli z piszczały. I do ostatniego człowieka.

Gdy rozjuszone oporem Sierotki wdarły się po trupach do prezbiterium, bijąca z witraży kolorowa tęcza ukazała ich oczom tylko dwóch żywych mnichów. Jeden, pochyliwszy głowę, klęczał u ołtarza, tuż przy *antepodium*. Drugi zasłaniał klęczącego sobą i krucyfiksem.

– *Templum Dei sanctum est!* – jego głos, lubo cienki, wzbił się i ozwał echem aż pod sklepieniem. – Kto niszczy świątynię Boga, tego zniszczy Bóg! Ustąpcie, moce piekielne! Ustąpcie, szatani, heretycy, nim Bóg was porazi!

– To Jan Buda – wyjaśnił usłużnie jeden ze sprzymierzonych z Sierotkami Ślązaków. – Ten zaś, który klęczy, to Mikołaj Karpentariusz, przeor ichniejszy. Obaj kazali przeciw nauce mistrza Husa. Dobry Czech to martwy Czech, tak kończyli każde kazanie. Obaj święcili oręż wojsk idących na Nachod.

Smil Pulpan miał policzek i szyję we krwi, trzymał się ręką za ucho, znaczną częścią urwane przez bełt z kuszy. Postradał przy szturmie klasztoru i kościoła z tuzin zabitych i drugie tyle rannych, ale ucho, wyglądało, rozwścieczyło go dużo bardziej.

– Dobry Czech, martwy Czech, tak? – powtórzył złowrogo. – Tedy pecha macie, klechy. Boście wpadli w ręce żywych i złych. Pokażemy wam, jak zły potrafi być żywy Czech. Brać ich. Na podwórzec z nimi!

– Nie śmiejcie mnie tknąć! – wrzasnął Jan Buda. – Nie śmiej...

Dostał pięścią w twarz, zamilkł. Przeor nie stawiał oporu.

– *Vexilla Regis prodeunt...* – skamlał, wleczony przez nawę. – *Fulget Crucis mysterium... Quo carne carnis conditor... Suspensus est patibulo...*

– Rozum mu się pomieszał – zawyrokował któryś z Sierotek.

– To hymn – Smil Pulpan, Reynevan słyszał, jak o tym mówiono, był przed rewolucją zakrystianem. – To hymn *Vexilla Regis*. Śpiewa się w Wielkim Tygodniu. A dziś Wielki Piątek. Wielce akuratny dzień na męczeństwo.

456

Przed kościołem obu zakonników otoczył tłum Sierotek. Prawie natychmiast padł pierwszy cios pięści, pierwszy kopniak, po nich następne, potem w ruch poszły pałki i obuchy. Przeor upadł. Jan Buda trzymał się na nogach, modlił głośno, wypluwając krew z rozbitych ust. Smil Pulpan przyglądał mu się z nienawiścią. Na jego znak przyniesiono sprzed drewutni pieniek do rąbania polan.

– Święciłeś jakoby, papisto, broń idącym na Nachod. Sposobu, jakim cię za to ukarzemy, nauczyły nas w Nachodzie właśnie biskupie zbiry. Dawać go tu, bratrzy.

Jana Budę przywleczono, przełożono mu nogę przez pień. Jeden z husytów, potężny drab, uniósł topór i rąbnął. Jan Buda zaryczał potwornie, z kikuta pulsującą strugą bluzgnęła krew. Sierotki podniosły miotającego się w spazmach dominikanina, przełożyły przez pień drugą nogę. Topór spadł z głuchym stukiem i mlaśnięciem, od uderzenia aż drgnęła ziemia. Jan Buda zaryczał jeszcze potworniej.

Berengar Tauler zrobił kilka chwiejnych kroków, oparł się oburącz o ścianę kościoła i zwymiotował. Reynevan trzymał się, ale ostatkiem woli. Samson pobladł bardzo, spojrzał nagle w górę, w niebo. Patrzył długo. Jakby czegoś się stamtąd spodziewał.

•

Na pieńku, rąbaniu drew służącym, kaci owi, haeretici, *samego diabła, ich mistrza i nauczyciela, zapragnąwszy w złości i okrucieństwie prześcignąć, toporami wszystkie* extremitatis *nieszczęśnikom owym jedną po drugiej odsiekli. Tej okropności pióro me opisać nie zdoła, ręka drży,* lacrimae *z ócz płyną... Nicolaus Carpentarius, Johannes Buda* et *Andreas Cantoris,* martyres de Ordine Fratrum Praedicatorum, *umęczeni dla Słowa Bożego i dla świadectwa, jakie mieli. Boże, Boże, do ciebie wołamy!* Usquequo, Domine sanctus et verus, non iudicas et vindicas sanguinem nostrum?

•

Sierotki grabiły tymczasem kościół ze wszystkiego, co przedstawiało jakąkolwiek wartość. Święte obrazy, deski ze stalli i połupane resztki ołtarza, które wartości nie przedstawiały, płonęły na ogromnym stosie. Na rozkaz Pulpana obu okaleczonych i dogorywających mnichów zawleczono pod ów stos i rzucono nań. Stojący wianuszkiem husyci patrzyli, jak dwa pozbawione kończyn korpusy niezdarnie ruszają się i wiją wśród płomieni. Paliło się zresztą kiepsko, zaczął padać deszcz. Smil Pulpan macał rozerwane ucho, klął, spluwał.

– Mamy jeszcze jednego! – wrzasnęli wypadający z kruchty. – Bracie Pulpan! Złapaliśmy! Na ambonie się krył!

– Dawać go tu! Dawać papieżnika!

Wleczonym przez husytów, wyjącym, siepającym się i wierzgającym był, Reynevan poznał go od razu, diakon Andrzej Kantor. Był w samej koszuli, pochwycono go widać w chwili, gdy usiłował pozbyć się dominikańskiego habitu. Wleczony obok, spostrzegł Reynevana.

– Paniczu Bielau! – zawył. – Nie daj mnie na mękę! Nie daaaaj! Ratuj, paniczuuuuuu!

– Sprzedałeś mnie, Kantor. Pamiętasz? Wydałeś na śmierć jak Judasz. Więc jak Judasz zdechniesz.

– Paniczuuu! Litościii!

– Dawać go tu – Pulpan wskazał na okrwawiony pień.

– Będzie trzeci męczennik. *Omne trinum perfectum!*

Być może zadecydował impuls, jakieś niejasne wspomnienie. Może była to chwilowa słabość, zmęczenie. Może złowione kątem oka pełne głębokiego smutku spojrzenie Samsona Miodka. Reynevan nie do końca wiedział, co skłoniło go do działania, do takiego, a nie innego uczynku. Wyrwał kuszę z rąk stojącego obok Czecha, wycelował, nacisnął spust. Bełt uderzył Kantora pod mostek z taką siłą, że przeszedł na wylot, niemal wyrywając diakona z rąk oprawców. Nie żył, nim upadł na ziemię.

– Miałem z nim – wyjaśnił Reynevan wśród głębokiej i zabójczo martwej ciszy. – Miałem z nim własne porachunki.

– Rozumiem – kiwnął głową Smil Pulpan. – Ale nie

rób, bracie, tego już nigdy więcej. Bo inni mogą nie zrozumieć.

●

Płomienie z rykiem przedarły się przez dach kościoła, krokwie i belki runęły do płonącego wnętrza. Za moment jęły rozpadać się i walić ściany. W niebo uderzył słup iskier i dymu. Czarne szmaty wirowały nad ogniem niczym wrony nad pobojowiskiem.

Kościół Świętej Anny zawalił się doszczętnie. Wśród płomieni czerniał tylko kamienny łuk portalu. Niby brama piekieł.

Jeździec, wpadając na plac, wrył spienionego konia przed hejtmanami Sierotek. Przed Janem Kralovcem, Prokupkiem, Koldą z Żampachu, Jirą z Rzeczycy, Brazdą z Klinsztejna i Matejem Salavą z Lipy.

– Bracie Janie! Brat Prokop zawrócił spod Oławy, przez Strzelin idzie na Rychbach. Wzywa, byście szli tam nie mieszkając!

– Słyszeliście? – Kralovec odwrócił się do swego sztabu. – Tabor wzywa!

– Zamek – przypomniał Prokupek – wciąż jeszcze się broni.

– Jego szczęście. Dowódcy, do oddziałów! Ładować łup na wozy, zganiać krowy! Wymarsz! Idziemy na Rychbach, bracia! Na Rychbach!

●

– Witajcie, bracia! Witaj, Taborze!
– Z Bogiem pozdrawiamy, bracia! Witajcie, Sierotki!

Powitalnym okrzykom nie było końca, radość ze spotkania i euforia ogarnęły wszystkich. Wkrótce Jan Kralovec z Hradku ściskał prawicę Prokopa Gołego, Prokupek obcałowywał kudłate policzki Markolta, Jan Zmrzlik ze Svojszyna klepał po żelaznym naplecezniku Mateja Salavę z Lipy, a Jarosław z Bukoviny stękał w mocarnym uścisku Jana Koldy z Żampachu. Urban Horn ściskał Reynevana, Rzehors Drosselbarta. Cepnicy i strzelcy Sierotek witali się z taboryckimi kopijnikami, slańscy sudlicznicy i nymburscy topornicy obściskiwali chrudimskich kuszników. Witali się woźnice wozów bojowych, ohydnie przy tym klnąc, swym zwyczajem.

Wiatr szarpał powiewające obok siebie chorągwie – tuż przy *Veritas vincit*, hostii i koronie cierniowej Taboru łopotał Pelikan Sierotek, roniący krople krwi do złotego Kielicha. Boży bojownicy wiwatowali, ciskali w górę czapki i hełmy.

W tle zaś płonęło i buchało kłębami czarnego dymu miasto Rychbach, podpalone przez taborytów, opuszczone wcześniej przez ogarniętych paniką mieszkańców.

Prokop, z ręką wciąż na ramieniu Jana Kralovca, z pełnym zadowolenia uśmiechem patrzył na formującą się armię. Teraz, w kupie, liczącą ponad tysiąc konnych, więcej niż dziesięć tysięcy piechoty i trzysta naszpikowanych artylerią wozów bojowych. Wiedział, że na całym Śląsku nie ma nikogo, kto byłby zdolny oprzeć się tej sile w polu. Ślązakom pozostawały tylko mury miast. Lub – jak mieszkańcom Rychbachu – ucieczka w lasy.

– Wymarsz! – krzyknął do hejtmanów. – Szykować się do wymarszu! Na Wrocław!

– Na Wrocław! – podchwycił Jarosław z Bukoviny. – Na biskupa Konrada! Wyymaaaarsz!

– Dziś Dzień Wielkanocny! – zakrzyknął Kralovec. – *Festum festorum!* Chrystus zmartwychwstał! Zmartwychwstał prawdziwie!

– *Resurrexit sicut dixit!* – podchwycił Prokupek. – Alleluja!

– Alleluja! Zaśpiewajmy Bogu, bracia!

Z gardeł sierocych cepników i taboryckich kopijników wyrwała się i uderzyła aż pod niebiosa gromowa pieśń. Wnet zawtórowali im potężnymi głosy sudlicznicy z Chrudimia, pawężnicy z Nymburka, kusznicy ze Slanego.

Buóh všemohúcí
vstal z mrtvých žádúcí!
Chvalmež Boha s veselím,
to nám všém Písmo velí!
Kyrieleison!

Podejmując marsz, śpiew podchwycili oszczepnicy Zygmunta z Vranova, pancerni Zmrzlika, po nich woźnice wozów bojowych, lekka jazda Koldy z Żampachu, jeźdźcy Salavy, Morawianie Tovaczovskiego. Na końcu, jako straż tylna, jechali z gromkim śpiewem na ustach Polacy Puchały.

> *Chrystus Pan wstał z martwych,*
> *Po Swych mękach twardych,*
> *Stąd mamy pociech wiele,*
> *Chrystus nasze wesele!*
> *Zmiłuj się, Panie!*

Kurz wstał chmurą nad wrocławskim traktem. Zostawiając za sobą dopalający się Rychbach, taborycko-sieroca armia Prokopa Gołego szła na północ. W stronę ciemniejącej na horyzoncie, okutanej chmurami Ślęży.

> *Jezukriste, vstal si,*
> *nám na příklad dal si,*
> *že nám z mrtvých vstáti,*
> *s Bohem přebývati.*
> *Kyrieleison!*

Pożary w mieście jeszcze szalały, podgrodzie natomiast wypaliło się niemal zupełnie, dymiło tylko, migotało gasnącymi płomykami na zwęglonych belkach i słupach. Słysząc, że śpiew husycki zamiera w oddali, ludzie zaczęli wyłazić z ukryć, wychodzić z lasów, schodzić ze wzgórz. Rozglądali się, przerażeni, płakali, patrząc na zagładę swego miasta. Ocierali z twarzy sadze i łzy. I śpiewali. Była wszak Wielkanoc.

> *Christ, der ist erstanden*
> *von der marter alle*
> *des sull wir alle fro sein*
> *Christ sol unser trost sein.*
> *Kyrieleyson!*

Wyszli z ukryć i zeszli z góry Winnik mnisi franciszkanie. Szli, płacząc i śpiewając, ku spalonemu miastu. Była Wielkanoc.

> *Christus surrexit*
> *Mala nostra texit*

Et quos dilexit
Hoc ad celos vexit
Kyrieleison!

Armia Prokopa Gołego maszerowała na północ. Kurzawa ognia i słupy dymu wzbiły się znad wsi, palonych przez podjazdy Salavy i Fedka z Ostroga. Jasnoczerwonym ogniem ekspolodowały strzechy Uciechowa. Zapłonęły Praus, Harthau i Rudelsdorf. Wkrótce cały niemal horyzont stał w ogniu.

Była Wielkanoc.

Boży bojownicy maszerowali na północ. Ze śpiewem na ustach.

Všichni světí, proste,
nám toho spomozte,
bychom s vámi bydlili,
Jezukrista chválili!
Kyrieleison!

Była Wielkanoc. Chrystus prawdziwie zmartwychwstał.

Pożoga ogarniała kraj.

Rozdział dwudziesty pierwszy

w którym różne osoby – z różnych perspektyw – obserwują, jak też sobie poczyna historia. A historia, zerwawszy się z łańcucha, poczyna sobie jak cholera. I pokazuje, co potrafi.

– Biedna ziemia śląska.

– Przeklęta ziemia śląska!

Usytuowany w bliskości Środy, położony nad rzeczką Średzką Wodą obóz uchodźców był potwornie zatłoczony, pękał wręcz w szwach. Zwykle rotacja przychodzących i odchodzących pozwalała jakoś egzystować, ale dziś Dzierżka de Wirsing była wręcz przerażona perspektywą pojawienia się nowych zbiegów.

Odetchnęła, gdy zaczęło zmierzchać – nocą rzadko ktoś przybywał, a wiedziała, że sporo ludzi planuje wymarsz o brzasku. Husyci odeszli. Poszli na południe, traktem wiodącym na Kostomłoty, Strzegom, Bolków i Landeshut. Może wrócili do Czech? Za dnia nie czerniły już nieba dymy, nocą nie rozświetlały go łuny. Ludzie mieli dość tułaczki, chcieli wracać. Do pogorzelisk. Do doszczętnie spalonych miasteczek i wsi. Do Sobótki, Gniechowic, Górki, Frankenthalu, Arnoldsmühle, Woskowic, Rakoszyc, Słupa. I wielu, wielu innych, o nazwach brzmiących obco. I obojętnie.

Ryczał wół, meczała koza. Gdzieś przy wozach zapłakało dziecko, obok Dzierżki przeszła szybkim krokiem Elencza von Stietencron. Skończywszy wraz z innymi pracę w kuchni, Elencza nie poszła wraz z innymi, by wyspać się i wypocząć. Elencza, wydawało się, nie odpoczywa nigdy. Od siedmiu dni, w czasie których Dzierżka de Wirsing wspierała obóz organizacyjnie i finansowo, Elencza odpoczywała tylko na kategoryczny rozkaz. Dzierżka nie lubiła być wobec Elenczy kategoryczna. Widziała, jak dziewczyna na to reaguje. Widziała to pierwszego dnia, gdy Elencza Stietencron przybyła do Skałki na kasztanie Tybalda Raabe. Gdy Dzierżce ubzdurało się, że wie, jakim sposobem najskuteczniej wyrwać dziewczynę z otępienia i apatii.

– Biedna ziemia śląska – powtórzył grubawy wrocławianin, handlarz, którego nawet najazd nie powstrzymał przed ruszeniem na drogi z wózkiem pełnym towaru.

– Przeklęta ziemia śląska – powtórzył młynarz z Marcinkowic.

Zebrani wokół ogniska uciekinierzy – coś w rodzaju samorzutnie uformowanej starszyzny obozu, ludzie o niedającym się skryć autorytecie – pokiwali głowami, pomruczeli. Dzierżka była w tym gronie jedyną kobietą. Przeważali poważni wieśniacy o twarzach i posturach naturalnych przywódców. Oprócz grubawego wrocławianina byli jeszcze młynarz z położonych aż pod Brzegiem Marcinkowic, dzierżawca skądś spod Kątów, dwaj żołdacy w barwach zatartych przez kurz licznych dróg i karczmarz z Górki. Był – i bardzo się przydawał – cyrulik z Sobótki. Był mnich minoryta z klasztoru średzkiego, jeden ze starszych, młodsi bez wytchnienia uwijali się przy chorych i rannych. Był Żyd, niewiadomo skąd. Był rycerz. Z tych raczej biednych, ale i tak budzący sensację swą obecnością.

– Dwakroć – prawił grubawy handlarz – cierpła nam

we Wrocławiu skóra. Raz pierwszy, to było we czwartek przed Niedzielą Palmową, gdy splądrowawszy Brzeg i spaliwszy Ryczyn stanęły główne siły husytów pod Oławą. Dobrze widać było łuny i dymy, wiatr smród pogorzelisk donosił. A z Oławy do Wrocławia czapką przecie dorzucisz... Mury niby miasto ma mocne, na nich puszki, zbrojnych mnogo, a skóra cierpła... Ale Bóg ustrzegł. Odeszli.

– Nie na długo – zauważył jeden z żołdaków.

– Ano nie. Ledwo co odetchnęlim, usłyszawszy, że zawraca Prokop ku Strzelinowi, ledwo niespokojną Wielkanoc odświętowalim, aż tu znowu dzwony biją na wszystkich dzwonnicach. Husyci wracają! Idą jeszcze większą potęgą. Złączywszy się z onymi Sierotkami piekielnymi, palą Rychbach, palą Sobótkę, drogi czarne od uciekinierów. A w piątek przed niedzielą *Misericordiae* znowu widzim z murów dymy, tym razem na zachodzie: to palą się Kąty. Grucha wieść, że pod Środą wielki obóz, że do szturmu Prokop się gotuje. Znowu dzwony biją, niewiasty z dziećmi uciekają do kościołów...

– Ale i tym razem się wam udało – rzekła Dzierżka. – Szturmu nie było, jak wszyscy wiemy. Dwa dni później, w niedzielę *Misericordiae* właśnie, odeszli Czesi.

– Odeszli – potwierdził drugi żołdak – w kierunku na Strzegom. Wszyscy myśleli, że uderzą na Świdnicę. Ale nie uderzyli. Ulękli się widać fortalicji...

– Nie dlatego – zaprzeczył rycerz. – Świdnica już rok temu zawarła z husytami tajny układ. Dzięki temu ocalała.

– I siedział sobie – rzekł z przekąsem młynarz z Marcinkowic – za świdnickimi murami pan starosta Kolditz, siedział bezpiecznie i błogo. Co mu tam, że cały kraj płonie i krwią spływa. Jemu nic nie będzie, on się ułożył. Tfu!

Czas jakiś panowała cisza. Przerwał ją karczmarz z Górki.

– Spod Strzegomia – powiedział – ruszyli husyci na zachód. Jawor minęli, nie napadając. Ale Świerzawę złupili i puścili z dymem. Do cna splądrowali i spalili Dobków, folwark mnichów lubiąskich. I poszli dalej, na Złoto-

ryję. A dzisiam na gościńcu znajomka spotkał. Gadał, że Złotoryja spalona. Pechowe miasto. Już drugi raz je husyci palą. A Prokop i Sierotki ciągną pono na Lwówek...
– Nieaktualne to wieści – wtrącił cyrulik z Sobótki. – Ja też uciekinierów wypytywałem. Husyci doszli pod Lwówek tydzień temu, we czwartek, ale Bobru nie przekroczyli. Łużyckie zaś rycerstwo, żelaźni panowie, co na Śląsk z odsieczą mieli iść, zlękli się, tchórzliwie zemknęli na lewy brzeg, jak myszy pod miotłą tam siedzą. Nie przybędą nam Łużyczanie z pomocą. Samiśmy, dzieci. Biedna ziemia śląska!
– Przeklęta ziemia śląska.
Zaryczał wół, rozszczekał się pies. Zapłakało kolejne dziecko. Elencza odwróciła głowę, ale iść nie mogła. Kilkuletniego chłopca właśnie uspokajała na ręku, niewiele starsza dziewczynka czepiała się jej spódnicy. Elencza westchnęła, pociągnęła nosem. Dzierżka przypatrywała się jej spod rzęs. Nigdy nie rodziła, nigdy nie miała własnych dzieci, ale nigdy tego nie żałowała, nigdy nie stanowiło to problemu. Do dziś nigdy, pomyślała w nagłym przestrachu, chłodem obejmującym pierś i ściskającym gardło.
– Cała nadzieja w tym – odezwał się wrocławianin – że rejza trwa już a trwa. Husyci umęczeni muszą być, obciążeni łupem nabranym...
– Nuży jeno klęska – rzekł rycerz. – Nogi mdleją pod tymi, co uciekają, tylko unoszony w ucieczce dobytek do ziemi przygina. Wiktoria sił dodaje, zdobycz jak piórko jest lekką! Kto zwycięża, temu płuży! Ich konie jedzą pszenne ziarno z naszych spichrzy, nasze popiół wąchają. Ale prawdać, że wojują już czas jakiś. Znad Bobru blisko do karkonoskich przełęczy, blisko do Czech. Da Bóg, odejdą.
– Na jak długo? – uniósł się młynarz z Marcinkowic. – Wszak uznali, żeśmy słabi, że im w polu nie dostoim. Że ducha w nas nie ma! Że nie ma nas kto w bój wieść! Że śląscy rycerze na sam widok husytów nogi za pas biorą, jak zające pierzchają! Ba, pierzchają książęta! Co uczynił Ludwik Brzeski? Bronić mu było miasta, ludzi bezbronnych, poddanych swych. Gdy ich daninami uciskał, mówi-

li: „Nic to, płacim krwawicą, ale za to obroni nas dobry nasz pan, gdy przyjdą termina". A co dobry pan uczynił? Uciekł tchórzliwie, wydał Brzeg na pastwę najeźdźcy. Splądrowali gród husyci do cna, kościół farny spalili, a kolegiatę Świętej Jadwigi w stajnię zamienili, bluźniercy!

– I za coś takiego – pokręcił głową cyrulik z Sobótki – nie razi ich piorun z jasnego nieba, nie spada na nich gniew Boży. I jak tu nie wątpić... Hmm... Chciałem rzec: ciężko nas Bóg doświadcza...

– Trzeba panom będzie – odezwał się niespodzianie Żyd – do tego doświadczania przywyknąć... Aj, ja panom mówię, że to tylko z początku trudne. Z czasem się przywyka.

Czas jakiś panowała cisza. Przerwał ją rycerz.

– Wracając – powiedział – do księcia Ludwika, to iście prawda, nie po rycersku postąpił, Brzeg wydając husytom na łaskę i niełaskę. Nie po rycersku i nie po książęcemu. Ale...

– Ale nie on jeden, toście chcieli rzec? – przerwał ze złym grymasem młynarz. – Prawiście! Bo inni też plecy wrogu pokazywali, honor plamiąc. Gdzieżeś, o gdzieżeś, książę Pobożny Henryku, coś radziej poległ, nim z pola uszedł!

– Chciałem rzec – zająknął się lekko rycerz – że siła zdradą husyci dokazali. Zdradą i propagandą. Rozpuszczaniem wieści fałszywych, paniki sianiem...

– A ona zdrada skąd? – zadał nagle pytanie mnich minoryta. – Czemu jej ziarno tak skoro kiełkuje i bujnie kwitnie, czemu na nią urodzaj taki? Wielmoże i rycerze bez walki poddają twierdze i zamki, przechodzą na stronę wroga. Chłopi garną się do husytów, służą im za przewodników, wskazują i wydają na śmierć księży, mało, sami napadają klasztory, grabią kościoły. Nie brak apostatów i wśród duchownych. I nie masz, nie masz książęcia, co jak Henryk Pobożny *pro defensione christiane fidei* walczyć i polec byłby gotów. Dlaczego tak jest, zastanowić by się. Skąd to wypływa?

– Może stąd – odezwał się basowo jeden z wieśniaków, potężne chłopisko z bujną czupryną. – Może stąd, że to nie z Saraceny, nie z Turki bić się przyszło, ni z onymi Tartary, co ziemię śląską za naszych pradziadów najechali. Tamci czarni pono byli, czerwonoocy, ogniem z gęby ziali, diabelskie znaki nieśli, czary sprawiali i piekielnymi smrody naszych dusili. Czyja moc ich wiodła, wraz odgadłeś. A ninie? Nad czeskim wojskiem monstrancje, na puklerzach hostie i słowa bogobojne. W marszu Bogu śpiewają, przed bojem na kolanach się modlą, komunię przyjmują. Bożymi bojownikami się zwą. Może więc... Może...

– Może Bóg po ich stronie? – dopowiedział z krzywym uśmiechem zakonnik.

Jeszcze rok temu, pomyślała Dzierżka wśród martwej ciszy, jaka zapadła, jeszcze rok temu nikt nawet pomyśleć czegoś takiego nie odważyłby się, co dopiero powiedzieć. Zmienia się świat, zupełnie odmienia. Dlaczego jednak tak jest, że świat zawsze musi odmieniać się wśród rzezi i pożogi? Zawsze, niczym Poppea w mleku, musi celem odnowy kąpać się w krwi?

•

– Zaczynam – ogłosił siedzący na stopniach ołtarza Szarlej. – Zaczynam aktywniej popierać naukę Husa, Wiklefa, Payne'a i reszty husyckich ideologów. Kościoły faktycznie należy zacząć zamieniać... No, może nie od razu na stajnie, jak brzeską kolegiatę, ale na domy noclegowe. Patrzcie tylko, jak tu miło. Na głowę nie pada, nie wieje, pcheł na lekarstwo... Tak, Reinmarze. Jeżeli o kościoły chodzi, przechodzę na twoją religię, rozpoczynam nowicjat. Możesz traktować mnie jako kandydata na członka.

Reynevan pokręcił głową, dorzucając drew do ogniska, które wraz z Berengarem Taulerem rozpalili pośrodku nawy głównej. Samson westchnął. Siedział opodal, czytając przy świeczniku księgę, wygrzebaną z piętrzącego się pod amboną stosu. Kiedy kościół łupiono, na księgi nikt się nie połaszczył. Pożytek z nich był wszak żaden.

– W kościele sam luksus – Drosselbart wyłamał z empory w prezbiterium kolejną deskę. – Drew na ogień nie brak. Można palić choć do lata.

– I zjeść jest co – dodał Bisclavret, rwąc zębami znalezioną w zakrystii suchą jak wiór kiełbasę. – Prawda, wychodzi, co mówią: *qui altari servit, ex altari vivit.*
– I naczynie się zawsze jakieś znajdzie do picia – Rzehors uniósł napełniony zdobycznym winem mszalny kielich. – Nie to, co jak pies chłeptać z beczki... I poczytać sobie można... Prawda, Samsonie? Samsonie!
– Słucham? – podniósł głowę olbrzym. – Ach, tak... Nie uwierzycie, w tym oto łacińskim dziele znalazłem zdanie po polsku. A dzieło pochodzi z roku 1231, z czasów Henryka Brodatego. Na stronie tytułowej, proszę, data: *Anno verum Millesimo CCXXXI*, pod spodem zaś napisano jak wół: *benefactor noster Henricus Cum Barba Dei gratia dux Slesie, Cracouie et Poloniae...*
– Jak brzmi – zainteresował się Drosselbart – owo polskie zdanie?
– Pomny myla pani – odczytał Samson Miodek – naszy mylowani, wyerne serdce boley przydaci co letom kwyetu bywaci.
– Idiotyzm.
– Prawda.
– I rym do dupy.
– Też prawda.
Od strony kruchty rozległy się i echem rozbrzmiały kroki, szczęk, stuk, gwar podnieconych głosów. Mrok rozjaśniły pochodnie i łuczywa, w ich świetle dało się rozpoznać wchodzących do kościoła. Szarlej zaklął. Odwiedził ich, okazywało się, Peszek Krejczirz, kaznodzieja Sierotek, jeden z podwładnych Prokupka. Za Krejczirzem szło kilku uzbrojonych wyrostków. Szarlej zaklął ponownie.
Tak wojsku Taboru, jak i Sierotkom zawsze towarzyszyły w pochodach kobiety, zajmujące się głównie aprowizacją i kuchnią, czasem pielęgnacją rannych i chorych. Kobiety, w większości wdowy, brały ze sobą dzieci. Z tych bardziej wyrośniętych z czasem wyłoniła się charakterystyczna dla armii husyckich formacja – oddziałki wyrostków. Chłonąc w marszach wiejskich pastuchów i miejskich uliczników, oddziałki te rosły szybko. Szybko stały się też armijnymi maskotkami i beniaminkami, faworyzo-

469

wanymi i rozpieszczanymi przez wszystkich pupilkami. Poczuwszy status i przewagę, kochane pacholątka rozzuchwaliły się potwornie. Propaganda husycka, kreując ich na „Boże dzieci nowego porządku", krzewiła i podsycała w szczeniakach fanatyzm i okrucieństwo, a ziarno takie – jak u każdej dzieciarni – padało na niezwykle podatny grunt. Powszechnie nazywano wesołą trzódkę „procarzętami", uzbrojono ich bowiem głównie w proce, uliczniczą i pastuszą broń. Reynevan nie widział jednak nigdy, by procarzęta użyły proc w boju. I by w ogóle walczyły. Widział natomiat szczeniaków w innych okolicznościach. Po bitwie pod Usti „Boże dzieci" wykłuwały powalonym Sasom oczy, dźgając zaostrzonymi patykami w szpary hełmów. Teraz, niedawno, w Głuchołazach, pod Nysą, w Bardzie, we Frankensteinie i w Złotoryi ranni byli bici, kopani, kamienowani, kaleczeni, polewani ukropem i wrzącym mlekiem.

– Cóż to? – spytał surowo Krejczirz, wskazując na mszalny kielich, z którego popijał Rzehors. – Łamiesz prawo, bracie? Kary prosisz? Łup do wspólnych ma być kładzion kadzi! Kto by choć drobnostkę zatrzymał, ten karan będzie! Zgodnie z Pisma Bożego literą! Akan, syn Zeracha z pokolenia Judy, co z łupu należnego Bogu płaszcz i złoto skradł, palon był i kamienowan w dolinie Achor!

– Toć to jeno posrebrzany mosiądz... – bąknął Rzehors. – Ale dobra, oddam, bierzcie.

– A to? – kaznodzieja wyrwał z ręki Samsona księgę. – Co to jest? Nie wiesz, bracie, że nadchodzi Nowa Era? Że ksiąg w Nowej Erze nie trza będzie ani pisania nijakiego, bo zakon Boży będzie wypisany w sercach? A stary świat niech w ogniu zginie!

Księga z polskim zdaniem z roku 1231 poleciała do ogniska.

– Niech zginie świat stary! A jego kłamana mądrość razem z nim! Precz! Precz! Precz!

Przy każdym okrzyku w płomienie leciała księga. Poleciał do ognia jakiś *Tractatus*..., jakiś *Codex*... i jakaś *Cronica sive gesta*... Samson stał z opuszczonymi rękami, uśmiechał się. Reynevanowi bardzo nie podobał się ten uśmiech. Krejczirz zaś otrzepał dłonie z kurzu, wyrwał jednemu z procarząt okutą i naćwieczoną wekierę, rozejrzał się, wszedł w nawę boczną. Dostrzegł obraz. *Adorację Dzieciątka*.

– Nowa Era! – wrzasnął. – Wyrzuci człowiek kretom i nietoperzom bożki srebrne i bałwany złote! Mówi Bóg: odwróćcie się od swoich bożków, od wszystkich swoich obrzydliwości się odwróćcie!

Zamachnął się, maczuga z trzaskiem zdruzgotała malowaną deskę. Jeden z wyrostków zaśmiał się głupawo.

– Nie będziesz czynił – ryczał kaznodzieja, waląc wekierą kolejne malowidła – żadnego obrazu! Tego, co jest na niebie wysoko! Ani tego, co jest na ziemi nisko! Ani tego, co jest w wodach pod ziemią!

Poszło w drzazgi *Wygnanie z raju*, spadł ze ściany rozłupany tryptyk *Zwiastowania*, rozpękł się przez pół *Pokłon trzech króli*. Pękła na szczapki *Święta Jadwiga*, świetlista i mglista, jakby spod pędzla Mistrza z Flemalle. Krejczirz walił bez opamiętania, aż echo szło po kościele. W szale ogrzmocił jeszcze ścienne polichromie, obtłukł twarzyczki cherubinków na fryzie pilastru. I wtedy dostrzegł rzeźbę. Pomalowaną drewnianą figurę. Wszyscy ją dostrzegli. I zamarli.

Stała, lekko skłoniwszy głowę, zebrawszy drobnymi dłońmi drapowaną szatę, której każda wyrzeźbiona fałda śpiewała hymn dla kunsztu snycerza. Przegiąwszy się lekko, acz dumnie, jakby chcąc uwydatnić powiększony brzuch, Madonna brzemienna patrzyła na nich rzeźbionymi i malowanymi oczami, a w oczach tych były *Gratia* i *Agape*. Madonna brzemienna uśmiechała się, a w uśmiechu tym artysta wyrzeźbił wielkość, chwałę, nadzieję, jasność świtu po czarnej nocy. I słowa *magnificat anima mea Dominum*, wypowiadane cicho i z miłością.

Magnificat anima mea Dominum.

Et omnia quae intra me sunt.

– Żadnej rzeźby! – zaryczał Krejczirz, wznosząc wekierę. – Ani posągu! Ukarzę bożki Babilonu!

Nikt nie wiedział, jakim sposobem Samson nagle znalazł się przed figurą, między nią a kaznodzieją. Ale znalazł się tam i był tam, broniąc dostępu rozpostartymi w znak krzyża rękoma. Co on czyni, pomyślał Reynevan, widząc przerażoną minę Taulera i zastygłą w grymasie rezygnacji twarz Szarleja. Co on czyni najlepszego? Występować przeciw kaznodziei Sierotek to samobójstwo... Zresztą Krejczirz ma w zasadzie słuszność... W Nowej Erze nie będzie się oddawać czci idolom ani posągom, nie będzie się bić przed nimi czołem. Ryzykować dla jakiejś figury, wystruganej z lipowego pniaka? Samsonie...

Kaznodzieja cofnął się o krok, zaskoczony. Ale szybko ochłonął.

– Bożka zasłaniasz? Bałwana bronisz? Drwisz ze słów Biblii, bluźnierco?

– Zniszcz coś innego – odrzekł spokojnie Samson. – Tego nie wolno.

– Nie wolno? Nie wolno? – Krejczirzowi piana wystąpiła na wargi. – Ja ci... Ja ci... Dalejże, dzieci! Na niego! Bij!

W mgnieniu oka, błyskawicznie, obok Samsona stanął Szarlej, obok Szarleja Tauler, obok nich Drosselbart, Rzehors i Bisclavret. I Reynevan. Sam nie wiedząc, kiedy, jak i dlaczego. Ale stał obok. Zasłaniał. Samsona. I rzeźbę.

– To tak? To tak, heretycy? – wrzasnął Krejczirz. – Bałwochwalcy? Nuże, dzieci! Na nich!

– Stać – rozległ się od strony kruchty dźwięczny i władczy głos. – Stać, powiedziałem.

Razem z Prokopem Gołym do kościoła weszli Kralovec, Prokupek, Jarosław z Bukowiny, Urban Horn. Ich kroki, gdy szli nawą, dudniły i dzwoniły, budziły groźne echa. Pochodnie rzucały złowrogie cienie.

Prokop zbliżył się, szybkim i surowym spojrzeniem zlustrował i ocenił sytuację. Pod jego wzrokiem procarzęta pospuszczały głowy, nadaremnie starając się wszystkie ukryć za połami Krejczirza.

– A bo to, bracie, tak... – bąknął kaznodzieja – Jest tak, że ci tu...

Prokop Goły przerwał mu gestem. Dość stanowczym.

– Bracie Bielawa, bracie Drosselbart – podobnym gestem przyzwał obydwu. – Pozwólcie, mus przed wymarszem obgadać pewne sprawy. Ty zaś, bracie Krejczirz... Idź sobie stąd. Idź i...

Urwał, spojrzał na rzeźbę.

– Zniszcz coś innego – dokończył po chwili.

●

Ryczał wół, meczała koza. Dym snuł się nisko, płynął ku oczeretom nad rzeczką. Jęczał i stękał ranny, dopiero co pozszywany przez cyrulika z Sobótki. Wśród uchodźców jak duchy snuli się minoryci, wypatrując objawów możliwej zarazy. Bóg ich zesłał, tych mnichów, pomyślała Dzierżka. Znają się na zarazie, wypatrzą, gdyby co. I nie boją się. Gdyby co, nie uciekną. Nie oni. Oni nie znają lęku. W nich wciąż żyje skromne i ciche męstwo Franciszka.

Noc była ciepła, tchnęła wiosną. Ktoś obok modlił się głośno.

Śpiąca na podołku Dzierżki Elencza poruszyła się, zajęczała. Jest zmęczona, pomyślała Dzierżka. Jest wycieńczona. Dlatego śpi tak niespokojnie. Dlatego męczą ją koszmary.

Znowu.

●

Elencza jęknęła przez sen. Śniły się jej walka i krew.

●

W polu złotym tur kroczący czarny, myślał Reynevan, patrząc na wpół utopioną w błocie tarczę. Taki herb fachowo blazonuje się: *d'or, au taureau passant de sable.* A ten drugi herb, na tej drugiej tarczy, ledwie widoczny spod zakrzepłej krwi, ten z czerwonymi różami na srebrnym skośnym pasie, blazonuje się: *d'azur, à la bande d'argent, chargée de trois roses de gueules.*

Nerwowym ruchem otarł twarz.

Taureau de sable, tur czarny, to rycerz Henryk Baruth. Ten sam Henryk Baruth, który przed trzema laty lżył mnie, bił i kopał na ziębickim turnieju. Teraz to jemu się dostało – cios żelaznym bijakiem cepa tak spłaszczył i zdeformował armet, że wyglądu głowy w środku lepiej było sobie nie wyobrażać. Husyci obłuskali poległego rycerza z bawarskiej zbroi, ale pogiętego hełmu nie ruszyli. Baruth leżał więc teraz sobie jak jakaś monstrualna groteska, w gaciach, koszuli, w czepcu kolczym, w hełmie i w kałuży krwi, jaka spod hełmu się wylała.

Trzy róże zaś, *trois roses*, to Krystian Der, syn Walpota Dera z Wąwolnicy. Bawiłem się z nim w dzieciństwie, w zagajnikach za Balbinowem, nad Żabimi Stawami, na powojowickich łąkach. Bawiliśmy się w rycerzy Okrągłego Stołu, w Zygfryda i Hagena, w Dytryka i Hildebranda. A później wespół biegaliśmy za wąwolnicką młynarzówną, słusznie mniemając, że któremuś z nas wreszcie pozwoli sięgnąć ręką tu i tam. Potem Peterlin poślubił Gryzeldę von Der, a Krystian został moim szwagrem... A teraz leży w czerwonym błocie, patrzy w niebo zeszklonym okiem. I jest tak martwy, że bardziej nie można.

Odwrócił wzrok.

Wojna to rzecz bez przyszłości, a wojaczka rzecz bez perspektyw, twierdził Berengar Tauler. Z zawieruchy wojennej zrodzi się Nowy Wspaniały Świat, dowodził – nieszczerze i za mamonę – Drosselbart. Dnia dwudziestego miesiąca kwietnia Roku Pańskiego 1428, we wtorek, we wsi Moczydło, rozwiały się nadzieje obydwu. Taulera – na przyszłość i perspektywy, Drosselbarta – na cokolwiek miał.

Do Moczydła kazał im jechać Prokop Goły. Z agitacją. Obaw, by ktokolwiek na Śląsku próbował jeszcze formować z chłopów piechotę, raczej nie było, Prokop wolał jednak dmuchać na zimne. Pod Nysą, kręcił wąs, dobrze zaagitowani chłopi uciekli, nim doszło do starcia. Trzeba więc agitować dalej. Z myślą o przyszłych starciach.

Wyruszyli rankiem, dziesiątką konnych i jednym wozem bojowym. Konnych przydzielił kniaź Fedko z Ostroga, byli to, jak większość kniaziowej drużyny, Węgrzy i Słowacy. Wóz, czterokonny, jak to bojowy, należał do nymburczyków Otika z Lozy i miał standardową raczej obsadę: hejtmana wozowego, dwóch woźniców, czterech kuszników, czterech strzelców z piszczałami i pięciu ludzi zbrojnych w cepy, glewie i sudlice. Razem jechali Drosselbart jako agitator, Rzehors jako pomocnik agitatora, Reynevan jako pomocnik pomocnika, Szarlej jako pomocnik Reynevana, Berengar Tauler jako zbytek łaski i Samson jako Samson.

Konni Węgrzy, pogardliwie zwani przez Czechów „Kumanami", spędzili mieszkańców Moczydła na majdan, po czym szybko rozjechali się między chałupy, by swym obyczajem spróbować coś ukraść, a może i zgwałcić. Kumańskie obyczaje były w husyckiej armii surowo tępione, toteż Madziarzy Ostrogskiego ośmielali się używać sobie tylko cichcem, na dalekich wypadach, gdy nikt nie widział. Hejtman wozowy uznał, że widzieć mu się nie chce. Również jego podkomendni całą aktywność obrócili na senne pogwarki, drapanie się w tyłki i dłubanie w nosach.

Drosselbart, wlazłszy na wóz, agitował. Kazał. Że to, co się właśnie wokół dzieje, to wcale nie wojna i nie łupieżczy najazd bynajmniej, ale bratnia pomoc i misja pokojowa, a wszelkie orężne akcje Bożych bojowników wymierzone są wyłącznie przeciwko biskupowi wrocławskiemu, który jest łotr, ciemiężyciel i tyran. Bynajmniej nie przeciw śląskiem ludowi pobratymczemu, bo my, Boży bojownicy, lud śląski kochamy wielce, dobro ludu śląskiego nam na sercu leży. Tak leży, że jeju-jeju, i tak nam dopomóż Pambu.

Drosselbart kazał z wielkim zapałem, sprawiał wrażenie, że sam wierzy w to, co mówi. Reynevan oczywiście wiedział, że Drosselbart nie wierzy, że mówi to, co kazali mu mówić Prokop i Markolt. Jak ludzie z pozoru rozsądni, dziwił się Reynevan, mogą mniemać, że ktokolwiek uwierzy w tak grubo szyty i tak oczywisty bzdet, jak ta „misja pokojowa"? W coś takiego nie ma wszak prawa uwierzyć nikt, kto ma w głowie choćby krztynę oleju. Nawet kmiot, któremu życie upływa na przerzucaniu gówna z jednej kupy na drugą, nie da wiary czemuś takiemu. Teorii Szarleja, że w odpowiednio długo powtarzaną bzdurę uwierzą wszyscy, Reynevan nie akceptował.

Drosselbart skończył pierwszą agitkę, zaczął drugą.

O nadchodzących Nowych Czasach. Twarze chłopów, przy „misji pokojowej" kamienne, nagle się ożywiły. Nowe Czasy, w przeciwieństwie do „misji pokojowej", miały dla wieśniaków kilka interesujących aspektów.

– W ów czas nie będzie na ziemi żadnego ludzkiego królowania ani panowania, ani poddaństwa, ustanie wszelka pańszczyzna i dań. Znikną królowie, książęta, prałaci, a wszelkie zdzierstwo biednego ludu ustanie. Chłopi nie będą czynszów swym panom płacili ani im służyli, ale ich będą zagrody i stawy, i łąki, i lasy...

Przypadłyby chłopom pewnie i gaje, i zagajniki, ale litanię Drosselbarta brutalnie przerwano. Bełtem z kuszy, wystrzelonym z pobliskiego lasku. A nim ugodzony prosto w brzuch chudzielec spadł z wozu, z lasku wygalopował oddział konnych. I runął na nich szarżą tak błyskawiczną, że niewiele zdołali począć.

Część nymburskich zwyczajnie uciekła, wzięła nogi za pas, usiłując – wzorem chłopów – znaleźć schronienie wśród chałup, kleci i opłotków. Posieczono ich w ucieczce. Resztę otoczono na wozie i wokół niego. I zaczęła się rąbanina. Berengar Tauler był jednym z pierwszych, który padł. Reszta taborytów biła się jak diabły, wraz z nimi Reynevan, Szarlej, Rzehors i Samson, czyniący spustoszenie swym gudendagiem. Było jednak z nimi całkiem krucho, nie przetrwaliby, gdyby nie cwałem wypadający zza chat „Kumanowie". Bitka odsunęła się od wozu, przeniosła bliżej krajów majdanu, zamieniła w konną gonitwę i pojedynki.

– Tam... – stęknął Rzehors, wyłażąc spod wozu i wciskając Reynevanowi kuszę. – Widzisz go? Tego na siwku, z turem na tarczy? To dowódca... Ja mam przetrąconą rękę... Strzelaj, Reinmarze...

Reynevan chwycił kuszę, dla pewności podbiegł bliżej, strzelił. Bełt z głośnym brzękiem odbił się od pogrubionego naramiennika. A rycerz zwrócił na niego uwagę. Zaryczał z głębi przyłbicy, mieczem wskazał Reynevana drugiemu konnemu, skoczyli ku niemu obaj, pełnym cwałem.

Szarlej porwał z ziemi piszczałę – bez lontu. Samson spostrzegł to, zręcznie rzucił mu głownię z roztrąconego kopytami ogniska. Demeryt równie zręcznie złapał tlące się drewno, okręcił się, wymierzył spod pachy. W cyntlochu szczęśliwie ostał się proch, huknęło, z lufy rzygnął ogień i dym, atakujący jeździec wyleciał z kulbaki jak z procy, prosto pod kopyta koni ścigających go Madziarów. Drugi rycerz, ten z turem w herbie, zawisł nad Reynevanem z mieczem wzniesionym do cięcia, nagle wyprężył się, wypuścił miecz i trzęle – to jeden z nymburczyków wraził mu sudlicę pod pachę. Drugi podbiegł z cepem, rąbnął, aż zahuczało, spod rozgniecionego jak suchy strąk armetu trysnęła krew.

– Daliśmy im! – powtarzał hejtman wozowy, słaniając się na nogach i ścierając z twarzy cieknącą z czupryny krew. – Daliśmy... Im...

Na majdanie triumfalnie darli się Węgrzy. Uciekających śląskich rycerzy nie ścigał nikt. Zachmurzyło się.

Zabitych Ślązaków było czterech. Husytów poległo pięciu, rannych było dwukrotnie więcej. Zanim trupy wyniesiono za opłotki, pod brzozowy gaj, jeden z rannych umarł. Potrzebny był duży dół.

Berengar Tauler. Drosselbart z Vogelsangu. Henryk Baruth, tur kroczący czarny. Krystian Der, *trois roses de gueules*. Jakiś strzelec konny. Jakiś armiger. Jakiś Adamec, jakiś Zborzil, jakiś Raczek, na których próżno czekać będą w domu jakaś Adamcova i jakaś Raczkova.

– Dajcie mi szpadel – powiedział w ciszy Samson Miodek. – Ja będę kopał.

– Będę kopał – wbił szpadel w ziemię, przydeptał z mocą, wyrwał i odrzucił bryłę ziemi. – Będę kopał w ramach pokuty. Bo zawiniłem! *Iniquitates meae supergressae sunt caput meum!* Poszedłem na wojnę! Z ciekawości! Mogłem powstrzymać innych, nie powstrzymałem. Mogłem nauczać. Mogłem manipulować. Mogłem kopnąć kogo trzeba w dupę! Mogłem wreszcie, mając wszystko gdzieś, siedzieć na Podskalu z Marketą u boku, mogłem wraz z nią milczeć i patrzeć, jak płynie Wełtawa. A ja wyruszyłem na wojnę. Z najniższych pobudek: z ciekawości samej wojny i natury ludzkiej.

– Winien więc jestem śmierci tych, co tu leżą. Winien

będę tych śmierci i tych nieszczęść, które dopiero nastąpią. Dlatego, kurwa, będę kopał ten grób. Z tego dołu, *de profundis, clamo ad te, Domine...* Miserere mei Deus, zmiłuj się nade mną, Boże, w swojej łaskawości. W ogromie swego miłosierdzia wymaż moją nieprawość. Obmyj mnie zupełnie z mojej winy i oczyść mnie z grzechu mojego... Od trzeciego wersu nie recytował sam. Inni też kopali.

•

Dzierżka zadrzemała, obudziły ją podniesione głosy. Poderwała głowę, zmacała wokół siebie rękami, poczuła pod palcami przedramię Elenczy. Dziewczyna szarpnęła głową, zakaszlała sucho.

– Są wieści – mówił stojący wewnątrz kręgu franciszkanin. Habit miał podkasany, na nogach miast trepów jeździeckie buty, widać było, że przycwałował wprost ze Środy, z klasztoru. – Są wieści od naszych braci, lubińskich duchaków.

– Mówże, frater.

– Husyci napadli na Chojnów. W sobotę przed niedzielą *Jubilate.*

– Pięć dni temu – zrachował ktoś szybko. – Chryste, bądź miłościw!

– A książę Ruprecht?

– Jeszcze przed atakiem zbiegł z rycerstwem do Lubina. Zostawił Chojnów na zgubę.

•

Kilkugodzinny ostrzał pociskami zapalającymi poskutkował nad podziw. Czerwony kur szalał na dachach domostw, w wielu miejscach płonęły też drewniane hurdycje na murach, ogień spychał z nich obrońców skuteczniej niż ostrzał z kusz, piszczał i taraśnic. Zmuszeni do gaszenia pożarów chojnowianie nie zdołali obronić murów, na które teraz pięło się mrowie husytów – taboryci po obu stronach Bramy Legnickiej, Sierotki na całej niemal długości północnej kurtyny.

Bojowy krzyk i wrzaski wzmogły się nagle. Podpalona i ostrzelana z bombardy Brama Legnicka zatrzeszczała, jedno skrzydło zwisło, drugie runęło w erupcji iskier. Ku bramie z dzikim rykiem puściła się piechota, cepnicy Jana Bleha, za nimi spieszona jazda – Czesi Zmrzlika i Otika z Lozy, Morawianie Tovaczovskiego i Polacy Puchały. Reynevan i Szarlej biegli z tymi ostatnimi. Tym razem nikt im nie bronił walki, wręcz przeciwnie – by zmusić chojnowian do rozciągnięcia obrony, Prokop i Kralovec rozkazali chwycić za broń wszystkim zdolnym do jej noszenia.

Za bramą wpadli wprost w ognistą paszczę pożogi, w wąską uliczkę pomiędzy płonącymi domami. Obrońców, którzy usiłowali stawić w uliczce opór, wyrżnięto w mgnieniu oka, reszta uciekła. Od północy wystrzały cichły, a wrzask narastał, było jasne, że Sierotki sforsowały mur i wdarły się w głąb grodu.

Wypadli na wydłużony rynek, przed nimi wyrosła kamienna bryła kościoła. I wysoka, osnuta dymami wieża. Nim zdążyli pomyśleć, wieża plunęła w nich ogniem i żelazem. Reynevan widział, jak kule i bełty orzą ziemię dookoła, jak dookoła padają ludzie. Wrzask ogłuszał.

Uklęknął. Jednemu rannemu ucisnął rozerwaną bełtem tętnicę szyjną. Obok tarzał się i wył drugi, któremu kula z handkanony urwała nogę poniżej kolana. Trzeci wił się, chlustał krwią z brzucha. Czwarty tylko drgał.

– Wstawaj, Reynevan! Naprzód, pod wieżę!

Nie posłuchał, zajęty krwotokiem, który nadaremnie starał się powstrzymać. Gdy ranny wykrztusił krew i umarł, zajął się tym z urwaną nogą. Darł koszulę na pasy, wiązał, opatrywał. Ranny wył.

Z płonącego domu wypadł mężczyzna z oszczepem, za nim wybiegł wyrostek w nadpalonej odzieży, niosący pieska. Mężczyźnie natychmiast rozwalono głowę cepem. Wyrostka ostrzem spisy przybito do drzwi. Na durch, razem z pieskiem. Wyrostek obwisł na spisie, piesek targał się, skomlał, młócił powietrze przednimi łapami.

Reynevan opatrywał. Pod okutanym w dymy, ziejącym ogniem kościołem kłębili się atakujący. Z wieży wciąż strzelano, kule i bełty świszczały w powietrzu.

– Hyr na niiiiich!

Z bocznej uliczki, gnając przed sobą i kładąc trupem

uciekających w panice chojnowian, wypadły Sierotki, osmalone, czarne jak diabły. Szarlej szarpnął Reynevana za ramię. Zostawił opatrzonego, pobiegł, przeskakując trupy. Na rynku, pod kościołem, było już jednak po walce. Obrońców wieży – w tym sporo kobiet i dzieci – wywleczono z budynku, spędzono pod mur. Był tam Jarosław z Bukoviny, wydawał rozkazy. Dobiegające z południowej strony miasta odgłosy masakry zagłuszały jego głos, ale gest, który wykonał, wątpliwości nie pozostawiał. Jeńców stłoczono, przyduszono do muru. Wyciągano z ciżby po jednym, po dwoje. Rzucano na kolana. I zabijano. Krew lała się strugami, płynęła pienistą rzeką, wypłukując z rynsztoków sieczkę i gnój.

– Litości! Luuudzie! – zawyła rzucona na kolana mieszczka w burej spódnicy. – Za co? Dlaczego? Przez Boga żywe...

Cios maczugi rozłupał jej głowę jak jabłko. Padła bez jęku.

– Ponieważ wołałem, a nie odpowiedzieliście – wyjaśnił stojący obok Prokop Goły. – Przemawiałem, a nie słuchaliście. Dopuściliście się zła w moich oczach i wybraliście to, co Mi się nie podoba. Dlatego przeznaczam was pod miecz; wszyscy padniecie w rzezi.

– Bracia! Boży bojownicy! – wrzasnął Kralovec. – Nie dawać pardonu! Nikogo nie żywić, wszystkich pod nóż! Rżnąć! A miasto spalić! Spalić do gołej ziemi! Niechaj przez sto lat nawet perz tu nie wyrośnie!

Ogień z hukiem wystrzelił ponad dachy Chojnowa. A wrzask mordowanych wzbił się jeszcze wyżej. Wysoko ponad kłębiący się dym.

•

– Spaliwszy Chojnów – relacjonował dalej zakonnik – i wymordowawszy wszystkich mieszkańców, husyci znowu zawrócili, zgorzeleckim traktem poszli na Bolesławiec. Na wieść, że nadciągają, ludność w lasy uciekła, miasto własnymi podpalając rękoma.

– Jezu Chryste... – wrocławski handlarz przeżegnał się, ale zaraz twarz mu pojaśniała. – Ha! Jeśli pociągnął

Prokop na Bolesławiec, zgorzeleckim traktem, znaczy, da nam spokój! Idzie na Łużyce!

– Próżna nadzieja – zaprzeczył minoryta wśród westchnień zebranych. – Prokop spod Bolesławca zawrócił znowu na Śląsk. Uderzył na Lubin.

– Chryste, bądź miłościw! – rozległy się głosy. – *Gott erbarme...*

– Jeszcze wczoraj – mnich złożył ręce – Lubin się trzymał. Stało w ogniu podgrodzie, płonęło także miasto, bo napastnicy pociski ogniste na dachy miotali, ale broniło się dzielnie, odpierało szturmy. Wieści z Chojnowa doszły bez ochyby, wiedzą lubinianie, co ich czeka, gdy ulegną. To i trzymają się.

– Fosa tam głęboka – mruknął starszy żołdak – mury na siedm łokci wysokie, baszt więcej niźli dziesiątek... Zdzierżą. Jeśli duch w nich nie upadnie, zdzierżą.

– Daj to Bóg.

●

Elencza drżała i jęczała przez sen.

●

Dzierżka, mimo przemożnych starań, musiała jednak zadrzemać, ze snu wyrwało ją szarpnięcie. Szarpiącym okazał się jej własny podwładny i pracownik, Sobek Snorbein. Snorbein dowodził grupą koniuchów, z rozkazu Dzierżki objeżdżającą drogi i bezdroża w poszukiwaniu pogubionych i bezpańskich koni, zwłaszcza rasowych ogierów i rycerskich *dextrarii*, dobrego materiału rozpłodowego dla skałeckiej stadniny. Elenczy, która słuchając wydawanych Snorbeinowi poleceń robiła wielkie oczy i mimowolne miny, Dzierżka tyleż krótko, co węzłowato wyjaśniła, że marnotrawienie korzyści jest grzechem, bezinteresowna wielkoduszność dobra jest, ale w dni wolne od pracy, a w ogóle to konie będą do zwrotu, o ile właściciel się znajdzie i zdoła dowieść swych praw. Elencza pytań nie zadawała. Zwłaszcza że krótko po tym Dzierżka zorganizowała obóz uchodźców, poświęcając mu bez reszty tak dni świąteczne, jak i powszednie.

– Pani – Sobek Snorbein nachylił się ku uchu handlarki koni. – Niedobrze jest. Idą Czesi. Zeżgli przedmieścia Ścinawy. Palą się też Prochowice. Husyty idą na Wrocław... Znaczy się, tędy przejdą...

Dzierżka de Wirsing oprzytomniała natychmiast. Wstała sprężyście.

– Kulbacz nasze konie, Sobek. Elencza, wstawaj.

– Co?

– Wstawaj. Idę na chwilę do mnichów, jak wrócę, masz być gotowa. Uciekamy stąd. Husyci idą.

– Konieczny aż taki pośpiech? Stąd do Prochowic...

– Wiem, ile jest stąd do Prochowic – ucięła Dzierżka.

– A pośpiech jest konieczny. Husycki podjazd, wierz mi, może się tu pojawić w każdej chwili. Niektórzy z Czechów...

Urwała, spojrzała na Snorbeina.

– Niektórzy z nich – mruknęła – jeżdżą na cholernie dobrych koniach.

●

– Jezu – westchnął Jan Kralovec. – Pośród morza ten gród stoi, czy jak?

– To Odra i jej odnoga – wskazał na szeroko rozlane wody Urban Horn. – A to Oława, otacza miasto od południa.

– I nieźle broni przystępu – ocenił Jira z Rzeczycy. – Rzekłbyś, murów nie potrzeba.

– Ale są – rzekł Błażej z Kralup. – I to potężne. Baszt też nie brakuje... A co wież kościelnych! Bez mała jak w Pradze!

– Ten pierwszy – wskazał, chwaląc się wiedzą, Horn – to Święty Mikołaj na Szczepinie, a tam, o, Brama Mikołajska. Ten wielki kościół z wysoką wieżą to fara Świętej Elżbiety. A ten drugi, równie okazały, też farny, Marii Magdaleny. Ta wieża to ratusz. Tamten zaś kościół...

– To Święta Dorota – beznamiętnie wpadł mu w słowo nie gorzej widać znający Wrocław Prokop Goły. – A tam, na wyspie Piasek, świątynia Panny Marii. Za Piaskiem jest Ostrów Tumski, na nim kolegiata Świętokrzyska, obok katedra, wciąż w budowie. Tam daleko... Ołbin, wielki klasztor premonstracki. A tam, o, Święta Katarzyna i dominikański Święty Wojciech. Zadowoleni? Już wszystko wiecie? To świetnie, bo z bliska wrocławskich kościołów nie obejrzycie. Przynajmniej nie tym razem.

– To jasne – kiwnął głową Jan Tovaczovsky z Cimburka. – Byłoby szaleństwem uderzyć na miasto.

– Człowieku małej wiary! – skrzywił się i splunął Prokupek. – Gdyby Jozue myślał jak ty, Jerycho stałoby po dziś dzień! To moc Boga obala mury...

– Ostawcie Boga – przerwał spokojnie Dobko Puchała.

– Jerycho czy nie Jerycho, szturmować teraz Wrocław mógłby tylko człek całkiem bezrozumny.

Husyccy wodzowie zamruczeli. W większości godząc się z opiniami Morawianina i Polaka. Błyski w oczach Kralovca, Jana Bleha i Otika z Lozy świadczyły jednak, że gdyby co, to spróbowaliby chętnie.

– Przyszliśmy jednak – Prokop, jak zwykle, nie przegapił błysków – z dość daleka pod to gniazdo antychrysta. Drogę mamy za sobą tak długą i trudną, że grzechem byłoby nie udzielić antychrystowi religijnej nauki.

Przed nimi, pod wzgórzem, płynęła w płytkiej dolinie rzeka Ślęza, szeroko i wiosennie rozlana na łąki, po których brodziły bociany. Zieleniły się już brzeziny piękną, świeżą wiosenną zielenią. Gęsto pokryła się kwiatem czeremcha. Na łęgach kwitły kaczeńce i jaskry, żółciły się całe dywany mleczy. Reynevan obejrzał się. Główne siły Taboru i Sierotek przekraczały Bystrzycę przez uchwycony most w Leśnicy, obok dopalającej się komory celnej.

– Udzielimy – podjął Prokop – wrocławianom i biskupowi antychrystowi lekcji pokazowej. Ta wioseczka, pod wzgórzem, jak się zowie?

– Żerniki, panie dobry – pospieszył z wyjaśnieniem jeden z usłużnych chłopskich przewodników. – A tamój to Muchobór...

– Spalić obie. Zajmij się tym, bracie Puchała. O, a tam widzę młyn... Tam drugi. Tam wioska... I tam wioska... A tam co? Kościółek? Bracie Salava!

– Rozkaz, bracie Prokop!

Nie minęła godzina, jak w niebo wzbiły się ognie i dymy, a świeże majowe powietrze zrobiło się duszne od smrodu spalenizny.

●

Ta vojna pěší, ta mě netěší,
těšila by mě má nejmilejší...

W repertuarze marszowych pieśni armii Prokopa zauważalnie zaczęły przeważać kawałki coraz to smętniejsze. Znużenie wojną dawało o sobie znać coraz wyraźniej.

Zostawiwszy za plecami Wrocław, maszerowali na południe, mając po prawej Ślężę, wyrastającą nagle i groźnie z płaskiego krajobrazu. Czubek góry, lubo wcale nie niebotyczny, jak zwykle tonął w rozciągniętych chmurach – wyglądało to tak, jakby płynące niebem obłoki zahaczały o szczyt i zostawały na nim, uczepione i zakotwiczone.

Maszerowali na Strzelin i Ziębice, dość szybko, nawet niewiele grabiąc. Po prawdzie, nie zostało już wiele do zagrabienia. Osadzony i pozostawiony na ślężańskiej placówce Jan Kolda z Żampachu nie siedział bezczynnie w zamczysku, wyjeżdżał często, plądrując wszystko, co nadawało się do splądrowania, i paląc wszystko, czego imał się ogień. Wiszący tu i ówdzie na przydrożnym drzewie ksiądz lub mnich też raczej był do zapisania na konto Koldy, choć nie można było wykluczyć i oddolnych inicjatyw miejscowej społeczności wiejskiej, często korzystającej z okazji, by za dawne urazy i krzywdy rozliczyć się z plebanem lub klasztorem. Reynevan drżał o Biały Kościół, pokładał nadzieję w ugodzie, zawartej z patrycjatem Strzelina i księciem Oławy. I w kryjących klasztor gęstych lasach.

Widok Ziębic, przywołujący wspomnienie Adeli i księcia Jana, podziałał nań jak płachta na byka. Próbował rozmowy z Prokopem, mając nadzieję przekonać go do złamania układu z Janem i ataku na miasto. Prokop nie chciał słuchać.

Jedyne, co osiągnął, to pozwolenie dołączenia do konnicy Dobka Puchały, nękającej okolicę podjazdami. Prokop nie oponował. Nie potrzebował już Reynevana. A Reyne-

van wyżywał się w złości, paląc wespół z Polakami pod-
ziębickie sioła i folwarki.

Piątego maja, nazajutrz po świętym Florianie, do husyckiego obozu zjechało dziwne poselstwo. Kilku bogato
odzianych mieszczan, kilku duchownych wyższej rangi,
kilku rycerzy, w tym, wnosząc z herbów, Zedlitz, Reichen-
bach i Bolz, do tego jakiś polski Toporczyk. Całe to towarzystwo przez kilka nocnych godzin sekretnie rokowało
z Prokopem, Jarosławem z Bukoviny i Kralovcem w jedynym ocalałym budynku cysterskiego folwarku. Gdy świtem Prokop wydawał rozkaz wymarszu, wszystko się wyjaśniło. Zawarto kolejne ugody. Po Janie z Ziębic, Bernar-
dzie niemodlińskim i Ludwiku oławskim dobra swe postanowili ratować układami Helena raciborska, Przemko
opawski, Kaźko oświęcimski i Bolko cieszyński.

Rokowania ze śląskimi książętami podsyciły wśród
wojska plotkę, że to koniec rejzy, że przyszedł czas powrotu. Chodziły słuchy, że nakazany przez Prokopa marsz ku
Nysie będzie kontynuowany na Opawę, stamtąd zaś wojsko jak strzelił ruszy na Morawę, na Odry.

– Może być – potwierdził plotkę zagadnięty Dobko Puchała – że na Zielone Świątki będziemy już doma.

– W takim razie – dodał, mrugnąwszy do Reynevana –
warto by coś tu jeszcze sfajczyć, nie?

•

Ach, mój smętku, ma żałości!
Nie mogę się dowiedzieci,
Gdzie mam pirwy nocleg mieci,
Gdy dusza z ciała wyleci...

Niebo zasnuło się czarnymi chmurami, wiał zimny
wiatr, momentami mżył deszcz, ostry jak igiełki. Pogoda
miała wyraźny wpływ na podśpiewywane przez Polaków
pieśni.

Fałszywy mi świat powiedał,
Bych ja długo żyw byci miał,
Wczora mi tego nie powiedał,
Bych ja długo żyw byci miał...

Celem Puchały była wieś Berzdorf, grangia klasztoru

henrykowskiego – sam klasztor chroniła ugoda ziębicka. Chcąc za jednym zamachem puścić z dymem książęcy folwark w Ostrężnej i cudem jakimś ocalały kościółek w Wigandsdorfie, a nie zostać za daleko z tyłu za szparko idącym na Nysę wojskiem, Dobko podzielił oddział na trzy grupy bojowe. Reynevan i Samson zostali przy dowódcy. Szarlej w przedsięwzięciu udziału nie wziął, cierpiał na rozwolnienie, tak okrutne, że nie mogły mu podołać nawet magiczne lekarstwa.

Jechali na przełaj, przez rozdoły, dnem których płynęły strumienie, dopływy Oławy, toczące ciemną od torfu wodę przez kamienne przelewy i zawały ze starych pni. Nad jednym z takich strumieni Reynevan zobaczył Praczkę.

Nie dostrzegł jej nikt oprócz niego i Samsona. Ona zaś, choć oddział forsował strumień w odległości dwudziestu zaledwie kroków, w ogóle nie podniosła głowy. Była bardzo szczupła, szczupłość figury uwydatniała dodatkowo obcisła suknia. Twarzy Reynevan nie widział – skryta była zupełnie przez długie, proste, ciemne włosy, opadające aż do wody, nad którą klęczała, pieszczone wolnym nurtem. W woskowobiałych, zanurzonych aż po łokcie rękach dzierżyła koszulę lub giezło, trąc je i wygniatając rytmicznymi, upiornie powolnymi ruchami. Z giezła, niby dym, wybuchały tętniące obłoczki krwi. Krew snuła się wodą, barwiła ją na ciemnoczerwono, różowa piana omywała kolana koni.

Powiał wicher, gwałtowny, zły wicher, zatargał zielonymi już gałęziami, zdarł ze zbocza jaru kurzawę zeschłych zeszłorocznych chwastów. Reynevan i Samson zmrużyli oczy. Gdy je otworzyli, widziadło znikło.

Ale wodą wciąż płynęła krew.

Milczeli czas jakiś.

– Jedziemy? – Samson odchrząknął wreszcie. – Czy zawracamy?

Reynevan nie odpowiedział, szturchnął konia ostrogą, pospieszając za Puchałą i Polakami, znikającymi już wśród zieleniejących olch.

•

Przy następnym wąwozie wpadli w zasadzkę.

•

Z przeciwległego zbocza, z chruśniaka, gruchnęły strzały, dźwięknęły cięciwy, na Polaków spadł deszcz kul i bełtów. Wrzasnęli ludzie, zakwiczały konie, kilka stanęło dęba, waląc się w dół, na dno jaru. Między nimi był koń Samsona.

– Kryj się! – ryknął Puchała. – Z koni i kryj się!

Chruśniak znowu zaśpiewał dźwiękiem cięciw, znowu zasyczały bełty. Reynevan poczuł uderzenie w bark, tak silne, że runął na ziemię, pechowo, na usłaną mokrym liściem pochyłość. Liście były śliskie jak mydło, zjechał po nich na dno, dopiero tam, usiłując wstać, zobaczył sterczące spod obojczyka lotki bełtu. Chryste, byle nie tętnica, zdążył pomyśleć, nim objął go bezwład.

Widział, jak Samson wydziera się spod zabitego konia, jak podnosi się, wstaje. I jak pada, z głową całą we krwi, zanim jeszcze przebrzmi ogłuszający huk wypalonej z chruśniaka rucznicy.

Reynevan wrzasnął, wrzask zgłuszyła kolejna salwa z piszczał. Rozdół całkowicie zasnuł dym. Świszczały bełty. Wyli ranni.

Choć ręce i nogi miał jak ze słomy, a każde poruszenie wywoływało konwulsje bólu, Reynevan dopełzł do Samsona. Wokół głowy olbrzyma zdążyła już rozlać się wielka kałuża krwi, Reynevan widział jednak, że kula otarła się tylko o skroń. Czaszka, pomyślał, czaszka może być jednak uszkodzona. Do czarta, z pewnością jest uszkodzona. Jego oczy...

Oczy Samsona, zaszłe mgłą, zapląsały nagle w oczodołach. Reynevan z przerażeniem zobaczył, jak głowa wielkoluda zatrzęsła się, usta wykrzywiły, pociekła z nich ślina. Z gardła, zdawało się, zaraz zacznie rwać się krzyk.

– Ciemno... – zabełkotał niewyraźnie, nie swoim głosem. – Ciemno... Mroczno... Jezusie... Gdziem ja jest? Noc tu... Chcem do dom... Do dom! Gdziem ja...

Reynevan, struchlały, przycisnął mu do krwawiącej skroni dłoń, wyszeptał – a raczej wyskrzeczał – wyuczoną formułę czaru Alkmeny. Czuł, jak ogarnia go zimno, płynące od barku, od utkwionego pod obojczykiem bełtu. Samson szarpnął się, machnął ręką, jakby coś odpędzał. Nagle spojrzał przytomniej. Rozumniej.

– Reynevan... – wydyszał. – Coś się... Coś dzieje się ze mną... Póki mogę... Powiem ci.... Muszę ci powiedzieć...

– Leż spokojnie... – Reynevan gryzł z bólu wargi. – Leż...

Oczy Samsona w jednej sekundzie zasnuły mgła i trwoga. Olbrzym zakwilił, załkał, zwinął się w pozycję płodu.

Zamiana się staje, przez wirującą głowę Reynevana wichrem przelatywały wspomnienia i skojarzenia. Od nas ktoś odchodzi, do nas ktoś przychodzi. Klasztorny matołek powraca z ciemności, w którą powędrował, powraca do swej doczesnej powłoki. Zwykłe kroczyć w ciemności *negotium* w ciemność odchodzi. Wraca do siebie. Wędrowiec, *Viator*, wraca do siebie. Tego, co nie udało się czarodziejom, na moich oczach dokonuje Śmierć.

Ból wyprężył go znowu, spazm ścisnął płuca i krtań, całkiem odebrał władzę w nogach. Rozdygotaną ręką zmacał plecy. Tak, jak oczekiwał, z łopatki sterczał mu grot. I bardzo się stamtąd lało.

– Hej, wy, skurwysyny! – wrzasnął ktoś z chruśniaka za jarem. – Kacerze! Psiewiary bezbożne!

– Samiście skurwysyny! – odwrzasnął z drugiej strony jaru Dobko Puchała. – Papieżeńce chędożone!

– Chcecie się bić? To chodźcie, kurwa wasza mać, na naszą stronę!

– Chodźcie wy, kurwa wasza mać, na naszą!

– Nakopiemy wam do dupy!

– To my wam nakopiemy do dupy!

Zdawało się, że mało wyszukana i trywialna aż do bólu wymiana zdań trwać będzie w nieskończoność. Ale nie trwała.

– Puchała? – zapytał z niedowierzaniem głos z chruśniaka. – Dobiesław Puchała? Wieniawczyk?

– A kto, kurwa, pyta?

– Otto Nostitz!

– O, kurwa! Grunwald?

– Grunwald! Dzień Rozesłania Apostołów, tysiąc czterysta dziesięć!

Czas jakiś panowała cisza. Wiatr jednak donosił swąd tlących się lontów.

– Hej, Puchała? Chyba nie będziem se do gardeł skakać? Wżdyśmy kombatanty, w jednej wojowalim bitwie. Nie uchodzi, psia mać.

– Nijak nie uchodzi. Wżdyśmy kombatanty. Tedy co, my w swoją, wy w waszą drogę? Co rzekniesz, Nostitz?

– Może tak i być.

– Mam w dole ranionych! Wezmę, skapieją mi w drodze. Zatroszczysz się?

– Rycerskie słowo. Wżdyśmy kombatanty.

Reynevan, sam nie wiedząc, skąd bierze siły, powtarzanym w kółko zaklęciem zatrzymał wreszcie krwotok z głowy Samsona. I stwierdził, że sam we krwi wręcz pływa. W oczach mu pociemniało. Nie czuł już bólu.

Bo zemdlał.

Rozdział dwudziesty drugi

w którym gorączka na przemian spada i wzmaga się, a boleści są coraz dotkliwsze. A na domiar złego trzeba uciekać.

Ocknął się w półmroku, widział, jak ciemność ustępuje przed jasnością, a światło wkrapla się w mrok i miesza z nim, tworząc szarą półprzezroczystą zawiesinę. *Umbram fugat claritas*, przeleciało mu przez głowę. *Noctem lux eliminat*. Aurora, *Eos rhododactylos*, wstaje i różowi niebo na wschodzie.

Leżał na twardej pryczy, próba poruszenia wywołała rwący ból w barku i łopatce. Zanim jeszcze dotknął grubo obandażowanego miejsca, przypomniał sobie z detalami bełt, który tam tkwił, z przodu po lotki z gęsich piór, z tyłu wyłażąc calem jesionowego drewna i drugim żelaznego grotu. Teraz też tkwił tam bełt. Niewidzialny i niematerialny bełt bólu.

Wiedział, gdzie się znajduje. Bywał w wielu szpitalach, nie był dla niego nowością zaduch wielu zgorączkowanych ciał, smród kamfory, moczu, krwi i rozkładu. I nakładająca się na to nieustanna i natrętna melodia cichych chrapań, stękań, jęków i westchnień.

Rozbudzony ból tętnił w łopatce, nie ustępował, nie łagodniał, promieniował na całe plecy, na kark i w dół, do pośladków. Reynevan dotknął czoła, poczuł pod dłonią zupełnie mokre włosy. Mam gorączkę, pomyślał. Rana jątrzy się.

Jest źle.

●

– *Pomahaj Pambu*, bratrze. Żyjem. Kolejna noc za nami. Może się, sakra, wykaraskamy...

– Jesteś Czechem? – Reynevan odwrócił głowę w stronę pryczy po prawej, skąd pozdrowił go sąsiad, blady jak śmierć i z zapadłymi policzkami. – Co to więc za miejsce? Gdzie jestem? Wśród swoich?

– Ano, wśród swoich – zamamrotał blady. – Bo wszyscy my tu dobrzy Czesi. Ale prawdziwie, bratrze, to my od naszych są daleeeko.

– Nie rozu... – Reynevan spróbował się unieść, opadł z jękiem. – Nie rozumiem. Co to za szpital? Gdzie jesteśmy?

– W Oławie.

– W Oławie?

– W Oławie – potwierdził Czech. – Takie miasto na Śląsku. Brat Prokop z tutejszym hercogiem rozejm zawarł i ugodę... Że ziem mu nie spustoszy... A hercog mu za to przyrzekł, że będzie o taborskich niemocnych staranie miał.

– A gdzie Prokop? Gdzie Tabor? I jaki dzień dziś mamy?

– Tabor? Daleeeko... W drodze do dom. A dzień? Wtorek. Zaś pojutrze, w czwartek, będzie święto. *Nanebevstoupení Páně*.

Wniebowstąpienie Pańskie, policzył szybko Reynevan, czterdzieści dni po Wielkanocy, przypada trzynastego dnia maja. Dziś jest więc jedenasty. Zraniono mnie ósmego. Wychodzi, trzy dni byłem bez ducha.

– Mówisz, bracie – kontynuował indagację – że Tabor opuszcza Śląsk? To znaczy, że koniec rejzie? Już się nie walczy?

– Było powiedziane – rozległ się kobiecy głos – że o polityce gadać zakazuje się? Było. Prosim więc nie gadać. Prosim modlić się. Do Boga o zdrowie. I za szpitala tego fundatorów dusze. A i o dobrodziejach naszych i sponsorach w modlitwach prosim nie zapominać. Nuże, bracia w Chrystusie! Kto wstać zdolny, do kaplicy!

Znał ten głos.

– Przytomnyś, paniczu Lancelocie. Nareszcie. Cieszę się.

– Dorota... – westchnął, poznając. – Dorota Faber...

– Miło – nierządnica uśmiechnęła się do niego pięknie – żeście poznali, paniczu, iście miło. Radam, żeś się ocknął wreszcie... O, i poduszka krwią dziś nie bardzo opluta... Tedy może wydobrzejesz. Będziem opatrunek zmieniać. Elencza!

– Siostro Doroto... – zastękał ktoś spod przeciwległej ściany. – Noga okrutnie boli...

– Nie masz nogi, synku, jużem ci rzekała. Elencza, pozwól!

Nie od razu ją poznał. Może to przez gorączkę, może przez czas, jaki minął, ale długą dość chwilę patrzył bez zrozumienia na jasnowłosą, wąskoustą dziewczynę o bladych i wodnistych oczach. Z wolno odrastającymi, wyskubanymi niegdyś brwiami.

Trochę trwało, nim zorientował się, kim jest. Pomogło to, że dziewczyna ewidentnie wiedziała, kim on jest. Zobaczył to w jej zalęknionym spojrzeniu.

– Córka rycerza Stietencrona... Las Goleniowski... Ściborowa Poręba... Żyjesz? Przeżyłaś?

Kiwnęła głową, bezwiednym ruchem wygładziła fartuch. A on nagle pojął, skąd lęk w jej oczach, skąd przestraszony grymas i drżenie wąskich ust.

– To nie ja... – wymamrotał. – Nie ja napadłem na poborcę... Nie miałem z tym nic wspólnego... Wszystko, co o mnie... Wszystko, co słyszałaś, to plotki i fałsz...

– Dość gadania – ucięła pozornie srogo Dorota Faber. – Opatrunek trza zmieniać. Pomóż, Elencza.

Starały się być delikatne, mimo to kilka razy z sykiem wciągał powietrze, kilka razy zajęczał głośno. Gdy odwinęły bandaże, chciał obejrzeć ranę, ale nie był w stanie unieść głowy. Musiała wystarczyć mu diagnoza dotykiem. I węchem. Obie diagnozy nie wypadły najlepiej.

– Jątrzy się – potwierdziła spokojnie Dorota Faber. W smudze wpadającego przez okienko słońca jej twarz była jak opromieniona aurą świętości.

– Jątrzy się – powtórzyła. – I puchnie. Od czasu, gdy cyrulik drzazgi bełtu wyjął. Ale jest lepiej, niż było. Lepiej, paniczu Lancelocie.

Jej oblicze było opromienione świętością, złotoświetlisty nimb otaczał też, wydawało się, głowę Elenczy von Stietencron. Marta i Maria z Betanii, pomyślał, czując zawrót głowy. Bosko piękne. Obie są bosko piękne.

– Nie nazywam się... – w głowie wirowało mu coraz silniej. – Nie nazywam się Lancelot... Ani Hagenau... Jestem Reinmar z Bielawy...

– Wiemy – odpowiedziały z jasności Marta i Maria.

•

– Gdzie mój druh? Wielki mężczyzna, olbrzym niemal... Zowie się Samsonem...

– Jest tu, bądź spokojny. W głowę raniony. Cyruliki go kurują.

– Co z nim?

– Mówią, że ozdrowieje. Silny bardzo, powiedzieli, wytrzymały. Iście nieziemsko wytrzymały.

– Cholera... Muszę go zobaczyć... Pomóc...

– Leż, paniczu Reinmarze – Dorota Faber poprawiła mu poduszkę. – Nikomu w tym stanie nie pomożesz. A sobie możesz zaszkodzić.

•

Usytuowany przy kościele Świętego Świerada Pustelnika i również mający Świerada za patrona szpital – jeden z dwóch, jakie miała Oława – podlegał radzie miejskiej, a prowadzili go premonstratensi od Świętego Wincentego z Wrocławia. Oprócz premonstratensów w szpitalu pracowali głównie ochotnicy – i ochotniczki, jak Dorota Faber i Elencza von Stietencron. Pacjentami obecnie byli zaś wyłącznie niemal taboryci i Sierotki, husyci, większością

493

ciężko ranni lub bardzo ciężko chorzy. Również kalecy. Wszyscy w stanie, który zmusił Prokopa do pozostawienia ich jako nie nadających się do transportu. Na mocy rozejmu i układu, wymuszonego na księciu oławskim Ludwiku, udostępniono im szpital Świętego Świerada. Kurowano ich tu, a wydobrzałym gwarantowano swobodny powrót do Czech. Niektórzy z kurowanych Czechów niezbyt jednak słowu księcia Ludwika ufali, a względem rozejmu i gwarancji zdradzali daleko posunięty pesymizm. Im Prokop dalej, twierdzili, tym rozejm mniej wiążący. Mając Bożych bojowników u samych bram, a przed sobą perspektywę pożogi i zniszczenia, książę Ludwik skory był do ustępstw i przysiąg – każdych, byle tylko ocalić księstwo. Teraz, gdy Boży bojownicy odeszli za góry-lasy, zagrożenie znikło, a z przysiąg zrobiły się obiecanki. A obiecanki, wiadomo: cacanki.

Nazajutrz, ocknąwszy się, Reynevan rzucił okiem na pryczę po lewej.

Leżał na niej Samson Miodek. Z obandażowaną głową. Nieprzytomny.

Chciał wstać, zobaczyć, co z nim. Nie mógł. Był zbyt słaby. Opuchły lewy bark tętnił bólem. Palce lewej dłoni drętwiały, były jak z drewna. Zapach gangreny nasilał się.

•

– Wśród moich rzeczy... – wystękał, nadaremnie próbując się unieść. – Była szkatułka... Miedziana szkatułka...

Elencza westchnęła. Dorota Faber pokręciła głową.

– Gdy cię tu przywieźli, nie miałeś rzeczy. Nie miałeś nawet butów. Ciebie potraktowali miłosiernie, ale na twój dobytek miłosierdzia nie rozciągnęli. Obrali cię do cna.

Reynevan poczuł ogarniającą go falę gorąca. Nim jednak zdążył zakląć i zgrzytnąć zębami, wróciła pamięć. A z nią ulga. Bezcenna szkatułka została przy Szarleju. Cierpiącego na biegunkę Reynevan leczył magicznie, używając amuletów czarodzieja Telesmy. Jadąc z Puchałą na wypad, zostawił szkatułkę przy chorym.

Ulga była bardzo krótkotrwała. Amulety, choć zapewne ocalały, były wraz z Szarlejem i całym Taborem w drodze do Czech, chwilowo poza zasięgiem. A sytuacja żądała, by sięgnąć. Jątrząca się rana wymagała magii. Pozostawiona tradycyjnym metodom groziła utratą ręki aż po staw barkowy. W najlepszym razie. W najgorszym – utratą życia.

– W Oławie... – stęknął, chwytając nierządnicę za rękę. – W Oławie jest apteka... Aptekarz z pewnością ma sekretną pracownię alchemiczną... Tylko dla wtajemniczonych... Dla ludzi z magicznej konfraterni... Potrzebuję magicznych leków. Dla Samsona... Dla niego muszę mieć lek o nazwie *dodecatheon*. Dla mnie, na moje ramię, potrzebne jest *unguentum achilleum*...

– Aptekarz... – Dorota odwróciła głowę. – Aptekarz nie sprzeda nam nic. Nawet za próg nie wpuści. Cała Oława wie, kogo tu leczymy. Szpital jest pod książęcą strażą i ochroną. Ale mieszkańcy was nienawidzą. Nie pomogą. Chodzić szkoda... I strach na ulicy...

– Ja pójdę – powiedziała Elencza Stietencron. – Pójdę do apteki. Poproszę...

– Powiesz hasło: *Visita Inferiora Terrae*. Aptekarz zrozumie... *Visita Inferiora Terrae*... Zapamiętasz?

– Zapamiętam.

Reynevan z wielkim wysiłkiem zdołał skoncentrować na niej rozpływający się w gorączce wzrok. Ponownie wydało mu się, że otacza ją poświata. Nimb. Aureola.

– Medykamenty... – czuł, że traci przytomność. – Nazwy... *Dodecatheon*... I *unguentum achilleum*... Nie zapomnisz?

– Nie zapomnę – odwróciła głowę. – Nie mogę. Bóg mnie chyba pokarał niemożnością zapominania.

Był zbyt chory, by zauważyć, jak gorzko to zabrzmiało.

●

– Doroto?

– Tak, Reinmarze?

– Gdy się spotkaliśmy, trzy lata temu, tu pod Oławą właśnie, na strzelińskim gościńcu... Zamierzałaś wędrować w świat. Jak mówiłaś, choćby i do Wrocławia samego. Za chlebem... Niedaleko coś zawędrowałaś...

– Byłam we Wrocławiu – nierządnica odstawiła miskę,

z której go karmiła. – Pobyłam i wróciłam. Chleb, wychodzi, wszędy taki sam. I wszędy tak samo ciężko nań zapracować. Wróciłam tedy na stare śmieci, do Brzegu, do zamtuza „Pod Koroną". Niechże już mnie, pomyślałam, gdy umrę, na tym samym żalniku co i moją matuś pochowają. A potem, jak się zaczęło wojowanie, mnisi w szpitalach pomocy potrzebowali, rannych i chorych bez liku było. Trza było pomagać... To i pomagałam. Najpierw w Brzegu, u Świętego Ducha. Potem tu trafiłam, do Oławy.

– Zdecydowałaś się na hospicjum... To trudna i ciężka praca, wiem coś o tym... Cięższa chyba i bardziej niewdzięczna, niż...

– Nie, Reinmarze. Nie bardziej.

●

Choć graniczyło to z cudem, oławski aptekarz dysponował potrzebnymi specyfikami. Choć graniczyło to z cudem, sprzedał je Elenczy von Stietencron. Choć graniczyło to z cudem, już po pierwszych zabiegach zauważalne były efekty. Krwawnik, *achillea millefolium*, ziele, będące głównym składnikiem *unguentum achilleum*, nie bez kozery nosiło w nazwie imię bohatera spod Troi – niezawodnie, szybko i pewnie leczyło rany odniesione w boju. Kilka razy dziennie wcierana maść powstrzymała zgorzel, obniżyła gorączkę i wyraźnie zmniejszyła opuchliznę. Po dniu kuracji Reynevan mógł już siadać, po następnych dwóch – prawda, nie bez pomocy Doroty i Elenczy – wstać. I zająć się Samsonem. Po jednej zaledwie dobie stosowania *dodecatheonu*, mikstury, która pod względem skuteczności ustępowała tylko legendarnemu *moly*, Samson otworzył oczy. Pomimo iż zdobyta w oławskiej aptece dawka leku była znikoma, po kolejnych dwóch dniach olbrzym oprzytomniał. Na tyle, by zacząć skarżyć się na nieznośny ból głowy. Na to nie trzeba było lekarstw, ból głowy Reynevan leczył zaklęciem i położeniem rąk. Ból Samsona okazał się jednak nielichym wyzwaniem, nim sobie z nim poradził, setnie się zmęczył. Obaj, lekarz i pacjent, leżeli niemal bez ducha przez kolejny dzień. Do dziewiętnastego maja.

A dziewiętnastego maja zaczęły się kłopoty.

●

– Czarnowłosy – powtórzyła Dorota Faber. – Czarno odziany. Czarne włosy, długie, do ramion. Facjata ptasia tak jakby. Nos jak dziób. I wejrzenie diabła. Znasz kogoś podobnego?

– Znam, psiakrew – wycedził, ocierając zimny pot, który nagle wystąpił mu na czoło. – Znam, a jakże.

– Bo on ciebie zna. Był u szpitalmistrza i dokładnie mu cię opisał. Pytał, czy takiego tu nie ma. Szczęściem szpitalmistrz jest człek przyzwoity, a do tego pamięci do twarzy nie ma za grosz. Całkiem uczciwie zaprzeczył więc, by kogoś podobnego tobie na oczy widział i by ktoś podobny w hospicjum przebywał. A gdy ów czarny ptasznik domagać się jął, by go do szpitala wpuścić, szpitalmistrz zgody nie dał, na książęce rozkazy się powołał, na ugodę, husytom azyl bezpieczny gwarantującą. Tamten zrazu straszyć próbował, grozić, ale gdy spostrzegł, że to na próżno, odjechał. Wżdy zapowiedział, że wnet powróci, z książęcym pozwoleniem w ręku, że szpital wonczas przetrząśnie, a gdy ciebie znajdzie i pokaże się, że szpitalmistrz łgał, będzie bieda. Ha, Reynevan, coś mi się widzi, że ów ptasznik faktycznie z tych, co biedy narobić umieją. I nawet to lubią.

– Masz absolutną rację.

– Coś mi się też widzi, że on z książęcym pozwoleniem wróci.

– Masz absolutną rację. Muszę stąd uciekać, Doroto. Natychmiast. Jeszcze dziś.

– Ja też muszę uciekać – jęknęła Elencza. Była blada jak papier.

– Ja też – wydusiła z siebie – znam tego... człowieka. Myślę, że on moim tropem trafił do Oławy. On ściga mnie.

– Niemożliwe – zaprzeczył Reynevan. – On ściga mnie! Na mnie parol zagiął. Ja jestem jego celem.

– Nie. Ja. Jestem pewna, że ja.

Samson usiadł na pryczy. Oczy miał zupełnie przytomne.

– Myślę – przemówił zupełnie przytomnie – że oboje
się mylicie.

●

Opuścili Oławę przed zmierzchem, niepostrzeżenie. Dorota Faber miała, okazało się, liczne a dobre znajomości
wśród właściwych ludzi. Odzienie dostarczył i w skrytym
wyjściu z hospicjum dopomógł im szpitalny woźny, gapią-
cy się na rudowłosą kurtyzanę maślanym wzrokiem. Podobny wzrok miał barczysty pachołek, który powiódł ich
do stajni, pomagając Samsonowi iść. Bo trzeba było pomagać. Reynevan też zresztą nie był w najlepszej formie.
Z niepokojem myślał o czekającej ich jeździe konnej.
    Dorota i Elencza pomyślały o tym, jak się okazywało.
Z pomocą woźnego i pachołka przywiązały obu do siodeł
rzemieniami, tak, by zdołali utrzymać w kulbakach pozycję jako tako wyprostowaną i nie mogli zsunąć się ani
spaść. Nie było to zbyt wygodne. Reynevan nie narzekał
jednak. Miał podstawy przypuszczać, że schwytani przez
Birkarta Grellenorta zaznają jeszcze mniej wygód.
    Opuścili miasto furtą usytuowaną opodal Bramy Brze-
skiej, w południowo-wschodniej części miasta. Uczynili
tak nie z wyboru, lecz z musu. Dorota miała znajomości
wśród trzymających tu wartę strażników. Tym razem nie
wystarczył wdzięk ani wiele obiecujący uśmiech – konieczne były brzęczące argumenty. Dług Reynevana u kurty-
zany rósł szybko.
    – Możesz mieć kłopoty – powiedział, gdy się żegnali. –
Oni pieniądze wzięli, ale gdyby co, wydadzą cię bez mrug-
nięcia okiem. Nie wolisz uciekać z nami?
    – Dam sobie radę.
    – Na pewno?
    – To tylko mężczyźni. Umiem się obchodzić. Jedźcie
z Bogiem. Bywaj w zdrowiu, Elencza.
    – Bywaj, pani Doroto. Dzięki za wszystko.
    Objechali gród od południa. Ścieżką wśród łozin dotarli
do rzeki. Znaleźli bród, przeprawili się na lewy brzeg.
Wkrótce kopyta koni załomotały o twardszy grunt. Byli
na gościńcu.

– Plany się nie zmieniły? – upewniła się Elencza, całkiem znośnie, jak się pokazywało, radząca sobie w siodle.

– Jedziemy tam, dokąd mamy jechać?

– Tak. Tam właśnie.

– Trzymacie się?

– Trzymamy.

– W drogę tedy. Porzucamy wrocławski trakt i jedziemy na zachód. Żywiej! Trzeba nam, póki jasno, ujechać ile się da.

– Elenczo.

– Słucham.

– Dziękuję ci.

– Nie dziękuj.

Majowa noc pachniała czeremchą.

•

Mówiąc, że się trzymają, Reynevan okłamał Elenczę Stietencron. Tak naprawdę trzymały ich, jego i Samsona, w siodłach wyłącznie rzemienne uprzęże. I strach przed Grellenortem.

Droga przez noc była istną drogą na Golgotę. Zaiste dobrodziejstwem było, że Reynevan niewiele z niej pamiętał i kojarzył, gorączka znowu zaczęła nim trząść i w znacznym stopniu pozbawiła kontaktu z otaczającym światem. Z Samsonem nie było lepiej, olbrzym jęczał, kurczył się i garbił w siodle, jak pijany kiwając głową nad końską grzywą. Elencza wprowadziła wierzchowca między nich, podtrzymywała obu.

– Elenczo?

– Słucham.

– Trzy lata temu, na Ściborowej Porębie... Jakim sposobem ocalałaś?

– Nie chcę o tym mówić.

– Dorota wspomniała, że później, w grudniu, przeżyłaś rzeź Barda...

– O tym też nie chcę mówić.

– Wybacz.

– Nie mam ci nic do wybaczenia. Trzymaj się w siodle, proszę. Wyprostuj się... Nie przechylaj tak... Boże, niech ta noc wreszcie się skończy...

– Elenczo...
– Twój przyjaciel jest okropnie ciężki.
– Nie wiem... jak ci się odwdzięczę...
– Wiem, że nie wiesz.
– Co ci jest?
– Ręce mi martwieją... Wyprostuj się, proszę. I jedź.
Jechali.

●

Zaczęło szarzeć.
– Reinmarze?
– Samsonie? Myślałem, że...
– Jestem przytomny. Ogólnie rzecz biorąc. Gdzie jesteśmy? Daleko jeszcze?
– Nie wiem.
– Blisko – odezwała się Elencza. – Klasztor jest blisko.
Słyszę dzwon... Poranne nabożeństwo... Dojechaliśmy...
Głos i słowa dziewczyny dodały im sił, euforia przemogła zmęczenie i gorączkę. Dzielący ich od celu dystans pokonali szybko, wręcz nie wiedząc kiedy. Wyłaniający się z lepkiej i kosmatej szarości brzasku świat zrobił się kompletnie nierealny, ułudny, iluzyjny, niepojęty, wszystko, co się wokół działo, działo się jak we śnie. Jak ze snu były śmigające w powietrzu lelki kozodoje, jak ze snu klasztor, jak ze snu klasztorna furta, zgrzytająca zawiasami. Z mgły, jak ze snu, furtianka w szarym habicie z grubej fryzyjskiej wełny. Jak z zaświatów jej okrzyk... I dzwon. Poranne nabożeństwo, kołatało się po głowie Reynevana, *laudes matutine*... A gdzie śpiew? Czemu mniszki nie śpiewają? Ach, przecież to Biały Kościół, reguła klarysek, klaryski godzinek nie śpiewają, lecz odmawiają je... Jutta... Jutta? Jutta!
– Reynevan!
– Jutta...
– Co z tobą? Co ci jest? Jesteś ranny? Matko Boska!
Zdejmijcie go z siodła... Reynevan!
– Jutto... Ja...
– Pomóżcie... Podnieście go... Ach! Co ci?
– Ramię... Jutto... Już... Mogę stać... Tylko nogi mi osłabły... Zatroszczcie się o Samsona...

500

– Bierzemy obydwu do infirmerii. Zaraz, natychmiast. Siostry, pomóżcie...

– Zaczekaj.

Elencza von Stietencron nie zsiadła, czekała w siodle. Z odwróconą głową. Spojrzała nań dopiero wtedy, gdy wymówił jej imię.

– Mówiłaś, że masz dokąd jechać. Ale może zostaniesz?

– Nie. Jadę zaraz.

– Dokąd? Gdybym chciał cię odnaleźć...

– Wątpię, byś chciał.

– Jednak.

– Skałka pod Wrocławiem... – powiedziała z ociąganiem i jakby z wysiłkiem. – Majątek i stadnina pani Dzierżki de Wirsing.

– U Dzierżki? – nie opanował zdumienia. – Jesteś u Dzierżki?

– Żegnaj, Reinmarze z Bielawy – obróciła konia. – Miej o siebie staranie. A ja...

– Ja postaram się zapomnieć – powiedziała cicho. Będąc już dostatecznie daleko od klasztornej furty, by w żaden sposób nie mógł usłyszeć.

Rozdział dwudziesty trzeci

w którym lato Roku Pańskiego 1428, spędzane w miłej i rozkosznej sielance, mija Reynevanowi niby chwilka jaka ulotna. Aż chciałoby się na tym historię zakończyć standardowo słowami: „Żyli potem długo i szczęśliwie". Ale co z tego, że chciałoby się, kiedy nie sposób, niestety.

Reynevan przeleżał w klasztornej infirmerii do Trójcy, pierwszej niedzieli po Zielonych Świątkach. Równo dziewięć dni. Doliczył się zresztą tych dni dopiero po fakcie, powracająca falami gorączka sprawiła, że z samego pobytu i kuracji pamiętał niewiele. Pamiętał Juttę de Apolda, spędzającą sporo czasu przy jego łożu boleści, pamiętał tęgawą infirmeriuszkę, zwaną – jakże trafnie – siostrą Misericordią. Pamiętał leczącą go opatkę, wysoką, poważną zakonnicę o jasnych szarobłękitnych oczach. Pamiętał zabiegi, jakim go poddawała, bolesne jak diabli i nieodmiennie pociągające za sobą gorączkę i malignę. To dzięki tym zabiegom jednak posiadał wciąż jeszcze rękę i mógł nią jako tako władać. Słyszał, o czym mniszki mówiły podczas zabiegów – a była mowa i o obojczyku, i o stawie ramiennym, o tętnicy podobojczykowej, o nerwie pachowym, o węzłach chłonnych, o powięziach. Słyszał dość, by rozumieć, że przed wieloma poważnymi problemami ocaliła go medyczna wiedza opatki. Jak również medykamenty, jakimi dysponowała i umiała się posłużyć. Niektóre z leków były magiczne, niektóre z nich Reynevan poznawał, już to po zapachu, już to reakcji, jaką wywoływały. Stosowany był zarówno *dodecatheon* – znacznie silniejszy od zdobytego w Oławie – jak i *peristereon*, specyfik bardzo rzadki, bardzo drogi i bardzo skuteczny na stany zapalne. Na kilkakrotnie otwieraną ranę opatka stosowała lek znany jako *garwa*, sekret którego przywędrował podobno aż z Irlandii, od tamtejszych druidów. Reynevan rozpoznał też po charakterystycznej makowej woni *wundkraut*, magiczne ziele Walkirii, którym kapłani Wotana leczyli rannych po bitwie w Lesie Teutoburskim. Zapach suszonych listków lulka zdradzał *hierobotane*, a zapach kory topolowej *leukis*, dwa silne leki przeciwzgorzelowe. Widłakiem pachniała zasypka zwana *lycopodium bellonarium*.

A gdy zaczęto stosować *lycopodium bellonarium*, Reynevan mógł już wstawać. Palce lewej dłoni nie drętwiały mu już i mógł w nich utrzymywać różne przedmioty. Dzięki czemu zdołał pomagać zakonnicom w leczeniu Samsona. Który, lubo przytomny, wciąż wstawać nie był w stanie.

●

Jutta nie odstępowała Reynevana na krok. Jej oczy błyszczały od łez i miłości.

●

Wojna, o której już zdążyli zapomnieć, przypomniała o sobie krótko po Trójcy. Rankiem pierwszego dnia czerwca Reynevana, Juttę i zakonnice z Białego Kościoła zaniepokoił huk dział, dolatujący od zachodu. Nim jeszcze do klasztoru dotarły dokładne informacje, Reynevan domyślił się już, w czym rzecz. Jan Kolda z Żampachu nie wycofał się wraz z armią Prokopa Gołego, został na Śląsku, obwarowany na Ślęży. On sam i jego zbójecka drużyna solą w oku i kolcem w tyłku byli dla Ślązaków, zbyt dokuczali, by dało się ich tolerować. Silny i wyposażony w ciężkie bombardy kontyngent wrocławsko-świdnicki obległ ślężański zamek i rozpoczął ostrzał, wzywając Jana Koldę do poddania. Kolda, jak głosiła wieść stugębna, w odpowiedzi określił oblegających popularną wśród ludu nazwą męskich organów płciowych i zasugerował im, by zajęli się wzajemnym samcołóstwem. Po czym zrewanżował się z murów ogniem własnej artylerii.

Wymiana ognia trwała tydzień i przez tydzień Reynevan aż gotował się z ochoty, by ruszyć pod Ślężę i jakoś wspomóc Koldę, chociażby dywersją i sabotażem. Ledwo chodził, o jeździe konnej mógł tylko marzyć, ale rwał się do walki. Kres rwaniu położyła, a wojenne plany zwichrowała ostatecznie Jutta. Jutta była stanowcza. Albo ona, albo wojna, postawiła ultimatum. Reynevan wybrał ją.

Jan Kolda z Żampachu bronił się przez następny tydzień, zadając Ślązakom straty tak dotkliwe, że gdy wreszcie wyczerpał możliwości dalszego oporu, miał dobrą pozycję negocjacyjną. Nazajutrz po świętym Antonim skapitulował, ale na warunkach honorowych, z przyrzeczeniem swobodnego odejścia do Czech. Ślężański zamek zaś, by nie daj Boże nie posłużył następnemu jakiemuś Koldzie, Ślązacy rozwalili, kamienia na kamieniu nie zostawiając.

Wszystkich tych szczegółów Reynevan dowiedział się od ogrodnika, pracującego w przyklasztornej grangii i mającego – oprócz dobrych źródeł informacji – zamiłowanie do plotek i samorodny talent do tychże. Po upadku Ślęży ogrodnik przyniósł plotki raczej niepokojące. Śląsk ochłonął oto wreszcie po husyckiej wielkanocnej rejzie. I zaczął odreagowywać. Gwałtownie i dość krwawo. Szafoty spływały krwią tych, co w boju stchórzyli lub układali się z Czechami. Skwierczeli na stosach sympatycy husytyzmu – i ci, których o sympatie tylko podejrzewano. Konali na kołach i palach współpracujący z husytami wieśniacy. Szubienice gięły się pod ciężarem zadenuncjowanych. Przy okazji katowano i tracono także tych, co z husytyzmem nie mieli niczego wspólnego zgoła. Tych, co zwykle: Żydów, wolnomyślicieli, trubadurów, alchemików i babki aborcjonistki. Bezpieczne z pozoru schronienie za klasztornym murem nagle straciło na przytulności. Przechodzący rekonwalescencję Reynevan zrywał się, zlany zimnym potem, na każdy dzwon lub kołatanie do furty. I zasypiał z ulgą na wieść, że to nie Inkwizycja i nie Birkart Grellenort. Że to tylko handlarz ryb z dostawą.

•

Mijał czas, spokój, opieka i zabiegi robiły swoje. Rany goiły się, powoli, ale skutecznie. Po świętym Antonim Samson zaczął wstawać, a po Gerwazym i Protazym czuł się już tak dobrze, by móc zacząć pomagać ogrodnikowi w pracy. Reynevan zaś ozdrowiał na tyle, by przestał mu wystarczać nawiązywany z Juttą kontakt oczu i rąk.

Nadeszła noc świętojańska. Klaryski z Białego Kościoła uczciły ją dodatkową mszą. Zaś Reynevan i Jutta, śledzeni ciekawymi spojrzeniami mniszek, pobiegli do lasu, by szukać kwiatu paproci. Już w pasie brzóz na skraju Reynevan wyjaśnił Jutcie, że kwiat paproci jest legendą i poszukiwanie go, jakkolwiek romantyczne i podniecające, w zasadzie sensu nie ma i troszkę szkoda nań czasu, chyba że aż tak bardzo pragnie się uszanować wiekową tradycję. Jutta wcale szybko przyznała, że tradycję i owszem, szanuje wielce, tym niemniej krótką noc czerwcową pragnęłaby w zasadzie wykorzystać lepiej, rozumniej i przyjemniej.

Reynevan, który uważał podobnie, rozesłał na ziemi płaszcz i pomógł jej się rozebrać.

– *Adsum favens* – szeptała dziewczyna, powoli i stopniowo wyłaniając się z odzieży niczym Afrodyta z morskiej piany. – *Adsum favens et propitia*, łaskawa przychodzę i miłościwa. Ostaw już płacze i żale, precz wyżeń rozpacz: oto ci już z łaski mojej świta dzień wybawienia.

Szeptała, a oczom Reynevana ukazywało się piękno.

505

Olśniewające piękno nagości, chwała delikatnej kobiecości, Graal, relikwia, świętość. Jego oczom objawiała się *donna angelicata*, godna pędzli artystów znanych mu, jak Domenico Veneziano, Simone da Siena, Mistrz z Flemalle, Tomaso Masaccio, Masolino, bracia Limbourg, Sasetta, Jan van Eyck. I tych, których znać jeszcze nie mógł, tych, którzy dopiero nadejść mieli. Których imiona – Fra Angelico, Piero Della Francesca, Quarton, Rogier van der Weiden, Jean Fouqet, Hugo van der Goes – miała zachwycona ludzkość dopiero poznać.

– *Sit satis laborum* – szepnęła, otaczając mu szyję ramionami. – Niechże będzie już kres mękom.

Widząc, że zraniony bark wciąż Reynevanowi dokucza, wzięła inicjatywę w swoje ręce. Położywszy go na wznak, złączyła się z nim w pozycji, w jakiej poeta Marcjalis zwykł był opisywać Hektora i Andromachę.

Kochali się jak Hektor i Andromacha. Kochali się w noc świętojańską. Skądś z wysoka rozbrzmiewały chóry, niewykluczone, że anielskie. A dokoła pląsały, podśpiewując, leśne skrzatki.

Auf Johanni blüht der Holler
Da wird die Liebe noch toller!

•

W następne noce – a często i dni – nie trudzili się bieganiem do lasu. Kochali się tuż za klasztornym murem, w wyprażonym słońcem ukryciu wśród krzaków tarniny i czarnego bzu. Kochali się, a dokoła – nawet za dnia – pląsały leśne skrzatki.

Petersilie, Suppenkraut wächst in uns'ren Garten
Schöne Jutta ist die Braut, soll nicht länger warten
Hinter einem Holderbusch gab sie Reynevan
den Kuss
Roter Wein, weisser Wein, morgen soll die Hochzeit
sein!

•

Klasztor w Białym Kościele podzielony był na trzy części, Reynevanowi nieodparcie kojarzące się z trzema krę-

506

gami wtajemniczenia. Krąg pierwszy – rzecz jasna, w kształcie bynajmniej nie okrągły – stanowiła część gospodarcza klasztoru, ogród, infirmeria, refektarzyk i dormitorium konwersek, także sypialnie i pomieszczenia dla gości. Krąg drugi, serce którego stanowił kościół, był dla gości niedostępny, w przykościelnym budynku mieściła się biblioteka i skryptorium, jak również mieszkanie opatki. Kręgiem trzecim była całkowicie i ściśle odizolowana klauzura, refektarz główny i dormitoria mniszek.

Klaryski z Białego Kościoła zachowywały – z pozoru przynajmniej – surową regułę zakonną. Pościły ściśle, mięsa w klasztornym jadłospisie nie uświadczyłeś. Zachowywały milczenie podczas posiłków, wielka cisza obowiązywała od komplety do mszy konwentualnej. Cały dzień zajmowały im praca, modlitwa, pokuta i kontemplacja, przysługiwała tylko jedna godzina na własne sprawy i odpoczynek, za wyjątkiem piątku, w który to dzień odpoczywania nie było. *Conversae* – obok Jutty były ich w klasztorze cztery, wszystkie panny ze znacznych rodów – miały regułę mocno złagodzoną, ich obowiązki sprowadzały się w zasadzie do uczestnictwa w mszy i nauki, nie wymagano od nich nawet uczestnictwa w oficjach.

Im dłużej jednak Reynevan przebywał w klasztorze, tym więcej odstępstw od reguły dostrzegał. Tym, co w oczy rzucało się z miejsca i najpierw, był dość swobodny stosunek do klauzury. Absolutnie niedostępna z zewnątrz, od wewnątrz klauzura zapory nie stanowiła – mniszki chodziły po całym terenie klasztoru. Nawet obecność w klasztorze dwóch mężczyzn, Reynevana i Samsona, nie miała wpływu na swobodę poruszania. Był jedynie do przestrzegania swoisty ceremoniał – zakonnice udawały, że mężczyzn nie ma, mężczyźni udawali, że nie widzą zakonnic. Opatki to nie dotyczyło, robiła, co chciała i jak chciała. Pełną swobodę kontaktów miały też siostra szafarka i siostra infirmeriuszka.

Im bardziej Reynevan był przez mniszki akceptowany i uznawany za zaufanego, tym więcej pozwalano mu widzieć. I widział, że nakazane regułą pokutę i kontemplację zastępowały w Białym Kościele nauczanie, czytanie z ksiąg, pism i postylli, dyskusje, dysputy nawet. Do tych zaklętych rewirów nie był jednak dopuszczany. Choć dostęp do nich miała Jutta, on nie miał.

Szokiem okazała się jednak dopiero msza. Reynevan na msze nie chadzał. Atmosfera Białego Kościoła sprawiała, iż czuł się bezpiecznie, ani myślał więc kryć się z faktem, że jako kalikstyn i utrakwista nie uznaje ani papistowskiej mszy, ani komunii.

Któregoś razu poczuł jednak potrzebę i na mszę poszedł, uznawszy po namyśle za wątpliwe, by Bóg miał czas roztrząsać detale liturgiczne i chęć przejmować się nimi. Poszedł do kościoła i doznał szoku. Mszę celebrowała opatka.

Kobieta.

•

Po kilku dniach opatka niespodziewanie wezwała Reynevana do siebie. Idąc, świadom był zarówno zaszczytu, jak i faktu, że idzie na cenzurowane. Spodziewał się tego zresztą już od dawna.

Gdy wszedł, czytała rozłożony na pulpicie inkunabuł. Będący bibliofilem i bibliomanem Reynevan z miejsca, po iluminacjach i rycinach, rozpoznał *Psalterium Decem Cordarum* Joachima z Fiore. Nie umknęły jego uwadze inne leżące na podorędziu dzieła: *Liber Divinorum Operum* Hildegardy z Bingen, *De amore Dei* świętego Bernarda, *Theogonia* Hezjoda, *De ruina ecclesiae* Mikołaja de Clemanges. Nie wiedzieć czemu, zupełnie nie zdziwił go w tym towarzystwie podniszczony egzemplarz *Necronomiconu*.

Opatka czas jakiś przyglądała mu się znad szlifowanych szkieł okularów, jak gdyby sprawdzając, czy długo zdoła znieść spojrzenie.

– Rzecz niebywała – odezwała się wreszcie, a grymas na jej wargach mógł równie dobrze być uśmiechem, jak i nim nie być. – Rzecz niebywała. Mało, że leczę w moim klasztorze husytę, mało, że chronię heretyka. Mało, że znoszę tu czarnoksiężnika, a kto wie, czy nie nekromantę. Mało, że toleruję i pielęgnuję, ba, jeszcze pozwalam mu

oddawać się miłosnym igraszkom z powierzoną mej pieczy konwersą. Szlachetną panną, za którą odpowiadam.
– Kochamy się... – zaczął. Nie dała mu skończyć.
– Prawda. Robicie to wcale często. A o ewentualnych konsekwencjach, ciekawam, zdarza się wam czasem pomyśleć? Choćby przez chwileńkę?
– Jestem lekarzem...
– Po pierwsze, nie zapominaj o tym. Po drugie, bynajmniej nie tylko o antykoncepcję mi szło.

Milczała czas jakiś, bawiąc się przepasującym habit lnianym sznurem, zasupłanym na cztery węzły, symbolizujące cztery śluby świętej Klary, patronki i założycielki zakonu Ubogich Pań.
– Szło mi o przyszłość – przyłożyła dłoń do czoła. – Rzecz wielce niepewną w trudnych dzisiejszych czasach. Interesuje mnie, czy myślicie o przyszłości. Czy ty myślisz o przyszłości. Nie, nie, szczegóły mnie nie interesują. Sam fakt.
– Myślę o przyszłości, czcigodna matko.

Spojrzała mu prosto w oczy. Tęczówki miała szarobłękitne, jasne. Rysy jej twarzy kogoś mu przypominały, kogoś nieodparcie przywodziły na myśl. Nie mógł jednak ustalić, kogo.
– Myślisz, twierdzisz – przekrzywiła głowę. – A cóż, ciekawam, w twych myślach przeważa? Czegóż w nich więcej? Jutty i tego, co dla niej dobre? Czy może wojny? Walki o słuszną sprawę? Pragnienia, by zmieniać świat? A gdyby, załóżmy, doszło do konfliktu, gdyby ideały stanęły przeciw sobie... co wybierzesz? A z czego zrezygnujesz?

Milczał.
– Jest powszechnie wiadomym – podjęła – że gdy idzie o dobro wielkich i ważnych spraw, jednostki się nie liczą. Jednostki się poświęca. Jutta jest jednostką. Co z nią będzie? Rzucisz ją jak kamień na szaniec?
– Nie wiem – z wysiłkiem przełknął ślinę. – Nie mogę i nie chcę przed tobą udawać, czcigodna. Ja naprawdę nie wiem.

Długo patrzyła mu w oczy.
– Wiem, że nie wiesz – powiedziała wreszcie. – Nie

oczekiwałam odpowiedzi. Po prostu chciałam, byś trochę
nad tym pomyślał.

●

Krótko po Piotrze i Pawle, gdy wszystkie łąki niebiesz-
czyły się już od chabrów, nastała przykra długotrwała sło-
ta. Ustronia, w których Reynevan i Jutta zwykli byli oddawać się miłosnym uniesieniom, zamieniły się w błotni-
ste bajora. Opatka przyglądała się czas jakiś, jak zakochani krążą pod arkadami wirydarza, jak patrzą sobie
w oczy – by wreszcie rozstać się i rozejść. Któregoś wieczora, dokonawszy w opactwie pewnych reorganizacji za-
kwaterowaniowych, wezwała ich do siebie. I zaprowadziła
do celi, wysprzątanej i udekorowanej kwieciem.
   – Tu będziecie mieszkać – oświadczyła sucho. – I spać.
Oboje. Od zaraz. Od tej nocy.
   – Dziękujemy, matko.
   – Nie dziękujcie. I nie traćcie czasu. *Hora ruit, redi-
mite tempus.*

●

Nadeszło lato. Gorące, upalne lato roku 1428.

●

Niestrudzony ogrodnik niestrudzenie znosił coraz to
nowe plotki. Kapitulacja Jana Koldy i utrata ślężańskiej
placówki, opowiedział, rozdeptując wykopane z gniazd gołe myszęta, rozwścieczyły husytów. W połowie lipca, we
czwartek po świętej Małgorzacie, Sierotki w ramach odwetu szybkim wypadem zaatakowały i zdobyły Jelenią
Górę, paląc miasto do gołej ziemi.
   Choć zajęło mu to trochę więcej czasu, ogrodnik dostarczył też plotek z Czech, wieści, na które Reynevan i Samson czekali z utęsknieniem. Hejtman Nowego Miasta Praskiego, Velek Koudelnik z Brzeźnicy, opowiadał ogrodnik,
zdrapując gówno z wideł, około świętego Urbana uderzył
na krainę Bawarów. Husyci spalili Mosbach, rezydencję
falcgrafa Ottona, doliną rzeki Naab doszli aż pod Regens-
burg. Doszczętnie splądrowali i totalnie zrujnowali cy-

sterskie opactwo w Walderbachu. Z wozami pełnymi łupu wrócili do Czech, zostawiając za sobą pogorzelisko.

W tym samym mniej więcej czasie, opowiadał ogrodnik, dłubiąc w nosie i z uwagą oglądając wydłubane znaleziska, Tabor, by nauczyć moresu księcia Albrechta, wpadł z dziką rejzą do Rakus. Paląc, pustosząc, łupiąc i nie napotykając oporu taboryci doszli aż do Dunaju. Choć jeno kęsek drogi dzielił ich od Wiednia, wielkiej rzeki sforsować nie mogli. Dla demonstracji jeno z dział z lewego brzegu trochę pogrzmieli, po czym odeszli.

– Pewnie – mruknął do Samsona Reynevan – i nasz Szarlej tam był. I dokazywał.

– Pewnie tak – ziewnął olbrzym, skrobiąc paznokciami szramę na głowie. – Nie sądzę, by do Konstantynopola powędrował bez nas.

•

W wigilię świętego Jakuba opatka po raz wtóry wezwała Reynevana do siebie.

•

Tym razem czytała *Księgę Boskiej pociechy* Mistrza Eckharta, piękne i bogate wydanie.

– W kościele dawno nie byłeś – zauważyła, spoglądając znad okularów. – Wpadłbyś kiedy, przed ołtarzem poklęczał. Pomyślał o tym i o owym. Przemyślał to i owo...

– Ach, prawda – uniosła głowę, nie doczekawszy się odpowiedzi. – Brak ci czasu. Jesteście zajęci, ty i Jutta, bardzo zajęci. Cóż, rozumiem was i nie potępiam. Nie zawsze byłam mniszką. W młodości, wstyd wyznać, też zdarzało mi się aktywnie oddawać cześć Priapowi i Asztarte. I nieraz zdawało mi się, żem w ramionach mężczyzny bliższą jest Boga niżeli w świątyni. Byłam w błędzie. Nie przeszkadza mi to jednak rozumieć tych, którzy na zrozumienie tego błędu muszą jeszcze poczekać.

– Dałyśmy ci tu – podjęła po chwili – schronienie i opiekę. Że nie kierowało nami wyłącznie miłosierdzie, z pewnością już pojąłeś. O naszej sympatii nie całkiem zdecydowały też skłonność i chętliwość, jakie żywi ku tobie miła nam bardzo Jutta Apoldówna. Były i inne przyczyny. O których czas porozmawiać.

– Twoje baczne oko niezawodnie też odkryło już, że klasztor ten różni się nieco od innych klasztorów. A nie jest, wiedzieć ci trzeba, jedynym bynajmniej takim klasztorem. Nie tylko wy, utrakwiści, dostrzegacie konieczność reformy Kościoła, nie tylko wy do takiej dążycie. A choć niekiedy wydaje się wam, żeście w dążeniach skrajni, nie jest to prawdą. Są tacy, którzy pragną zmian idących dalej. Znacznie dalej.

– Znane ci są, jak mniemam – ciągnęła – tezy braci z Zakonu Franciszka, którzy czerpali z krynicy wielkiej i tajemnej mądrości, tej samej, którą zgłębił natchniony świętą myślą i wolą Joachim z Fiore? Przypomnę: na trzy Wieki świat nasz podzielon jest i na trzy Zakony. Wiek i Zakon Ojca, który trwał od Adama do Chrystusa, był prawem srogiej sprawiedliwości i przemocy. Drugi, Wiek i Zakon Syna, rozpoczęty ze Zbawicielem, był prawem łaski i mądrości. Trzeci Wiek nastał, gdy wielki święty z Asyżu podjął swoje dzieło, a jest to wiek Ducha Świętego, którego Zakon prawem jest miłości i miłosierdzia. I panować będzie Duch Święty do skończenia świata.

– Moc Ducha Świętego, mówi natchniony Mistrz Eckhart – opatka położyła dłoń na otwartej księdze – prawdziwie porywa to, co najczystsze, najdelikatniejsze, najwznioślejsze, porywa iskrę duszy i ku samym szczytom przenosi ją w rozpłomienieniu i w miłości. Podobnie jak to się dzieje z drzewem: moc słońca bierze to, co w korzeniu drzewa najczyściejsze jest i najdelikatniejsze, i wznosi aż do gałązek, na których staje się to kwiatem. W ten sam zupełnie sposób iskra duszy wyniesiona zostaje do światła, porwana do swego pierwszego początku. I osiąga całkowitą jedność z Bogiem.

– Widzisz tedy, młodzieńcze, iż nadejście Wieku Ducha bezużytecznym i zbędnym czyni pośrednictwo Kościoła i księży, cała bowiem wspólnota wiernych objęta jest bezpośrednim światłem Ducha, poprzez Ducha z Bogiem się zespala i utożsamia. Bez pośredników. Pośrednicy są niepotrzebni. Zwłaszcza pośrednicy grzeszni i fałszywi.

– W istocie – odważył się, odchrząknąwszy. – Podobne mamy, zda mi się, poglądy i cele. Dokładnie to samo mówili bowiem Jan Hus i Hieronim, a przed nimi Wiklef...

– To samo – przerwała – mówił i mówi Piotr Chelczicky. Dlaczego więc jego słów nie słuchacie? Gdy naucza, że gwałt nie może odciskać się gwałtem, że na przemoc nie wolno odpowiadać przemocą? Że wojna nigdy nie kończy się zwycięstwem, lecz płodzi następną wojnę, że niczego, oprócz kolejnej wojny, wojna przynieść nie może? Piotr Chelczicky znał i kochał Husa, ale z gwałtownikami i mordercami nie było mu po drodze. Nie było mu po drodze z ludźmi, którzy zwracają twarz ku Bogu, klęcząc na zasłanym trupami pobojowisku. Którzy czynią znak krzyża rękami po łokcie ubabranymi we krwi.

– Na góry – podjęła, nim zdążył oponować – poszliście w Wielkanoc roku 1419. Na Taborze, na Orebie, na Baranku, na Syjonie, na Górze Oliwnej tworzyliście braterską wspólnotę Dzieci Bożych, przepojonych Duchem Świętym i miłością bliźniego. Wtedy byli z was prawdziwi Boży bojownicy, boście czyste mieli dusze i serca, boście żarliwie nieśli słowo Boże i głosili miłość Bożą. Ale trwało to piętnaście tygodni, chłopcze, zaledwie piętnaście tygodni. Już w dniu świętego Abdona, trzydziestego lipca, zrzucaliście ludzi z okien na dzidy, mordowaliście na ulicach, po kościołach i domach, czyniliście gwałt i rzeź. Zamiast miłości Bożej jęliście głosić apokalipsę. I nazwa Bożych bojowników nie przystoi wam już. Bo to, co czynicie, cieszy raczej diabła. Po schodach z trupów nie wstępuje się do Królestwa Niebieskiego. Zstępuje się nimi do piekieł.

– A jednak – wtrącił, hamując zaperzenie – mówiłaś, że utrakwizm ci bliski. Że dostrzegasz konieczność reformy Kościoła, żeś świadoma konieczności daleko idących zmian. W czasie, gdy Chelczicky wołał: „Piąte: nie zabijaj!", na Pragę szły papieskie krucjaty. Gdybyśmy wtedy posłuchali Chelczickiego, każącego nam bronić się wyłącznie wiarą i modlitwą, gdybyśmy przeciwstawili rzymskim hordom tylko pokorę i miłość bliźniego, wymordowano by nas. Czechy spłynęłyby krwią, a nadzieje i marzenia rozwiałyby się jak dym. Nie byłoby żadnych zmian, żadnej reformy. Byłby Rzym, w triumfie jeszcze bardziej hardy, zadufany i arogancki, jeszcze bardziej zakłamany, jeszcze bardziej przeciwny Chrystusowi. Było o co walczyć, więc walczyliśmy...

Opatka uśmiechnęła się, a Reynevan zarumienił. Nie mógł oprzeć się wrażeniu, że uśmiech podbarwiała drwina. Że opatka wie, w jak wielką śmieszność popada, mówiąc „myśmy", „my" i „nas", podczas gdy tak naprawdę pójście na góry w Wielkanoc roku 1419 obserwował z boku, w oszołomieniu, z lękiem i bez cienia zrozumienia. Że zszokowany lipcową defenestracją uciekł z rozszalałej w rewolcie Pragi, że czmychnął z Czech, śmiertelnie przerażony rozwojem wypadków. Że nawet teraz jest zaledwie neofitą. I że zachowuje się jak neofita.

– Względem zmian i reform – podjęła wciąż uśmiechnięta klaryska – faktycznie zgadzamy się, ty i ja. Różni nas jednak nie tylko sposób, ale i zakres i skala działania. Wy chcecie zmian w liturgii i reformy kleru na gruncie zasady *sola Scriptura*. My, wszak mówiłam ci, jest nas wiele, chcemy zmienić znacznie, znacznie więcej. Spójrz.

Na wprost opatki, jako jedyna dekoracja pomieszczenia, wisiał obraz, deska z wyobrażeniem białej gołębicy, wzlatującej z rozpostartymi skrzydłami w padającą z góry smugę światła. Klaryska uniosła dłoń, powiedziała coś ledwie słyszalnym szeptem. Powietrze przesycił nagle zapach ruty i werbeny, charakterystyczny dla białej magii, zwanej aradyjską.

Smuga światła na obrazie rozjaśniła się, wymalowana na desce gołębica machnęła skrzydłami, wzlatując i niknąc w jasności. W jej miejscu na obrazie zjawiła się postać kobieca. Wysoka, czarnowłosa, o oczach jak gwiazdy, odziana w suknię wielowzorzystą, mieniącą się wieloma odcieniami już to bieli, już to miedzi, już to purpury...

– Znak wielki się ukazał na niebie – opatka jęła cichym głosem komentować coraz wyraźniejsze detale obrazu. – Niewiasta obleczona w słońce i księżyc pod jej stopami, a na jej głowie wieniec z gwiazd dwunastu.

– Rzecze prorok, gdy mówi o Duchu: jak matka pociesza, tak ja was pocieszać będę. Spójrz. Oto Matka. *Ecce femina! Ecce Columba qui tollit peccata mundi.* Oto Kościół Trzeci. Prawdziwy i w prawdzie swej ostateczny. Kościół Ducha Świętego, którego prawem jest miłość. Który trwać będzie do skończenia świata.

– Oto, pojrzyj: Magna Mater, Pantea-Wszechbogini. Regina-Królowa, Genetrix-Rodzicielka, Creatrix-Stwórczyni, Victrix-Triumfatorka, Felix-Szczęsna. Boska Panna, Virgo Caelestis.

– Oto matka przyrody, władczyni żywiołów, *astrorum Domina*, odwieczny początek wszechrzeczy. Największa bogini, królowa cieni, pani promiennych wysokości, nieba, życiotwórczych tchnień morskich, ciszy podziemi. Ta, której jedyną boskość o wielu kształtach czci cały świat pod rozlicznymi imionami i w różnorakim obrzędzie.

– *Descendet sicut pluvia in vellus.* Ona zstąpi jak deszcz na trawę, jak deszcz rzęsisty, co nawadnia ziemię. Za dni jej zakwitnie sprawiedliwość i wielki pokój, dopóki księżyc nie zgaśnie. I panować będzie od morza do morza, od Rzeki aż po krańce ziemi. I tak będzie aż do skończenia świata, bo to ona jest Duchem.

– Skłoń się przed nią. Przyjmij i pojmij jej władzę.

●

Samson, trąc bliznę na ogolonej głowie, wysłuchał opowieści, zaznajomił się z niepokojami Reynevana – jak zwykle bez komentarzy, jak zwykle bez emocji i bez najmniejszych objawów zniecierpliwienia. Reynevan odnosił jednak nieodparte wrażenie, że olbrzyma w ogóle nie interesuje ani ruch Budowniczych Trzeciego Kościoła, ani odradzający się kult Wszechbogini. Że niewielką zgoła wagę przykłada do podziału historii świata na trzy epoki. Że w sumie dość obojętne mu jest, czy opatka klasztoru klarysek w Białym Kościele wyznaje i wprowadza w życie tezy waldensów i chiliastów, czy też skłania się ku doktrynom Braci i Sióstr Wolnego Ducha. Wyglądało, że niezwykle mało obchodzą Samsona begardzi, beginki i gwilelmitki. Zaś co do Joachima z Fiore i Mistrza Eckharta, to miało się, hmm, odczucie, że obaj Samsonowi całkowicie i absolutnie zwisają.

– Wyjeżdżam – zupełnie nieoczekiwanie oświadczył olbrzym, grzecznie wysłuchawszy wynurzeń Reynevana. – Będziesz musiał sam uporać się z twymi problemami. Ja jadę do Czech. Do Pragi.

– Byłeś przy tym, gdy mnie zraniono – podjął, nie czekając, aż Reynevan ochłonie i wydusi z siebie choć słowo.

– Widziałeś, co się stało, gdy tamta kula zawadziła o mój czerep. Byłeś świadkiem, miałeś możność przypatrzeć się z bliska. Byłem przygotowany na coś podobnego. Mówiono mi o tym i nawet... Nawet doradzano. W Pradze Axleben, na Troskach Rupilius. Nazwali to: powrót przez śmierć. Sposobem na powrót do mego własnego uniwersum i do mojej własnej... cielesnej, że tak się wyrażę, postaci jest pozbycie się obecnej materialnej powłoki. Mówiąc krótko: najprościej byłoby zabić to wielkie cielsko. Unicestwić je, definitywnie przerwać zachodzące w nim procesy życiowe. Zakończyć jego materialną egzystencję. Pierwiastek duchowy, mój własny, zostanie wówczas uwolniony i powróci tam, dokąd powrócić powinien. Tak twierdzili Axleben i Rupilius. To, co stało się ósmego maja, zdaje się potwierdzać, że mieli słuszność.

– W czym tkwi problem, niewątpliwie się domyślasz. Pojmujesz, z jakich powodów doradzany sposób nie bardzo mi odpowiada, z jakich względów wolałbym jakiś mniej drastyczny. Po pierwsze, nie chcę brać na sumienie śmierci klasztornego głupka, w ciało którego odzian paraduję po świecie już trzy lata. Po drugie, ani Rupilius, ani Axleben nie byli skorzy dać gwarancji, że rzecz powiedzie się w stu procentach. A po trzecie i najważniejsze: jakoś przestało mi się spieszyć do powrotu. Główna przyczyna tego faktu ma włosy w kolorze miedzi, a na imię Marketa. I przebywa w Pradze. Dlatego wracam do Pragi, przyjacielu Reinmarze.

– Samsonie...

– Ani słowa, proszę. Wracam sam. Ty zostań. Marnym byłbym przyjacielem, gdybym próbował cię stąd wyrwać, odseparować od tego, czym to miejsce dla ciebie jest. To twoja Ogygia, Reinmarze, wyspa szczęścia. Zostań więc i zażyj go. Jak najwięcej i jak długo się da. Zostań i postępuj mądrze. Oddzielaj to, co subtelne, od tego, co gęste. Wtenczas posiędziesz chwałę tego świata. A wszelka ciemność cię odbieży. Mówię ci to ja, twój przyjaciel, istota znana ci jako Samson Miodek. Musisz mi wierzyć, albowiem *vocatus sum Hermes Trismegistus, habens tres partes philosophiae totius mundi.* Posłuchaj uważnie. Pożar nie został bynajmniej ugaszony i stłumiony, przygasł tylko, zarzewie się tli. Lada dzień świat znów stanie w ogniu. A my znowu się spotkamy. A do tego czasu... Bywaj, przyjacielu.

– Bywaj, przyjacielu. Szczęśliwej drogi. I pozdrów ode mnie Pragę.

•

Na skraju lasu Samson obrócił się w siodle i pomachał im ręką. Pozdrowili go podobnym gestem, nim zniknął wśród drzew.

– Boję się o niego – wyszeptał Reynevan. – Do Czech daleka droga. Czasy trudne i groźne...

– Dojedzie bezpiecznie – Jutta przytuliła się do jego boku. – Nie lękaj się. Dojedzie bezpiecznie. Bez złych przygód. I nie błądząc. Ktoś czeka na niego. Czyjaś latarnia zapłonie w mroku, wskaże właściwą drogę. Jak Leander, bezpiecznie pokona Hellespont. Bo czeka nań Hero i jej miłość.

•

Był pierwszy sierpnia. Dzień Świętego Piotra W Okowach. U Starszych Ludów i czarownic święto Hlafmas. Festiwal żniw.

•

Przez tydzień Reynevan przymierzał się do rozmowy z Juttą. Bał się takiej rozmowy, bał się jej skutków.

Jutta wielokrotnie rozmawiała z nim o naukach Husa i Hieronima, o czterech artykułach praskich i generalnie o założeniach reformy husyckiej. I choć wobec pewnych doktryn utrakwizmu potrafiła być dość sceptyczną, nigdy ani jednym słowem, najmniejszą nawet aluzją czy sugestią nie objawiła tego, czego się obawiał: neofickiego zapału. Klasztor w Białym Kościele – rozmowa z opatką wątpliwości w tym względzie nie pozostawiała – skażony był błędami Joachima z Fiore, Budowniczych Trzeciego Kościoła i Siostrzeństwa Wolnego Ducha; opatka, zakonnice – a zapewne i konwersy – czciły Odwieczną i Potrójną Wielką Matkę, co łączyło je z ruchem adoratorów Gwilelminy Czeszki jako żeńskiej inkarnacji Ducha Świętego. I Maifredy da Pirovano, pierwszej gwilelmickiej papieżycy. Do tego w oczywisty sposób mniszki uprawiały białą magię, wiążąc się tym samym z kultem Aradii, królowej czarownic, zwanej w Italii *La Bella Pellegrina*. Ale choć Reynevan krążył wokół Jutty czujnie niby żuraw, polując na znak czy sygnał, nigdy niczego nie złowił. Albo Jutta aż tak dobrze umiała się kamuflować i kryć, albo zagorzałą i zapaloną neofitką joachimickiej, gwilelmickiej i aradyjskiej herezji nie była bynajmniej. Reynevan nie mógł wykluczyć ani pierwszej, ani drugiej ewentualności. Jutta była zarówno dość sprytna, by umieć się maskować, jak i dość rozważna, by nie od razu i nie z głową skakać w coś i rzucać się w nurt czegoś. Pomimo uczucia, jakie zdawało się ich łączyć, pomimo często, entuzjastycznie i twórczo uprawianej miłości, pomimo tego, że ciała ich zdawały się nie mieć już przed sobą tajemnic, Reynevan pojmował, że wciąż nie wszystko o dziewczynie wie i że daleko nie wszystkie jej sekrety zdołał rozszyfrować. A jeśli było tak, że Jutta nie związała się jeszcze z herezją na dobre i złe, że wahała się, wątpiła lub wręcz była nastawiona krytycznie, tematu poruszać nie należało.

Z drugiej strony zwlekać i przyglądać się bezczynnie nie należało również. Do tej pory wciąż brał sobie do serca słowa Zielonej Damy. Był na Śląsku wywołańcem, ściganym banitą, był husytą, wrogiem, szpiegiem i dywersantem. Tym, kim był, w co wierzył i czym się parał, wystawiał Juttę na niebezpieczeństwo i szwank. Zielona Dama, Agnes de Apolda, matka Jutty, miała rację – jeśli miał choć trochę przyzwoitości, nie mógł narazić dziewczyny, nie mógł pozwolić, by przez niego ucierpiała.

Rozmowa z opatką zmieniła wszystko, a w każdym razie sporo. Klasztor w Białym Kościele, sam fakt przebywania w nim był, okazywało się, dla Jutty znacznie niebezpieczniejszy niż znajomość i związek z Reynevanem. Tezy Joachima i Spirytuałów, herezja – wciąż jakoś nie mógł myśleć o tym inaczej, znaleźć innego słowa – Budowniczych Trzeciego Kościoła, kult Gwilelminy i Maifredy były dla Rzymu i Inkwizycji odstępstwem równie ciężkim jak husytyzm. Wszystkie herezje i odstępstwa były zresztą wrzucane przez Rzym do jednego worka. Kacerz – każdy – był sługą diabła. Dotyczyło to – co już było ewidentną śmiesznością – także kultu Wielkiej Matki, starszego wszak niż ludzkość. I niż diabeł, którego wszak to Rzym dopiero wymyślił.

Ale fakt pozostawał faktem: kult Wszechmacierzy, adoracja Gwilelminy, błędy Joachima, Siostrzeństwo Wolnego Ducha, Trzeci Kościół – każdej z tych rzeczy wystarczało, by trafić do więzienia i na stos, względnie na dożywotnie pokutne pogrzebanie w dominikańskich lochach. Jutta nie powinna pozostawać w klasztorze.

Należało coś przedsięwziąć.

Reynevan wiedział, co. A przynajmniej instynktownie czuł.

●

– Pytałaś mnie zimą – przewrócił się na bok, spojrzał jej w oczy. – Pytałaś, czy gotów jestem rzucić wszystko. Czy gotówem, tak jak stoję, uciec, powędrować wraz z tobą na kraj świata. Odpowiadam twierdząco. Kocham cię, Jutto, pragnę złączyć się z tobą po kres życia. Świat, jak się zda, robi, co może, by nam w tym przeszkodzić. Rzućmy więc wszystko i uciekajmy. Choćby do Konstantynopola.

Milczała długo, pieszcząc go w zamyśleniu.

– A twoja misja? – zapytała wreszcie, wolno wypowiadając i ważąc słowa. – Masz wszak misję. Masz przekonania. Masz prawdziwie ważny i święty obowiązek. Chcesz zmienić obraz świata, poprawić go, uczynić lepszym. Jakże więc? Porzucisz misję? Zrezygnujesz z niej? Zapomnisz o Graalu?

Niebezpieczeństwo, pomyślał. Uwaga. Niebezpieczeństwo.

– Misja – podjęła, mówiąc jeszcze wolniej. – Przekonania. Powołanie. Poświęcenie. Ideały. Królestwo Boże i pragnienie, by nastało. Marzenie o tym, by nastało. Walka o to, by nastało. Czy to są rzeczy, z których można rezygnować, Reinmarze?

– Jutto – zdecydował się, unosząc na łokciu. – Nie mogę patrzeć, jak się narażasz. Pogłoski o tym, co tu wyznajecie, krążą, wielu wie, co dzieje się w tym klasztorze, sam dowiedziałem się tego jeszcze zimą, pod koniec ubiegłego roku. Nie jest to więc żadna tajemnica. Donosy mogły już dotrzeć do adresatów. Żyjecie w wielkim zagrożeniu. Maifreda da Pirovano spłonęła na stosie w Mediolanie. Piętnaście lat później, w roku 1315, w Świdnicy spalono pół setki beginek...

A adamitki w Czechach, pomyślał nagle. A zamęczone i spalone pikartki? Sprawa, której się poświęciłem, prześladuje dysydentów nie mniej okrutnie niż Rzym...

– Każdy dzień – odpędził myśl – może być dniem twej zguby, Jutto. Możesz zginąć...

– Ty też możesz zginąć – przerwała mu. – Na wojnie mogłeś polec. Też ryzykowałeś.

– Tak, ale nie dla...

– Mrzonek, tak? Dalej, powiedz to głośno. Mrzonki. Kobiece mrzonki?

– Wcale nie chciałem...

– Chciałeś.

Milczeli. Za oknem była sierpniowa noc. I świerszcze.

– Jutto.

– Słucham cię, Reinmarze.

– Wyjedźmy. Kocham cię. Kochamy się, a miłość... Odnajdźmy Królestwo Boże w nas. W nas samych.

– Mam ci wierzyć? Że zrezygnujesz...

– Uwierz.

– Ofiarowujesz mi wiele – powiedziała po dłuższej chwili. – Doceniam to. I jeszcze bardziej za to kocham. Ale jeśli porzucimy ideały... Jeśli ty zrezygnujesz z twoich, a ja z moich... Nie mogę się oprzeć myśli, że to byłoby jak...

– Jak co?

– Jak *endura*. Bez nadziei na *consolamentum*.
– Mówisz jak katarka.
– Montségur trwa – szepnęła z ustami tuż przy jego uchu. – Graala dotąd nie odnaleziono.

Dotknęła go, dotknęła i poraziła łagodną, lecz elektryzującą pieszczotą. Gdy unosiła się na kolana, jej oczy płonęły w mroku. Gdy schylała się nad nim, była powolnie łagodna, jak fala gładząca piasek plaży. Jej oddech był gorący, gorętszy od jej warg. Samson miał rację, zdążył pomyśleć, nim rozkosz odebrała mu zdolność myślenia. Samson miał rację. To miejsce to moja Ogygia. A ona jest moją Kalipso.

– Montségur trwa. – Kilka chwil minęło, nim usłyszał jej głośny szept. – I wytrwa. Nie podda się i nie zostanie zdobyte nigdy.

●

Sierpień roku 1428 był gorący, nieznośne wręcz upały trwały aż do połowy miesiąca, do dnia Wniebowzięcia Marii, przez lud zwanego świętem Matki Bożej Zielnej. Wrzesień również był bardzo ciepły. Pogoda nieznacznie zaczęła się psuć dopiero po Mateuszu. Dwudziestego trzeciego września spadły deszcze.

A dwudziestego czwartego powrócili starzy znajomi.

●

Pierwszego sygnału o powrocie starych znajomych dostarczyły – za pośrednictwem niezawodnego klasztornego ogrodnika – plotki, zrazu niejasne i mało precyzyjne, z biegiem czasu coraz bardziej konkretne. Na rynku w Brzegu ktoś rozrzucił oto ulotki, przedstawiające koźłogłowe straszydło w papieskiej tiarze na rogatym łbie. Kilka dni później podobne w stylu obrazki pojawiły się w Wiązowie i Strzelinie – widniała na nich świnia ustrojona w mitrę, a nie pozostawiający wątpliwości podpis głosił: „*Conradus episcopus sum*".

Kilka tygodni później zrobiło się trochę poważniej. Nieznani sprawcy – plotka rozmnożyła ich do liczby dwudziestu – napadli i zasztyletowali na wrocławskim gościńcu pana Ryperta von Seidlitza, zastępcę szefa kontrwywiadu Świdnicy, znanego z okrutnych prześladowań ludzi podejrzanych o prohusyckie sympatie. Od ciosu noża zginął w Grodkowie pisarz z ratusza, przechwalający się zadenuncjowaniem więcej niż setki ludzi. W Sobótce bełt z kuszy dosięgnął – na ambonie – proboszcza od Świętej Anny, szczególnie zawziętego na nadto swobodnie myślących parafian.

W piątek po Mateuszu, dwudziestego czwartego września – zanim jeszcze dotarła do klasztoru plotka o sołtysie zadźganym sztyletami w całkiem bliziutko położonym Przewornie – w Białym Kościele zjawili się Bisclavret i Rzehors. Za furtę nie wpuszczono ich, ma się rozumieć, czekali na Reynevana w przyklasztornej grangii. Przy studni. Rzehors spierał w korycie krew z rękawów kabata, Obłupiacz bez żenady mył lepką od posoki navaję.

– Koniec leniuchowania, kochany bracie Reinmarze – Rzehors wyżął uprany rękaw. – Robota czeka.

– Taka? – Reynevan wskazał na krwawą pianę, ściekającą z koryta. Bisclavret parsknął.

– Ja też cię kocham – zadrwił. – Również się stęskniłem i cieszę, widząc w dobrym zdrowiu. Choć troszkę wychudłego jakby. Post tak cię wyszczuplił? Klasztorny wikt? Czy intensywne uprawianie miłosnych igraszek?

– Schowaj, cholera jasna, ten nóż.

– A co? Nie podoba się? Razi uczucia? Odmienił cię ten klasztor, widzę. Pół roku temu, w Żelaźnie pod Kłodzkiem, na moich oczach gołymi rękami zatłukłeś człowieka na śmierć. Z osobistej zemsty, dla prywatnego odwetu. A na nas, walczących za sprawę, śmiesz spoglądać z góry? Wielkopańsko marszczyć nos?

– Schowaj nóż, powiedziałem. Po coście przyjechali?

– Domyśl się – Rzehors splótł ręce na piersi. – A domyśliwszy, zbieraj dupę w troki. Mówiliśmy, jest robota. Vogelsang kontratakuje, a ty wciąż jesteś Vogelsang, nikt cię z Vogelsangu nie wypisał i z obowiązków nie zwolnił. Prokop i Neplach wydali rozkazy. Dotyczące również ciebie. Wiesz, co grozi za niewykonanie?

– Ja też was kocham – Reynevanowi nie drgnęła powieka – i sram z radości na wasz widok Ale spuśćcie no nieco z tonu, chłopcy. Względem rozkazów jesteście posłańcami, niczym więcej. Od rozkazywania to jestem ja. Nuże tedy, rozkazuję wam: gadać, co macie do przekazania, a szybko a dokładnie. To rozkaz. Wiecie, co grozi za niewykonanie.

– A nie mówiłem? – zaśmiał się Bisclavret. – Nie mówiłem, by tak z nim nie zaczynać?

– Wyrósł – przyznał z uśmiechem Rzehors. – Wykapany brat. Cały Peterlin. A może i już nawet Peterlina przerósł.

– Wiedzą o tym – Bisclavret, schowawszy wreszcie nawaję, skłonił się przesadnie, po małpiemu. – Wiedzą o tym bracia Prokop Goły i Bohuchval Neplach, Flutkiem zwany. Wiedzą, jaki to gorliwy z Peterlinowego brata utrakwista i jak gorący sprawy Kielicha zelator. Proszą tedy namienieni bracia poprzez niegodne usta nasze brata Reynevana, by raz jeszcze swej wierności Kielichowi dowiódł. Proszą bracia uniżenie...

– Zamknij się, Francuzie. Gadaj ty, Rzehors. Krótko i po ludzku.

●

Rozkaz Prokopa dla Vogelsangu był w samej rzeczy krótki i brzmiał: zrekonstruować siatkę. I uczynić to szybko. Na tyle szybko, by siatki można było użyć podczas kolejnego uderzenia na Śląsk. Kiedy by to uderzenie nastąpić miało, Prokop nie sprecyzował.

Reynevan nie bardzo wiedział, w jaki sposób on osobiście ma rekonstruować coś, o czym ideę miał ogólną i raczej mętną – siatkę, o której nie wiedział praktycznie nic oprócz tego, że jakoby istnieje. Przywołani do porządku Rzehors i Bisclavret wyznali, że głównie upatrują jego pomocy w tym, co, jak się wyrazili, we trójkę robić bezpieczniej niż we dwu.

Mimo rzekomo niesłychanej pilności zadania Reynevan nie zgodził się wyruszyć natychmiast. Chciał nauczyć Vogelsang nieco moresu i szacunku dla swej osoby. A przede wszystkim musiał załatwić sprawy z Juttą. Tak, jak oczekiwał, ta druga rzecz była znacznie trudniejsza. Ale i tak poszło mu łatwiej, niż oczekiwał.

– Cóż – rzekła, gdy minął jej pierwszy gniew. – Mogłam się spodziewać. Galahad kocha, obiecuje i przysięga. Jakoby na wieki. Ale naprawdę tylko do momentu, gdy gruchnie wieść o Graalu.

– To nie tak, Jutto – zaprotestował. – Nic się nie zmieniło. To tylko kilka dni. Potem wrócę... Nic się nie zmieniło.

Rozmawiali w kościele, przed ołtarzem i obrazem przedstawiającym – jakżeby inaczej – wzlatującą gołębicę. Ale Reynevan miał przed oczami nieszczęsną Maifredę da Pirovano, płonącą na stosie na Piazza del Duomo.

– Kiedy wyruszasz? – spytała, już spokojniej.

– Rankiem po *festum angelorum*.

– Mamy więc jeszcze kilka dni.

– Mamy.

– I nocy – westchnęła. – To dobrze. Uklęknijmy. Pomódlmy się do Bogini.

Trzydziestego września, rankiem po Michale, Gabrielu i Rafale, wrócili Rzehors i Bisclavret. Gotowi do drogi.

Reynevan czekał na nich. Też był gotów.

Rozdział dwudziesty czwarty

w którym powraca duch zniszczenia, będący – jakoby – zarazem duchem twórczym. Zaś Reynevan staje przed wyborem.

W ciągu kilku lat swego istnienia Vogelsang zdołał na Śląsku stworzyć wcale liczną i nieźle rozgałęzioną siatkę agentów uśpionych, było więc w zasadzie z czego rekonstruować. Problem polegał na tym, że przewalająca się ostatnio przez Śląsk fala prześladowań nie mogła pozostać bez wpływu na zwerbowanych. Część, należało się obawiać, przeszła do historii jako męczennicy, mogło po nich nawet popiołu nie zostać. Część z tych, którzy ocaleli, mogła pod wpływem szalejącej Inkwizycji radykalnie zrewidować poglądy i dojść do wniosku, że już z Wiklefem sympatyzować nie chce, a Husa kocha o wiele mniej, niźli wprzódy. Wśród tych ostatnich mogli się znaleźć i tacy, którzy z własnej woli lub pod przymusem zmienili stronnictwa radykalnie. Przekabaceni i przewerbowani czekają teraz, aż ktoś się do nich zgłosi. A jak się zgłosi, w dyrdy donoszą właściwym organom.

Kontakt z każdym dawnym agentem niósł zatem zawsze spore ryzyko i nie należało go nawiązywać, nie ubezpieczywszy się wcześniej jak należy. A trzem, kwestii to nie ulegało, ubezpieczać się wzajem było stokroć łatwiej niźli dwóm.

Przez miesiąc z okładem Reynevan, Rzehors i Bisclavret tłukli się po Śląsku – już to w chłód i jesienną słotę, już to w żywym słońcu i nitkach babiego lata. Odwiedzili sporo miejscowości – poczynając od miast wielkich, jak Wrocław, Legnica i Świdnica, kończąc zaś na Dorfach, Górkach i Wólkach, których pełne nazwy za cholerę w pamięci ostać się nie chciały. Odwiedzano różnych ludzi, różnym ludziom – różnymi metodami i z różnym skutkiem – przypomniano o przyrzeczonej niegdyś lojalności dla sprawy. Uciekać w popłochu musiano tylko trzy razy. Raz w Raciborzu, gdy Rzehors umknął z zastawionego przez Inkwizycję kotła, skacząc oknem z piętra kamienicy na rynku, po czym odbyła się imponująca galopada ulicą Długą aż do samej Bramy Mikołajskiej. Raz cała trójka przebiła się przez obławę na ścinawskim podgrodziu, w czym bardzo pomogła mgła, jak na zamówienie podnosząca się z nadodrzańskich mokradeł. Raz, w Skorogoszczu, musieli co koń wyskoczy zmykać przed pościgiem, który ruszył, gdy strzegący komory celnej i mostu na Nysie oddział najemników powziął wobec nich podejrzenia.

Raz, pod Namysłowem, gdy tamtejszy bednarz ojciec wysłuchiwał Rzehorsa i Reynevana, ubezpieczający Bisclavret pojmał i przywlókł do izby syna, dwunastolatka, cichcem posłanego po straż do grodu. Nim zdołałbyś trzykroć wyrzec: „Judasz Iskariota", bednarczyk zwijał się na polepie, pchnięty navają, bednarz rzężił i chlustał krwią z przeciętego gardła, bednarzowa i córki lamentowały na różne głosy, a kompania wiała przez opłotki ku zostawionym w gąszczu koniom.

– W walce o słuszną sprawę nie ma etyki – dumnie wyprostował się Rzehors, gdy jakiś czas później Reynevan czynił mu wyrzuty, głównie za dwunastolatka. – Gdy sprawa wymaga, by zabijać, to się zabija. Duch zniszczenia jest jednocześnie duchem twórczym. Zabójstwo w słusznej sprawie nie jest zbrodnią, przeto przed zabijaniem w słusznej sprawie nie wolno się wahać. Oto z podniesionym czołem i pewnym krokiem wstępujemy na scenę historii. Zmieniamy i kształtujemy historię, Reinmarze. Gdy nastanie Nowy Ład, dzieci będą się o tym w szkołach uczyć. A nazwę tego, co robimy, cały świat pozna. Słowo „terroryzm" na ustach całego świata będzie.

– Amen – dokończył Bisclavret.

Dwa dni później wrócili. Rzehors i Bisclavret dowiedzieli się nazwiska namysłowskiego agenta, który przewerbował bednarza. I zabili go. Zakłuli nożami, gdy nocą wracał z karczmy.

Z dnia na dzień, przyznać trzeba było, duch zniszczenia stawał się coraz to bardziej i bardziej twórczy.

•

– Nie marudź, nie marudź – krzywił się Bisclavret na widok miny Reynevana. – Któregoś dnia dostaniemy od Flutka rozkaz, to pójdziemy razem, we trzech, wsadzić nóż w brzuch temu Grellenortowi, co zamordował ci brata. Albo księciu Janowi Ziębickiemu. Albo i samemu wrocławskiemu biskupowi. Co, wtedy też będziesz gderał, pieprzył o etyce i honorze?

Reynevan nie odpowiadał.

W noc z siódmego na ósmy listopada na umówione miejsce, którym był krzyż pokutny na skraju dąbrowy u Przełęczy Tąpadła, rozdzielającej masywy Ślęży i Raduni, przybyli na spotkanie ci, którzy powinni. Ci spośród „ożywionych" agentów, których Vogelsang uznał za najpewniejszych i potrzebował do wykonania zadania specjalnego. Ma się rozumieć, zachowano środki ostrożności – obecności szpicla wśród konspiratorów wciąż nie można było wykluczyć. Na Przełęczy Tąpadła czekał na przybywających tylko jeden przedstawiciel Vogelsangu – losowanie wyłoniło Rzehorsa. Jeśli obyłoby się bez niespodzianek, Rzehors miał poprowadzić zebraną grupę na wschód, do pasterskich szałasów, gdzie miał czekać Reynevan. Jeśli i tu nie było zasadzki, grupa wędrowała aż pod wieś Będkowice, gdzie oczekiwał Bisclavret. Który wyciągnął najkrótszą słomkę.

Ale wszystko poszło gładko i w ciągu jednej tylko nocy stan osobowy Vogelsangu powiększył się o dziewięciu ludzi. Bardzo różnych ludzi. Rachmistrz z Wrocławia, kramarz z Prochowic, cieśla z Trzebnicy, czeladnik kamieniarski ze Środy, nauczyciel z Kątów, rządca z grangii klasztoru w Lubiążu, armiger, niegdyś w służbach Bolzów z Zeiskenbergu, były mnich z Jemielnicy, obecnie sprzedawca odpustów, do tego zaś – jako niejako ukoronowanie – proboszcz od Serca Jezusowego z Pogorzeli.

Podróżując nocami – oddział był już zbyt liczny, by móc bez wzbudzania podejrzeń jeździć za dnia – dotarli do Rychbachu, stamtąd do Lampersdorfu i Gór Sowich, na Przełęcz Jugowską. Tu, na polanie w lasach pod wsią Jugów, od której przełęcz nazwę wzięła, spotkali się z grupą przybyłą z Czech. Grupę stanowiło czternastu zawodowców. Nie przedstawiało trudności odgadnięcie, jakim zawodem się parali. Reynevan nie musiał zresztą zgadywać. Dwóch znał, widywał pod Białą Górą. Szkolili się w referacie zabójstw.

Grupę przyprowadził znajomy.

●

– Urban Horn – powiedział Łukasz Bożyczko. – Grupę przyprowadził z Czech Urban Horn. We własnej osobie.

Grzegorz Hejncze, *inquisitor a Sede Apostolica specialiter deputatus* na diecezję wrocławską, kiwnął głową na znak, że się domyślał. I że bynajmniej nie jest zaskoczony. Łukasz Bożyczko odchrząknął, uznał, że można kontynuować zdawanie raportu.

– Chodziło naturalnie o Kłodzko. Nasz człowiek był świadkiem dyskursu Horna z Reinmarem z Bielawy i tymi dwoma z Vogelsangu, Rzehorsem i Bisclavretem. Kłodzko, powiedział do nich Horn, to brama i klucz do Śląska. I dodał, że pan Puta z Czastolovic zaczyna urastać do niewygodnego symbolu, niebezpiecznego dla nas... Znaczy, dla nich... Znaczy, dla husytów... I że tym razem Kłodzko musi paść.

– To są – uniósł głowę inkwizytor – dokładne słowa naszego człowieka?

– Dokładne co do joty – potwierdził diakon. – Te słowa przekazał nasz człowiek naszemu agentowi w Kłodzku. A ten mnie.

– Mów dalej.

– Ten z Vogelsangu, Bisclavret, powiedział, że ich znajomy Trutwein przetrwał zawieruchy i że znowu działa. Że gromadzi *oleum*, żywicę i inne ingrediencje. Że tym razem niczego nie zabraknie, że rozpalą w Kłodzku takie ognisko, że... to jego własne słowa, że się panu Pucie na zamku wąsy opalą. I że tym razem to nie oni, ale pan Puta będzie uciekał przez dziurę od sracza. Tak powiedział, tymi detalicznie słowy: przez dziurę od sracza...

– Grupę – domyślił się Hejncze – przerzucono więc do Kłodzka. Kiedy rozpoczęto przerzut?

– W piątek po świętym Marcinie. Nie przerzucono wszystkich razem, ale stopniowo, po dwóch, trzech, by podejrzeń nie wzbudzać. Nasz człowiek szczęśliwie był w jednej z pierwszych przerzuconych grupek. Stąd wiemy, że z owym Trutweinem to prawda. Ów Trutwein, Johann Trutwein, to altarysta z kościoła Najświętszej Panny Marii, od dawna szpieg husycki. To wokół niego, jak się okazało, już od lata funkcjonuje w Kłodzku zalążek komórki szpiegowsko-dywersyjnej.

– W tej chwili – inkwizytor odepchnął pieczęć, którą się bawił. – W tej chwili cała grupa jest już w Kłodzku, jak rozumiem? Wszyscy?

– Wszyscy. Oprócz Horna, Bielawy, Bisclavreta i jeszcze trzech. Ci we świętego Marcina odjechali spod Jugowa. Nasz człowiek nie wie, dokąd. Jakie rozkazy, wasza wielebność? Co przedsięweźmiemy?

Zza okna dobiegał gwar miasta, przekupki kłóciły się na Kurzym Targu. Inkwizytor papieski milczał, trąc nos.

– Ten nasz człowiek – spytał wreszcie – to kto?

– Kacper Dompnig. Rachmistrz. Stąd, z Wrocławia.

– Dompnig... Nie był szantażowany. Pamiętałbym, gdyby był, nie zapominam szantaży... Ale płacić, zdaje mi się, też mu nie płaciliśmy. Czyżby więc idealista?

– Idealista.

– Miej zatem nań oko, Łukaszu.

– Amen, wasza wielebność.

– Pytałeś – Grzegorz Hejncze przeciągnął się – co robimy. Na razie nic. Ale gdyby rozpoczął się najazd, gdyby husyci podeszli pod Kłodzko, gdyby miasto było zagrożone, nasz człowiek ma natychmiast wsypać całą grupę. Ma natychmiast wszystkich wydać kontrwywiadowi pana Puty.

– Nie lepiej – uśmiechnął się Łukasz Bożyczko – by to nam przypadła zasługa? Biskup Konrad...

– Nie interesuje mnie biskup Konrad. A Święte Oficjum nie jest od tego, by zbierać zasługi. Powtarzam: nasz człowiek ma wydać grupę kontrwywiadowi Kłodzka. To pan Puta z Czastolovic ma zlikwidować dywersantów. I jeszcze bardziej urosnąć jako budzący przerażenie wśród husytów symbol. Jasne?

– Amen, wasza wielebność.

– Reynevana... Reinmara z Bielawy, nie ma, powiadasz, w kłodzkiej grupie. Odjechał, powiadasz. Z Hornem. Może do klasztoru w Białym Kościele? Bo to, rozumiem, pewne z tym klasztorem?

– Pewne, wasza wielebność, afirmuję. Czy podejmiemy tam... działania?

– Chwilowo nie. Posłuchaj, Łukaszu. Gdyby jednak Reynevan wrócił do Kłodzka... Gdyby dołączył do dywersantów... Krótko: gdyby wpadł w łapy pana Puty, macie go wyciągnąć. Żywego i nieuszkodzonego. Pojąłeś?

– Tak jest, wasza wielebność.

– Zostaw mnie teraz. Chcę się pomodlić.

•

Do Świdnicy wyruszyli w sześć koni – Horn, Reynevan, Bisclavret i trzech przybyłych z Hornem zabójców. Zabójcy towarzyszyli im jednak tylko do Frankensteinu, nie wjeżdżając do miasta, oddzielili się i odjechali w dal siną. Nie tracąc słów na żadne pożegnania. Mieli, nie ulegało kwestii, na Śląsku jakieś własne zadania i cele. Horn mógł te cele znać, mógł wiedzieć, kogo zamierzają zabić. Ale równie dobrze mógł i nie wiedzieć. Reynevan nie pytał o nic. Nie byłby jednak sobą, gdyby nie wygłosił mowy o etyce i moralności.

Horn słuchał cierpliwie. Był znowu dawnym Hornem, takim, jakiego Reynevan poznał, znał i pamiętał. Hornem w eleganckim, krótkim szarym płaszczu spiętym srebrną klamrą, w szamerowanym srebrem wamsie, Hornem noszącym u pasa sztylet z rubinem w głowicy i lamowane mosiądzem ostrogi na kurdybanowych butach. Z głową ustrojoną w atłasowy szaperon z długą i fantazyjnie owijającą szyję *liripipe*. Hornem z przenikliwymi oczami i ustami skrzywionymi w leciutko arogancki grymas. Grymas tym wyraźniejszy, im bardziej Reynevan angażował się w kwestie dotyczące moralności, norm etycznych, reguł i praw wojennych, w tym w szczególności stosowania terroru jako narzędzia wojny.

– Wojna niesie ze sobą terror – odpowiedział, gdy Reynevan skończył. – I na terrorze się opiera. Wojna sama w sobie jest terrorem. *Ipso facto*.

– Zawisza Czarny z Garbowa nie zgodziłby się z tobą. Inaczej pojmował wojnę i *jus militare*.

– Zawisza Czarny nie żyje.

– Co?

– Nie doszły cię słuchy? – Horn obrócił się w siodle. – Nie doszła wieść o śmierci jednego ze sławniejszych rycerzy nowożytnej Europy? Zawisza Czarny poległ. Wierny wasal, pociągnął z Luksemburczykiem na wyprawę przeciw Turkom, oblegać twierdzę Golubac nad Dunajem. Turcy pobili ich pod tym Golubacem, Luksemburczyk swoim obyczajem sromotnie uciekł, Zawisza – swoim obyczajem – osłaniał odwrót. I padł. Wieść niesie, że Turcy głowę mu ucięli. Stało się to dwudziestego ósmego maja, w piątek po świętym Urbanie, moim patronie, stąd tak dobrze pamiętam datę. I nie ma już na świecie Zawiszy Czarnego z Garbowa, dobrego rycerza. *Sic transit gloria*.

– Myślę – rzekł Reynevan – że dużo więcej. Dużo więcej niż gloria.

•

Gdy przyjechali do Świdnicy, z miejsca dało się zauważyć panujące w mieście poruszenie. Gdy wjechali Bramą Dolną i tonącą w błocie ulicą Długą dotarli na rynek, mieli wrażenie, że trafili na jakiś festyn – było oczywistym, że powód poruszenia jest raczej radosny niż odwrotnie. Bisclavret ruszył w tłum wybadać, w czym rzecz, Reynevanowi jednak z miejsca skojarzyła się i przypomniała Praga latem roku 1427, wzburzona i uradowana wieścią o zwycięstwie pod Tachowem. Skojarzenie okazało się nader trafne. A mina Bisclavreta, gdy wrócił, nader kwaśna. Twarz Horna, gdy słuchał szeptanych mu na ucho relacji, mroczniała i chmurzyła się w miarę szeptania.

– Co się stało? – nie wytrzymał Reynevan. – O co chodzi?

– Później – uciął Horn. – Później, Reynevan. Teraz mamy spotkanie. I ważne rozmowy. Idziemy. Bisclavret, ty odszukaj tu kogoś zaufanego a dobrze poinformowanego. Chcę wiedzieć więcej.

Spotkanie odbyło się w szynku na ulicy Łuczniczej, w pobliżu bramy o tej samej nazwie, a ważne rozmowy dotyczyły dostaw broni i koni z Polski. A rozmówcą był znany Reynevanowi raubritter, Polak, pieczętujący się Porajem Błażej Jakubowski. Jakubowski nie poznał Reynevana. I nie dziwota. Minęło trochę czasu. I trochę się zdarzyło.

W rozmowach przeszkadzał nieco panujący rozgardiasz i nader wesoły nastrój przepełniających karczmę gości. Świdniczanie ewidentnie mieli jakiś powód do świętowania. Nie tylko Reynevana ciekawiło, jaki.

– Podobno was pobili? – przerwał nagle negocjacje Jakubowski, wskazując ruchem głowy radujących się mieszczan. – Na Łużycach? Pod jakimsiś Kratzau czy jakoś tak? Podobno łupnia dali wam tam panowie Polenz i Kolditz, zdrowego, gadają, dali wam łupnia. Hę? Mówże, Horn, ciekawym szczegółów.

– Nie czas teraz gadać o tym.

W tym momencie wrócił Bisclavret, Poraj z miejsca domyślił się, z czym. I uparł, że jednak czas. Nie było wyjścia.

– Sierotki Jana Kralovca – zaczął z ociąganiem Obłupiacz – oblegały w Czechach jakąś twierdzę, mój informator zapomniał, jaką i gdzie. Kończyła im się spyża, końca oblężenia widać nie było, postanowili więc pójść kilkoma hufami na plądrunek. Na Łużyce. Szóstego listopada puścili z dymem Frydland, w następnych dniach spustoszyli okolice Zgorzelca, Lubija i Żytawy. Naładowali wozy łupem, spędzili bydło i ruszyli w drogę powrotną. Traktem przez Hradek nad Nysą. I tu...

– Dopadli ich, tak?

– Dopadli – przyznał niechętnie Bisclavret. – Kralovec zbyt zadufał... Zlekceważył Niemców, nie docenił ich. A tymczasem Sześć Miast zmobilizowało silny kontyngent zbrojny pod komendą Lotara Gersdorfa i Ulryka Bibersteina. Z Dolnych Łużyc ostrym pochodem przybył z pomocą landwójt Hans von Polenz, ze Świdnicy nadciągnął Albrecht von Kolditz. Szybko dołączyli książęta, Jan Żagański i jego brat Henryk Starszy na Głogowie, do kompletu przywiódł swą drużynę Gocze Schaff z zamku Gryf. Poszli za Kralovcem w pogoń, w dzień świętego Marcina o świcie znienacka uderzyli na kolumnę marszową Sierotek. Milę za Hradkiem. Pod Kratzau.

– I pobili ich.

– Pobili jak pobili – Bisclavret miał minę człowieka, który nie może wypluć, a musi połknąć. – Kralovec uszedł... Stracił... Stracił kilku...

– Kilkuset ludzi – dokończył Polak. – Wozy. I całą zdobycz.

– Ale niemieckich trupów – warknął Obłupiacz – też pod Kratzau sporo na polu zostało. Z Lotarem Gersdorfem na czele.

– Jednakowoż – mruknął Jakubowski – Kratzau pokazało, że nie jesteście niezwyciężeni.

– Tylko Bóg jest niezwyciężony.

– I ci, co u Boga w łaskach – uśmiechnął się krzywo Polak. – Czyżbyście wy, husyci, już z tych łask wypadli?

– Wyroki boskie – Horn spojrzał mu wprost w oczy – są niezbadane, mości Jakubowski. Nie dociecze się ich ani nie przewidzi. Co innego z ludźmi, ci są przewidywalni. Ale próżno czas tracić na deliberacje. Wróćmy do naszych geszeftów. To jest teraz ważne.

•

Innych spraw ważnych Urban Horn miał niemało. A awansowany do rangi asystenta Reynevan miał coraz mniejsze szanse na rychły powrót do Jutty. W Świdnicy nie zabawili długo, pojechali do Nysy, pożegnawszy się wpierw z Bisclavretem.

– Zobaczymy się – Obłupiacz na pożegnanie zajrzał Reynevanowi głęboko w oczy. – Zobaczymy się, gdy czas przyjdzie. Byś o tym nie zapomniał, zjawię się. Zjawię się w twoim przytulnym klasztorku i przypomnę o obowiązkach.

Zabrzmiało to troszkę jak groźba, ale Reynevan nie przejął się. Nie miał czasu. Horn naglił.

Pojechali na Opolszczyznę, rejon, który Horn uznawał za stosunkowo bezpieczny. W księstwach opolskim i niemodlińskim coraz większe wpływy i znaczenie miał dziedzic ziem, młody książę Bolko Wołoszek. Antypatia Bolka do biskupa i awersja żywiona do kleru i Inkwizycji były szeroko znane. Na Opolszczyźnie na prześladowania nie było zgody. Biskup i inkwizytor grozili młodemu księciu ekskomuniką, ale Wołoszek sobie na to bimbał.

Horn i Reynevan nie mieli stałej bazy; przemieszczając się nieustannie, operowali pomiędzy Kluczborkiem, Opolem, Strzelcami i Gliwicami, kontaktując się z ludźmi przybywającymi z Polski – z Olkusza, z Chęcin, z Trzebini, z Wielunia, z Pabianic, z Krakowa nawet. Spraw do załatwienia i transakcji do wynegocjowania było sporo. Reynevana, który przy transakcjach głównie milcząco asystował, zdumiewały talenty handlowe Urbana Horna. Zdumiewał go też stopień skomplikowania spraw, które dotąd miał za banalnie proste.

Kula, jak się okazywało, kuli nie była bynajmniej równą. Używane przez husytów piszczały większością strzelały kulami kalibru jednego palca. Palec i jedno ziarno jęczmienia był typowym kalibrem luf rucznic i lżejszych hakownic, lufy cięższych hakownic i handkanon miały kaliber równy dwóm palcom. Lufy taraśnic były zunifikowane do kul kalibru dwóch palców i jednego ziarna. Urban Horn musiał z przedstawicielami polskich kuźnic wynegocjować dostawy wszystkich tych rodzajów kul w stosownych ilościach.

Także proch strzelniczy nie był, jak się wyjaśniło, równy prochowi, dawno już przestał być tym, czym był za czasów Bertolda Schwarza. Proporcje saletry, siarki i węgla drzewnego musiały być odważane skrupulatnie, różnie w zależności od tego, do jakiej broni proch był przeznaczony – broń ręczna wymagała prochu o większej zawartości saletry, do hufnic, taraśnic i bombard potrzebny był proch zawierający więcej siarki. Jeżeli mieszanka była niewłaściwa, proch nadawał się wyłącznie do fajerwerków, a i to kiepsko. Proch musiał być również dokładnie granulowany – jeśli nie był, rozkładał się w transporcie: cięższa saletra „wędrowała" w dół, ku dnu pojemnika, lżejszy węgiel zostawał na powierzchni. Stabilny i łatwo zapalny granulat otrzymywano poprzez zraszanie mielonego prochu ludzkim moczem, przy czym najlepsze efekty dawał mocz ludzi dużo i często pijących. Nie dziwota tedy, że proch wytwarzany w Polsce cieszył się na rynku zasłużenie dobrą renomą, a polskie młyny prochowe zasłużoną sławą.

– Byłbym zapomniał – powiedział Horn, gdy wracali po zawarciu kolejnej transakcji. – Szarlej kazał cię pozdrowić. Prosił przekazać, że ma się dobrze. Jest wciąż w Taborze, w wojskach polnych. Hejtmanem wojsk polnych jest teraz Jakub Kromieszyn z Brzezovic, Jarosław z Bukoviny poległ bowiem w październiku podczas oblegania Bechyni. Szarlej był przy oblężeniu, uczestniczył też w rejzach do Rakus i w ataku na Górny Palatynat. Ma się, chyba już mówiłem, dobrze. Jest zdrów i wesół. Niekiedy nadmiernie.

– A Samson Miodek?

– Samson jest w Czechach? Nie wiedziałem.

Nazajutrz pojechali do Toszka, rozmawiać z Polakami o kulach, kalibrach, siarce i saletrze. Reynevana rzecz zaczęła już lekko nużyć. Marzył o powrocie do klasztoru, do Jutty. Marzył, by stało się coś, dzięki czemu mógłby wrócić.

I wymarzył.

●

– Będziemy się żegnać – oświadczył zachmurzony Horn, wróciwszy z opolskiej szkoły kolegiackiej, do której chodził często, ale zawsze sam, bez Reynevana.

– Muszę wyjechać. Nie spodziewałem się... Przyznaję, nie spodziewałem się, że nastąpi to tak szybko. Reinmarze, mamy znowu wojnę. Sierotki Kralovca przekroczyły śląską granicę. Przez Przełęcz Lewińską. Idą jak burza, prosto na Kłodzko. Może być tak, że nie zdołasz już dostać się do miasta przed tym, nim Kralovec zacznie oblężenie. Ale musisz tam jechać. Zaraz. Na koń, przyjacielu.

– Bywaj, Horn.

Był piąty grudnia roku 1428. Druga niedziela adwentu.

●

Pojechał na Brzeg, traktem krakowskim, a po drodze doganiały go wieści. Sierotki Kralovca ogniem i mieczem pustoszyły Kotlinę Kłodzką. Z dymem poszła Bystrzyca, w mieście dokonano rzezi. Na samo Kłodzko, jak wynikało z wieści, Kralovec jeszcze nie uderzył, nawet blisko nie podszedł. Ale Śląsk, jak w marcu, zaczęła ogarniać panika. Na drogach zrobiło się ciasno od uciekinierów.

Reynevan spieszył się. Ale nie pod Kłodzko. Jechał do Białego Kościoła. Do Jutty.

Był już niedaleko. Minął Przeworno, widział już Rummelsberg. I wtedy, na leśnej drodze, poczuł magię.

●

Przy drodze bielał koński szkielet, mocno już przerośnięty trawą, niezawodnie pamiątka po wiosennej rejzie. Wierzchowiec Reynevana płoszył się i boczył, parskał, drobił nogami w miejscu. To nie szkielet jednak płoszył konia, nie był to też wilk ani inny zwierz. Reynevan czuł magię. Umiał ją wyczuwać. Teraz czuł ją, węszył, słyszał i widział w silnym zapachu wilgoci i pleśni, w pokrakiwaniu wron, w zbrązowiałych i zastygłych w zamrozie łodygach dzięgielu. Czuł magię. A gdy rozejrzał się, dostrzegł jej źródło.

Gęstwina gołych drzew kryła drewniany budynek. Kościółek. Modrzewiowy chyba. Ze smukłą szpiczastą dzwonniczką.

Zsiadł z konia.

Kościółek, leżący akuratnie na trasie marszu Bożych bojowników, próbowano palić, świadczyła o tym całkiem poczerniała ściana frontowa i mocno przywęglone słupy przy wejściu. Ogień nie strawił jednak budynku, ugaszony zapewne przez deszcz. Lub przez coś innego. Wnętrze było zupełnie puste, kościółek ograbiono ze wszystkiego, co w nim było, a było chyba niewiele. Resztę zniszczono. Zamykające nawę trójboczne prezbiterium pełne było desek i szmat, zapewne pozostałości ołtarza. Tu również widoczne były ślady ognia, czarne połacie spalenizny. Czy był to ogień gniewu, ogień destrukcji i nienawiści, ogień ślepego odwetu za stos w Konstancji? Czy też zwykłe biwakowe ognisko, rozpalone, by choć trochę ogrzać kociołek ze zbryloną wczorajszą kaszą, w miejscu dającym ochronę od deszczu i chłodu? Nie można było mieć pewności. Reynevan widywał w zdobytych kościołach oba rodzaje ognia.

Magia, którą czuł, emanowała właśnie stąd. Bo to tu, w miejscu, gdzie kiedyś był ołtarz, leżał *hex*. Sześciokąt spleciony z patyków, łyka, pasów brzozowej kory, kolorowej wełny i nici, z dodatkiem zżółkłej paproci, marzanki, liści dębu i ziela zwanego *erysimon*, znacznie zwiększającego *Dwimmerkraft*, czyli moc magiczną. Wykonanie heksu było typowe dla wiejskiej czarownicy lub kogoś ze Starszej Rasy. Ktoś – albo czarownica, albo Starszy – przyniósł go tu i położył. By oddać cześć. Okazać szacunek. I współczucie.

Na pokrywających ściany prezbiterium gładzonych deskach coś wymalowano. Na malunkach nie było znać śladów cięć toporów, nie były pobazgrane kopciem i ekskrementami, obozujący tu Boży bojownicy nie mieli widać czasu. Albo nastroju.

Reynevan zbliżył się.

Obraz okalał całe prezbiterium. Był to bowiem cykl obrazów, sekwens kolejno następujących po sobie scen. *Totentanz*.

Malarz nie był wielkim artystą. Był artystą raczej miernym – i ponad wszelką wątpliwość domorosłym. Kto

wie, może gwoli oszczędności ujął się pędzla sam proboszcz lub wikary? Postacie namalowano prymitywnie, aż
do śmieszności koślawiąc proporcje. Komiczne – aż do
grozy – były patykowate kościotrupy, fikające i porywają-
ce w śmiertelny tan poszczególne *dramatis personae* malowidła: Papieża, Cesarza w koronie, Rycerza w zbroi
i z dzidą, Kupca z workiem złota, Astrologa o przesadnie
semickich rysach. Wszystkie postaci były komiczne, ża-
łośnie patetyczne, budziły jeśli nie śmiech, to uśmiech politowania. Politowania godna była też sama Śmierć, gro-
teskowo śmieszna, w pozie i w całunie jak z szopki, wy-
głaszająca swe eschatologiczne *memento mori*, zapisane
nad jej trupią głową czarnymi kanciastymi literami. Litery były równe, napisy czytelne – artysta był zdecydowanie lepszym kaligrafem niż malarzem.

> *Heran ihr Sterblichen*
> *umsonst ist alles Klagen*
> *Ihr müsset einen Tanz*
> *nach meiner Pfeife wagen!*

Hex niespodziewanie zatętnił magiczną mocą. A Śmierć
nagle odwróciła groteskową trupią głowę. I przestała być
groteskowa. Stała się straszna. W ciemnym wnętrzu kościółka jeszcze bardziej pociemniało. A obraz na deskach
przeciwnie, rozjaśnił się. Całun Śmierci rozbielał, trupie
ślepia zapłonęły, morderczo zalśniło ostrze dzierżonej
w kościstych łapach kosy.

Przed Śmiercią, schylona pokornie, stała Panna, jedna
z alegorycznych postaci śmiertelnego korowodu. Panna
miała rysy Jutty. I miała głos Jutty. Głosem Jutty błagała
Śmierć o litość. Błagalny głos Jutty rozbrzmiewał w cza-
szce Reynevana jak flet, jak sygnaturka.

> *Sum sponsa formosa*
> *mundo et speciosa...*

Głos Śmierci, gdy odpowiadała na błaganie, był jak
chrup kruszonej kości, jak skrzybot żelaza po szkle, jak
zgrzyt żartych rdzą cmentarnych wierzei.

> *Iam es mutata,*
> *a colore nunc spoliata!*

Reynevan zrozumiał. Wypadł z kościoła, wskoczył na konia, krzykiem i uderzeniami ostróg podrywając go do galopu. W uszach wciąż zgrzytał mu i chrypiał okrutny głos.

Iam es mutata,
a colore nunc spoliata!

•

Już z daleka widział, że w klasztorze jest coś nie tak. Zamknięta zwykle na głucho furta była rozwarta na oścież, wewnątrz, na dziedzińcu, migały sylwetki ludzi i koni. Reynevan skulił się w kulbace i zmusił wierzchowca do jeszcze dzikszego galopu.

I wtedy go dopadli.

•

Najpierw był czar, rzucone zaklęcie, piorunowe uderzenie mocy, które spanikowało konia i zwaliło Reynevana z siodła. Nim zdążył się podnieść, z rowów i zza drzew wypadło i rzuciło się na niego kilkunastu ludzi. Zdążył dobyć noża z cholewy, dwoma szerokimi cięciami zdołał chlasnąć dwóch, krótkim pchnięciem w twarz powstrzymał trzeciego. Ale pozostali dopadli go. Ogłuszyli ciężkimi ciosami, obalili na ziemię. Skopali. Przydusili. Obezwładnili. Spętali ręce na plecach.

– Mocniej – usłyszał znajomy głos. – Mocniej dociągać powrozy, nie żałować! Jak się coś w nim złamie, mała strata. Niech ma przedsmak tego, co go czeka.

Poderwano go do pionu. Otworzył oczy. I zadygotał.

Przed nim stał Pomurnik. Birkart Grellenort.

Od uderzenia w twarz rozbłysło mu w oczach, policzek i oko zapiekły jak przypalone żelazem. Pomurnik odwinął się, uderzył go jeszcze raz, tym razem od lewej, wierzchem urękawiczonej dłoni. Reynevan poczuł w ustach smak krwi.

– To było – wyjaśnił cicho Pomurnik – tylko celem zwrócenia twojej uwagi. Abyś się skoncentrował. Jesteś skoncentrowany?

Reynevan nie odpowiedział. Wykręcając głowę, usiłował zobaczyć, co dzieje się za klasztorną furtą, co to za konni tam krążą i co za knechci biegają. Jedno było pewne – nie byli to Czarni Jeźdźcy z Roty. Ci, którzy go trzymali, wyglądali na zwykłych najemnych zbirów. Obok zbirów stał człowieczek o krągłej twarzy i odzieniu zdradzającym Walona. I oczach zdradzających czarownika. To ów Walon, odgadł Reynevan, zrzucił go z siodła zaklęciem.

– Łudziłeś się – wycedził Pomurnik – że o tobie zapomnę? Albo że cię nie odnajdę? Uprzedzałem, że mam oczy i uszy wszędzie.

Zamachnął się i uderzył Reynevana jeszcze raz, wprost w puchnący już policzek. Obolała od poprzedniego uderzenia powieka zaczęła łzawić. Poleciało i spod drugiej. I z nosa. Pomurnik pochylił się ku niemu. Bardzo blisko.

– Wydawało mi się – wysyczał – że wciąż nie całą uwagę mi poświęcasz. A wymagam całej. Wytęż pomyślunek. I słuchaj propozycji. Wpadłeś. Z życiem ci nie ujść. Ale ja mogę cię z tego wyciągnąć. Mogę uratować skórę. Gdy mi obiecasz, że doprowadzisz mnie do... Wiesz, do kogo. Do tego astrala, który maskuje się jako wielki przygłup. Ocalisz życie, jeśli doprowadzisz mnie do niego...

– Hola! Mości Grellenort!

Z wysokości siodła spoglądał na nich rycerz w pełnej płytowej zbroi. Na koniu okrytym kropierzem szachowanym w błękitno-srebrny wzór. Reynevan znał go. Pamiętał.

– Książę żąda, by mu go dostawić przed oczy. Natychmiast.

– Decydujesz się? – zdążył syknąć Pomurnik. – Doprowadzisz?

– Nie.

– Będziesz żałował.

Na klasztornym dziedzińcu roiło się od konnych, kłębiło od pieszych. W odróżnieniu od pstrych i raczej oberwanych zbirów Pomurnika, strzelcy i knechci na dziedzińcu odziani byli porządnie i jednolicie, w czarno-czerwoną barwę. Wśród konnych przeważali pancerni, tak armigerzy, jak i herbowi.

– Dawać go tu! Dawać husytę!

Reynevan znał ten głos. Znał posturę, urodziwą męską twarz, modnie po rycersku golony kark. Znał czarno-czerwonego orła.

Zbrojnymi na klasztornym dziedzińcu dowodził Jan, książę na Ziębicach. Własną książęcą osobą, w płaszczu obszytym gronostajami na mediolańskiej zbroi.

– Dawać go tu, bliżej – władczo skinął głową. – Panie marszałku Borschnitz! Panie Grellenort! Dawać go tu! A tego Walona zabierzcie mi z oczu! Nie znoszę guślarzy!

Podprowadzono Reynevana bliżej. Książę spojrzał nań z góry, z wysokości rycerskiego siodła. Oczy miał jasne, szaroblękitne. Reynevan wiedział już, kogo przypominały mu oczy i rysy twarzy opatki.

– Pan Bóg nierychliwy, ale sprawiedliwy – wygłosił Jan Ziębicki nosowo i patetycznie. – Nierychliwy, ale sprawiedliwy, tak, tak. Zaparłeś się religii i krzyża, Bielau, ty Judaszu. Parałeś się czarnoksięstwem. Knułeś zamach na mnie. Za zbrodnie będzie kara, Bielau. Za zbrodnie będzie kara.

Gdy kończył frazę, nie patrzył już na Reynevana. Patrzył w stronę wirydarza. Stały tam cztery mniszki. Wśród nich opatka.

– W tym klasztorze – ogłosił gromko Jan, wstając w strzemionach – skrywało się husytów! Dawało się tu azyl szpiegom i zdrajcom! Nie zostanie to bez kary! Słyszysz, niewiasto?

– Nie ty mnie będziesz karał – odrzekła opatka, głosem dźwięcznym i nieulękłym. – Nie ty! Łamiesz prawo, książę Janie! Łamiesz prawo! Na teren klaszoru wstępu nie masz!

– To moje ziemie i moja tu władza. A ten klasztor z łaski mych dziadów tu stoi!

– Klasztor stoi z łaski Boga! I nie podlega ani twej władzy, ani jurysdykcji! Nie masz prawa tu wejść ani przebywać, ani ty, ani twoi zbrojni! Ani ten łotr, ani jego zbiry!

– A on – Jan Ziębicki stanął w strzemionach, wskazał Reynevana – miał prawo tu przebywać? Przez całe lato? Wolnoć to, pani siostro, skrywać tu heretyków? Takich jak ten, co tam leży?

Reynevan spojrzał w kierunku, który wskazał książę. Tam, gdzie mur okalający wirydarz schodził się z pokrytą suchymi pędami bluszczu ścianą budynku infirmerii, leżał Bisclavret. Reynevan poznał go po szytej na miarę kurtce z cielęcej skóry, którą Francuz niedawno sobie sprawił i którą wszystkim kazał podziwiać. Tylko po kurtce mógł go poznać. Zwłoki były potwornie zmasakrowane. Jasnowłosy *miles gallicus*, niegdysiejszy *Ecorcheur*, Obłupiacz, musiał, gdy go osaczono, stoczyć ciężką walkę. I żywy wziąć się nie dał.

– Jak więc jest? – spytał z przekąsem książę. – Miałby klasztor dyspensę na przygarnianie kacerzy i przestępców? Wierę, nie jest tak! Zamilcz tedy, kobieto, zamilcz. Pokorę okaż. Panie Borschnitz! Każ ludziom przeszukać tamte szopy! Mogą się tam kryć inni!

Pomurnik chwycił związanego Reynevana za kołnierz, zawlókł przed opatkę, stanął bardzo blisko, twarzą w twarz.

– Gdzie jest – zazgrzytał – jego kamrat? Wielkolud z gębą idioty? Mów, mniszko.

– Nie wiem, o co ci chodzi – odrzekła nieulękle opatka. – Ani o kogo.

– Wiesz. I powiesz mi, co wiesz.

– *Apage*, diabli pomiocie.

W oczach Pomurnika zapłonął piekielny ogień, ale opatka i tym razem nie spuściła wzroku. Pomurnik pochylił się ku niej.

– Gadaj, babo. Albo sprawię, że ciężko pożałujesz. Ty i twoje mniszeczki.

– Hola, Grellenort! – książę nie ruszył konia, wyprostował się tylko dumnie w siodle. – Co to, działasz na własną rękę? Ja tu wydaję rozkazy! Ja sądzę i ja kary orzekam! Nie ty!

– Mniszki ukrywają więcej kacerzy, mości książę. Pewien jestem. Skrywają ich w klauzurze. Myślą, że tam nie wejdziemy, i drwią sobie z nas.

Jan Ziębicki milczał przez chwilę, przygryzał wargę.

– Przeszukamy tedy i klauzurę – zdecydował wreszcie zimno. – Panie Borschnitz!

– Nie ośmielisz się! – krzyknęła opatka. – To świętokradztwo, Janie! Ekskomunikują cię za to!

– Usuń się, siostro. Panie Borschnitz, do dzieła.

– Rycerze! – krzyknęła opatka, wznosząc ręce i zastępując zbrojnym drogę. – Żołnierze! Nie słuchajcie bezbożnych rozkazów, nie spełniajcie woli apostaty i świętokradcy! Jeśli go posłuchacie, klątwa spadnie i na was! I nie będzie dla was miejsca między chrześcijanami! Nikt nie poda wam strawy ni wody! Żołnie...

Na dany przez Pomurnika znak jego najemnicy chwycili opatkę, jeden zacisnął jej na twarzy dłoń w nabijanej żelazem rękawicy. Spod rękawicy pociekła krew. Reynevan targnął się, wydarł z rąk zaskoczonych pachołków. Doskoczył, pomimo związanych rąk kopniakiem przewrócił jednego ze zbirów, barkiem odepchnął drugiego. Ale ziębiccy knechci już siedzieli na nim, obalili na ziemię. Tłukli pięściami.

– Przeszukać budynki – rozkazał książę Jan. – Klauzurę też. A jeśli znajdziemy tam mężczyzn... Jeśli znajdziemy choć jednego ukrywanego husytę, to klnę się na Boga, klasztor drogo za to zapłaci. I ty drogo zapłacisz, moja pani siostro.

– Nie nazywaj mnie siostrą! – wykrzyczała, plując krwią, szarpiąca się w rękach zbirów opatka. – Nie jesteś mi bratem! Wyrzekam się ciebie!

– Przeszukać klasztor! Nuże, żywo! Panie Borschnitz! Panie Risin! Na co czekacie? Wydałem rozkaz!

Borschnitz skrzywił się, zmełł w zębach przekleństwo. Wśród popędzonych rozkazem ziębickich armigerów i knechtów wielu miało miny dość niewyraźne. Wielu gniewnie mruczało pod nosem. Siostra szafarka zaczęła płakać. A niebo nagle zachmurzyło się. Książę Jan zerknął w górę. Jakby z lekką obawą

– Ty, pater – odchrząknął, skinął na towarzyszącego mu kapelana. – Idź z nimi. Żeby przeszukanie było z księdzem i żeby religijnie jak trzeba. Żeby potem nie gadano.

Wkrótce z przeszukiwanych pomieszczeń dobiegł łomot i trzask druzgotanych mebli. Z klauzury rozległ się krzyk, pisk, zawodzenie. A z okien *scriptorium* i prywatnych pomieszczeń opatki zaczęły wylatywać pergaminy i księgi. Pomurnik podniósł kilka.

– Wiklef? – zaśmiał się, obracając ku opatce. – Joachim z Fiore? Waldhauser? To się tutaj czyta? I ty, wiedźmo, ważysz się nam grozić? Za te książeczki zgnijesz w biskupim karcerze, pleśnią tam porośniesz. A ekskomuniką, którą straszysz, obłoży się cały twój heretycki monastyr.

– Dość, dość, Grellenort – uciął zgrzytliwie Jan Ziębicki. – Spuść no z tonu i zostaw ją w spokoju! Nadto mi się tu rządzisz. Panie Seiffersdorf, popędź przeszukujących, coś za bardzo się to wlecze. A te księgi i piśmidła na kupę! I spalić!

– Dowody herezji?

– Grellenort. Bym cię do porządku nie musiał przywołać.

Księgi czerniały i zwijały się w ogniu. Przeszukanie zakończono. Żadnych mężczyzn ani husytów w klauzurze nie znaleziono. Wściekła mina Pomurnika mówiła sama za siebie. Kwaśny natomiast grymas księcia Jana wygładził się nagle w uśmiech, urodziwe oblicze pojaśniało. Trzymany przez pachołków Reynevan wykręcił szyję, obejrzał się. Zobaczył, co tak ucieszyło księcia. A wtedy serce zjechało mu na sam spód brzucha.

Borschnitz i Risin wyprowadzali z klauzury Juttę.

– Tak, tak, Bielau – usłyszał, zdawało się, że gdzieś z oddali, głos księcia. – Sporo wiem o tobie. Jak myślisz, skąd wiedziałem, że cię tu znajdę? W Kłodzku wyłapano husyckich szpiegów, wszystkich wzięto żywcem. Jeden, twój kamrat, dużo wiedział. Długo wzbraniał się mówić, ale w końcu mówił. I powiedział wszystko. O tym klasztorze. O tobie. I o twoich miłostkach też.

●

Zgodnie z oczekiwaniami Reynevana, orszak księcia Jana ruszył prosto na ziębicki trakt. Wbrew oczekiwaniom książę nie pojechał jednak do Ziębic, lecz nakazał postój w Henrykowie. Tuż opodal klasztoru. Cystersom, którzy wybiegli go witać, książę za gościnę podziękował, zarządził biwak na skraju lasu, pod olbrzymim dębem. Rozpalono tu wielkie ognisko z kłód, zaczęto przygotowywać przyniesione przez mnichów jedzenie, odczopowano antałki. Reynevan przyglądał się temu z konia, z którego nie pozwolono mu zsiąść. Trzej zbrojni pilnowali go nieustannie. Od wrzynających się w ciało więzów drętwiał, zdrętwiały marzł.

Jutty nie miał okazji zobaczyć. Przetrzymywano ją na jednym z zakrytych wozów, nie zezwolono wyjść. W czasie jazdy sam książę kilkakrotnie podjeżdżał, zaglądał pod płachtę. Kilka razy do wozu zajrzał również Pomurnik. Reynevan dygotał w przeczuciu najgorszego.

Wnet wyjaśniło się, skąd i dlaczego postój, i akurat pod dębem. Na skraj wsi zaczęli zjeżdżać konni. Rycerze w pełnych zbrojach. W mniej lub bardziej licznej asyście armigerów, strzelców i pachołków.

Gości witał Hyncze von Borschnitz, marszałek księcia. Sam Jan Ziębicki wydymał tylko wargi, minimalnymi ruchami głowy dawał znać, że pełne szacunku ukłony raczył zauważyć. Tylko jeden z rycerzy zasłużył u Jana na nieco więcej atencji. Na jego tarczy widniało zielone, przebite trzema mieczami jabłko. Herb rodu Füllsteinów.

– Witam, panowie – raczył wreszcie odezwać się książę Jan. – Wdzięczność winienem tym, którym służycie, że was na moją prośbę jako posłów przysłali. Dzięki i wam za trud. Witam na moich ziemiach. Witam Opawę i księstwo głubczyckie w osobie szlachetnego pana Füllsteina. Witam wrocławskie biskupstwo i gród Grodków w osobie pana starosty Tannenfelda. Witam Wrocław, witam Świdnicę.

Wymienieni odpowiadali ukłonami. Posłowie Wrocławia nie nosili znaków, ale w jednym z nich Reynevan ze zdumieniem rozpoznał raubrittera Hayna von Czirne. Świdnicę reprezentował rycerz noszący w herbie srebrny osęk Oppelnów. Poseł biskupa, starosta grodkowski Tannenfeld, miał u siodła tarczę z zielonym rucianym wiankiem na czarno-złotych pasach, znakiem przypominającym herb dynastii askańskiej.

– Powodu, dla którego jaśnie książę wezwał was –

545

przemówił do zebranych Hyncze Borschnitz – domyślają się szlachetni panowie z pewnością. Czescy heretycy znowu najechali ziemie nasze. Ponownie miastu Kłodzku zagrażają. I ponownie, z Kłodzkiem się sprawiwszy, na nas ruszą. Pora tedy zebrać siły. Odpór dać!

– Z Kłodzkiem się husytom nie sprawić – ocenił wysłannik Świdnicy, Oppeln z osękiem na tarczy. – Pan Puta z Czastolovic gród umocnił, załogę ma silną i bitną. Zdradą też go nie wezmą, bo szpiegów husyckich wyłowił jak raki. Teraz ich na męki bierze i po jednym kaźni, a naszego świdnickiego kata do tego wynajął. Dużo, mówią, he, he, ma mistrz z husytami roboty.

– A my – podkręcił wąsa Borschnitz – mamy dzięki temu dobre informacje. Wiemy o wrogu dość! Chciał pan coś rzec na to, cny panie Reibnitz?

– To ino – powiedział wysłannik Wrocławia, towarzysz Hayna von Czirne – że wiedza o husytach ni tajemną nie jest, ni jeno wam dostępną. Wszyscy wiedzą o nich wszystko. Prowadzi ich Jan Kralovec z Hradku, poznaliśmy go już. Ma pod sobą dwie setki konnych, jakieś półczwarta tysiąca pieszych i dwieście wozów z działostrzelectwem. Co tu uradzać będziem, domyślam się. I zapytuję: zbierzemyż to siłę, zdolną się z Kralovcową mierzyć?

– Tego się wnet dowiemy – odezwał się Jan Ziębicki. – Od was właśnie, cni panowie. Wszak z dobrymi was tu, tuszę, wieśćmi przysłano. Przekażcie mi więc te wieści. Za koleją. Ty pierwszy, Reibnitz, skoroś już gadać zaczął.

– Mości książę – wyprostował się wrocławianin. – Racz wybaczyć, ale ja nie gadam, ino pytam. Ja, Jorg Reibnitz z Falkenbergu, jestem prosty najemnik. Robię to, co mi kazano. A kazali mi panowie Rada miasta Wrocławia nie gadać, a słuchać. Wysłucham tedy wprzód, co inni powiedzą. Bo z rozkazu panów Rady mus mi się dowiedzieć, kto z tu reprezentowanych wojować z husytami myśli. A kto jako zwykle układać się z nimi będzie wolał i rozejmy zawierać.

Füllstein z Opawy pokraśniał lekko, ale zmilczał, uniósł tylko hardo głowę. Jan Ziębicki wydął wargi. Oppeln nie wytrzymał.

– Co było, to było! – wybuchnął. – A ninie nie jest! Świdnica dowiodła, że bić się z kacerzami umie, dowiodła tego tak dowodnie, jak żaden z was tu stojących. Kto pod Kratzau husytów rozgromił, na głowę pobił, tego samego Kralovca, co dziś pod Kłodzkiem leży? My! Pan starosta Albrecht von Kolditz i pan podstarosta Stosz! Świdnickie rycerstwo w boju pod Kratzau było, heretyckim ścierwem pole tam usłało. Nie wygadywać na Świdnicę temu, co dotąd przed husytami jeno zmykał!

– Dobrze powiedziane – dźwięczny głos księcia Jana wzbił się nad pogwar. – Dobre a ważne słowo powiedział rycerz von Oppeln. Ważną nazwę. Kratzau, panowie rycerze. Zapamiętajcie: Kratzau!

– Jedno Kratzau wiosny nie czyni – zauważył milczący dotąd Tamsz von Tannenfeld, starosta biskupiego Grodkowa. – Od bitwy miesiąc minął, a rozgromiony jakoby Kralovec pod Kłodzkiem znowu kłopotów nam przyczynia. Kratzau, nie przeczę, bitwa ważna, ale rozumniej na nią jako na traf szczęśliwy patrzeć.

– Albo – rzekł Reibnitz – jak na ziarno. Co się ślepej kurze trafiło.

Rycerze zarechotali. Oppeln poczerwieniał.

– Zawiść przez was przemawia! – krzyknął. – Zawidzicie Świdnicy i Łużycom sławy i chwały. Panowie Kolditz i von Polenz śmiało w bój poszli, z czołem podniesionym i sztandarami, w konnej szarży, iście jak Ryszard Lwie Serce pod Askalonem, a że *audaces fortuna iuvat*, kacerzy w polu pobili, krwawą łaźnię im spuścili, łup i wozy odjęli, precz z Łużyc przegnali. A wy zawidzicie! Bo wyście tu wiosną cięgi zbierali, przed husytami jako zające umykali...

– Baczcie na słowa – syknął Hayn von Czirne.

– A co, nieprawda może? – wziął się pod boki wcale nie speszony jego wściekłą miną Oppeln. – Prokop pół Śląska z dymem puścił, a wyście za wrocławskimi murami w portki ze strachu srali!

Haynowi ciemny karmin uderzył na policzki, Jorg Reibnitz szybko powstrzymał go, kładąc dłoń na naramienniku.

– Kolditz i Polenz – powiedział – uderzyli pod Kratzau na rozciągniętą kolumnę marszową, na wozy nagrużone łupem tak, że ledwo szły. Raptowną szarżą rozerwali husycki szyk, posiekli zaskoczonych i spanikowanych, nie dali im czasu strzelby nabić ni użyć. Inaczej nie Askalon tam byłby, ale Hattin. A w Świdnicy, miast fety, wielka żałoba.

– Ależ za to właśnie, za to Świdnicy i Łużyczanom chwała! – zaśmiał się swobodnie marszałek Borschnitz. – Mądrze wykorzystać miejsce, czas i przewagę, okoliczności na swą korzyść obrócić, niespodzianie na wroga uderzyć, taktyką mądrą go zaskoczyć... toć to wielkich wodzów są dyspozycje. Taką właśnie modą zwyciężali Żiżka i Prokop, chwała panom landwójtom, że husytów własną ich bronią pobić umieli. Ja im tego zawidzę, triumfu i chwały im zawidzę. I wcale się tego nie sromam.

– Zwycięstwo pod Kratzau – dorzucił Füllstein – nowego ducha w nas tchnęło. Wróciło nadzieję, którąśmy tracili. Daj nam Bóg drugą taką wiktorię.

– Da ją nam Bóg – ogłosił, prostując się dumnie, Jan Ziębicki. – I ja wam ją dam. Do boju z heretykami sam was poprowadzę. Ku wiktorii, która tę łużycką zaćmi. Poprowadzę was, wierę, ku takiej glorii, że Polenz i Kolditz w niepamięć pójdą. Oni pod Kratzau ledwo Kralovca skubnęli. My na proch go rozetrzemy. Kacerskie trupy w stos ułożymy, a z pojmanych będziem na szafotach pasy drzeć. To właśnie wam proponuję, waszym książętom, starostom i Radom. By sprzymierzyć się, wspólnie na Czechów uderzyć, zagładą ich uczcić Narodzenie Boże. Kto ze mną? I z jaką siłą? Ha? Co powie Wrocław? Świdnica? Opawa?

– W imieniu Wacława Przemkowica, jaśnie książęcia na Głubczycach i Hradcu – rzekł Füllstein, szybko, jakby bojąc się, że ktoś go ubiegnie – obiecuję sto kopii opawskiego rycerstwa. Jaśnie książę własną osobą wojsko poprowadzi.

– Biskup Konrad – powiedział po namyśle starosta Tannenfeld – stawi całą swą chorągiew. Wzmocnioną hufami z Grodkowa i Otmuchowa. Łącznie siedemdziesiąt kopii.

– Miasto Wrocław – wziął się pod boki Jorg Reibnitz – da stu pięćdziesięciu konnych. Cóż Świdnica?

– Miasto Świdnica – oświadczył dumnie Oppeln – do zwycięstwa pod Kratzau walnie się przyczyniło. Skoro teraz jego miłość książę Jan wiktorię obiecuje, która Kratzau zaćmi, to Świdnicy tam zabraknąć nie może. Tak łatwo zaćmić się nie damy ni z kart historii wymazać. Świdnica wystawi sto pięćdziesiąt koni przedniej jazdy pod komendą pana podstarosty Stosza. Wszyscyśmy w Świdnicy radzi husytów na proch roztartymi zobaczyć. Wprzód niechaj nam może jednak jego miłość książę Jan wyjawi, jaką to metodą tego roztarcia dokonać zamiaruje.

– Po pierwsze, siłą tego dokonam – odpalił z miejsca Jan Ziębicki. – Z tego, coście tu rzekli, wyrachowałem naszą potencję na jakiś tysiąc konnych, w tym trzysta koni ciężkozbrojnego rycerstwa. Kralovec ma cztery tysiące pieszych i zaledwie dwustu jezdnych. A że rycerz w zbroi za dziesiątkę pieszych chmyzów stanie, przewaga przy nas. Po drugie, załatwimy ich takąż modą, jak pod Kratzau. Zaszarżujemy z zasadzki na kolumnę marszową. Wprzódzi sprawiwszy, że pomaszerują tam, gdzie będziemy na nich czekać.

– A jakim – uniósł brwi Oppeln – sposobem to sprawim?

– Mamy taki sposób.

•

Skrzeczący i tłukący się u okna nyskiego zamku wielki pomurnik zaskoczył biskupa wrocławskiego Konrada, ale i biskup, przyznać trzeba, równie mocno zaskoczył pomurnika. W swej strzeżonej komnacie nie oddawał się, o dziwo, ani orgii, ani pijaństwu, ani hazardowi. Nie odsypiał orgii, pijaństwa czy hazardu. Nie. Czytał. Poświęcał czas lekturze.

Wpuszczony pomurnik szybko transformował się w postać człowieczą. Rzucił okiem na spoczywającą na pulpicie księgę. Pokręcił głową, zdumiony niemal do granic. Nie dość, że było to Pismo Święte, pięknie iluminowana Biblia. W dodatku była to Biblia po niemiecku.

– Wiem, z czym przychodzisz, a raczej przylatujesz – zaskoczył Pomurnika Konrad, Piast, książę Oleśnicy, biskup Wrocławia i namiestnik króla Zygmunta Luksemburskiego na Śląsku. – Darmo się trudziłeś. Twojej prośbie odmawiam.

– Dziś jest dwudziesty drugi grudnia Anno Domini 1428 – Pomurnik usiadł, sięgnął po stojącą na komodzie karafę. – Siódmego listopada 1427, a więc nieco ponad rok temu, tu, w tym zamku, w tej komnacie, suplikowałem, a wasza biskupia dostojność przyobiecała mi...

– Dostojność zmieniła zdanie – uciął Konrad z Oleśnicy. – A uczyniła to *ad maiorem Dei gloriam*. Reinmar Bielau stał się ważnym pionkiem w grze, a stawka zrobiła się skurwysyńsko wysoka. Na co ty liczyłeś? Że ja ci tego Bielaua oddam, byś go mógł zakatować? Dla jakiejś niejasnej dla mnie prywaty? Wiem, wiem, mieliśmy onegdaj wobec Bielaua plany, miał nam posłużyć do zatuszowania afery z napadem na poborcę. Ale teraz całkiem czego innego wymaga dobro Kościoła i kraju. Rozkazałem ci współpracować z księciem Janem w poszukiwaniach. Dałem Janowi przyzwolenie na wkroczenie do klasztoru w Białym Kościele. Ha, wszedłby pewnie i bez pozwolenia, klasztor stoi na jego ziemiach, a opatka to jego siostra, ale to nie jest istotne. Istotne jest, że Jan Ziębicki waży się na rzecz prawdziwie wielką. Jeśli przedsięwzięcie wojenne się powiedzie... a ma wielkie szanse powodzenia, zadamy heretykom potężny cios, cios, jakiego dotąd nie zaznali. Czy pojmujesz to, Birkarcie, czy ogarniasz to rozumem? Najpierw ciężkie cięgi pod Kratzau, teraz pogrom, jaki wkrótce sprawi im Jan Ziębicki. Pryśnie mit, według którego husytów nie da się zwyciężyć w boju. Za naszym przykładem pójdą inni. To będzie początek ich końca. Ich końca, synu. Ja byłem pod Pragą w roku dwudziestym, na koronacji Zygmunta. Patrzyłem z Hradu na to miasto, przyczajone za rzeką jak wściekły pies. A gdyśmy stamtąd odchodzili, przysiągłem sobie, że kiedyś powrócę. Że własnymi oczyma zobaczę, jak temu wściekłemu psu wybija się kły, jak cała ta kacerska nacja ponosi karę za swe zbrodnie. Jak krew leje się wszystkimi ulicami tego podłego grodu, a Wełtawa robi się czerwona. I tak będzie, tak mi dopomóż Bóg. A znaczącym krokiem ku temu jest Jan, książę na Ziębicach. I wojenny plan, który ja obmyśliłem, a Jan wykona. Ten plan musi się powieść. Bóg tak chce. I ja też tak chcę.

– Dlatego – biskup wyprostował się – kategorycznie zabraniam ci jakichkolwiek działań, które mogłyby plan mój pokrzyżować. Lub choćby skomplikować. Jan trzyma Reinmara von Bielau w lochu na ziębickim zamku. Zabraniam ci zbliżyć się do tego lochu choć na krok, zakazuję rozmawiać z Reinmarem, zabraniam tknąć go choć palcem. Zabraniam ci tego kategorycznie i surowo. Wiem, żeś czarownik, polimorf i nekromanta, wiem, żeś ściany przenikał, by we Wrocławiu dostać się do uwięzionych. Wiem, co potrafisz i na co cię stać. Ale uprzedzam: jeśli mego zakazu nie posłuchasz, ściągniesz na się mój gniew. A wtedy poznasz, na co stać mnie. Zrozumiałeś, Birkarcie, synu mój? Zastosujesz się?

– A mam wyjście? Ojcze?

Biskup sapnął gniewnie. Potem z trzaskiem zamknął Biblię, a na tytułowej desce postawił puchar. I nalał weń burgunda z cynamonem.

– Tak między nami – spytał po chwili, całkiem spokojnie – to do czego był ci ów Bielau? Bo przecie nie gwoli samej przyjemności zemsty i mordu? Coś chciałeś z niego wydobyć, na jakąś okoliczność wybadać. Na jaką? Ha, pewnie nie zechcesz powiedzieć... Szczegółów nie zdradzisz. Ale może choć ogólnie?

Pomurnik uśmiechnął się, a był to uśmiech wyjątkowo paskudny.

– Jeśli ogólnie – wycedził zza uśmiechniętych warg – to czemu nie. Z Reinmara Bielaua zamierzałem wycisnąć informacje, które doprowadziłyby mnie do jednego z jego kompanów. Z tego zaś wydusiłbym dalsze informacje. Uzyskując tym samym nieco wiedzy. Ogólnej. Między innymi o tym, czy księga, którą dopiero co czytałeś, ojczulku biskupie, jest naprawdę tym, za co się ją zwykło uważać. Czy też może nie jest warta więcej niż baśnie Ezopa Fryga.

– Interesujące – przemówił po chwili zadumy Konrad. – W samej rzeczy, interesujące. Tym niemniej moje rozkazy pozostają w mocy. *Ad maiorem Dei gloriam*. A baśniami zajmiemy się w lepszych czasach.

●

Pomurnik sfrunął z blanków nyskiego zamku, zakoziołkował, porwany wiejącym od Rychlebów wichrem. Wyrównał lot, zaskrzeczał, poszybował w noc. Leciał w kierunku masywu Ślęży. Ale nie na samą Śleżę. Ślęża była dla amatorów, dla dyletantów, jako miejsce czarów odrobinę trywialna i raczej przereklamowana. Pomurnik leciał na Radunię, na jej wydłużony szczyt. Na kamienny wał i leżący w jego centrum magiczny, przypominający katafalk głaz. Monolit, który leżał tu już wtedy, gdy po Przedgórzu Sudeckim tupały mamuty, a wielkie żółwie składały jaja na dzisiejszej wyspie Piasek.

Wylądowawszy na głazie, pomurnik zmienił postać. Wicher zatargał jego czarnymi włosami. Wzniósłszy obie ręce, zakrzyczał. Dziko, głośno, przeciągle. Cała Radunia, zdawało się, zadrżała od tego krzyku.

Na odległym pustkowiu, na szczycie odległej góry, czerwone ognie zapałały w oknach górującego nad skalnym urwiskiem zamczyska Sensenberg. Niebo nad starą warownią rozjaśniła czerwonawa poświata. Wrota rozwarły się z hukiem. Rozbrzmiał demoniczny krzyk i tętent koni.

Czarni Jeźdźcy spieszyli na wezwanie.

●

– Postanowiłem – oświadczył, bawiąc się sztyletem, Jan, książę na Ziębicach. – Postanowiłem dać ci szansę, Reinmarze Bielau.

Reynevan zamrugał, oślepiony blaskiem świec, bolesnym dla jego oczu po długim przebywaniu w ciemnicy. Oprócz księcia w komnacie byli jeszcze inni. Znał tylko Borschnitza.

– Choć zbrodnie twoje są ciężkie i najsroższej wołają kary – książę bawił się sztyletem – zdecydowałem się dać ci szansę. Byś choć zdziebko odkupił swe winy, skruchą zasłużył na Bożą łaskę. Jezus za nas cierpiał, a Bóg jest miłosierny, odpuszcza grzechy i oczyszcza z wszelkiej nieprawości. Choćby grzechy były jak szkarłat, jak śnieg wybieleją. Na wstawiennnictwo Jezusa i miłosierdzie Pana naszego może liczyć każdy, nawet taki odszczepieniec, bluźnierca, czarownik, wykolejony szubrawiec, szczurzy pomiot, wrzód, śmieć, popapraniec, skurwiel i psi chuj jak ty. Warunkiem jest jednak skrucha i poprawa. Dam ci szansę poprawy, Reinmarze Bielau.

– Husyci – Jan Ziębicki rzucił sztylet na stół, na leżącą na nim mapę – wciąż wahając się przed szturmem Kłodzka, leżą warownym obozem na południe od grodu, opodal wsi Rengersdorf, przy samym trakcie międzyleskim. Wiesz, gdzie to jest, prawda? Pojedziesz tam. Kralovec zna cię i ufa ci, posłucha więc. Skłonisz go, by zwinął obóz i pomaszerował na północ. Skusisz go jakimś kłamstwem, obietnicą bogatego łupu, sposobnością druzgocącego ataku na biskupie wojska, szansą ujęcia samego biskupa żywcem... Twoja zresztą rzecz, jakim go kłamstwem do tego przekonasz, ważne, by wymaszerował. Na północ, przez Schwedeldorf i wieś Roszyce, w dolinę Ścinawki, z dalszym kierunkiem na Nową Rudę. Rzecz jasna, husyci nigdy tak daleko nie dojdą, zajmiemy się nimi... wcześniej. Ważnym jednak jest... Czy ty mnie słuchasz?

– Nie.

– Co?

– Nie zrobisz ze mnie zdrajcy.

– Ty już jesteś zdrajcą. Teraz tylko zmienisz strony.

– Nie.

– Reynevan. Wiesz, co można zrobić człowiekowi za pomocą rozżarzonych cęgów i smolnych kwaczy? Powiem ci: można tak długo przypiekać boki, aż organy wewnętrzne zacznie być widać zza żeber.

– Nie.

– Bohater, co? – Jan Ziębicki skinął ręką. – Nie zdradzi? Nawet zawleczony do katowni? A co będzie, jeśli się pokaże, że to wcale nie bohatera tam zawloką? Że to komuś innemu będzie się przypalać boczki? A bohaterowi każe przypatrywać się zabiegom?

Zmartwiały i zupełnie sparaliżowany grozą Reynevan wiedział, nim jeszcze książę skinął dłonią. Wiedział, nim pachołkowie wciągnęli do izby Juttę. Bladą i nawet nie opierającą się.

Książę Jan gestem nakazał, by przyprowadzono ją bliżej. Jeśli poprzednio Reynevan łudził się nadzieją, że feudał nie ośmieli się więzić ani znieważyć Apoldówny, że nie ośmieli się wyrządzić krzywdy szlachciance, pannie z rycerskiego rodu, teraz wyraz twarzy i oczu księcia rozwiał jego nadzieje i rozproszył je jak pył. Obleśnie i okrutnie uśmiechnięty Jan Ziębicki dotknął policzka Jutty, dziewczyna gwałtownie cofnęła twarz. Książę zaśmiał się, stanął za nią, gwałtownym ruchem zdarł z ramion *cotehardie* i koszulę, na oczach szamoczącego się w rękach pachołków Reynevana ścisnął w dłoniach obnażone piersi. Jutta syknęła i targnęła się, na próżno. Trzymano ją mocno.

– Nim przystąpimy do przypiekania tych dwóch bliźniaczych śliczności – zaśmiał się Jan, brutalnie igrając z biustem dziewczyny – wezmę sobie panienkę do łoża. A jeśli dalej będziesz zgrywał bohatera, panienka trafi do ratuszowego karceru, niechże mają i tam uciechę. Bo trzeba ci wiedzieć, Bielawa, że oni wciąż się tam zabawiają, dozorcy i strażnicy, ta sama konfraternia co wówczas, gdy miała pecha wylądować tam Burgundka. Chłopaki dostaną drugą, która znudziła się księciu, he, he. A ciebie każę zamknąć w sąsiedniej celi. Byś wszystko słyszał i sobie wyobrażał. A potem... Potem będziemy przypiekać.

– Puść ją... – wydyszał ledwie słyszalnie Reynevan. – Puść ją... Zostaw... Nie śmiej... Miej nad nią litość... Książę... Zrobię, co każesz.

– Co? Nie dosłyszałem!

– Zrobię, co każesz!

●

Koń, którego mu dano, był narowisty, nerwowy i niespokojny – lub tylko udzielił mu się niepokój jeźdźca. Na gościniec za Bramę Grodzką odprowadził go poczet rycerzy, wśród nich Borschnitz, Seiffersdorf i Risin. I książę Jan, własną osobą.

Było zimno. Zmarzłe, pokryte szronem badyle trzeszczały pod kopytami koni. Niebo na południu ciemniało zapowiedzią śnieżycy.

– Husyci – Jan Ziębicki ściągnął wodze swego wierzchowca – muszą pomaszerować w dolinę Ścinawki! I dalej traktem noworudzkim. Bądź więc przekonujący, Bielau. Bądź przekonujący. Niechaj pomoże ci w tym myśl, że jeśli ci się uda, jeśli husyci znajdą się tam, gdzie chcę ich mieć, ocalisz pannę. Zawiedziesz, zdradzisz: zgubisz ją, wydasz na hańbę i mękę. Staraj się więc.

Reynevan nie odpowiedział. Książę wyprostował się w siodle.

– Niech ci też w przedsięwzięciu dopomoże myśl, że gubiąc heretyków, ratujesz swą nieśmiertelną duszę. Jeśli za twoją sprawą wytniemy ich w pień, dobry Bóg z pewnością policzy ci ten uczynek.

Reynevan nie odpowiedział i tym razem. Patrzył tylko. Książę nie spuszczał z niego oka.

– Ach, cóż za wzrok, cóż za wzrok – wykrzywił wargi. – Iście jak u Gelfrada Sterczy, z którym wszak tak wiele łączy cię i łączyło. Nie popróbujesz straszyć mnie, jak Stercza z szafotu? Nie powiesz: *hodie mihi, cras tibi*, co dziś mnie, jutro spotka ciebie? Nie powiesz tego?

– Nie powiem.

– Rozsądnie. Bo ja za każdą wypowiedzianą sylabę odpłaciłbym ci. A raczej twojej pannie. Za każdą sylabę: jedno przyłożenie czerwonego żelaza. Nie zapominaj o tym, Bielawa. Ni przez chwilę nie zapominaj.

– Nie zapomnę.

– Jedź!

•

W Bramie Grodzkiej siedzieli w kucki żebracy, trędowaci i włóczędzy. Książę Jan, wielce z siebie zadowolony, rozkazał marszałkowi Borschnitzowi rzucić im garść monet. Żebracy bili się o miedziaki, orszak jechał, podkowy donośnym echem dzwoniły pod bramnym sklepieniem.

– Mości książę?

– Tak?

– Jeśli Bielawa... – Hyncze Borschnitz kaszlnął w zwiniętą pięść. – Jeśli Bielawa się wywiąże... Jeśli wykona, coście mu rozkazali... Puścicie pannę wolno? Jemu darujecie też?

Jan Ziębicki zaśmiał się sucho. Śmiech ten w zasadzie powinien wystarczyć Borschnitzowi za odpowiedź. Książę raczył jednak rzecz rozwinąć.

– Bóg – zaczął – jest litościwy, przebacza i wybacza. Czasami jednak rozpędza się w miłosierdziu tak, że chyba nie wie, co robi. Powiedział mi to kiedyś biskup wrocławski Konrad, a biskup to było nie było klecha, a więc na rzeczy zna się. Zanim więc, mówił biskup, Bóg grzesznikowi wybaczy, trzeba tu, na tym łez padole, sprawić, by grzesznik za swe grzechy i winy porządnie pocierpiał. Tak mówił biskup, a ja myślę, że dobrze mówił. Reinmar z Bielawy i jego gamratka pocierpią więc. Bardzo pocierpią. A gdy po cierpieniach staną przed Bożym obliczem, niechajże im Bóg przebacza, jeśli taka Jego wola. Pojąłeś, marszałku?

– Pojąłem, książę.

Niebo granatowiało zapowiedzią śnieżycy. I czegoś jeszcze gorszego. Gorszego przez to, że niewiadome.

Rozdział dwudziesty piąty

w którym Reynevan dokonuje wyboru.
Ale nie wszystko kończy się dobrze.

Minął Frankenstein, objeżdżając miasto od południa, przez Sadlno. Głowa bolała go potwornie, zaklęcia nie skutkowały, nie słuchały go rozedrgane w zdenerwowaniu ręce. Ból ćmił oczy.

Jechał jak we śnie. W koszmarze. Droga, gościniec kłodzki, część traktu handlowego Wrocław–Praga, nagle przestała być zwykłą drogą, dobrze znaną Reynevanowi trasą. Zmieniła się w coś, czego Reynevan nie znał i nigdy nie widział.

W zachmurzone i ciemne bez tego niebo wmącił się nagle, jak inkaust w wodę, wirujący i tętniący obłok gęstego mroku. Powiał, gnąc drzewa, dziki wicher. Koń rzucał łbem, rżał, wiżżał, ciskał się. Reynevan jechał, z trudem odnajdując drogę wśród egipskich ciemności.

W ciemnościach płoną ruchome ogniki. I czerwone ślepia. Zza czarnych chmur blado łyska księżyc.

Koń rży. Staje dęba.

W miejscu, gdzie powinna być wieś Tarnów, nie ma wsi. Jest cmentarz wśród pokracznych drzew. Na mogiłach poprzekrzywiane krzyże. Niektóre zatknięte odwrotnie, do góry nogami. Między mogiłami płoną ogniska, w ich migotliwym poblasku widać pląsające sylwetki. Cmentarz roi się od potworów. Lemury drapią groby pazurami. Wydzierają się spod zmarzłej ziemi empuzy i necuraty. Murony i mormoliki unoszą głowy, wyją do księżyca.

Między potworami – Reynevan widzi go wyraźnie – siedzi Drosselbart. Teraz, po śmierci, jest jeszcze chudszy niż za życia, bardziej kadaweryczny niż *cadaver*, wygląda zupełnie jak mumia, jak stary szkielet obciągnięty suchą skórą. Jeden z lemurów trzyma go zębami za łokieć, gryzie i żuje. Drosselbart jakby tego nie zauważa.

– Gdy idzie o dobro sprawy – woła, patrząc na Reynevana – jednostki się nie liczą! Udowodnij, żeś gotów do poświęceń! Czasem trzeba poświęcić to, co się kocha!

– Kamień na szaniec! – wyją lemury. – Kamień na szaniec!

Za cmentarzem rozstaje. Pod krzyżem, oparty plecami, siedzi Rzehors. Twarz ma w połowie zasłoniętą, całego spowija całun, przesiąknięta krwią płachta z workowego płótna.

– Rydwan historii pędzi – mówi niewyraźnie, z wysiłkiem. – Żadna siła nie jest go już w stanie zatrzymać. Poświęć ją! Musisz ją poświęcić! Dla sprawy! Dla Kielicha! Kielich musi zatriumfować!

– Kamień na szaniec! – skrzeczą, podskakując, wielkouche szretle. – Rzuć ją jak kamień na szaniec!

– Zresztą ona i tak jest zgubiona – mówi, podnosząc się z przydrożnego rowu, Bisclavret. Nie wiadomo, jak mówi i czym, zamiast gardła i żuchwy ma krwawą miazgę. – Jan Ziębicki nie wypuści jej z łap. Nieważne, co zrobisz, i tak jej nie ocalisz. Ona już nie żyje. Jest stracona.

Z rowu po drugiej stronie wstaje Gelfrad von Stercza. Bez głowy. Głowę trzyma pod pachą.

– Przysięgałeś – mówi głowa. – Dałeś *verbum nobile*, słowo szlacheckie. Musisz ją poświęcić. Ja poświęciłem... siebie. Spełniłem obowiązek. Zaprzysiągłem mu... *Hodie mihi, cras tibi... Hodie mihi, cras tibi...*

Kopyta biją o ziemię. Reynevan galopuje, schylony w siodle. Powinna tu gdzieś być wieś Baumgarten. Ale nie ma jej. Są gołe wiekowe drzewa, dziki las, zimowa puszcza.

– Byliście ładną parą – woła zza drzewa zielonoskóra istota o oczach świecących jak fosfor. – *Joioza i bachelar.* Byliście! Byliście!

– Kamień na szaniec! – wyją powstające z wiatrołomu blade wichty. – Kamień na szaniec!

Zza pni wychylają się alpy, wysokie, ciemnoskóre i białowłose alpy o szpiczastych uszach.

– *Tempus odii* – płynie ku niemu ich natrętny, dobrze słyszalny szept. – *Tempus odii,* czas nienawiści...

Powinna tu być wieś Bukowczyk. Nie ma jej.

– Nowa Era! – krzyczy, wyskakując jak spod ziemi, Krejczirz, kaznodzieja Sierotek. Jest cały zlany krwią, broczy z ręki odrąbanej powyżej łokcia i z okropnej rany na głowie.

– Nowa Era! A stary świat niech w ogniu zginie! Poświęć ją! Poświęć ją dla sprawy!

– Kamień na szaniec! Kamień na szaniec!

– Nastanie Królestwo Boże! – wyje Krejczirz. – Prawdziwe *Regnum Dei!* Zatriumfujemy! Prawdziwa wiara zatriumfuje, nieprawościom kres nastanie, świat się odmieni! By tak się stało, musisz ją poświęcić!

– Musisz ją poświęcić!

Po zboczu wzgórza, długim, niekończącym się pochodem-korowodem schodzi *Totentanz, danse macabre.* Setki przyodzianych w porwane całuny kościotrupów pląsają i skaczą, podrygują w dzikich i groteskowych lansadach. Powiewają i łopocą wystrzępione chorągwie i proporce. Łoskoczą piekielne bębny. Słychać klekot kości, kłapanie zębów. I dziki, wyśpiewywany skrzekliwymi głosami chorał:

> *Ktož jsú boží bojovnicí*
> *a zákona jeho!*

Nad trupim zastępem krążą i kraczą tysiące wron, gawronów i kawek. Wiatr donosi wstrętny trupi cuch.

Klekocą kości, kłapią zęby. Rozbrzmiewają wrzaski i potępieńcze wycia. I zaśpiew.

Ktož jsú boží bojovnicí
a zákona jeho!

Kamień na szaniec. Musisz ją poświęcić.
Reynevan tuli twarz do grzywy, dźga konia ostrogami.
Kopyta łomocą o zmarzłą ziemię.

•

Koszmar skończył się gwałtowniej, niż się rozpoczął.
Mrok rozwiał się w mgnieniu oka. Wrócił normalny świat.
Normalne grudniowe niebo z wiszącym na nim bladym
jak twaróg księżycem. Wieś Frankenberg znalazła się
tam, gdzie miała być. Szczekały psy. Dym spełzał ze
strzech, płoził się po ugorze. Daleko, na południu, w kierunku jazdy, a więc chyba w Bardzie, dzwoniono na nonę.
Reynevan jechał. Koń szarpał głową, boczył się.
Ból głowy ustąpił.

•

Minął Bardo, wciąż noszące ślady zniszczeń i pożarów.
Przejechał na lewy brzeg Nysy. Wspiął się na grzbiet nad
przełomem rzeki, przejechał obok wsi Eichau, zjechał
w Kotlinę Kłodzką.
W Kłodzku dzwoniono na nieszpór.
Objechał miasto od północy, znowu przeprawiając się
przez Nysę. Dotarł do rozstaja dróg, miejsca, gdzie gościniec międzyleski krzyżował się z traktem wiodącym do
Lewina i Nachodu.
I tu, pod wsią, nazwy której nie znał, zatrzymała go
husycka *hlidka*. Czujka, patrol złożony z trzech konnych
kuszników.
– Jestem z Vogelsangu – odpowiedział, okrzyknięty. –
Reinmar z Bielawy. Wiedźcie do dowództwa.

•

Sierotki były w marszu. Porzuciwszy leże pod Rengersdorfem armia Kralovca ciągnęła na północ. Idą wprost
w dolinę Ścinawki, pomyślał. Nie muszę ich namawiać,

nie muszę przekonywać, bez mojego udziału robią dokładnie to, czego chciał książę Jan. Byłbyż to znak od Boga? Nie muszę niczego robić. Nikogo nie zdradzę. Czynnie przynajmniej. Będę milczał po prostu. Zataję, co zaszło. Jutta będzie ocalona...

Strzeżona na flance przez jeźdźców i piechurów kolumna długa była chyba na pół mili – w jej skład wchodziło na oko jakieś sto pięćdziesiąt wozów bojowych i z pół setki transportowych, zwanych spyżnymi. Trochę potrwało, nim patrol dowiózł Reynevana do hejtmanów. Na samo czoło kolumny, będące już daleko za Schwedeldorfem.

– Reynevan! – Jan Kralovec z Hradku sprawił wrażenie mocno zdziwionego. – Żyjesz? Gadali, że cię w Kłodzku pan Puta zamęczył. Żeście wpadli mu w łapy, ty i Rzehors... Jakim cudem...

– Nie czas o tym, bracie. Nie czas.

– Pojmuję – twarz Kralovca ścięła się lodem. – Mów, z czym przybywasz.

Reynevan wziął głęboki wdech. Jutto, pomyślał. Jutto, wybacz.

– Jan Ziębicki idzie na was od północy z tysiącem ciężkozbrojnej jazdy. Zamierzają uderzyć na was w marszu. Sprawić wam drugie Kratzau.

Kralovec zaciął zęby na dźwięk nazwy. Inni hejtmani zaszemrali głucho. Był wśród nich Jan Kolda z Żampachu. Był Matej Salava z Lipy. Był ktoś do Mateja podobny i noszący identyczny herb, a więc niewątpliwie jego brat Jan. Był siedzący na wielkim rycerskim siwku Brazda z Klinsztejna, jak zwykle obnoszący się z rodowymi ostrzewiami Ronoviców. Był znany Reynevanowi z widzenia Wilem Jenik z Mieczkowa, hejtman Litomyśla. Był przezywany Polakiem Piotr z Lichwina, obecny komendant zdobytego wiosną zamku Homole. I to właśnie czarny jak kruk Piotr Polak odezwał się pierwszy.

– Co jeszcze – spytał złym głosem – kazali ci powtórzyć Ziębicki i Puta? Do czego masz nas skłonić?

– Miałem – odrzekł z naciskiem Reynevan, zwrócony twarzą nie do Polaka, lecz do Kralovca. – Miałem was skłonić do tego, co sami właśnie robicie. Do marszu na północ, w dolinę Ścinawki. Sami leziecie w zasadzkę, Janowi Ziębickiemu prosto w paszczę. Byłbym prowokatorem, jak sugeruje pan z Lichwina, wystarczyłoby mi milczeć. A ja was ostrzegam. Ratuję was przed klęską i zagładą. Nawet nie wiecie, jakim kosztem to robię. Jeśli macie mnie za szpiega, zabijcie. Nie powiem więcej ani słowa.

– To Reynevan – powiedział Brazda z Klinsztejna. – To jeden z nas! I ostrzega nas wszak. Co miałby osiągnąć przez to, że nas ostrzega?

– To, że zatrzymamy się w marszu – rzekł wolno Wilem Jenik. – Że damy wrogim wojskom czas, którego potrzebują. Że damy czas na ucieczkę z dobytkiem wsiom, które idziemy złupić. Ja tego człowieka nie znam...

– A ja znam – uciął ostro Kralovec. – Rozkazuję zatrzymać kolumnę. Bracie Wilemie, patrole i podjazdy na północ i w stronę Kłodzka. Bracie Piotrze, bracie Mateju, sformujcie jazdę.

– Stawiamy *hradbę*?

– Stawiamy – potwierdził Kralovec, stając w strzemionach i oglądając się. – Tam, za tą rzeczką, pod wzgórzem. Jak zwie się tamta wsina, którą mijaliśmy? Wie któryś?

– Stary Wielisław.

– Tam więc się postawimy. Dalej, bracia! Żywo!

•

Ustawianie wagenburga, *vozovej hradby*, Reynevan widział już ładnych kilka razy. Ale nigdy w tak sprawnym wykonaniu jak teraz. Sierotki Kralovca uwijały się jak w ukropie, a ład i organizacja wzbudzały podziw. Wpierw utworzono centrum, *nucleus*, pierścień z wozów spyżnych, wewnątrz którego ukryto konie juczne i bydło. Wokół centrum szybko zaczęła tworzyć się właściwa *hradba*: czworokąt wozów bojowych. Woźnice sprawnie podprowadzali wehikuły na właściwe pozycje. Konie wyprzęgano i odprowadzano do centrum. Wozy ustawiano systemem „koło na koło", tak by lewe tylne koło wozu poprzedzającego móc związać łańcuchami z przednim prawym kołem następnego, przez co ściana wozowego szańca miała formę schodkową. W pozostawiane co kilka wozów przerwy wprowadzano artylerię – hufnice, taraśnice, małe puszki. Każdą ze ścian tworzyło pięćdziesiąt wozów bojowych, cały wagenburg tworzył kwadrat o boku długim na co najmniej dwieście kroków. Nim zaczęło zmierzchać, wagenburg stał. I czekał.

•

– Zdradą planowaliśmy Kłodzko brać – powtórzył Brazda z Klinsztejna, w zamyśleniu zamierając z łyżką nad garnkiem. – Jeno nic nie wyszło z tego. Naszych, co w mieście byli, wszystkich wyłapali. I na śmierć zamęczyli. Był wśród nich Rzehors, podobno strasznie katowali go na szafocie, na rynku. A plotkowano, że i tyś tam równie paskudny koniec znalazł. Rad jestem, żeś ocalał.

– I jam rad – zacisnął zęby Reynevan. – A Bisclavret też nie żyje. Zabili go. To koniec Vogelsangu.

– Ty zostałeś. Przeżyłeś.

– Przeżyłem.

Brazda wznowił siorbanie, ale tylko na chwilę.

– Jeśli Ślązacy nie nadciągną... Jeśli okaże się, że... Możesz mieć kłopoty, Reynevan. Nie boisz się?

– Nie.

Milczeli, siorbali polewkę. Snuł się dym z ognisk. Chrapały konie w wewnętrznym pierścieniu wagenburga.

– Brazda?

– Co?

– Nie widziałem przy sztabie żadnego kaznodziei. Ani Prokupka, ani Krejczirza...

– Prokupek... – Ronovic smarknął, otarł nos. – Prokupek jest w Pradze, karierę robi. Gotów w biskupy pójść. Krejczirz poległ pod Kratzau, zarąbali go razem z tymi jego procarzętami, tak dostał, że nie było co zbierać. Mieliśmy jeszcze jednego księdza, ale niemocny był, słabował. Zmarło mu się. Pod Dusznikami go pochowalim. Będzie dwie niedziele temu.

– Zostaliście... – Reynevan odchrząknął. – Zostaliśmy więc bez pociechy duchowej?

– Jest wódka.

•

Dość szybko i dość raptownie – był wszak dwudziesty szósty grudnia – zapadły ciemności. I wtedy powróciły podjazdy, patrole, jazda Piotra Polaka. Na rozmigotany od ognisk plac wagenburga jęli wlewać się konni.

– Idą! – zameldował Kralovcowi zdyszany Piotr Polak.
– Idą, bracie! Niemczyk Reynevan prawdę gadał, idą! Samo rycerstwo, dobry tysiąc koni! Na chorągwiach śląskie orły, widać też znaki Opawy! Zeszli w kotlinę, są już pod Kłodzkiem! Przed świtem tu będą!

– Uderzą? – spytał Jan Kolda. – Zamiarowali przeca, jak pod Kratzau, napaść na idącą kolumnę. A gdy się spostrzegą, żeśmy w pogotowiu? Uderzą?

– Bóg jeden to wie – odrzekł Kralovec. – A my wychodu i tak nie mamy, czekać musimy. Pomódlmy się, Boży bojownicy! Ojcze nasz, któryś jest w niebiesiech...

●

Było zimno, zaczął prószyć drobny i suchy śnieg.

●

– Co to za wieś przed nami?
– Mikowiec, mości książę. A dalej to już będzie Schwedeldorf...
– Czas tedy! Czas! Chorągwie naprzód! Pod znakami pójdziemy do szarży!

Chorążowie wysunęli się na czoło. Pierwsza załopotała przed frontem wojska chorągiew Ziębic, z orłem w połowie czarnym, w połowie czerwonym. Przy niej wzniósł się znak biskupi, czarne orły i czerwone lilie. Obok zabłysnął bielą i czerwienią sztandar Opawy. Obok chorągiew świdnicka, czarne orły i czerwono-białe szachownice. I czarny orzeł Wrocławia.

U boków odzianego w mediolańską zbroję Jana z Ziębic stanęli wodzowie. Młody Wacław, dziedzic Opawy, książę na Głubczycach. Dowodzący chorągwią biskupią Mikołaj Zedlitz z Alzenau, starosta Otmuchowa, ze złotą klamrą na czerwonej tarczy. Marszałek biskupi Wawrzyniec von Rohrau. Grodkowski starosta Tamsz von Tannenfeld. Dowodzący kontyngentem świdnickim podstarosta Hinko

Stosz. Łatwy do rozpoznania po czerwono-srebrnym turzym łbie w herbie Jerzy Zettritz, dowódca wrocławian.

– Naprzód!

– Mości książę! Młody Kurzbach, z podjazdu!

– Bywaj tu, bywaj! I gadaj! Jakie wieści? Gdzie husyci?

– Leżą... – odrzekł z siodła rycerzyk z trzema złotymi rybami na tarczy. – Leżą pod Starym Wielisławiem...

– Nie są w marszu?

– Nie. Obozują.

Dowódcy zaszemrali. Hinko Stosz zaklął. Tannenfeld splunął. Jan Ziębicki zatoczył koniem.

– Nic to! – zakrzyknął. – Nic to!

– Twój szpieg widomie zdradził nas, książę – orzekł sucho Jerzy Zettritz. – Z zaskoczenia nici. I co teraz?

– Nic to, rzekłem! Uderzymy!

– Na wagenburg? – bąknął Wawrzyniec von Rohrau. – Mości książę... Czesi są w gotowości...

– Nie są! – zaprzeczył książę. – Bielawa nie zdradził. Nie potrafiłby! To tchórz i słabeusz! Wie, że mam go w ręku, że mogę strasznie go pognębić, jego i jego gamratkę... Nie odważyłby się... Kralovec, zaręczam, nic nie wie o nas, nie ustawił wagenburga, rozbił zwyczajny nocny obóz! Nasza przewaga wzrosła! Dojdziemy przed świtem, w mroku uderzymy na śpiących, rozproszymy ich i wyrżniemy. Nie dostoją szarży, rozniesiemy ich! Bóg z nami! Minęła północ, mamy dwudziesty siódmy grudnia, dzień świętego Jana Ewangelisty, patrona mego! W imię Boga i świętego Jana, naprzód, panowie rycerze!

– Naprzód! – krzyknął Wacław Opawski.

– Naprzód! – zawtórował Mikołaj Zedlitz, starosta otmuchowski. Trochę jakby mniej pewnie.

– Naprzód! *Gott mit uns!*

●

Na wozach wagenburga, między wozami i pod nimi, czekało w gotowości dwa i pół tysiąca Bożych bojowników. Tysiąc czekał w zwartym odwodzie, gotów zastąpić poległych i rannych. Pośrodku placu stłoczył się oddział szturmowy Sierotek, dwieście koni lekkozbrojnej jazdy.

Ogniska wygaszono. Przy wozach czerwono gorzały kotliki z żarem.

– Idą! – meldowały powracające *hlidki*. – Idą!

– Gotuj się! – skomenderował hejtmanom Kralovec. – Reynevan, ty przy mnie.

– Chcę walczyć na wozie. W pierwszej linii. Proszę, bracie.

Kralovec milczał długo, gryzł wąs. W świetle księżyca nie sposób było rozpoznać wyrazu jego twarzy

– Rozumiem – odrzekł wreszcie. – A raczej domyślam się. Prośbie odmawiam. Zostajesz przy mnie. Obaj pójdziemy, gdy czas przyjdzie, z jazdą do boju. Idzie na nas tysiąc koni, chłopcze. Tysiąc koni. Na wozie, w polu... wszędzie, wierz mi, jednakie są szanse na to, by ci się spełniło pragnienie śmierci.

•

Wagenburg trwał w skupieniu i ciszy, martwej ciszy, którą ledwie kiedy przerwało chrapanie konia, zaszczęk broni lub kaszel któregoś z bojowników.

Ziemia zaczęła wyczuwalnie drżeć. Zrazu lekko, potem coraz silniej i silniej. Uszu Reynevana dobiegł głuchy łomot kopyt uderzających o zmarzłą grudę. Sierotki zaczęły nerwowo kasłać, konie chrapać. Na wozach i pod wozami żarzyły się i migotały ogniki lontów.

– Czekać – powtarzał od czasu do czasu Kralovec. Dowódcy przekazywali rozkaz po linii.

Łoskot kopyt rósł. Przybierał na sile. Nie było już wątpliwości. Skryta w ciemnościach ciężka konnica przechodziła z kłusa do galopu. Wagenburg Sierotek był celem szarży.

– Jezu Chryste – powiedział nagle Kralovec. – Jezu Chryste... Przecież nie aż tak! Przecież nie mogą być aż tak głupi!

Łomot kopyt rósł. Ziemia dygotała. Dzwoniły spinające wozy łańcuchy. Szczękały i dzwoniły, zderzając się, ostrza gizarm i halabard. Coraz silniej dygotały zaciśnięte na drzewcach dłonie. Narastał nerwowy kaszel.

– Dwieście kroków! – wrzasnął od wozów Wilem Jenik.

– Gotuj się!
– Gotuj się! – powtórzył Jan Kolda. – No, chłopaki,
półdupki razem!
– Sto kroków! Widaaaać!
– Pal!!!
Wagenburg rozbłysnął ogniem tysiąca luf. I ogłuszają-
cym gruchotem tysiąca wystrzałów.

●

Wśród kwiku koni, wśród wrzasku, wśród zgiełku
i szczęku, ciemności rozjaśnił nagle ogień. Początkowo
niemrawy, zaledwie pobłyskujący, podsycany zrywającym
się w przedświcie wiatrem wybuchnął wreszcie z siłą i furią. Jasnym, wysokim płomieniem rozgorzały strzechy
chat Schwedeldorfu i Starego Wielisławia, zapłonęły stogi
pod Czerwoną Górą, stodoły, szopy i klecie nad Wielisła-
wką. Jedne podpalono na rozkaz Kralovca, inne kazał
w momencie ataku zapalić swoim książę Jan. Cel był ten
sam: by zrobiło się jasno. Dość jasno, by było można zabijać.

●

Salwa wagenburga miała skutek iście morderczy. Pod
łomocącą o zbroje ulewą kul i bełtów pierwsza linia szarży runęła jak zmieciona wichrem; w kłębowisko przewróconych koni i ludzi wpadła, tratując, linia druga, szarżu-
jące wierzchowce potykały się i wywracały na wierzchowcach obalonych i rannych, szalały, zrzucały jeźdźców
wśród makabrycznego wizgu i rżenia. Z wizgiem koni
mieszał się i bił w nocne niebo wrzask ludzi.
Do wozów doszła dopiero linia trzecia, a choć impet jej
ataku został w znacznym stopniu wyhamowany, wagenburg zadrżał, zatrząsł się pod uderzeniem pancernej jazdy. Wozy zakołysały się pod naporem. Ale stały. A na
przypartych do nich rycerzy spadła lawina żelaza. Przy-
gniatani przez własnych napierających z tyłu towarzyszy,
nie mogąc cofnąć się ani uciec, bronili się, jak mogli przed
walącymi się na nich ciosami. Husyckie cepy, topory
i morgensterny druzgotały hełmy, halabardy rozwalały
naramienniki, berdysze odrąbywały ramiona, tłukły we-
kiery i nadziaki, sudlice i alszpisy dziurawiły pancerze.

Ukryci pod wozami kusznicy strzelali z samostrzałów, pakując bełt za bełtem w końskie brzuchy, inni cięli nogi wierzchowców osadzonymi na sztorc kosami. Kwik, łomot żelaza i ryk wzbijały się nad pole boju, w brzeszczotach krwawo lśniły pożary.

Pierwsza ustąpiła i poszła w rozsypkę chorągiew biskupia. W szarży zdziesiątkowana salwą, przy wagenburgu ugrzęzła, nadziała się, jak na wielkiego jeża, na gąszcz nastawionych pik, gizarm i rohatyn. Na ten widok w Mikołaju Zedlitzu zupełnie upadły serce i duch. Wykrzykując jakieś bełkotliwe i bezsensowne komendy starosta Otmuchowa nagle zawrócił konia, cisnął na ziemię tarczę ze złotą klamrą i zwyczajnie uciekł. Jego śladem pocwałował marszałek Wawrzyniec von Rohrau. Za obydwoma uciekła cała chorągiew. A raczej to, co z niej zostało.

Następnym był Wacław, książę na Głubczycach, syn Przemka Opawskiego. Wacław, pasjonat nauk tajemnych, całą drogę rozmyślał nad zagadkowym horoskopem, jaki przed wyprawą postawili nadworni astrologowie. Teraz, gdy opawscy rycerze zaczęli padać pod ciosami husyckich cepów, książę Wacław uznał, że koniunkcje nie sprzyjają, a prospekty są złe. I że czas do domu. Na jego rozkaz cały kontyngent z Opawy przeszedł do odwrotu. Dość panicznego.

Jan Ziębicki, Hinko Stosz i Jerzy Zettritz chrypli od wykrzykiwanych rozkazów. Rycerstwo cofnęło się spod wagenburga celem przegrupowania. Był to ostatni i najgorszy błąd dowódców w bitwie. Sierotki zdążyły tymczasem nabić hufnice i taraśnice, strzelcy mieli już w rękach hakownice i piszczały, gotowi byli kusznicy. Wśród ogłuszającego huku wagenburg ponownie zakwitł ogniem i dymem, na odstępujących Ślązaków spadł morderczy grad pocisków. Znowu kule i bełty z trzaskiem dziurawiły blachy, znowu waliły się, kwicząc, pokaleczone konie. A ci, co jeszcze byli w stanie, rzucili się do bezładnej ucieczki.

Pierzchnął w popłochu, wyprzedzając wszystkich swoich podkomendnych, grodkowski starosta Tamsz von Tannenfeld. Wraz z resztką ocalałych rycerzy świdnickich zemknął z pola podstarosta Stosz. Głusi na rozpaczliwe wezwania księcia Jana i Zettritza poszli w rozsypkę rycerze wrocławscy i ziębiccy.

– Teraz! – zaryczał Jan Kralovec z Hradku. – Teraaaaaz! Na nich, Boży bojownicy! Na nich! Bij!

Ze ścian wagenburga momentalnie usunięto kilka wozów, powstałymi szczelinami wylała się w pole czeska jazda. Na lżejszych i wypoczętych koniach, mniej obciążeni zbroją, husyccy jezdni migiem doścignęli uciekających Ślązaków. Dościgniętych sieczono i kłuto bez litości, bez pardonu.

W ślad za jazdą zza wozów wypadła piechota. Tym ze Ślązaków, których oszczędziły miecze kawalerii, teraz przyszło umierać pod cepami.

– Na nich! Hyyyyr na niiiich!

Po polu snuł się dym i smród spalenizny. Pożary dogasały. Ale na wschodzie wstawał już krwawy świt.

●

– Hyr na nich! – ryczał Reynevan, galopując w szarży między Salavą a Brazdą z Klinsztejna. – Bij, zabij!

Dopędzili Ślązaków, spadli na nich jak jastrzębie, zaczęła się dzika rąbanina. Miecze hukały po blachach, iskry sypały się z kling. Reynevan rąbał ile sił, wrzeszczał, wrzaskiem dodając sobie odwagi. Ślązacy wyrywali się z bitki, uciekali. Reynevan pogalopował w pogoń.

I wtedy dostrzegł go Pomurnik.

●

Pomurnik w bitwie udziału nie brał, nie miał takiego zamiaru. Przybył pod Wielisław, jadąc skrycie w ślad za śląskim wojskiem, w jednym tylko celu. W wyłącznie jednym celu przyprowadził tu dziesięciu Czarnych Jeźdźców z Sensenbergu. Przewidując wypadki, wpadli na plac boju jak upiory. Krążąc i wypatrując.

To, że w bitewnym zamęcie, dzikim zamieszaniu i błyskliwie rozświetlanych pożarami ciemnościach Pomurnik zdołał wypatrzeć Reynevana, było czystym przypadkiem. Łutem szczęścia. Gdyby nie ów łut, nic nie dałaby Pomurnikowi ani magia, ani haszsz'isz.

Dostrzegłszy Reynevana, Pomurnik zakrzyczał modulowanie. Czarni Jeźdźcy jak jeden obrócili konie. Charcząc zza przyłbic, pomknęli we wskazanym kierunku. Szaleńczym galopem, rąbiąc i siekąc stających na drodze, roztrącając, obalając, tratując.

– *Adsumus! Adsuuumuuus!*

Reynevan spostrzegł ich. I zmartwiał.

Ale przypadki i łuty szczęścia przydarzały się wszystkim, nikt nie miał na nie monopolu. Zwłaszcza tej nocy. Gdy w ślad za jazdą husycka piechota wypadła zza wozów w pogoń za Ślązakami, niektórzy z artylerzystów porzucili puszki i dołączyli do gonitwy. Nie wszyscy. Niektórzy tak ukochali swą ognistą broń, że nawet w pościg nie ruszali bez niej. Hufnice, mające lawety na kołach, do takich manewrów nadawały się wprost idealnie. Trzeba było trafu, że trzy artyleryjskie załogi wypchnęły i wytoczyły swe hufnice w pole akurat na wprost szarżujących Czarnych Jeźdźców. Widząc, co się święci, puszkarze obrócili lawety. I przytknęli lonty do zapałów.

Grad ołowianych siekańców, skrawków żelaza i naciętych gwoździ znaczył dla zakutych w płyty Jeźdźców tyle co groch, jak groch odbił się od napierśników. Kąt uniesienia luf hufnic sprawił jednak, że większość siekańców dostała się koniom. I uczyniła wśród nich prawdziwą masakrę. Ani jeden z dziesięciu koni nie zdzierżył salwy, ani jeden nie ustał na nogach. Kilku Jeźdźców zostało przygniecionych, kilku zabiły wierzgające kopyta. Inni gramolili się z ziemi, wstawali, charcząc, tocząc błędnym od haszysz'iszu wzrokiem. Nie dano im ochłonąć.

Zza wozów wagenburga wypadł ostatni odwód Sierotek. Lżej ranni. Woźnice wozów. Kowale i rymarze. Kobiety. Wyrostki. Uzbrojeni w to, co upuścili polegli. Czarnych Jeźdźców odparły i przewróciły widły, partyzany i gizarmy, przewróconych Sierotki oblazły jak mrówki. Uniosły się i spadły kłonice, siekiery, maczugi, orczyki i młoty, bijąc w newralgiczne miejsca: w zasłony hełmów, w szorce, w nałokcice, w nakolanniki. W szczeliny zbroi wdarły się ostrza noży, szpikulców i sierpów. Charczenie zamieniło się w dziki, podnoszący włosy skrzek.

Czarni Jeźdźcy umierali ciężko. I długo. Długo nie chcieli rozstać się z życiem. Ale husyci bili, bili, bili i bili. Do skutku.

•

Pomurnik widział to wszystko i Reynevan widział to wszystko. Reynevan widział Pomurnika, Pomurnik widział Reynevana. Patrzyli na siebie skroś krwawe pole boju wzrokiem ćmiącym się od nienawiści. Aż Reynevan zaryczał wściekle, spiął konia i zaszarżował na Pomurnika, wywijając mieczem.

Pomurnik rzucił tręzle, gwałtownym ruchem uniósł obie ręce, wykonał nimi w powietrzu skomplikowany gest. Momentalnie otoczyła go trzeszcząca i iskrząca poświata, wokół rozpostartych dłoni zaczęła rosnąć i puchnąć kula ognia. Ale czaru Pomurnik rzucić nie zdołał. Nie zdążył. Reynevan galopował, a od strony pola bitwy waliła na Pomurnika grupa konnych, już, już gotowych wsiąść mu na kark. Od wozów zaś gnała gromada litomyskiej piechoty z cepami i halabardami. Pomurnik wykrzyczał zaklęcie, zamachał rękoma jak skrzydłami. Na oczach Reynevana i zdumionych Sierotek z kulbaki karego ogiera zerwał się, trzepocząc, wielki ptak. Zerwał się, wzbił i uleciał w niebo, skrzecząc dziko. Uleciał i znikł.

– Czary! – ryknął Matej Salava z Lipy. – Papistowskie czary! Tfu!

Aby wyładować złość, grzmotnął karego ogiera toporem w łeb. Ogier padł na kolana, potem zwalił się na bok, sztywno prężąc nogi.

– Tam! – zaryczał Salava, wskazując. – Tam są, psiewiary! Tam uciekają! Na nich, bracia! Bić! Za Kratzau!

– Za Kratzau! Bić! Nikogo nie żywić!

•

Wyrwawszy się z bitewnego skrzętu, Jan Ziębicki uciekał w panice, w galopie wyduszając z chrapiącego konia ostatki sił.

Kierował się na północ, w stronę dopalającego się Schwedeldorfu. Dokładnie nie wiedział, dokąd się kieruje,

było mu zresztą wszystko jedno. Ogłupiały ze strachu uciekał tam, gdzie inni. Byle dalej od rzezi.
Dopędził kilku rycerzy na ledwie idących, białych od piany koniach.

– Risin? Borschnitz? Kurzbach?
– Mości książę!
– W konie, szybciej! Uchodźmy!
– Tam... – wysapał Hyncze Borschnitz, wskazując kierunek. – Za rzeczkę...
– W konie!

Pomysł z rzeczką okazał się głupi. Najgorszy z możliwych. Nie dość, że na tle płonących chałup Schwedeldorfu widać ich było jak na dłoni, to brzegi strugi okazały się nigdy nie zamarzającym oparzeliskiem. Gdy podkowy skruszyły cienką warstewkę lodu na powierzchni, ciężkie rycerskie konie zapadły się i ugrzęzły. Niektóre po brzuchy.

Nim groza położenia w pełni do nich dotarła, mieli pościg na karku, dokoła zaroiło się od husyckich konnych w saladach i kapalinach. Risin zawył, skłuty włóczniami. Kurzbach zaszlochał, skurczył się w kulbace, wziął buławą po głowie, zwalił się pod konia. Borschnitz zaryczał, jął siec wokół siebie mieczem, pozostali wzięli z niego przykład. Jan Ziębicki miecz zgubił w ucieczce, na widok otaczających go husytów chwycił wiszący u siodła topór, machnął nim, wykrzykując bluźnierstwa, w panice machnął tak niezręcznie, że krzywe stylisko wyśliznęło mu się z palców, a topór poleciał w cholerę. Husyci obskoczyli go ze wszystkich stron. Dostał w plecy, potem w głowę, pod hełmem ogłuszająco zahuczało, zsunął się z siodła, spadł. Spróbował się podnieść, dostał jeszcze raz, w bok, obuch wgniótł zbroję, wgnieciona zbroja złamała żebra, książę zakrztusił się, tracąc dech. Znowu dostał, upadł na wznak, zobaczył, jak na pokruszony wokół lód strumieniami sika krew. Usłyszał, jak obok cienko wyje sieczony mieczami Kurzbach. Jak krzyczy dobijany Borschnitz. I sam też zaczął krzyczeć.

– Pardonu! Pardooonuuu! – zawył, zrywając z głowy armet. – Jestem książę...
– *Hodie mihi, cras tibi.*

Książę zadygotał. Poznał Reynevana.

•

Reynevan postawił mu stopę na piersi. I uniósł to, co trzymał w rękach. Książę zobaczył, co to. I zrobiło mu się niedobrze.

– Nieeee! – zawył jak pies. – Nie rób tego! Rozkazy wydane! W Ziębicach! Dziewka zginie! Jeśli mnie tkniesz, dziewka zginie!

Reynevan wysoko uniósł rohatynę. I z rozmachu, z całej siły wbił ją księciu w brzuch. Specjalne, czwórgrannie kute ostrze przebiło folgi fartucha. Książę zaryczał z bólu, spazmatycznie podkurczył nogi, oburącz ucapił drzewce. Reynevan stopą docisnął go do ziemi, wyszarpnął rohatynę. Świat dokoła zrobił się oślepiająco jasny, biały, świetlisty.

– Okuuup! – wył Jan. – Dam okuuuup! Złoootooo! Jezu Chryyysteeee! Litooościiiii!

Reynevan wziął potężny zamach. Ostrze rohatyny z trzaskiem wbiło się w szczelinę między napierśnikiem a szorcą, weszło po hak. Jan Ziębicki zakrzyczał, zadławił się, krew z ust chlustała mu na podbródek i zbroję.

– Litooo... Litooohh... Oooohhh...

Reynevan chwilę mocował się z zaklinowanym brzeszczotem, wyrwał go wreszcie. Uniósł rohatynę i uderzył. Ostrze przebiło blachę. Książę Jan nie mógł już krzyczeć. Stęknął tylko. I rzygnął. Krew trysnęła na pół sążnia w górę.

Reynevan zaparł się stopą o napierśnik, targnął drzewce, usiłując wyciągnąć uwięźnięte ostrze.

– Wiesz co, Bielawa? – powiedział stojący obok Jan Kolda. – Ja myślę, że on już ma dość.

Reynevan puścił rohatynę. Z trudem pokonując skurcz palców. Odstąpił o krok. Trochę dygotał. Opanował się. Kolda charknął przeciągle, splunął.

– Ma dość – powtórzył. – Całkiem dość.

– Ano, chyba tak – kiwnął głową Reynevan. – Chyba całkiem.

•

Tak oto zginął i takiego doczekał epitafium Jan, książę na Ziębicach, Piast z Piastów, w prostej linii potomek Siemowita i Mieszka, krew z krwi i kość z kości Chrobrego i Krzywoustego. Zginął dwudziestego siódmego grudnia roku 1428, czyli, jakby powiedział latopis, *vicesima septima die mensis Decembris Anno Domini MCCCCXXVIII*. Zginął w bitwie stoczonej pod wioszczyną o nazwie Stary Wielisław, milę jakąś na zachód od Kłodzka. Jak chcą jedni latopisowie, zginął jak jego prapra- i coś tam dziad, Henryk Pobożny: *pro defensione christiane fidei et sue gentis*. Inni mówią, że zginął przez własną głupotę. Tak czy inaczej, zginął. Umarł.

A męska linia Piastów ziębickich umarła wraz z nim.

●

Bitwa wciąż trwała. Niektórzy ze Ślązaków, uciekać nie mogący lub nie chcący, stawili zaciekły opór. Zbiwszy się w koliska, odcinali się zajadle atakującym Sierotkom. Niektórzy walczyli samotnie. Jak Jerzy Zettritz, dowódca wrocławian. Pod Zettritzem zabito już dwa konie, pierwszego zaraz na początku bitwy, pod wagenburgiem, drugiego w ucieczce. Nie było więc jak uciekać. Bez hełmu, z okrwawionymi włosami, Zettritz był nadto ranny w nogę, husycka gizarma ukłuła go w udo, przedziurawiwszy kuty w Norymberdze nabiodrek. Krew lała się po blachach bejgwantów. Oparty o wierzbę na miedzy Zettritz chwiał się, ledwo stał, ale mężnie wymachiwał półtorarędznym mieczem, odpędzał otaczających go napastników, zbyt natarczywych rąbał, aż dzwoniło. Otaczał go już wianuszek porąbanych, gdy któremuś z Czechów udało się wreszcie dźgnąć go glewią w policzek tak, że aż chrupnęły łamane zęby. Zettritz zachwiał się, ale ustał na nogach. Wypluł krew na napierśnik, zakurwił bluźnierczo. I odpędził atakujących zamaszystymi ciosami półtoraka.

– Na honor, panie Zettritz – zawołał, podjeżdżając stępa, Brazda z Klinsztejna. – Może wystarczy?

Jerzy Zettritz wypluł krew. Spojrzał na ostrzewie na piersi Brazdy. Odetchnął ciężko. Chwycił miecz za klingę i uniósł, na znak, że zdaje się na łaskę. Po czym zemdlał.

●

– Bóg zwyciężył – powiedział zmęczonym głosem Jan Kralovec z Hradku.

– Bóg tak chciał – dodał, zupełnie bez patosu. – Odcięty został róg Moabu, a ramię jego złamane.

– Bóg zwyciężył! – wzniósł zakrwawiony miecz Piotr Polak. – Zwyciężyliśmy, Boży bojownicy! Butne niemieckie rycerstwo leży tu w prochu! Kto nas teraz powstrzyma?

– Pomściliśmy Kratzau! – krzyknął, ocierając krew z twarzy, Matej Salava z Lipy. – Bóg z nami!

– Bóg z nami!

Triumfalny wrzask tysiąca gardeł Bożych bojowników ostatecznie, zdało się, rozpędził półmrok i mgły. Przebijając się przez dymy pożarów, wstawał i jaśniał dzień. *Dies illucescens.*

●

– Muszę jechać – powtórzył Reynevan, całą siłą woli powstrzymując zęby, którym nagle zachciało się szczękać.

– Muszę jechać, bracie Janie.

– Złamaliśmy ich – powtórzył Jan Kralovec z Hradku.

– Odcięliśmy róg Moabu. Jan Ziębicki zabity, Świdnica i Wrocław zdziesiątkowane. Nikt nas teraz nie powstrzyma. Wykorzystamy to zwycięstwo. Śląsk jest na naszej łasce. Chcesz zemsty? Idź z nami.

– Muszę jechać.

Słońce przedarło się przez chmury. Dzień zapowiadał się mroźny. Dwudziesty siódmy grudnia 1428. Poniedziałek po Narodzeniu Pańskim.

Kralovec odetchnął głęboko.

– Ha, jeśli mus, to mus... Jedź zatem. *Spanembohem!*

●

Na głowie wisielca siedziała wrona.

Dzień, choć mroźny, był pięknie słoneczny, zupełnie niemal bezwietrzny. Wisielec lekko tylko kołysał się i obracał na skrzypiącym sznurze, co wronie zdawało się zupełnie nie przeszkadzać. Wczepiwszy szpony w resztki włosów trupa, ptak metodycznie i spokojnie wydziobywał, co tam było do wydziobywania.

Lśniły w grudniowym słońcu dachówki na wieżach Ziębic. Drogą w kierunku Bramy Grodzkiej zmierzał sznur uciekinierów. Wieści o nadciągających husytach rozchodziły się widać szybko.

Reynevan poklepał zmydloną od piany szyję konia. Dzielące Stary Wielisław od Ziębic sześć mil pokonał w zaiste imponujące półtorej godziny. Rezultat był taki, że konia do cna zmordował. Końcowy odcinek trasy przyszło mu ledwo człapać. I to z przystankami.

Wrona zerwała się z głowy wisielca, odleciała, kracząc, by siąść nieco wyżej, na poziomej belce szubienicy.

– Reinmar z Bielawy, jak sądzę?

Człowiek, który zadał pytanie, zjawił się nie wiadomo skąd. Jakby wyrósł spod ziemi. Siedział na srokatym koniku. Odziany był z mieszczańska. Twarz miał pospolitą, a akcent polski.

– Reinmar z Bielawy, oczywiście – sam sobie odpowiedział. – Właśnie czekam tu na waści.

Reynevan, miast odpowiadać, sięgnął po miecz. Człowiek z pospolitą twarzą nie drgnął nawet.

– Czekam – powiedział spokojnie – bez żadnych złych zamiarów. Po to jedynie, by przekazać informację. Ważną informację. Mogę mówić? Wysłuchasz waść spokojnie?

Reynevan nie miał zamiaru potwierdzać. Nieznajomy zauważył to. Gdy się odezwał, głos zmienił mu się. Zabrzmiały w nim nuty metaliczne i złe.

– Do miasta nie masz po co wjeżdżać, Reinmarze z Bielawy. Jechałeś szybko, nie szczędziłeś konia. A jednak spóźniłeś się.

Reynevan przemógł ogarniającą go nagle rozpacz. Zwalczył słabość. Opanował podjeżdżające do gardła serce. Dłonie, które zaczęły się trząść, ukrył za łękiem siodła. Do bólu zacisnął szczęki.

– Panny, na ratunek której spieszyłeś, w Ziębicach już nie ma – powiedział nieznajomy. – Spokojnie! Bez głupstw! Pacjencji, pacjencji więcej. Wysłuchaj mnie...

Reynevan ani myślał słuchać. Dobył miecza i ukłuł konia ostrogą. Koń szarpnął się, grzebnął kopytem, zaparskał, zadarł i obrócił łeb. I nie postąpił ni cala do przodu.

– Więcej pacjencji – powtórzył nieznajomy. – Nie rób głupstw. Twój koń nie ruszy się z miejsca, a ty się do mnie nie zbliżysz. Wysłuchaj mnie, proszę

– Mów. Mów, co z Juttą.

– Panna Jutta de Apolda jest cała i zdrowa. Ale opuściła Ziębice.

– Skąd... – Reynevan odetchnął głęboko. – Skąd mam wiedzieć, że nie łżesz?

Nieznajomy uśmiechnął się nieładnie.

– *Veritatem dicam, quam nemo audebit prohibere* – jego dobra łacina zdradzała Polaka na równi z akcentem. – Panny Jutty nie masz już w Ziębicach. Uznaliśmy, że w ręku księcia Jana nie jest bezpieczna. Że ludzie, których pieczy książę ją poruczył, nie gwarantują jej nietykalności cielesnej. Postanowiliśmy tedy salwować pannę Juttę z ziębickiego uwięzienia. Pofortuniło nam, salwowaliśmy. I wzięliśmy, że się tak wyrażę, *sub tutelam*.

– Gdzie ona teraz jest?

– W bezpiecznym miejscu. Spokojnie, młodzieńcze, spokojnie. Nic jej nie grozi. Włos jej z głowy nie spadnie. Jest, jak zaznaczyłem, pod naszą opieką.

– Znaczy, pod czyją? Pod czyją, do cholery?

– Jesteś zaskakująco niedomyślny.

– Inkwizycja?

– *Tu dicis* – uśmiechnął się nieznajomy. – Tyś powiedział.

Reynevan ponownie spróbował pchnąć konia do przodu, a koń ponownie zachrapał i zatupał w miejscu.

– Innych za magię palicie – splunął. – Hipokryci zasrani. Nie pytam, czego chcecie ode mnie ani jaki jest cel szantażu, odgaduję, w czym sprawa. I lojalnie uprzedzam: dopiero co utrupiłem jednego skurwysyna szantażystę. I mocno sobie postanowiłem utrupiać następnych, wszystkich, jacy się pojawią. Powtórz to Grzegorzowi Hejnczemu. A ciebie, posłańcze, zapamiętam, bądź pewny. Nie będziesz wiedział ni dnia, ni godziny.

– Pacjencja, Reinmarze, pacjencja – skrzywił wargi nieznajomy. – Panuj nad sobą i kontroluj zachowanie. Albowiem brak kontroli może mieć trudne do przewidzenia, niemiłe sekwele. Bardzo niemiłe sekwele.

- Dla Jutty? Rozumiem.
- Nie rozumiesz. Schowaj miecz i wysłuchaj mnie. Wysłuchasz?
- Mam wyjście? Wszak w przeciwnym razie będą niemiłe sekwele. Wszak Jutta jest w waszych łapach. W waszych lochach...
- Nie jest w żadnych lochach – przerwał nieznajomy. – Nikt jej nie skrzywdzi, nie dotknie palcem, w niczym nie ubliży ani nie uchybi czci. Jutta de Apolda jest pod naszą opieką. Jest, owszem, odosobniona... Za wiedzą zresztą i aprobatą jej matki, pani Agnes, cześnikowej z Schönau. Panna Jutta przebywa w bezpiecznym miejscu. Odsunięta i odizolowana od niebezpieczeństw tego świata. Od pewnych idei, które niegdyś przywiodły na stos Maifredę da Pirovano. I od ciebie. Zwłaszcza od ciebie. I na razie odsuniętą i odizolowaną panna Jutta pozostanie.
- Na razie?
- Do czasu.
- Do jakiego czasu? Kiedy ją uwolnicie?
- Gdy czas przyjdzie. I za pewnymi kondycjami.
- Nuże więc! – szczeknął Reynevan, wciąż nadaremnie próbując ruszyć konia. – Do rzeczy! Słucham! Jakie to kondycje? Kogo tym razem mam zdradzić? Kogo sprzedać? Kogo wydać na śmierć? A gdy zrobię, co chcecie, oddacie mi Juttę, tak? A może jeszcze dołożycie trzydzieści srebrników?
- Pacjencja! – uniósł rękę nieznajomy. – Nie unoś się, nie galopuj. Rzekłem ci, com miał rzec. Teraz wracaj do swoich. Do Sierotek, które, jak głosi fama, ostro maszerują na północ i lada moment tu będą. Wracaj. I czekaj na wieści od nas. Wielebny Hejncze przekazuje ci pod rozwagę słowa proroka Ozeasza: drogi Pańskie są proste: kroczą nimi sprawiedliwi, lecz potykają się na nich grzesznicy. Czas, byś przestał się potykać, Reinmarze z Bielawy. Czas powrócić na proste drogi. Spróbujemy dopomóc ci w tym.
- Nie wątpię, że spróbujecie.
- Czekaj na wieści. Odnajdziemy cię.
- Tacyście pewni, że odnajdziecie?

– Odnajdziemy – uśmiechnął się wysłannik Inkwizycji.

– Bez trudności. Jesteś wszak jak majeranek. Pojawiasz się często. We wszystkich daniach. Nazywam się Łukasz Bożyczko.

– Zapamiętam.

Łukasz Bożyczko zaśmiał się, nic – przynajmniej aparencjonalnie – nie robiąc sobie z brzmiącej w głosie Reynevana groźby. Odrzucił płaszcz na ramię. Obrócił srokacza. Dał mu ostrogę. I kłusem odjechał w stronę Bramy Grodzkiej. Ku której zmierzało coraz to więcej i więcej uchodźców.

Reynevan długo patrzył mu w ślad. Umierał ze zmęczenia i niewyspania. Ale wiedział, że nie ma czasu ani na wypoczynek, ani na sen. Ściągnął wodze, zawrócił w stronę Frankensteinu. Koń chrapał. Droga była pełna ludzi. Wieści o idących z rejzą Sierotkach rozchodziły się lotem błyskawicy, Śląsk znowu ogarniała panika.

A Jutta była w rękach Inkwizycji.

Niebo na południu zasnuwało się chmurami, mroczniało zapowiedzią nadciągających śnieżyc.

I rzeczy znacznie gorszych.

KONIEC TOMU DRUGIEGO

P rzypisy

Rozdział pierwszy

„...pięciuset grzywien, zagrabionych poborcy" – grzywna (w krajach niesłowiańskich zwana marką) była jednostką płatniczą, ale nie monetarną. Oznaczała masę pół funta czystego srebra, z której w założeniu biło się 60 sztuk monety, czyli kopę groszy praskich. Tak było jeszcze około roku 1300, potem zaczęto bić coraz to więcej groszy z pół funta, przez co zawierający mniej kruszcu grosz podlał. Ile groszy faktycznie wybito z grzywny, zależało od tego, jak bardzo panujący chciał wydymać swych poddanych. Jak widać, od tamtych czasów niewiele pod tym względem się zmieniło.

„...Jakubek z Vrzesovic, hejtman Biliny" – „hejtman" – celowo tak pisany dla odróżnienia od hetmana, u nas przyjętego jako wodza szczebla bardzo wysokiego, czasem wręcz głównodowodzącego. U husytów „hejtman" (łac. *capitaneus*) był po prostu dowódcą, bliższy znaczeniowo był mu kozacki ataman – również zresztą pochodzący wprost od niemieckiego *Hauptmanna*. U husytów był „hejtmanem" już dowódca wozu bojowego i jego liczącej 16-21 ludzi obsady. Mógł też „hejtman" oznaczać nie tylko dowódcę wojskowego, ale i zarządcę administracyjnego – tytuł „hejtman zemsky" należy np. tłumaczyć jako „starosta". Tak jest w konkretnym przypadku Jakubka z Vrzesovic – tytuł „hejtmana Biliny" czynił z niego starostę (zarządcę) miasta i okręgu miejskiego, ale i wojskowego dowódcę wystawianego przez Bilinę zbrojnego kontyngentu, tzw. „miejskiej gotowości".

„...*Das Fechtbuch* autorstwa Hansa Talhoffera" – anachronizm. Słynny podręcznik walki bronią białą napisany został i wydany nieco później, datuje się go na rok 1443. Przy *Flos duellatorum* Fiora da Cividale anachronizmu nie ma, dzieło było znane już w roku 1410.

Rozdział drugi

„Panosze Jana Miesteckiego..." – słowo „panosza" w języku i tradycji czeskiej i średniowiecznej polskiej miało kilka znaczeń, używam najpopularniejszego: młody, nie pasowany jeszcze szlachcic w służbach rycerza, czyli po prostu giermek (armiger). W języku polskim od w. XVII słowo zmieniło znaczenie i zaczęło oznaczać hardego bogacza, co do dziś przetrwało w określeniu „panoszyć się".

Cave, ne cadas... – bacz, byś nie upadł. Gdy w państwie rzymskim zwycięskiemu wodzowi senat wyprawiał triumf, stojący za plecami wodza niewolnik miał nakazane co czas jakiś powtarzać: *„Respiciens post te, hominem memento te; cave, ne cadas"* (Oglądając się za siebie, pomnij, iżeś człowiekiem; strzeż się, iżbyś nie upadł). Innymi słowy: Nie wbijaj się w dumę zaszczytami i honorami, wytrwaj na drodze zasług, gdyż naród, który umie je nagradzać, zadufanego potrafi też strącić w nicość.

Nescis, mi fili, diem neque horam – „Nie znasz, synu, ni dnia, ni godziny", Mateusz, 25;13. W dalszej części przemowy Samson bezbłędnie przepowiada przyszłość. Jan Smirzycky ze Smirzyc przetrwał husyckie zawieruchy, wyszedł z nich z wielkim majątkiem i wielkimi dobrami ziemskimi w północnych Czechach. Zaczął jednak spiskować przeciw Jerzemu z Podiebrad – oskarżony i osądzony za zdradę stanu w roku 1453 położył głowę pod katowski miecz.

Rozdział trzeci

„...litery V.I.T.R.I.O.L., składające się na..." – V.I.T.R.I.O.L. to sekretna, zagadkowa i wieloznaczna formuła alchemików, często używana na określenie procesu transmutacji, tj. przemiany metali nieszlachetnych w szlachetne. Skrót najczęściej interpretowano jako początkowe litery formuły *Visita Inferiora Terrae Rectificando Invenies Occultum Lapidem*, czyli „Badaj niższe sfery Ziemi, udoskonal je, a znajdziesz ukryty kamień". Chodzi naturalnie o kamień mądrości, słynny *lapis philosophorum*.

Ego vos invoco... i dalej – rytuał konjuracyjny i zaklęcia oparte – luźno – na *Heptameronie* Piotra di Abano, jednym z nielicznych autentycznych zachowanych w całości czarodziejskich grymuarów.

Verum, sine mendacio, certum et verissimum... – „Prawdą jest, bez kłamstwa, pewnie i najprawdziwiej: to, co jest na dole, jest takie, jako to co na górze; a to, co jest na górze, takież jest, jak to na dole, a cud dokonuje się mocą Jedności" (*Tablica Szmaragdowa*, przekład autora).

Completum est... – „To, co miałem powiedzieć o rzeczach słonecznych, powiedziałem" (tamże).

Rozdział czwarty

„...głównodowodzącym, czyli Sprawcą – wprowadzony dla kolorytu bohemizm, czes. *správce* to zarządca, kierownik; nie należy mylić ze „sprawcą nieznanym", raczej porównać polskie „sprawować władzę".

Rozdział piąty

„...pięciu zbrojnych burgmanów..." – chudą szlachtę bez włości, zmuszoną najmować się na służbę u majętnych feudałów, określano nazwą klientów albo manów. Klientów, których służba obejmowała głównie dozór i obronę zamku feudała, nazywano burgmanami.

Dwór nam pokaził kapłany... – Biernat z Lublina. Tekst powstał w roku 1522 dopiero. Ale co tam.

Pictoribus atque poetis... – „Malarze i poeci mają prawo ważyć się na wszystko" (Horacy).

Non enim est aliquid absconditum... – „Nie ma bowiem nic ukrytego, co by nie miało wyjść na jaw" (Marek, 4;22)

Maior sum quam cui possit Fortuna nocere – „Jestem zbyt mocny, by los mógł mi zaszkodzić" (Owidiusz, *Metamorfozy*, 6, 195).

Quem dies vidit veniens superbum... – „Kogo ranek widzi wyniosłym, wieczór widzi powalonym" (Seneka).

„Dostałem sześć antałków w charakterze łapówki..." – łapownictwo biskupa Konrada przy przyznawaniu prebend i dostojeństw kościelnych w diecezji wrocławskiej zaświadcza (za Długoszem) Ewa Maleczyńska, *Ruch husycki w Czechach i w Polsce*, KiW 1959.

Aurea prima sata est aetas... – Owidiusz, *Metamorfozy*, I, 89. Tłumaczył Bruno hrabia Kiciński.

> *Złoty najpierw wiek nastał. Nie z bojaźni kary,*
> *Lecz z własnej chęci człowiek cnoty strzegł i wiary.*
> *Kary, trwogi nie znano. W spiżowych tablicach*

Groźby praw, i wyroku na sędziego licach
Lud nie czytał: bez sędziów byli bezpiecznemi.

Rozdział szósty

„...żejdlik wina kosztuje trzy grosze, a pół pinty piwa pięć pieniędzy..." – żejdlik mieścił około pół litra. Cztery żejdliki składały się na pintę, osiem pint szło na skopek, cztery skopki zawierało wiadro, cztery wiadra dawały beczkę, mającą około dwóch i pół hektolitra pojemności. Jeśli idzie o jednostki monetarne – podstawową był wówczas w Czechach (i nie tylko!) grosz praski, zwany też „białym" lub „szerokim". Grosz dzielił się na 7 pieniędzy = 14 halerzom = 28 obolom. W czasie wojen husyckich grosz nie był bity w ogóle, co nie przeszkadzało mu być monetą najpopularniejszą, tak w płatnościach, jak i w rozliczeniach.

„...kto nie pożałuje florena lub węgierskiego dukata..." – floren, czyli gulden, czyli reński złoty miał kurs zawsze niższy od dukata węgierskiego. W roku 1419, roku defenestracji, za dukat węgierski płacono 23 grosze praskie, za floren tylko 19. Burzliwy czas wojen husyckich musiał spowodować spekulacyjny wzrost wartości monety złotej – stąd u mnie Huncleder ustala kurs na groszy trzydzieści.

Rozdział siódmy

Cherethi i Felethi – biblijnie: zbieranina, hałastra (II Ks. Samuela, 8;18 i 15;18)

„Moja rodzina to od lat manowie Bergowów..." – szlachta czeska i morawska, w odróżnieniu od polskiej, gdzie każdy szarak był „równy wojewodzie", dzieliła się na stany. Najwyższą rangę miał stan pański, złożony ze szlachty najstarszej i najbogatszej. Dobra czeskich panów były często na tyle potężne i rozległe, by nazywać je „państwami" (*panstvi*; słowo to przeszło do polskiego, by stać się nazwą organizacji politycznej). Szlachta niższa obejmowała władyków i rycerzy. Najniżej w hierarchii stali klienci (*clientes*), zwani również manami – uboga i nie posiadająca nadań ziemskich szlachta zmuszona pozostawać w służbie u szlachty bogatej. Lub u kleru – biskupom i arcybiskupom służyły całe armie manów.

E lo spirito mio, che gia cotanto... – *Boska Komedia*, Czyściec, pieśń XXX. Tłumaczenie Edwarda Porębowicza.

Stęsknił się duch mój, że od lat tak wiela
Cudem jej wdzięków nie był czarowany:
Cudem, co wabi i co onieśmiela.
Więc gdy mi błysnął kształt jej ukochany,
Przez moc tajemną, która od niej biła,
Dawnej miłości poczułem kajdany.

Rozdział dziewiąty

Par montaingnes et par valées... – Chretién de Troyes, *Yvain*. W przekładzie autora.

Poprzez góry i doliny
Poprzez puszcz rozległych knieje
Przez krainę dziwną, dziką
Liczne miejsca grozy pełne
I śmiertelnych niebezpieczeństw

„Pambu jeden wie" – Pambu (a. Pambicek) – od Pan Buh, czeski ludowy kolokwializm.

„...wiertel piwa" – 23,25 litra.

Rozdział dziesiąty

Gruonet der walt allenthalben... – *Carmina Burana*, tłumaczenie moje.

Zielenią wszystek las się zieleni
Ach, czemuż daleko jest wciąż mój miły
Odjechał konno, odjechał
Ach, któż mnie będzie miłował?

Rozdział dwunasty

„...ty synku merseburskich ministeriałów..." – ministeriałowie byli rycerstwem służebnym, obarczonym osobistą niewolą wobec swych panów. Jako faktyczni niewolnicy mogli być np. sprzedawani lub wymieniani, nie wolno było im się żenić bez zgody pana, ich dzieci stawały się pańską własnością. W XIII wieku instytucja ministeriałów praktycznie zanikła, kładąc podwaliny pod warstwę niższej szlachty, ubogiego – ale już wolnego – rycerstwa.

Die Ketzer und in dem christlichen Glauben irresame Leute... – „Kacerzy i ludzi w wierze chrześcijańskiej błądzących tępić i niszczyć...", historyczny fragment roty przysięgi, jaką w ramach walki z husycką herezją musiał w roku 1422 pod rygorem kary złożyć każdy mieszkaniec Łużyc, który ukończył lat czternaście. Rozciągając obowiązek tej przysięgi również na mieszkańców Śląska, popełniam tak zwane „uzasadnione historyczne domniemanie". Inaczej mówiąc: zmyślam.

Rozdział czternasty

„...schwytanemu husycie pan Szvihovsky kazał oto napchać do gęby i gardła strzelniczego prochu..." – fakt historyczny. Podają go *Stare letopisy czeskie*.

Quibus viventibus non communicavimus... – „Z kim nie mieliśmy wspólnoty za życia, z tym nie będziemy we wspólnocie i po śmierci"; słowa przypisywane papieżowi Leonowi Wielkiemu.

„...nie więcej niż jedną uncję i atomów trzydzieści" – kalkulacja miała się następująco: 1 *hora* = 4 *puncta* = 40 *momenta* = 480 *uncie* = 21600 *atomi*.

Rozdział piętnasty

„Prawda rzecz Krystowa..." – kantylena Andrzeja Gałki, *vide* odpowiedni przypis w *Narrenturmie*.

Una cosa voglio vedere... – inwokację skonstruowałem w dość swobodnym oparciu o *Aradia, or the Gospel of the Witches* Charlesa G. Lelanda. I sam siebie przełożyłem. Oto efekt:

Rzecz jedną widzieć pragnę
Rzecz miłości dotyczącą
W wietrze, w wodzie, we kwiecie
Wąż syczy, żaba śpiewa
Nie opuszczaj mnie, błagam, proszę.

Rozdział siedemnasty

„*Slyšte rytieři boží...*" – pieśń „z epoki", z tak zwanego *Kancjonału Jistebnickiego* (pierwsza poł. XV w.).

„...w tym ze trzysta kopii jazdy..." – zwana kopią jednostka taktyczna konnicy składała się zwykle z rycerza, giermka, zbrojnego pachołka i strzelca konnego z kuszą. Bywały kopie w sile trzech ludzi, bywały i liczące sześciu.

Rozdział osiemnasty

„...armią liczącą z górą siedem tysięcy..." – Spotkałem się ze źródłami, liczącymi siły husytów pod Nysą na 25 tysięcy ludzi. Autorzy musieli zasugerować się propagandą Vogelsangu. Albo opierali się na źródłach niemieckich, które brane od husytów straszliwe cięgi wyjaśniały i usprawiedliwiały „przytłaczającą przewagą wroga". W rzeczywistości łącznie Tabor i Sierotki (a pod Nysą, zważmy, walczy sam Tabor, bez Sierotek) nigdy nie były w stanie wystawić na rejzę armii silniejszej niż 15-18 tysięcy ludzi, a zwykle było to 7-9 tysięcy. W zwykłej u husytów proporcji jazdy i piechoty jak jeden do dziesięciu. Plus wozy bojowe, zwykle jeden na 20-25 piechocińców.

„...śpiewkę, podnoszącą wynik do trzech tysięcy" – niektóre źródła (nawet czeskie!) opierają się chyba właśnie na wojackich śpiewkach, bo straty Ślązaków pod Nysą obliczają na cztery, a nawet (*sic!*) dziewięć tysięcy zabitych. To przesada, jeśli nie wręcz bzdura. W uznanych za największe i najkrwawsze bitwach czasów husyckich straty po stronie pokonanej wynosiły według najnowszych badań: pod Wyszehradem – między 300 a 500 poległych, pod bratobójczym Maleszowem – około 1500, pod Usti nad Łabą – 4000, pod Hiltersried w Górnym Palatynacie – 1200 (husytów!), pod austriackim Waidhofen – 900 (też husytów!), pod tragicznymi Lipanami – 1300. Pod Nysą straty zwyciężonych nie mogły być wyższe. Przyjąłem około tysiąca poległych i nie sądzę, bym się mocno mylił.

„Strych owsa....” – strych albo korzec = 93 litry.

„Świat morzu jest podobny...” – mix autentycznego kazania Jana Żeliwskiego i autentycznych manifestów chiliastycznych (w mojej redakcji).

In medio quadragesime Anno Domini MCCCCXXVIII... – „W połowie Wielkiego Postu Roku Pańskiego 1428 pociągnęli wodzowie sekty Sierotek, Jan Kralovec, Prokop Mały zwany Prokupkiem i Jan Kolda z Żampachu do Śląska z 200 konnymi i 4000 pieszymi i ze 150 wozami bojowymi ku miastu Kłodzku. Miasta Międzylesie i Lądek spalili oraz liczne wsie i osiedla w okolicy poniszczyli i ogniem żarłocznym wielkie poczynili szkody”.

„Fragment kroniki” (ten, jak i dalsze) jest moim wymysłem i kompilacją, za szablon posłużyła mi jednak autentyczna kronika Bartoszka z Drahonic, świadka epoki. Starałem się też kopiować Bartoszkową łacinę, przez niektórych badaczy określaną jako „barbarzyńska”. Jakby więc co, to proszę naśmiewać się z Bartoszka, nie ze mnie.

Rozdział dziewiętnasty

Necessitas in loco, spes in virtute, salus in victoria – „Konieczność walki nakazana przez miejsce, nadzieja w męstwie, ratunek w zwycięstwie”. Tak naprawdę, to są słowa hetmana Żółkiewskiego przed bitwą pod Kłuszynem.

Anno Domini MCCCCXXVIII feria IV ante palmarum... – „Roku Pańskiego 1428 we środę przed Niedzielą Palmową oblegli wiklefiści z sekty Sierotek z działami i machinami obłężniczymi gród Kłodzko, w którym byli wodzowie pan Puta z Czastolovic i pan Mikołaj von Moschen, i za pomocą tychże dział i katapult oraz szturmem i różnymi innymi sposobami zamek chcieli zdobyć i opanować; załoga jednak broniła się iście mężnie”.

Et sic Orphani... – „I tak Sierotki w poniedziałek przed Wielkanocą spod Kłodzka odstąpiły”.

Rozdział dwudziesty

Rustica gens optima flens – „Wsiowe chłopstwo najlepsze, gdy płacze (a najgorsze, gdy wesołe)". Przysłowie z epoki. Ponadczasowe. Zawsze aktualne.

Rozdział dwudziesty pierwszy

„Ach, mój smętku..." – utwór znany jako „Skarga umierającego", z 1461, ale prawdopodobnie przekład znacznie starszej pieśni czeskiej.

Rozdział dwudziesty trzeci

Adsum favens... Sit satis laborum... – Apulejusz, *Metamorfozy*, ks. 11. Tam, gdzie Jutta przestaje mówić po łacinie („...ostaw już płacze i żale...") przekład Edwina Jędrkiewicza.

Auf Johanni blüht der Holler...

>   *Na Świętego Jana czarny bez zakwita*
>   *Będzie kochanie jeszcze rozkoszniejsze!*

Bez czarny (Holunder, Holder, Holler, *Sambucus nigra*), krzew poświęcony Wielkiej Bogini, kwitnący w okresie Nocy Świętojańskiej, Letniego Przesilenia, był silnie związany z magią erotyczną.

Petersilie, Suppenkraut wächst in uns'ren Garten...

>   *Rosną w naszym ogródku pietruszka, włoszczyzna,*
>   *Panną młodą jest piękna Jutta, czekać już dłużej nie*
>   *powinna*
>   *Za krzaczkiem bzu dała Reynevanowi całusa.*
>   *Czerwone wino, białe wino, jutro będzie weselisko!*

Erotyczna ludowa (w mojej przeróbce) przyśpiewka niemiecka, nawiązująca do magicznych i afrodyzjakalnych właściwości pietruszki i bzu czarnego. Wzmianka o „czerwonym i białym winie" jest alegorią utraty dziewictwa.

Tekst – poprzedni również – za *Hexenmedizin*, Claudia Müller-Ebeling, Christian Rätsch, Wolf Dieter Storl, AT Verlag, Aarau 1999.

„Największa bogini, królowa cieni..." – znowu Apulejusz.

„...mówi natchniony Mistrz Echart..." – to, co w tym akapicie Mistrz mówi, zaczerpnąłem przeważnie z książki *Czasy katedr* Georgesa Duby, w przekładzie Krystyny Dolatowskiej (Cuyklady, Warszawa 2002).

Sic habebis gloriam totius mundi... – „A wtenczas posiędziesz chwałę tego świata. A wszelka ciemność cię odbieży". *Tablica Szmaragdowa*, przekład autora.

...vocatus sum Hermes Trismegistus... – „Zwą mnie Hermes

Trismegistos, gdyż posiadłem trojaką istotę całej mądrości świata" (znowu *Tablica Szmaragdowa*).

Rozdział dwudziesty czwarty

„Palec i jedno ziarno jęczmienia był typowym kalibrem..." – palec (*prst*) mierzył 1,992 cm, ziarno jęczmienia (*ječne zrno*) 0,498 cm.

Heran ihr Sterblichen...
Nuže, śmiertelnicy
Próżno lamentujecie
Tak, jak ja wam zagram
Tańcować będziecie

Sum sponsa formosa, mundo et speciosa... – Panna z Tańca Śmierci mówi: „Jestem narzeczoną piękną, przed światem foremną". Śmierć odpowiada: „Jużeś odmieniona, jużeś twej barwiczki pozbawiona".

Rozdział dwudziesty piąty

Veritatem dicam, quam nemo... – „Prawdę powiadam, której nikt nie zdoła kłamu zadać" (*Gesta Francorum*).